LOS EVANGELIOS SINÓPTICOS Y
LA CULTURA MEDITERRÁNEA DEL SIGLO I

Bruce J. Malina
Richard L. Rohrbaugh

Los evangelios sinópticos y la cultura mediterránea del siglo I

Comentario desde las ciencias sociales

EDITORIAL VERBO DIVINO
Avda. de Pamplona, 41
31200 ESTELLA (Navarra)
2002

El texto bíblico del Evangelio ha sido tomado de la traducción de la Casa de la Biblia siempre que ha sido posible.

1ª reimpresión
Título original: *Social-science comentary on the Synoptic Gospels*
Traducción: *Víctor Morla Asencio*

© Augsburg Fortress, 1992. © Editorial Verbo Divino, 1996. Es propiedad. Printed in Spain. Fotocomposición: Arte 4c, Pamplona (Navarra). Impresión: Publicaciones Digitales, S. A. Sevilla. www.publidisa.com - (+34) 95.458.34.25.

Depósito Legal: SE-1745-2002
ISBN: 84-8169-048-1

Presentación

Esta obra·hunde sus raíces en la actividad de un círculo de profesores conocido durante estos últimos años como «The Context Group: Project on the Bible in its Cultural Environment» (Grupo de Contexto: Proyecto para el estudio de la Biblia a la luz de su entorno cultural). Basándose en la amplia gama de sus publicaciones, David Bossman, director de la revista *Biblical Theology Bulletin*, ha descrito a los miembros del citado grupo como «exploradores, no inventores; buscadores, no protagonistas; pioneros, no predicadores. El fruto de su obra es susceptible de que otros lo usen, valorando el esfuerzo que lo produjo y asumiendo el riesgo de ignorarlo. En consecuencia, estas obras sirven para asentar una vez más las bases de una teología bíblica» (BTB 19 [1992] 50-51).

Quienes firmamos esta obra tenemos mucho en común. Aparte de ser miembros fundadores del «Grupo de Contexto», nuestra especialidad universitaria se centra en los actuales métodos literarios e históricos usados en la interpretación de la Biblia. Nuestras carreras profesionales están dedicadas asimismo a la investigación y a la docencia. Ambos estamos interesados desde hace tiempo en la antropología cultural y en los estudios interculturales. Quizás lo más importante es que los dos hemos pasado largas temporadas fuera de los Estados Unidos, que nos han ayudado a enfocar nuestras lentes mediterráneas de dos mil años de grosor haciendo estudios sobre el terreno entre algunas poblaciones contemporáneas del Mediterráneo. Estas poblaciones incluyen los tradicionales enclaves semitas palestinos, imperturbables a pesar de la brutalidad y la inhumanidad desplegadas continuamente por los israelíes y apoyadas por los Estados Unidos. Incluyen también algunos poblados del sur de Italia y de la Meseta Central española.

La interpretación desde las ciencias sociales del Nuevo Testamento constituye una aproximación «natural» para cualquiera que haya pasado por un trance de choque cultural y eventualmente haya llegado a entender y apreciar a otros grupos de seres humanos culturalmente distintos. Resulta incluso más «natural» tras prolongados contactos con gente tradicional del Mediterráneo oriental.

Estamos profundamente agradecidos a quienes nos han ayudado en nuestra aventura, especialmente a los miembros del «Grupo de Contexto», que han viajado por diversas partes del mundo. Las características peculiares de este grupo resultaron evidentes a nuestros anfitriones mediterráneos, presididos por el Dr. Carlos del Valle, en el Primer Congreso Internacional sobre las Ciencias Sociales y la Interpretación del Nuevo Testamento, celebrado en Medina del Campo (España) en mayo de 1991. Los profesores participantes demostraron entusiasmo, perspicacia y capacidad de relación. Fue este estimulante congreso el que marcó nuestra valoración positiva de este tipo de comentario, el que nos impulsó a completarlo y el que nos ayudó a entender el valor que supone haber sido puesto a prueba por nuestros colegas mediterráneos en sus propios términos, sobre su propio terreno.

Expresamos también nuestro agradecimiento a tanta gente que nos rodeó de favores y nos ofreció su mecenazgo y su amistad. Finalmente damos las gracias a nuestras esposas, que han experimentado junto a nosotros el choque cultural y nos han hecho partícipes de sus amplias y profundas intuiciones sobre este mundo mediterráneo que nos es familiarmente extraño.

Bruce J. Malina
Richard L. Rohrbaugh

Introducción

Las consecuencias materiales de la revolución industrial saltan claramente a la vista, y la mayoría de la gente anda con impaciencia tras ellas la mayor parte del tiempo. Sin embargo, con nuestras ciudades superpobladas y ante nuestro medio ambiente amenazado, nos vamos dando cuenta con consternación de que el progreso no ha sido una bendición completa. De hecho, la inmensa mayoría de los críticos sociales, teólogos, poetas, filósofos, artistas e incluso políticos se han mostrado continuamente preocupados por el valor del cambio operado por la modernidad.

También las consecuencias sociales y psicológicas han sido controvertidas. Su historia tiene buenas y malas noticias que ofrecer. Algunos críticos han concebido la modernidad como la liberación del espíritu humano de los grilletes del pasado, mientras que otros han censurado la aridez e inhumanidad que parecen haberse cernido sobre nosotros. Los críticos, por tanto, han sido incapaces de ponerse de acuerdo sobre lo que ha supuesto para nosotros concretamente como seres humanos. Sin embargo, la inmensa mayoría reconoce que las sociedades industrializadas han cruzado una línea divisoria que ha cambiado de manera irreversible el panorama de los empeños y la percepción humanos.

Nuestro interés principal al escribir este libro se ciñe a la interpretación bíblica, especialmente a la interpretación de los tres evangelios «sinópticos» (llamados así porque Mateo, Marcos y Lucas tienen mucho en común en su presentación de la historia de Jesús). Sin embargo, nuestro interés por estos escritos de la Antigüedad no desvía la atención del interés por los rasgos que caracterizan al mundo moderno. El hecho es que la revolución industrial ha tenido un gran impacto en nuestra capacidad de leer e interpretar la Biblia, y este aspecto de la interpretación es el que nos interesa de manera principal. Para algunos lectores de la Biblia, esta línea divisoria que hemos cruzado (la «Gran Transformación», como ha sido denominada a veces) amenaza nuestra capacidad de oír lo que una vez la Biblia dijo con tanta claridad a sus antiguos lectores. Después de todo, la Biblia fue escrita en un mundo agrario, preindustrial, donde las cosas eran muy diferentes de lo que son ahora. Ni los autores bíblicos ni sus primeros oyentes podían haber anticipado nada parecido a la Gran Transformación que ha tenido lugar durante los doscientos últimos años. Han cambiado para siempre vastas áreas de la experiencia humana, y con ello se ha producido un nuevo modo de percibir el mundo, una nueva panorámica. Más aún, si la panorámica de la Antigüedad era tan notoriamente diferente de la actual (y nuestra idea es que así lo era), no tendría por qué extrañar que nuestra capacidad de leer y entender la Biblia hubiese sufrido algún cambio fundamental.

Por supuesto, se ha convertido en un lugar común reconocer los límites espacio-temporales de la Biblia. Sabemos que el Nuevo Testamento es el producto de un pequeño grupo de personas que vivieron en el siglo primero de nuestra era, en el Mediterráneo oriental. Pero la distancia entre el mundo de aquel grupo y el nuestro se calcula normalmente en términos históricos, en términos del discurrir de los acontecimientos e ideas que pudieran explicar lo que claramente describen los textos bíblicos. Los especialistas han dedicado gran parte de su esfuerzo a contar aquella historia. Sin embargo, tales explicaciones no son suficientes para entender la posición del lector contemporáneo de la Biblia. Debemos reconocer también, como han empezado a hacer algunos recientes estudios de las ciencias sociales sobre el Nuevo Testamento, que la distancia entre nosotros y la Biblia, además de temporal y conceptual, es social. Tal distancia social incluye diferencias radicales respecto a estructuras sociales, roles sociales, valores y rasgos culturales genéricos. De hecho, puede ser que tal distancia social sea la más fundamental de todas. Puede que sea más decisiva para nuestra capacidad de leer y entender la Biblia que la mayor parte de las cosas que han ocupado la atención de los especialistas. Para entender esta afirmación, por qué es necesario abordar directamente este problema, puede ser útil que recordemos una vez más lo realmente revolucionaria que fue la Gran Transformación.

La Gran Transformación

Actualmente leemos el Nuevo Testamento, nacido en un ámbito agrario, en el contexto de un mundo moderno e industrial. ¿Qué sucede en este proceso? Para afinar nuestra sensibilidad respecto a lo que ocurre, debemos ser conscientes, al menos de un modo genérico, de los cambios que ha experimentado nuestra sociedad. Una buena forma de empezar consiste en aclarar el sentido de los términos «agrario» e «industrial». Con el término «agrario» no nos referimos a lo «agrícola». Actualmente sólo un pequeño porcentaje de la población en las sociedades industrializadas trabaja la tierra. Son agricultores. Sin embargo, el término «agrario» no sirve para señalar el contraste entre estos granjeros rurales y nuestros obreros de las ciudades. Quizás los obreros del campo y de las fábricas podrían ser distinguidos en cualquier marco común histórico o social, pero lo que nos interesa es un problema de mayor alcance: cómo era la vida antes y después de la revolución industrial. El hecho es que el obrero del campo y el de la fábrica comparten probablemente en lo esencial una perspectiva moderna de las cosas, y tienen más en común entre sí de lo que podrían tener con sus respectivos homólogos de la Antigüedad.

El término «agrario», tal como lo usamos, tiene un significado más cercano a «preindustrial» que a «agrícola». Lo utilizamos para referirnos globalmente a todos cuantos vivieron antes de la revolución industrial, lo mismo a la gran mayoría que se dedicaba a trabajar la tierra que a la minoría que vivía en poblaciones o en las pocas ciudades existentes. En este sentido, en el siglo I, eran «agrarios» tanto el campesino como el habitante de la ciudad que nunca había pisado un campo de cultivo. De manera análoga, tanto el hombre de empresa como el agricultor modernos son personas «industrializadas». En resumen, tratamos de subrayar el contraste entre la perspectiva del moderno periodo industrial y la visión que se tenía del mundo con anterioridad a la Gran Transformación.

El mundo agrario

Las sociedades agrarias empezaron a hacer su aparición en los fértiles valles del Oriente Medio hace unos cinco o seis mil años. Su presencia estuvo marcada por la invención del arado, la rueda y la vela, el descubrimiento de la metalurgia y la domesticación de animales. Todo ello desembocó en un rápido crecimiento de la producción agrícola, que creó por vez primera en la historia humana un excedente económico relativamente sustancioso. Esas innovaciones tecnológicas produjeron una reacción en cadena que alteró de manera irreversible muchos de los modelos de las antiguas sociedades horticultoras (granjas a pequeña escala) que dominaban el Mediterráneo oriental. La producción agrícola se desarrolló a una escala desconocida hasta entonces. Por vez primera aparecieron la escritura alfabética, la acuñación de monedas y los ejércitos regulares. De igual modo, este paso del mundo horticultor al agrario se vio acompañado por la expansión de la ciudad preindustrial, la emergencia del imperio integrado por ciudades-estado y el rápido crecimiento de la población. Como resultado de esta revolución tecnológica agraria, el Mediterráneo oriental fue siendo ocupado por sociedades estrictamente agrarias durante la Edad del Bronce.

Los expertos identifican generalmente una segunda fase de la revolución agraria con el comienzo de la difusión del hierro. En el siglo VIII a.C. el uso del hierro empezó a afectar ampliamente a la vida diaria. Durante este periodo emergieron sociedades agrarias «avanzadas», un periodo que conocen bien los estudiantes de la Biblia. Importantes sociedades como Egipto, Persia, Grecia y Roma despuntaron, florecieron y se desvanecieron en la corriente social de la historia. Sin embargo, todas ellas fueron sociedades tan típicamente agrarias como las que siguieron existiendo hasta el comienzo de la revolución industrial. Muchos de sus rasgos agrarios fundamentales persistieron inalterables hasta la Era Moderna.

Los antiguos que vivieron y escribieron en estas sociedades agrarias del mundo mediterráneo, el mundo bíblico, habitaron lo que los antropólogos modernos han dado en llamar un «ámbito de difusión» (una región que comparte una serie de instituciones culturales comunes que han persistido durante largos periodos de tiempo). Tal región formaba un «continente cultural», como se dice a veces. Cinco milenios de participación común en conquistas, colonialismo, mezcla de razas y comercio, junto con una economía rural mixta de granjeros y ganaderos a pequeña escala, tomaron cuerpo en una serie de grandes imperios agrarios y crearon un conjunto de instituciones culturales comunes, que persistieron también durante mucho tiempo. Ahora bien, este «continente cultural mediterráneo» resultante sigue existiendo todavía hoy.

Para los estudiosos del Nuevo Testamento todo esto quiere decir que en la región mediterránea tenemos a nuestra disposición una especie de laboratorio vivo en el que podemos descubrir unos modelos sociales y una dinámica que a menudo sorprenden por ser tan distintos de los conocidos en otras regiones de Europa y en Estados Unidos.

Por supuesto, los críticos y los escépticos reconocerán rápidamente la necesidad de formular dos importantes reservas. Por una parte, resulta obvio el hecho de que no son exactamente equivalentes el antiguo continente cultural mediterráneo y la moderna región mediterránea. Las cosas han cambiado necesariamente en dos mil años. Pero convendría ofrecer un par de comentarios a este respecto. El primero es que, dada la persistencia de numerosas características de las áreas culturales a lo largo del tiempo, las sociedades de la actual cuenca mediterránea ofrecen la analogía viva más cercana que poseemos a los conjuntos de valores y a las estructuras sociales que caracterizaban las relaciones humanas cotidianas en la Biblia. Por supuesto, habría que comprobar en cada caso el grado de coincidencia entre lo antiguo y lo moderno. Sin embargo, es importante decir que podemos comprobar algo real y bastante concreto. Más aún, el mejor modo de realizar tales comprobaciones es usar con cuidado y de forma controlada los modelos extraídos de los estudios actuales del área mediterránea. Los modelos son representaciones abstractas y simplificadas de interacciones más complejas con el mundo de lo real. Para poder entender, controlar y/o predecir, la gente piensa con modelos. Veremos dentro de poco con mayor claridad la relevancia de lo que estamos diciendo, pero es importante recordar que los modelos son en realidad mecanismos cognitivos que ayudan a desenterrar las dimensiones, a primera vista no aparentes, de determinados marcos sociales, así como a ir desarrollando las ramificaciones de tales dimensiones. Los modelos deben ser comprobados con datos reales, en este caso con información tomada de los textos bíblicos, y retocados en consecuencia. Si facilitan la comprensión que se espera de ellos, estupendo. Si no, deben ser descartados en favor de otros, pues un determinado modelo puede ser inadecuado para una serie de datos, o la antigua situación descrita puede diferir enormemente de aquella para la que fue creado el modelo.

La segunda reserva encierra más dificultades. Como ocurre con los autores de estas páginas, la mayor parte de los especialistas del Nuevo Testamento fueron educados como historiadores y aprendieron a centrarse en lo que es particular y único de un momento del pasado. Así, innumerables libros y artículos andan todavía esforzándose por discernir entre lo romano y lo griego, lo egipcio y lo hebreo. Todos conocemos lo que era típico y único de los antiguos israelitas, y como historiadores nos resistimos a mezclarlos con otros grupos. Nos resulta molesto asumir que ciertas condiciones que sabemos que existieron en el siglo segundo puedan ser aplicadas al primero, o que la situación en Siria en el año 90 pueda identificarse con la del año 80.

Las ciencias sociales, por el contrario, investigan lo que es culturalmente común y genérico. No se centran en los detalles únicos, sino en las generalizaciones. Sus métodos se aplican a lo que los grupos tienen en común, más que a lo que los hace únicos. En lugar de observar lo que distingue al antiguo egipcio del antiguo romano, los especialistas en ciencias sociales desean conocer lo que ambos tenían en común como miembros del mundo agrario mediterráneo. Podrían incluso querer saber durante cuánto tiempo persistieron los rasgos comunes. Sin embargo, y por desgracia, dado que historiadores y científicos sociales parten típicamente de estos dos centros diferentes de interés, sus conversaciones se convierten con frecuencia en diálogos de sordos.

La razón principal de la dificultad es que la gente puede pensar a diferentes niveles de abstracción, y distintas disciplinas académicas trabajan con frecuencia a diferentes niveles de abstracción. Las matemáticas, por ejemplo, son muy abstractas, pues los procedimientos matemáticos se refieren a todo en general y a nada en particular. «Uno más uno son dos» se refiere a cantidades abstractas, aplicables casi a cualquier situación. Los modelos de las ciencias sociales trabajan también a un nivel de abstracción comparativamente alto y pueden asimismo ser aplicados a un espectro más bien amplio de situaciones. Por ejemplo, en el nivel en que funcionan tales modelos nos encontramos con una realidad ampliamente genérica llamada «ciudad preindustrial». Este modelo o construcción mental de la ciudad preindustrial está formado por las características compartidas por las ciudades de ese tipo existentes en la región mediterránea durante largos periodos de la historia humana. A un nivel alto de abstracción, nos proporciona una amplia descripción de las características de tales ciudades. Sin embargo, si nos situamos en el nivel de abstracción bajo en el que trabaja explícitamente el historiador, sólo existían ciudades únicas, particulares, como por ejemplo Damasco. A este nivel, los historiadores tienen que pensar con frecuencia en lo que es distintivo de la ciudad clásica, por una parte, y de la ciudad oriental, por otra, o quizás incluso de dos ciudades orientales como Jerusalén y Damasco. Percibidas desde el nivel bajo de abstracción, no son iguales en modo alguno. Como todos sabemos, en el nivel más concreto de la realidad nunca hay dos cosas exactamente iguales, ni siquiera dos copos de nieve.

Sin embargo, si situamos en un nivel alto de abstracción las cualidades únicas de las ciudades particulares que a los historiadores gusta poner de relieve (cualidades que exigen datos extraídos de cada lugar particular estudiado), observaremos que, a pesar de las peculiaridades, siguen existiendo una serie de modelos sociales compartidos por todas las ciudades del área cultural mediterránea, incluidas Jerusalén y Damasco. Tales características comunes constituyen el centro de atención de los estudiosos de las ciencias sociales, y con frecuencia pueden resultar muy instructivas para nuestra lectura de los textos bíblicos. Pueden iluminar. Pueden proporcionar una comprensión del contexto social de la Biblia como no pueden hacerlo los datos del historiador. Por esta razón, hemos recurrido a los modelos de las ciencias sociales deducidos de los estudios de los antropólogos mediterráneos (que trabajan a un nivel de abstracción bastante alto) para elaborar los «Escenarios de lectura» y las «Notas» que ofrecemos en nuestro comentario. Son un intento de situar los evangelios en un contexto agrario mediterráneo lo más cercano posible al contexto del que provienen.

La revolución industrial

Aunque la redacción del Nuevo Testamento tuvo lugar en el mundo agrario mediterráneo de la Antigüedad, nuestro deber es leerlo en el Occidente moderno industrializado. La segunda gran revolución industrial, que es la que nos interesa, fue la que creó la era moderna. A finales del siglo XIX, los historiadores de la economía empezaron a usar el término «revolución industrial» para caracterizar las innovaciones tecnológicas y económicas que constituían esta segunda gran revolución de la historia humana. Los historiadores sociales descubren sus inicios en las innovaciones tecnológicas de Escocia e Inglaterra que, entre 1760 y 1830, cambiaron radicalmente la faz de la sociedad británica. A decir verdad, los avances tecnológicos habían dado ya algunos pasos tanto en Gran Bretaña como en el Continente, pero durante ese periodo crucial, a finales del siglo XIX, se dieron ciertos desarrollos particulares que desembocaron en un rápido y sustancial crecimiento de la actividad industrial.

De entre estas innovaciones del siglo XIX, las más conocidas son las que afectaban a la industria textil: la lanzadera móvil, la rueca de hilado fino y las grandes máquinas tejedoras, a las que pronto se aplicó un nuevo sistema de vapor. Hacia 1845 la producción textil en Gran Bretaña había aumentado el 500 por ciento sobre el nivel alcanzado por la generación anterior. Siguieron otras invenciones, que industrializaron todos los sectores de la sociedad británica. Durante el mismo periodo, nuevos métodos de producción multiplicaron por veinticuatro el volumen de producción de hierro, y por nueve el de carbón. Así surgió una industria basada en la máquina, y con ella llegaron los esfuerzos iniciales por la estandarización de las piezas, que hizo la reparación de la máquina al mismo tiempo posible y barata.

Hacia 1860 hacían su aparición la dinamo, el transformador y la industria del aceite. Cada uno de estos elementos produjo reacciones en cadena. En la década de los 80 se descubrieron nuevos procesos para la producción de acero; como resultado, los ferrocarriles se extendieron por Gran Bretaña y por la mayor parte de los Estados Unidos. La agricultura se vio transformada por la invención de segadoras, agavilladoras, trilladoras, tractores a vapor y arados de acero. Y lo que es más importante para el desarrollo del comercio y los mercados, la nueva industrialización se extendió rápidamente por Europa occidental y Norteamérica.

Resulta innecesario para nuestros propósitos contar las ulteriores fases de esta permanente revolución. Hemos dicho lo suficiente para hacer ver que, cuando hablamos de sociedades industrializadas, nos referimos a las sociedades en las que la producción industrializada dinamizó y elevó el crecimiento económico a proporciones sin precedentes, desde mediados del siglo XVIII hasta nuestros días. Es éste un mundo que nunca pudieron haberse imaginado los escritores del Nuevo Testamento. Sin embargo, no hemos dicho lo suficiente para evocar realmente una estimación de la magnitud de lo sucedido. La mayoría de las veces damos todo por supuesto, de modo que olvidamos la gran cantidad de áreas de la vida que se han visto afectadas. Será útil, por tanto, destacar algunos de los cambios específicos provocados por la industrialización. La siguiente lista no pretende ser exhaustiva, sino sólo ilustrativa. Se trata de una serie de datos tomados al azar de entre la producción de los historiadores sociales, que nos ayudarán a recordar lo realmente grande que fue aquella transformación.

1. En las sociedades agrarias, la población rural superaba el 90 por ciento. En las sociedades industrializadas, más del 90 por ciento es urbana.

2. En las sociedades agrarias, entre el 90 y el 95 por ciento de la población se dedicaba a lo que los sociólogos llaman industrias

«primarias» (agricultura y materias primas). Actualmente, en las sociedades industrializadas la cifra no supera el 5 por ciento.

3. En las sociedades agrarias, sabían leer y escribir entre el 2 y el 4 por ciento de la población. En las sociedades industrializadas esas cifras se refieren a los analfabetos.

4. El índice de natalidad de la mayoría de las sociedades agrarias se situaba en torno al 40 por mil. En la mayor parte de las sociedades industrializadas, se sitúa a menos de la mitad. Sin embargo, el índice de mortandad ha descendido incluso más drásticamente que el de nacimientos. Nos encontramos así con el curioso fenómeno de la disminución de los nacimientos y del rápido aumento de la población.

5. La esperanza de vida en la Roma del siglo I a.C. era de unos veinte años en el momento de nacer. Si se sobrevivía a los peligrosos años de la infancia, se alcanzaban los 40, la mitad de nuestras actuales expectativas en las sociedades industrializadas.

6. En contraste con las descomunales ciudades que actualmente conocemos, la ciudad más grande de la Europa del siglo XIV, Venecia, tenía una población de 78.000 habitantes. Londres tenía 35.000 y Viena 3.800. Aunque resulta muy difícil dar con las cifras de población de la Antigüedad, actualmente se habla de 35.000 habitantes para Jerusalén, 1.500 para Cafarnaún y unos 200 para Nazaret.

7. En Estados Unidos, el Departamento de Trabajo tiene inscrita actualmente una cifra superior a las 20.000 profesiones, cifra a la que se suman varios cientos cada año. Por contraste, los archivos de impuestos de París (59.000 habitantes) en 1313 sólo tenían inscritas 157.

8. A diferencia del mundo moderno, en las sociedades agrarias entre el 1 y el 3 por ciento de la población poseían de una a dos terceras partes de los terrenos de labranza. Como el 90 por ciento o más eran agricultores, la inmensa mayoría poseía a lo sumo algunas parcelas para subsistir.

9. La burocracia federal en Estados Unidos en 1816 alcanzaba la cifra de 5.000 funcionarios. En 1971 ascendía a 2.852.000, y ha seguido creciendo rápidamente. Aunque en la Antigüedad se contaba con un aparato político, administrativo y militar, nunca existió nada que se pareciera por lo más remoto a la moderna burocracia gubernamental. En su defecto, los bienes y servicios tenían como intermediarios a patronos, que actuaban muy al margen del control gubernamental.

10. En las sociedades agrarias, más de la mitad de todas las familias se destruían durante el embarazo o los años de crianza por la muerte de uno o de los dos cónyuges. En la India, a comienzos del siglo XX, la cifra alcanzaba el 71 por ciento. De ese modo, las viudas y los huérfanos aparecían por doquier.

11. En las sociedades agrarias, la familia constituía la unidad de producción y de consumo. Tras la revolución industrial, desapareció casi por completo la producción o empresa familiar. La unidad de producción acabó siendo el trabajador individual. En todo caso, la familia sólo es una unidad de consumo.

12. Las «fábricas» más grandes de la antigua Roma no superaban los 50 trabajadores. Según los informes que poseemos, el gremio de artesanos medievales más grande de Londres daba trabajo a 18 personas. El invento moderno de la sociedad anónima industrial no existía.

13. En 1850, los «principales motores» de Estados Unidos (e.d. máquinas de vapor de las fábricas, barcos de pesca, animales de carga, etc.) tenían una capacidad combinada de 8,5 millones de caballos de potencia. En 1970 la cifra había ascendido a 20 billones.

14. El costo de transportar una milla una tonelada de bienes (computado en dólares USA en China a principios de la revolución industrial) era el siguiente:

En dólares USA

barco de vapor	2,4	carretilla	20,0
ferrocarril	2,7	burro de carga	24,0
junco	12,0	caballo de carga	30,0
carro de tiro animal	13,0	transporte con pértigas	48,0
mula de carga	17,0		

No hay, pues, que extrañarse de que el comercio por vía terrestre a cualquier distancia careciera de entidad en la Antigüedad.

15. La capacidad productiva de las sociedades industrializadas supera en más de cien veces la de la mayor parte de las sociedades agrarias avanzadas que conocemos.

16. Las modernas convulsiones políticas internas en los países industrializados no son nada comparadas con la situación del mundo agrario. De los 79 emperadores romanos, 31 fueron asesinados,

seis empujados al suicidio y cuatro depuestos por la fuerza. Más aún, tales convulsiones en la Antigüedad iban frecuentemente acompañadas de guerras civiles y de la reducción de miles de personas a la esclavitud.

Está claro que esta lista tomada al azar podría continuar. Sin embargo, incluso en su brevedad, puede ayudarnos a percibir el tipo de cambios ocasionados por la revolución industrial. Ha supuesto una línea divisoria distinta de cualquiera que el mundo haya podido conocer alguna vez. ¿Nos sorprenderíamos de que también se hayan dado cambios en nuestra forma de ver el mundo? ¿Y nos sorprenderíamos al saber que ha influido de manera fundamental en nuestra capacidad de leer y entender la Biblia?

El texto: escrito y no-escrito

Al pensar en el impacto que ha tenido la revolución industrial en nuestra lectura de la Biblia, debemos empezar tomando en consideración lo que a veces se ha llamado parte «no-escrita» de un texto. Esta parte «no-escrita» incluye los aspectos del funcionamiento del mundo que el autor piensa que ya son conocidos por la audiencia, aspectos que puede dejar entre líneas, por así decir, pero que son cruciales para su comprensión. Esta implícita comprensión del mundo siempre es compartida por los que participan en una conversación, y también por los autores y los lectores. ¿Pero hasta dónde llega realmente lo implícito?

Resulta evidente que no todo lo necesario para una conversación puede ser puesto por escrito, pues un texto no puede pretender decir todo lo que se necesita para entenderlo, sea sobre el tema que sea. Decir todo resultaría enormemente tedioso. Un texto, hablado o escrito, estaría tan abarrotado de datos que resultaría ilegible, y los modelos de conversación dejarían probablemente de servir para la interacción humana. Es inevitable que bastantes cosas de un texto sean simplemente sugeridas, y que muchas más queden a merced de la imaginación del lector. Desde esta perspectiva, un autor depende necesariamente del conocimiento cultural general que un lector pueda extraer de sus propios recursos para «completar» el texto. No hay otro modo de que una comunicación pueda ser prolongada con éxito.

Por ejemplo, un escritor moderno, al referirse a la «Coca-Cola» por primera vez en un relato, no necesita explicar que el término hace referencia a una bebida refrescante. Ni ha de aclarar que esta bebida se presenta en una botella de formas curvas con letras blancas sobre fondo rojo. Se da por supuesto que el lector de cualquier país lo entenderá sin más. Tales imágenes valen tanto como mil palabras, y más aún si pueden ser interpretadas por el propio lector sin dejarle esa tarea al escritor. En una palabra, los textos son una forma del lenguaje, y, como el propio lenguaje, poseen también una especie de «indeterminación» sin la que el lector no se vería implicado, e incluso se aburriría. Dado que el lector debe relacionarse con el texto y «completarlo» para que tenga sentido, todo texto invita al lector a la participación activa. De este modo, los textos suministran lo necesario, pero no pueden proporcionar todo.

Escenarios de lectura

La razón principal de esta obra es la convicción de que el acto de lectura es, de un modo básico y fundamental, un acto social. Lectores y escritores participan siempre en un sistema social que proporciona las claves para leer entre líneas. Los significados están inmersos en un sistema social compartido y entendido por todos cuantos participan en cualquier proceso de comunicación. Aunque a veces se puedan comunicar significados no enraizados en un sistema social compartido, tal comunicación requiere inevitablemente una explicación suplementaria, pues un escritor no puede dejar a merced del lector la evocación de las imágenes o conceptos anejos adecuados, que son necesarios para completar el texto.

Tal comprensión de los vínculos sociales del proceso de leer ha sido confirmada por estudios modernos sobre la lectura. Un «modelo de escenario» proporcionado por la reciente investigación en el ámbito de la psicología experimental sugiere que nosotros entendemos un texto escrito como la exposición de una sucesión de imágenes mentales, implícitas o explícitas, formadas por escenas o esquemas culturalmente específicos diseñados por un autor. Todas ellas, a su vez, evocan escenas o esquemas correspondientes en la mente del lector, que proceden de la experiencia cultural de dicho lector. Con los escenarios sugeridos por el autor como punto de partida, el lector lleva a cabo apropiadas alteraciones del contexto o de los episodios, guiado por las claves que encuentra en el texto. De este modo, un autor empieza con lo que es familiar y va guiando al lector hacia lo nuevo. Como resultado, podemos decir que entre autor y lector se establece una especie de «contrato». Los escritores considerados tratan de situar a sus lectores empezando con escenarios que dichos lectores puedan entender fácilmente. Teniendo en cuenta tal comprensión compartida, un autor puede después seguir con lo que es nuevo o desconocido.

Por supuesto, según estas pautas, los autores de los evangelios sinópticos «violan» su contrato autor-lector con los lectores de nuestra sociedad tecnificada. Ellos ni empiezan con lo que nosotros sabemos del mundo ni hacen el más mínimo esfuerzo por explicar su antiguo mundo en unos términos que podamos entender desde nuestra experiencia contemporánea. Dan por supuesto que somos mediterráneos orientales del siglo I y que compartimos su sistema social. Presuponen que entendemos las complejidades del honor y la vergüenza, que somos plenamente conscientes de lo que significa vivir la vida de una ciudad y/o población preindustriales, que sabemos cómo actúan los sanadores populares, que creemos en una sociedad de bienes limitados mitigada por la acción de patronos o intermediarios, etc. No se molestan en empezar hablando de lo que ahora nos resulta familiar. Otra forma de decir esto es simplemente tener en cuenta que ningún evangelista pensaba en los hombres y mujeres de hoy en el momento de escribir.

Por tanto, si queremos hacer efectivo este contrato autor-lector (al menos en el caso de la lectura del Nuevo Testamento), tendremos que hacer el esfuerzo de ser unos lectores considerados. Para ello, tendremos que adentrarnos voluntariamente en el mundo que ellos daban por supuesto que existía cuando escribieron. Tendremos que estar dispuestos a hacer lo que sea necesario para apropiarnos en la lectura de un conjunto de escenarios mentales propios de su época, lugar y cultura, en lugar de utilizar los de las modernas sociedades occidentales.

Por supuesto, no ha sido siempre prioritario entre los estudiosos de la Biblia esforzarse por ser lectores considerados. Consciente o inconscientemente, hemos usado con frecuencia imágenes o escenarios mentales extraídos de la moderna experiencia occidental para rellenar las descripciones no-escritas que completan el texto. Así, cuando Lucas nos dice que la familia de Jesús no podía encontrar sitio en el albergue de Belén, no resulta difícil para muchos de nosotros reconstruir la escena. Lo hacemos desde nuestra moderna experiencia de hoteles u hostales llenos a reventar en momentos de concentraciones. Sin embargo, muchos lectores no caen en la cuenta que se trata de un «escenario» completamente inadecuado. Simplemente no saben que en la antigua Belén no había hoteles, que las reservas anticipadas eran un fenómeno desconocido y, lo que es más importante, que encontrar una habitación en una pensión de un pueblo dependía del parentesco o del rango social más que de la oferta que se rige por el lema «el primero que llegue la ocupa».

Tales lecturas etnocéntricas y anacrónicas del Nuevo Testamento son bastante comunes en nuestra sociedad, hasta el punto de que confirman nuestra idea de que la lectura es un acto social. Sin embargo, ¿cómo pueden los modernos lectores de la Biblia participar en ese acto social si, en su mayor parte, han sido socializados y marcados por la experiencia que implica vivir en una sociedad occidental del siglo XX, y no en la Palestina del siglo I? ¿No seguiremos evocando escenarios de lectura que nunca pudieron imaginar los autores y primeros lectores del Nuevo Testamento? Por supuesto, si lo hacemos así, desembocamos inevitablemente en una falsa interpretación. Demasiado a menudo no nos molestamos en llenar el espacio entre líneas como lo habrían hecho los primeros lectores, porque no nos molestamos en adquirir algo del caudal de experiencia a la que los autores esperaban que recurriesen sus lectores. Para bien o para mal, nos volvemos a leer a nosotros mismos y a nuestro mundo en el texto de una manera que ni siquiera imaginamos.

Sociedades de alta y baja contextualización

La cuestión crucial que queremos poner aquí de relieve (la que explica de hecho el comentario que viene a continuación) se puede abordar desde otro importante ángulo. El Nuevo Testamento fue escrito en lo que los antropólogos denominan una sociedad «de alta contextualización». La gente que se comunica entre sí en las sociedades de alta contextualización da por supuesta la existencia de un conocimiento perfecto, ampliamente compartido, del contexto de todo lo mencionado en la conversación o en la escritura. Por ejemplo, en las antiguas poblaciones mediterráneas, todos tendrían un conocimiento claro y concreto de lo que suponía la siembra, en gran parte porque los trabajos que implicaba tal actividad eran conocidos por todos los miembros (masculinos) de aquella sociedad. Ningún escritor necesitaba explicarlo. Así, los escritores de tales sociedades producían textos esquemáticos e impresionistas, dejando muchas cosas a merced de la imaginación del lector o el oyente. Codificaban mucha información en afirmaciones simbólicas o estereotipadas bien conocidas. De este modo, pedían que el lector completase grandes lagunas de las porciones no-escritas del texto. Se daba por descontado que los lectores conocían el contexto y entendían, por tanto, las referencias en cuestión.

De este modo, la Biblia, como casi todos los textos escritos en el mundo mediterráneo de alta contextualización, da por supuesto que los lectores tienen un amplio y adecuado conocimiento de su contexto social. Ofrece, por tanto, pocas informaciones suplementarias. Por ejemplo, cuando Lucas escribe que se decía que Isabel «era estéril» (1,36), no siente la necesidad de explicar al lector los imperativos críticos del parentesco antiguo, o la posición de las mujeres estériles en la vida de los pueblos de las sociedades agrarias, a pesar de que los lectores modernos de esta historia tenemos poca información al respecto. Sin embargo, todo esto resulta fundamental para llegar a comprender su afirmación de que Isabel era estéril. Lucas asume sin más que sus lectores le entenderían.

Por el contrario, las sociedades de «baja contextualización» son las que producen textos muy específicos y detallados, que dejan poco espacio al lector para que rellenen o complementen. Los Estados Unidos y el norte de Europa son típicas sociedades de baja contextualización. En consecuencia, los norteamericanos y los europeos del norte esperan que los escritores les den la información necesaria cuando se refieren a algo inusual o atípico. Por ejemplo, alguien que trabaja con un ordenador aprende una cierta jerga y ciertos tipos de lógica que no son muy entendidos por quienes se sitúan al margen del círculo de iniciados. Dentro de este círculo, tales conceptos pueden ser utilizados sin explicación alguna porque son fácilmente sustituidos por una lectura competente de los manuales técnicos para ordenadores. Pueden seguir formando parte del texto «no-escrito» que el escritor espera que complete un lector. Pero, como todavía no forman parte de la experiencia del público en general, un escritor, cuando escribe para un auditorio no técnico, debe explicar con cierta amplitud la jerga de los ordenadores y la información técnica, si es que quiere ser entendido.

Una breve reflexión aclarará por qué las modernas sociedades son de baja contextualización y las antiguas sociedades agrarias eran de alta contextualización. La alusión que acabamos de hacer al ordenador encierra una experiencia muy común en la vida moderna. La vida actual se ha hecho compleja en mil ámbitos de la experiencia que el público en general no tiene en común. Existen pequeños mundos de experiencia en cada rincón de nuestra sociedad de los que muchos de nosotros nada sabemos. Por supuesto, en lo que escribimos hay mucho que no necesita explicación porque se refiere a experiencias que todos podemos entender. Sin embargo, los mundos del mecánico, del fontanero, del corredor de seguros y del agricultor son en gran medida independientes. Si cualquiera de estas personas tuviese que escribir para «legos» que no son mecánicos, fontaneros, corredores de seguros o agricultores, tendrían sin duda que explicar muchas cosas. Sin embargo, era muy distinto en la Antigüedad, donde los cambios eran lentos y donde la gran mayoría de la población compartía la experiencia de trabajar la tierra y de tratar con propietarios, comerciantes, mercaderes y recaudadores de impuestos. La gente tenía muchas cosas en común, y la experiencia era mucho menos variada. Por eso, los escritores podían dar más fácilmente por supuesto que los lectores llenarían los vacíos entre líneas recurriendo a las conductas socializadas en un mundo común.

El problema obvio que plantea esto actualmente para la lectura de la Biblia es que los lectores occidentales de baja contextualización confunden frecuentemente la Biblia con un documento de baja contextualización y asumen erróneamente que el autor ha proporcionado toda la información contextual necesaria para entenderlo. No hay más que pensar en cuánta gente de Estados Unidos y del norte de Europa creen que la Biblia es un documento perfectamente adecuado y completo para la comprensión de la vida y la conducta cristianas. Tales personas dan por supuesto que son libres para completar los «vacíos» del texto recurriendo a su propia experiencia, pues, si no fuera así, los escritores del Nuevo Testamento, como cualquier autor respetuoso de baja contextualización, habrían proporcionado al lector las claves desconocidas necesarias. Desgraciadamente, las cosas no son así, pues las expectativas relativas a lo que un autor proporcionará (o ha proporcionado) son notablemente diferentes en la sociedad moderna y en la mediterránea del siglo I.

Recontextualización

Si tenemos en cuenta a los lectores no mediterráneos que leen textos mediterráneos, nos vemos en la obligación de aclarar la situación un poco más. Ya hemos sugerido que cada vez que un texto es leído por un nuevo lector, los campos de referencia tienden a desplazarse y a multiplicarse debido a la situación cultural del lector. Algunos teóricos literarios llaman a este fenómeno «recontextualización». Este término hace referencia a los diferentes modos en que distintos lectores pueden «completar» un texto como resultado de volverlo a leer desde sus diferentes contextos sociales. (Los textos pueden también ser «descontextualizados» cuando son leídos ahistóricamente debido a sus características estéticas o formales). Por supuesto, tal recontextualización constituye un fenómeno familiar para los estudiantes de los evangelios sinópticos. Una simple lectura de Lc 1,1-4 pondrá de manifiesto que los documentos evangélicos contienen lo que el autor dice que la gente anterior a él dijo que Jesús dijo e hizo. Obviamente, la actividad y las enseñanzas de Jesús fueron recordadas, reapropiadas y reaplicadas durante unos cincuenta años en la vida de la Iglesia helenista antes de que el autor del evangelio de Lucas pusiera por escrito su propia versión de la historia. Así, cada momento en que se volvía a contar la historia en el espacio de tiempo que va de Jesús a Lucas constituía un nuevo paso en el proceso de recontextualización. Lo mismo se puede observar en el trabajo de los críticos de la redacción, que nos han hecho ver que los cambios efectuados en las escenas de las parábolas de Jesús en los distintos evangelios han alterado su énfasis y/o significado (p.e. la parábola de la oveja perdida en Mt 18,12-13; Lc 15,4-6). Prescindiendo del grado en que estas recontextualizaciones sinópticas de la historia de Jesús «completaban» el texto de forma diferente a como pudiera haberlo hecho uno que oyó directamente a Jesús, lo cierto es que se dio un paso interpretativo de considerables proporciones.

Lo mismo se puede decir de las recontextualizaciones en el mundo del lector moderno. A decir verdad, en nuestro comentario nos ha preocupado precisamente este fenómeno de trasladar el texto desde el continente cultural mediterráneo en el que fue escrito al nuevo escenario de la sociedad occidental industrializada donde ahora es leído. El resultado será una nueva recontextualización. Nuestra tesis es que esta particular recontextualización, esta modernización del texto, tiene un carácter profundamente social, y que es improbable que los lectores socializados en un mundo industrial completen el texto del Nuevo Testamento del modo en que los antiguos autores pudieran haberlo imaginado.

En resumen, nos gustaría insistir en que los significados surgidos en la lectura de textos se derivan inevitablemente de un sistema social. La lectura es siempre un acto social. Si el lector y el escritor comparten el mismo sistema social y la misma experiencia, es muy probable que la comunicación sea adecuada. Pero si alguno de los dos pertenece a un sistema social distinto, lo normal será que no se llegue a entender el texto (o al menos que se entienda mal). Debido a esta situación, entender todo el espectro significativo que habría resultado plausible a un lector de los sinópticos en el siglo I exige que el lector contemporáneo busque el modo de acceder al sistema social (o sistemas sociales) en los que se movía el auditorio original.

Más aún, para recuperar estos sistemas sociales en la medida de lo posible, creemos que resulta esencial emplear modelos sociales adecuados y explícitos, modelos tomados especialmente de los estudios del área mediterránea. Sólo así seremos capaces de completar los textos escritos como lectores respetuosos que, para bien o para mal, los hemos trasladado a un mundo que les es extraño.

Cómo usar este libro

El libro en su totalidad es un intento de proporcionar al lector una nueva perspectiva del sistema social compartido por los autores de los evangelios sinópticos y por sus destinatarios originales, que vivieron en el Mediterráneo del siglo I. De ahí que su propósito sea el de facilitar una lectura en consonancia con los contextos culturales iniciales de esos escritos. Al final del comentario presentamos una serie de modelos y escenarios de normas y valores mediterráneos, a partir de los cuales puedan ser adecuadamente leídos los textos. Creemos que estos escenarios o esquemas conceptuales no son muy diferentes de los que un lector o lectora del siglo I podría haber evocado a partir del sistema social que compartía con el autor. Sea que hablemos del honor y la vergüenza, o de las divisiones básicas de la sociedad humana, o de las concepciones y sentimientos que la gente albergaba respecto a las zonas urbanas y no-urbanas y a la gente que las poblaba, o del modo en que la gente reaccionaba ante los conflictos, o de las ceremonias y rituales de aquel tiempo, o que hablemos de las principales instituciones del tiempo, siempre estaremos hablando de todo aquello que no necesitaba explicación para unos destinatarios del siglo I. El asunto fundamental, por tanto, sólo es uno. Si deseamos captar lo que querían decir los escritores de los evangelios, hemos de poder captar el sistema social codificado en su lenguaje.

Nuestro comentario pretende ayudar al lector que trata de interpretar un texto evangélico. Sin embargo, no incluye todo lo que uno querría saber de los textos. Por ejemplo, prescinde del interés por conocer el origen y desarrollo históricos de la tradición evangélica. Es importante, pues, decir que nuestro comentario es un complemento de la investigación tradicional del Nuevo Testamento, en la que los autores de este libro han sido sólidamente formados. Los estudios históricos tradicionales proporcionan una información básica que presuponemos con frecuencia en nuestros comentarios. En general no volvemos a relatar los acontecimientos históricos, ni suministramos información lingüística, ni explicamos alusiones literarias, ni rastreamos el origen de los conceptos culturales a los que los textos aluden con frecuencia. Tampoco hacemos crítica literaria, que trata de describir la estructura de la trama, ni elementos de lógica narrativa, ni distintos rasgos retóricos, ni siquiera las formas literarias contenidas en los relatos evangélicos. También esto constituye un complemento a nuestra obra. En realidad tratamos de proporcionar lo que no hacen estas aproximaciones más tradicionales: penetrar en el sistema social en el que está subsumido el lenguaje del Nuevo Testamento.

También es importante decir que somos perfectamente conscientes de que los autores anónimos de los evangelios, con sus peculiares propósitos y su propio estilo editorial, nos cuentan lo que otros dijeron que dijo e hizo Jesús. Conocemos también los numerosos estratos que hay que examinar para elaborar una historia de la tradición sinóptica o para encontrar los datos adecuados para una vida de Jesús históricamente aceptable. No hacemos nuestro el presupuesto precrítico de que los evangelios son simples reportajes de las palabras o acciones de Jesús. Sin embargo, tratamos de facilitar una lectura del documento tal como está, de averiguar lo que el autor final dijo e intentó decir a sus destinatarios. Creemos que podemos hacerlo con una aproximación desde las ciencias sociales, pues los modelos operan a un nivel de abstracción algo superior al de la investigación histórica. Esto quiere decir que, sea cual sea el estrato de tradición sinóptica que haya que considerar, o sea cual sea la persona en la que uno quiera centrarse (Jesús, sus oyentes, los ulteriores recopiladores de la tradición, los propios escritores evangélicos), lo cierto es que todos ellos participaban del sistema social del mundo agrario mediterráneo. Todos vivían en una cultura en la que predominaba el esquema honor-vergüenza; todos daban por supuesta la personalidad diádica; todos entendían lo que eran patronos, intermediarios y clientes; todos conocían la conducta propia de élites y no-élites. Ninguna etapa del desarrollo de la tradición queda al margen de estas realidades sociales. Si deseásemos contar la historia de los orígenes cristianos, deberíamos tomar muy en serio las etapas individuales de la tradición evangélica. Pero, dado que nuestra intención es facilitar una lectura del texto final desde la perspectiva de los destinatarios mediterráneos del siglo I, podemos pasar por alto la preocupación por las etapas que condujeron a las versiones finales del evangelio que actualmente poseemos.

Por esta misma razón, hemos optado por no distinguir entre el mundo del relato, interior al texto, y el mundo exterior del que toman sus escenarios los escritores evangélicos. Hacer esa distinción podría representar un aspecto importante de crítica narrativa, pero para nuestra tarea resulta innecesaria, pues ambos mundos dependen del lenguaje subsumido en un sistema social común. Esto es verdad incluso cuando el mundo de la narración trata de contravenir el sistema social. Por supuesto, resulta ocasionalmente necesario situarse en un nivel más bajo de abstracción para ayudar a los lectores modernos a entender las condiciones cambiantes en el cristianismo primitivo que explican ciertas referencias sugeridas en la narración. A este respecto, nos sentimos libres para distinguir entre el periodo de Jesús y el del documento evangélico final, o entre el mundo grecorromano, más dilatado, y la comunidad cristiana, más restringida, presentes en el texto. A veces resultan también importantes las diferencias entre los sistemas sociales romano y judío, tan importantes quizás como las diferencias existentes entre la ambientación de las pequeñas élites urbanas y la del amplio campesinado rural. Hemos establecido tales distinciones cuando lo hemos creído apropiado.

Todo esto quiere decir que el nuestro no es un comentario completo, literario e histórico, a los evangelios. Se trata de un comentario simplificado que utiliza las ciencias sociales. Para otros tipos de información, el lector deberá consultar otras fuentes especializadas, que le proporcionarán la información necesaria. Pero, al margen del tipo de información que haga suya en otras fuentes más tradicionales, dudamos mucho de que, si prescinde del tipo de información socio-cultural ofrecida aquí, consiga descubrir lo que los documentos evangélicos estaban interesados en transmitir a sus destinatarios originales.

En este comentario se ofrece en primer lugar el texto bíblico. Se ha seguido básicamente la traducción de *La Biblia* de La Casa de la Biblia (Estella ²1993), pero en algunos casos ha sido necesario modificar dicha traducción para ajustarla a la interpretación que propone el comentario. El texto bíblico va acompañado por dos tipos de materiales: unas breves *Notas al texto* que vienen inmediatamente después de cada pasaje, y una serie de *Escenarios de lectura* que se encuentran agrupados alfabéticamente al final del libro.

Las *Notas* van comentando el texto de cada evangelio en su secuencia canónica. Estas notas centran la atención del lector en el modo en que está codificado el sistema social en el lenguaje de cada evangelio. Suministran una especie de comentario desde las ciencias sociales que puede servir de complemento a los estudios tradicionales de los textos sinópticos. La lectura de estas notas se debe completar con la de los escenarios de lectura. Junto con éstos, las notas ofrecen determinadas claves para suplir los elementos no-escritos del texto tal como lo pudo haber hecho un lector mediterráneo, y para ayudar por tanto al lector moderno a cultivar una actitud de respeto hacia el antiguo autor.

Al leer las notas, sería interesante tener en cuenta los textos paralelos, que ofrecen al lector múltiples oportunidades para leer otro comentario del mismo relato o dicho. Muchos dichos o relatos vienen repetidos en cada uno de los tres evangelios. Con frecuencia, la dinámica social en cuestión será la misma en cada versión de un relato o dicho, aunque ocasionalmente puede no ser éste el caso, bien porque el material ha sido reelaborado por el escritor para adaptarlo a una circunstancia diferente, bien porque las palabras escogidas codifican aspectos distintos del sistema social. Merece la pena, por tanto, leer los comentarios a textos paralelos.

El segundo elemento, los *Escenarios de lectura*, se deduce de los estudios sobre antropología mediterránea. Estos escenarios tratan de informar al lector sobre el sistema social que los autores de los evangelios compartían con sus destinatarios, y que no siempre resultan familiares a los lectores modernos. Es muy importante leer estos escenarios cuando se indica en las notas para completar lo que en ellas se dice. Se señalan con una flecha (⇨) y se indica la página donde se encuentra cada escenario.

MATEO

I. 1,1-4,22: Presentación de Jesús, el Mesías

Legitimación del honor adscrito a Jesús (genealogía) 1,1-17

1 ¹Genealogía de Jesús el Mesías, hijo de David, hijo de Abrahán.

²Abrahán engendró a Isaac, Isaac engendró a Jacob, Jacob engendró a Judá y a sus hermanos, ³Judá engendró de Tamar a Farés y a Zara, Farés engendró a Esrón, Esrón engendró a Arán, ⁴Arán engendró a Aminadab, Aminadab engendró a Naasón, Naasón engendró a Salmón, ⁵Salmón engendró de Rajab a Booz, Booz engendró de Rut a Obed, Obed engendró a Jesé, ⁶Jesé engendró al rey David.

David engendró de la mujer de Urías a Salomón, ⁷Salomón engendró a Roboán, Roboán engendró a Abías, Abías engendró a Asá, ⁸Asá engendró a Josafat, Josafat engendró a Jorán, Jorán engendró a Ozías, ⁹Ozías engendró a Joatán, Joatán engendró a Acaz, Acaz engendró a Ezequías, ¹⁰Ezequías engendró a Manasés, Manasés engendró a Amón, Amón engendró a Josías. ¹¹Josías engendró a Jeconías y a sus hermanos, cuando la deportación a Babilonia.

¹²Después de la deportación a Babilonia, Jeconías engendró a Salatiel, Salatiel engendró a Zorobabel, ¹³Zorobabel engendró a Abiud, Abiud engendró a Eliaquín, Eliaquín engendró a Azor, ¹⁴Azor engendró a Sadoc, Sadoc engendró a Ajín, Ajín engendró a Eliud, ¹⁵Eliud engendró a Eleazar, Eleazar engendró a Matán, Matán engendró a Jacob. ¹⁶Y Jacob engendró a José, el esposo de María, de la que nació Jesús, llamado el Mesías.

¹⁷Así pues, las generaciones de Abrahán a David son catorce; de David a la deportación de Babilonia otras catorce; y catorce de la deportación a Babilonia hasta el Mesías.

◆ *Notas:* Mateo 1,1-17

1,1-17 ⇨ **El libro de la génesis,** 1,1 (cf. pág. 362); y **Genealogías,** 1,2-17 (cf. pág. 355). Las genealogías codificaban la información que necesitaba la gente para situarse a sí mismos y a los demás de manera adecuada en el orden social. Una genealogía es, pues, una

guía de información social. En situaciones conflictivas, podían ser citadas las genealogías para colocar a un oponente en su lugar correspondiente (ver Mt 3,9). Al remontar la genealogía a Abrahán, Mateo asegura la posición social de Jesús como verdadero israelita. La inmediata mención de David trata de subrayar el rol mesiánico de Jesús. Al proporcionar a Jesús este tipo de genealogía real, Mateo lo sitúa en la cumbre de la escala social del honor, una posición que «explica» cómo su ministerio posterior estuvo tan en desacuerdo con el estatus de honor que correspondía a un artesano de pueblo.
⇨ **Sociedades con base en el honor-vergüenza** 8,12 (cf. pág. 404).

Nacimiento de Jesús 1,18-25

[18]El nacimiento de Jesús, el Mesías, fue así: su madre María estaba prometida a José y, antes de vivir juntos, resultó que había concebido por la acción del Espíritu Santo. [19]José, su esposo, que era justo y no quería exponerla a la deshonra pública, decidió rechazarla en secreto. [20]Después de tomar esta decisión, el ángel del Señor se le apareció en sueños y le dijo: «José, hijo de David, no tengas reparo en recibir a María como esposa, pues el hijo que ha concebido viene del Espíritu Santo. [21]Dará a luz un hijo, y le pondrás por nombre Jesús, porque él salvará a su pueblo de los pecados».

[22]Todo esto sucedió para que se cumpliera lo que había anunciado el Señor por el profeta:

[23]*La virgen concebirá y dará a luz un hijo, a quien pondrán por nombre Emmanuel.* (que significa: *Dios con nosotros*)

[24]Cuando José despertó del sueño, hizo lo que el ángel del Señor le había mandado: recibió a su esposa, [25]pero no tuvo relaciones conyugales con ella hasta que dio a luz un hijo; y le puso por nombre Jesús.

◆ *Notas:* Mateo 1,18-25

1,18-2,23 La descripción que hace Mateo de los acontecimientos que rodean el nacimiento de Jesús y de sus inmediatas consecuencias, el llamado relato de la infancia, está enraizada en los antiguos modos mediterráneos de describir el nacimiento de personas importantes; ⇨ **Relatos de infancia en la Antigüedad,** 1,18-2,23 (cf. pág. 388).

1,18 ⇨ **Esponsales,** 1,18 (cf. pág. 345). La virginidad era la condición *sine qua non* de un matrimonio honorable. Una mujer sin ella habría avergonzado a toda la familia paterna. Leed en Dt 22,13-21 lo relativo a las pruebas de la virginidad que podían ser exigidas. Cf. Mc 6,3, donde Jesús es llamado «hijo de María», un modo de hablar totalmente inusual, al menos que tal designación refleje un ulterior uso cristiano.

1,19 ⇨ **Divorcio,** 1,19 (cf. pág. 342). El texto explica dos cosas:

por qué José «planeaba abandonarla» y por qué quería abandonarla (divorciarse) «en secreto». La razón que subyace en lo primero es que José era un «hombre justo», es decir, una persona que sabía cómo conducirse de manera honorable en las relaciones interpersonales. Como el niño que María llevaba en su seno no era suyo, no pretendía usurpar el derecho de otro a tenerlo como propio. Divorciándose de María, José ofrecía al padre verdadero de Jesús la oportunidad de recuperar a su hijo casándose con la madre. Tal motivo describe claramente a una persona cabal y honorable. Avergonzar a una mujer supone cubrirla de deshonor (a ella y a su familia) haciendo una acusación pública y verificable de conducta indigna. Para las mujeres de edad comprendida entre la primera menstruación y la menopausia, una conducta indigna estaba en relación (aunque no exclusivamente) con los roles basados en el género y con las funciones sexuales.

1,20 ⇨ **Esposa**, 1,20 (cf. pág. 347). Es probable que la afirmación de Joel 2,28 de que «los viejos tienen sueños y los jóvenes ven visiones» fuese proverbial (ver Hch 2,17). ⇨ **Relatos de infancia en la Antigüedad**, 1,18-2,23 (cf. pág. 388). El hecho de que tanto José como los magos tuvieran sueños podría aludir a su edad. Además, las visiones en sueños de José (también 2,13.19) o sus simples sueños (2,22), lo mismo que la astrología y los sueños de los magos (2,12), indican que la gente corriente creía que en ellos podían descubrir lo que Dios les pedía. Por contraste, el rey de los judeos podía hacer uso de medios elitistas (y muy caros) de consultar las Escrituras y a los expertos en ellas (2,5-6). Cuando da comienzo la actividad pública de Jesús en el relato, Jesús se convertirá en fuente de información de lo que Dios pide a la gente.

1,21 Dados los beneficios sociales, económicos y religiosos que una familia extraía de un hijo varón, los chicos eran considerados con frecuencia un don de Dios. Y había dos razones. Los padres (y las madres) no podían determinar el género del feto; esto dependía de la intervención de Dios. Además, como el propósito de la unión sexual era exclusivamente reproductivo, sólo Dios determinaba si unas uniones tenían fruto y otras no. Los dones de Dios eran importantes también en otro sentido. En una sociedad de bienes limitados, todo lo que ayudaba a una persona a salir adelante con medios morales legítimos tenía su origen en Dios. El progreso social conseguido con otros medios habría sido considerado una adquisición inmoral a expensas de otros. Tanto con el nombre recibido de lo alto como con el mensaje en sueños que describe al niño que va a nacer, el ángel del Señor adscribe un honor proveniente del ámbito de Dios, una ulterior indicación de que José era «justo».

Reconocimiento del honor de Jesús desde Oriente 2,1-12

2 ¹Jesús nació en Belén, un pueblo de Judea, en tiempo del rey Herodes. Por entonces unos sabios de oriente se presentaron en Jerusalén, ²preguntando: «¿Dónde está el rey de los judeos que acaba de nacer? Hemos visto su estrella en el oriente y venimos a rendirle homenaje». ³Al oír esto, el rey Herodes se sobresaltó, y con él toda Jerusalén. ⁴Entonces convocó a todos los jefes de los sacerdotes y a los maestros de la ley, y les preguntó dónde tenía que nacer el Mesías. ⁵Ellos le respondieron: «En Belén de Judea, pues así está escrito en el profeta:

⁶*Y tú, Belén, tierra de Judá,*
no eres, ni mucho menos,
la menor entre las ciudades
principales de Judá;
porque de ti saldrá un jefe
que pastoreará a mi pueblo Israel».

⁷Entonces Herodes, llamando aparte a los sabios, hizo que le informaran con exactitud acerca del momento en que había aparecido la estrella, ⁸y los envió a Belén con este encargo: «Id e informaos bien sobre ese niño; y, cuando lo encontréis, avisadme para yo también a rendirle homenaje». ⁹Ellos, después de oír al rey, se pusieron en camino, y la estrella que habían visto en oriente los guió hasta que llegó y se paró encima de donde estaba el niño. ¹⁰Al ver la estrella, se llenaron de inmensa alegría. ¹¹Entraron en la casa, vieron al niño con su madre María y, postrados en tierra, le rindieron homenaje. Abrieron sus tesoros y le ofrecieron regalos de oro, incienso y mirra. ¹²Y advertidos en sueños de que no volvieran donde estaba Herodes, regresaron a su país por otro camino.

◆ *Notas:* Mateo 2,1-12

2,2 La «estrella» vista en oriente moviéndose en dirección oeste (v. 9) es un cometa. El significado de un cometa depende de su dirección. «A veces hay un cometa en el cielo por Occidente, normalmente una estrella aterradora y difícil de expiar», nos cuenta Plinio el Viejo; y a continuación describe las calamidades políticas que indica ese tipo de «estrella» (*Historia Natural* 2.23.92; Loeb, 235). Por supuesto, era de esperar que una estrella así dejase «consternados» a Herodes y a Jerusalén. El hecho de que los magos buscasen al «rey de los judeos» implica desorden político a los ojos de los poderes en cuestión. Observemos que el término «judeo» en Mateo se refiere a alguien de Judea. Correlativos de este término son «galileo» y «pereo» (de Perea); los tres juntos formaban el pueblo de Israel. ⇨ **Rey de los judeos**, 2,2 (cf. pág. 391).

2,6 Aquí descubrimos por vez primera que Mateo llama «Israel» al pueblo de Dios. Más tarde José recibe la orden de ir a la tierra de Israel (no Judea o país de los judíos, 2,20-21). En Mateo, Jesús siempre se refiere a su pueblo como «Israel» (8,10; 9,33; 10,6.23; 15,24.31; 19,28; 27,9).

2,7 Era típico de las sociedades mediterráneas tener poca vida privada. Se esperaba que todo lo que era honorable se hiciese en público, pues sólo la gente sin honor tenía algo que ocultar. Así, en los pueblos, las puertas de las casas estaban siempre abiertas durante el día, y cuando alguien hacía un negocio en público se montaba todo un espectáculo. El hecho de que Herodes obrase secretamente indica al lector que está actuando de manera deshonrosa. Sin embargo, los magos, como gente honorable, se niegan a tomar parte en el plan (2,16).

2,11 «Oro, incienso y mirra» eran tres clases de incienso o resinas aromáticas que desprendían olores fragantes al ser quemadas; el «oro» era usado para el «altar de oro» (ver Heb 9,4; Ap 8,3; 9,13; Lc 1,11). Ofrecer dones era un gesto de honor. Como se habla de tres clases distintas de incienso, la tradición posterior dedujo la presencia de tres magos. Pero el relato de Mateo no ofrece ningún indicio en ese sentido. Mateo deja claro que la madre de Jesús se llamaba María, y que estaba prometida a José: 1,18; 2,11.13.14.20.21.

Dios lo protege de la envidia de Herodes 2,13-23

[13]Cuando se marcharon, el ángel del Señor se apareció en sueños a José y le dijo: «Levántate, toma al niño y a su madre, huye a Egipto y quédate allí hasta que yo te avise; porque Herodes va a buscar al niño para matarlo». [14]José se levantó, tomó al niño y a su madre de noche, y partió hacia Egipto, [15]donde permaneció hasta la muerte de Herodes. Así se cumplió lo que había anunciado el Señor por el profeta: *De Egipto llamé a mi hijo.*

[16]Entonces Herodes, viéndose burlado por los sabios, se enfureció mucho y mandó matar a todos los niños de Belén y de todo su término que tuvieran menos de dos años, de acuerdo con la información que había recibido de los sabios. [17]Así se cumplió lo anunciado por el profeta Jeremías:

Se ha escuchado en Ramá un clamor de mucho llanto y lamento; es Raquel que llora por sus hijos, y no quiere consolarse porque ya no existen.

[19]Cuando murió Herodes, el ángel del Señor se apareció en sueños a José en Egipto [20]y le dijo: «Levántate, toma al niño y a su madre, y vuelve a la tierra de Israel, porque han muerto los que atentaban contra la vida del niño». [21]José se levantó, tomó al niño y a su madre, y regresó con ellos a la tierra de Israel. [22]Pero al oír que Arquelao reinaba en Judea como sucesor de su padre Herodes, tuvo miedo de ir allí. Entonces, avisado en sueños, se retiró a la región de Galilea [23]y se estableció en una población llamada Nazaret. De esta manera se cumplió lo anunciado por los profetas: que se llamaría nazareno.

◆ *Notas:* Mateo 2,13-23

2,23 Mateo designa aquí a Nazaret con el típico término helenista de «ciudad». Pero Nazaret, en tiempos de Jesús, apenas pasa-

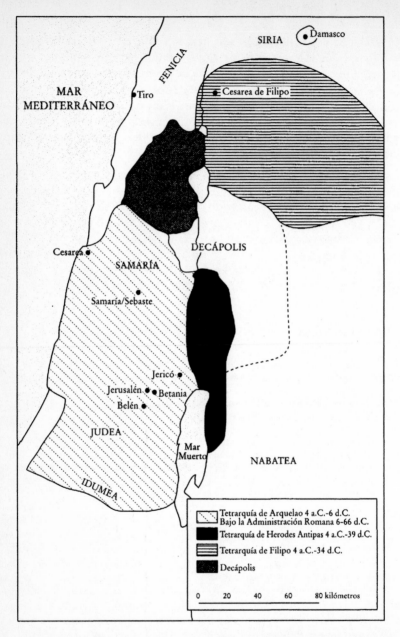

Mt 2,22. Al morir Herodes el año 4 a.C., su reino fue repartido entre tres de los hijos que le sobrevivieron, como vemos en el mapa. Arquelao, que gobernaba en Judea (Belén incluida), supuso al parecer una seria amenaza para la familia de Jesús. En consecuencia, se fueron a Nazaret, en Galilea, que fue gobernada por Herodes Antipas desde el 4 a.C. al 39 d.C. (Cartografía de Gráficas Parrot).

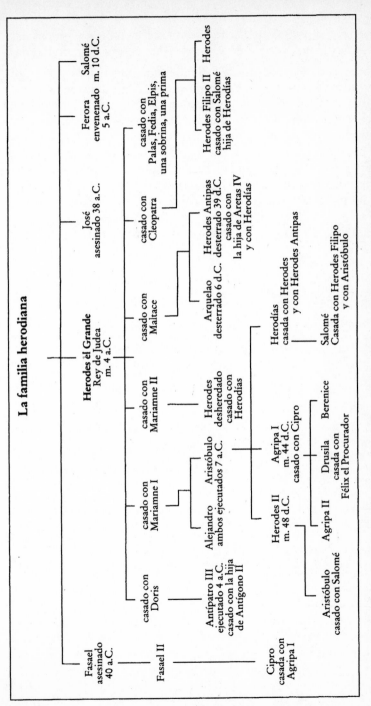

La familia herodiana

Herodes el Grande
Rey de Judea
m. 4 a.C.

Fasael
asesinado
40 a.C.

Fasael II

Cipro
casada con
Agripa I

Ferora
envenenado
5 a.C.

Salomé
m. 10 d.C.

José
asesinado 38 a.C.

casado con
Doris

casado con
Mariamne I

casado con
Mariamne II

casado con
Maltace

casado con
Cleopatra

casado con
Palas, Fedia, Elpis,
una sobrina, una prima

Antípatro III
ejecutado 4 a.C.
casado con la hija
de Antígono II

Alejandro
ambos ejecutados 7 a.C.

Aristóbulo

Herodes
desheredado
casado con
Herodías

Arquelao
desterrado 6 d.C.

Herodes Antipas
desterrado 39 d.C.
casado con
la hija de Aretas IV
y con Herodías

Herodes Filipo II
casado con Salomé
hija de Herodías

Herodes

Herodes II
m. 48 d.C.

Agripa I
m. 44 d.C.
casado con Cipro

Herodías
casada con Herodes
y con Herodes Antipas

Aristóbulo
casado con Salomé

Agripa II

Drusila
casada con
Félix el Procurador

Berenice

Salomé
Casada con Herodes Filipo
y con Aristóbulo

Mt 2,22. Este árbol genealógico muestra lo compleja que era la descendencia de Herodes. La esposa de Herodes Antipas, Herodías, y su hija, Salomé, aparecen en Mt 14,3-13 y en Mc 6,17-28. Agripa I fue rey de toda Palestina. Decapitó a Santiago y encarceló a Pedro (Hch 12). Agripa II era tetrarca de Galilea cuando Pablo estaba prisionero en Cesarea Marítima (Hch 25,13-26,32).

ba de ser un pequeño pueblo de unos cien habitantes, y quizás pertenecía a la cercana ciudad de Séforis. Belén no era mucho mayor.

Observemos la ausencia de referencias a espectadores o testigos fidedignos en los dos primeros capítulos de Mateo. Dada la necesidad de espectadores que den testimonio de los acontecimientos en las sociedades basadas en el esquema honor-vergüenza, su ausencia en estos capítulos sugiere de momento que no tratan en realidad del honor concedido a Jesús o a algún otro (como José o los magos). Pero, dada la valoración que hace Mateo de José como «justo» y su descripción de los magos como obedientes a las órdenes de Dios mediante estrellas y sueños, está claro que Mateo pretende que sea el propio lector/oyente el público-testigo requerido para tal concesión de honor. ⇨ **Cadenas de comentarios**, 4,24-25 (cf. pág. 324).

Juan anuncia el reino de Dios 3,1-12

3 ¹En aquellos días apareció Juan el Bautista predicando en el desierto de Judea. ²Decía: «Arrepentíos, porque está llegando el reino de los cielos». ³A él se refería el profeta Isaías cuando dijo:

Voz del que grita en el desierto:
«Preparad el camino al Señor,
allanad sus senderos».

⁴Llevaba Juan un vestido de pelo de camello y una correa de cuero a la cintura, y se alimentaba de saltamontes y miel silvestre. ⁵Acudían a él de Jerusalén, de toda Judea y de toda la región del Jordán; ⁶ellos reconocían sus pecados y Juan los bautizaba en el río Jordán.

⁷Viendo que muchos fariseos y saduceos venían a que los bautizara, les dijo: «¡Camada de víboras! ¿Quién os ha enseñado a huir de la cólera inminente? ⁸Dad frutos que prueben vuestro arrepentimiento ⁹y no creáis que basta con decir: 'Somos descendientes de Abrahán'. Porque os digo que Dios puede sacar de estas piedras descendientes de Abrahán. ¹⁰Ya está puesta el hacha a la raíz de los árboles, y todo árbol que no dé fruto va a ser cortado y echado al fuego. ¹¹Yo os bautizo con agua para que os arrepintáis; pero el que viene detrás de mí es más fuerte que yo, y no soy digno de llevarle las sandalias. Él os bautizará con Espíritu Santo y fuego. ¹²Tiene en su mano el bieldo y va a aventar su parva; recogerá su trigo en el granero, y la paja la quemará con un fuego que no se apaga».

◆ *Notas:* Mateo 3,1-12

3,1-12 En las sociedades agrarias, los primeros años de un varón transcurrían casi exclusivamente en el mundo de las mujeres. El lazo entre madre e hijo seguía siendo el vínculo emotivo más fuerte a lo largo de la vida. Esto significaba que el paso al mundo público de los varones era a menudo doloroso, difícil y lento. No existían ritos de pubertad que confirmasen y celebrasen el paso al mundo adulto. Como en la siguiente perícopa nos encontramos con Jesús en compañía de Juan el Bautista, es de presumir que hubiese dado ese paso, que fuese capaz de moverse eficazmente en el mundo público de los varones.

3,1 ⇨ **Edad**, 3,13 (cf. pág. 344). En la Antigüedad, viajar constituía una empresa arriesgada y era considerada una conducta desviada, al menos que hubiese razones específicas (fiestas, visitas familiares, negocios). El «desierto» era también un destino desviado, pues estaba fuera del espacio socialmente estructurado del pueblo o la ciudad y era guarida de demonios. En el escenario centrado en Juan el Bautista, encontramos grupos que venían de «Jerusalén, de toda Judea y de toda la región del Jordán». Viajar en grupo era más seguro, especialmente con parientes. Mateo (y Marcos) nunca menciona a las mujeres en el círculo de Jesús, como hace Lucas 8,1-3.

3,2 Según Mateo, Juan el Bautista busca el arrepentimiento del grupo, es decir, el arrepentimiento de Israel. A nivel individual, el arrepentimiento supone un cambio del corazón y un subsiguiente cambio de la conducta interpersonal. En consecuencia, tal cambio en la conducta social implicaba también la esperanza de transformación a nivel social, es decir, una «revolución» o cambio de las estructuras sociales. Esa llamada al arrepentimiento individual y al cambio social implicaba una insatisfacción general respecto a cómo marchaban las cosas. Así pues, el bautismo de Juan anticipa los símbolos radicales de la transformación social que emerge en el relato de Mateo. Entre esos símbolos encontramos la transfiguración de Jesús y más tarde su resurrección. Por tanto, desde el punto de vista de la valoración social, la conversión y el arrepentimiento, el cambio individual y social, la transformación radical de la condición humana y la eventual resurrección forman parte de la agenda de la transformación de Israel, característica del periodo de las carreras proféticas de Juan y de Jesús.

Aunque para Mateo (3,11) el bautismo de Juan es un signo de cambio individual, no afirma que la meta de ese «arrepentimiento» sea «el perdón del pecado» (como hacen Marcos y Lucas). Quizás omite ese dato para que no se pensase que el bautismo de Jesús implicaba que éste necesitaba el perdón del pecado. Sin embargo, también es posible que, para Mateo, el perdón del pecado incluyese la remisión de las deudas económicas y sociales, un tópico que, sin embargo, no desea subrayar (como hace en 6,12; ⇨ **Perdón de los pecados**, 6,14; cf. pág. 375).

3,7-9 Poner un nombre implicaba acusaciones de conducta desviada. Si se hacía en público, los nombres negativos socavaban el lugar ocupado en la sociedad por una persona o un grupo y constituían una amenaza de ostracismo o expulsión. «Camada de víboras» (literalmente «raza de serpientes», «bastardos de serpientes») sería un insulto grave si somos capaces de imaginarnos una sociedad en la que la posición social y el honor que la acompañaba dependían fundamentalmente del nacimiento. ⇨ **Linaje y estereotipos,** 3,7-9 (cf. pág. 363). Juan da por supuesto que la muchedumbre respondería defendiendo su buen linaje y, en consecuencia, propone el punto de vista alternativo de que el linaje tiene una base más bien moral, que no es algo heredado sin más; cf. 12,46-50. El bautismo de Juan simbolizaba la incorporación de una persona al linaje de esta renovada «casa de Israel» (que Jesús reunirá, 3,12), y por tanto era la base del honor adscrito. ⇨ **Familia subrogada,** 12,46-50 (cf. pág. 351).

3,7 Juan interpreta la llegada de fariseos y saduceos en busca del bautismo como una huida de «la cólera inminente». El término «cólera» se refiere esencialmente a la satisfacción (llamada a veces venganza) que una persona honorable debe buscar para recuperar su honor cuando ha sido deshonrada o avergonzada en público. Todos sabían que el honor debe ser defendido buscando una satisfacción; el único problema era cuándo trataría la persona honorable de vengar su honor mancillado. La imagen se aplica aquí a Dios (en este caso la persona honorable), que debe recuperar su honor frente a quienes le han deshonrado en público. Se trata aquí de los fariseos y los saduceos, a quienes Juan llama raza de serpientes. Ese insulto los situaba en los niveles más bajos de ilegitimidad en Israel, en toda la extensión del término: física, social y moralmente. El hacha puesta en la raíz de los árboles indica que no está lejos el día de la venganza.

3,11 La declaración de Juan de su falta de dignidad es una exageración típica de las sociedades basadas en el esquema honor-vergüenza. Indica al mismo tiempo un sentido del honor y una resistencia a desafiar el honor de otro. Juan es una persona que sabe cómo defender su propio honor, pero no violará el honor de Jesús.

3,11-12 En la antigua cultura mediterránea, agua, fuego y espíritu (literalmente viento) eran líquidos que podían ser derramados sobre algo o en alguien (= infundidos). «Bautismo» es la transliteración de un término que significa «mojar/meter» en un líquido, sea agua, fuego o viento. La actividad de Juan el Inmersor llamando al «arrepentimiento» tendría lugar tras la estación de las lluvias, cuando el agua del Jordán, habitualmente escasa, era profunda y estaba suficientemente caliente para que la gente se metiera en el río. La inmersión en «espíritu santo» y «fuego» por «el que va a venir» es una inmersión de juicio, como el viento que, al aventar la parva, separa la paja destinada al fuego (como combustible en hornos de pan o de ladrillos; nunca para calentar, excepto en los baños de los ricos).

Reconocimiento de Jesús como Hijo de Dios 3,13-17

[13]Entonces llegó Jesús desde Galilea al Jordán y se dirigió a Juan para que lo bautizara. [14]Pero Juan trataba de impedírselo diciendo: «Soy yo el que necesito que tú me bautices, ¿y eres tú el que viene a mí?». [15]Jesús le respondió: «Deja eso ahora; pues conviene que cumplamos lo que Dios ha dispuesto». Entonces Juan accedió. [16]Nada más ser bautizado, Jesús salió del agua y, mientras salía, se abrieron los cielos y vio al Espíritu de Dios que bajaba como una paloma y venía sobre él. [17]Y una voz del cielo decía: «Éste es mi Hijo amado, en quien me complazco».

◆ Notas: Mateo 3,13-17

3,13-17 Si Jesús acude en este momento a Juan para ser sumergido en el Jordán, habrá que pensar que la primera etapa de su ministerio va desde el comienzo de la estación seca hasta su terminación. En el relato de Mateo, Jesús sube a Jerusalén al comienzo de la siguiente estación seca, pues la Pascua caía al principio de esa estación. Fue entonces cuando crucificaron a Jesús.

Designar a Jesús como «Hijo de Dios» constituye una altísima declaración de honor, de un estatus continuamente subrayado a lo largo del relato de la infancia y programáticamente citado en el sumario de 3,17. Las declaraciones públicas en las que un patrón/padre reconocía la devoción de un cliente eran de la mayor importancia en las sociedades orientadas por el esquema honor-vergüenza.

La «voz del cielo» es un rasgo que encontramos con frecuencia en la versión aramea de la Biblia hebrea, el llamado «Targum» (literalmente «traducción»). En esta versión interpretativa, siempre que en el relato hebreo original aparece algún acontecimiento que plantea un problema, el Targum menciona una voz que interviene desde el cielo, explicando de ese modo el acontecimiento (p.e. la decisión de Abrahán de ofrecer a su hijo en sacrificio [Gn 22,10] o el origen de los ángeles que subían (no que bajaban) en el sueño de Jacob [Gn 28,12]). En nuestro texto, el acontecimiento que plantea problemas es el bautismo de Jesús «en orden al arrepentimiento» (y en Mc y Lc «para el perdón del pecado»). Se ofrecen dos explicaciones: primero la propia explicación de Jesús en 3,15; después la voz de Dios desde el cielo en 3,17. La voz del cielo dice que esto sucede porque Dios lo quiere, porque Jesús es obediente a Dios (de ahí su filiación), y que Jesús merece, por tanto, una obediencia similar (⇨ **Edad**, 3,13; cf. pág. 344).

El estatus de Jesús como Hijo de Dios es puesto a prueba 4,1-11

4 ¹Entonces el Espíritu llevó a Jesús al desierto, para que el diablo lo pusiera a prueba. ²Después de ayunar cuarenta días y cuarenta noches, sintió hambre. ³El tentador se acercó entonces y le dijo: «Si eres Hijo de Dios, manda que estas piedras se conviertan en panes». ⁴Jesús le repondió: «Está escrito: *No sólo de pan vive el hombre, sino de toda palabra que sale de la boca de Dios*».

⁵Después el diablo lo llevó a la ciudad santa, lo puso en el alero del templo ⁶y le dijo: «Si eres Hijo de Dios, tírate abajo, pues está escrito: *Dará órdenes a sus ángeles para que te lleven en brazos, de modo que tu pie no tropiece en piedra alguna*». ⁷Jesús le dijo: «También está escrito: *No tentarás al Señor, tu Dios*».

⁸De nuevo lo llevó consigo el diablo a un monte muy alto, le mostró todos los reinos del mundo con su esplendor ⁹y le dijo: «Todo esto te daré si te postras y me adoras». ¹⁰Entonces Jesús le dijo: «Márchate, Satanás, porque está escrito: *Adorarás al Señor, tu Dios, y sólo a él le darás culto*».

¹¹Entonces el diablo se alejó de él, y unos ángeles se acercaron y le servían.

◆ *Notas:* Mateo 4,1-11

4,1-11 ⇨ **Desafío-Respuesta,** 4,1-11 (cf. pág. 336); y **Sociedades con base en el honor-vergüenza,** 8,12 (cf. pág. 404). Aquí se lanza un desafío a la obediencia de Jesús, por tanto a su estatus de Hijo de Dios (4,3.6). Se pone aquí sitio al estatus honorífico de Jesús del que nos ha venido informando Mateo (contrario a su estatus de nacimiento). Al apelar a las palabras de su patrón/padre, Jesús defiende con éxito su posición, y el maligno se ve forzado a esperar una nueva oportunidad. Una vez más, y dado que no se conseguía nada con un desafío-respuesta privado, Mateo deja que sea el lector el público-testigo exigido por tal acontecimiento.

Comienzos del ministerio público de Jesús y reclutamiento inicial de su facción 4,12-22

¹²Al oír Jesús que Juan había sido encarcelado, se volvió a Galilea. ¹³Dejó Nazaret y se fue a vivir a Cafarnaún, junto al lago, en el término de Zabulón y Neftalí; ¹⁴para que se cumpliese lo anunciado por el profeta Isaías: ¹⁵*Tierra de Zabulón, tierra de Neftalí, camino del mar, al otro lado del Jordán, Galilea de los paganos. ¹⁶El pueblo que habitaba en tinieblas vio una luz grande, a los que habitaban en una región de sombra de muerte una luz les brilló.*

¹⁷Desde entonces empezó Jesús a predicar diciendo: «Arrepentíos, por-que está llegando el reino de los cielos».

¹⁸Paseando junto al lago de Galilea, vio a dos hermanos: Simón, llamado Pedro, y su hermano Andrés, que estaban echando la red en el lago, pues eran pescadores. ¹⁹Les dijo: «Veníos detrás de mí y os haré pescadores de hombres». ²⁰Ellos dejaron al instante las redes y lo siguieron. ²¹Más adelante vio a otros dos hermanos: Santiago, el de Zebedeo, y su hermano Juan, que estaban en la barca con su padre Zebedeo, reparando las redes. Los llamó también, ²²y ellos, dejando al punto la barca y a su padre, lo siguieron.

◆ *Notas:* Mateo 4,12-22

4,12-13 Con el arresto de Juan en Judea, Jesús abandona el seguimiento de Juan y regresa a Galilea. Aquí, sin mediar explicación alguna, Mateo nos dice que, antes de darse a conocer en público, Jesús dejó Nazaret y se fue a vivir a Cafarnaún, junto al lago. Fue precisamente a partir de ese momento cuando Jesús empezó a proclamar idéntico mensaje profético que Juan al Bautista: «Arrepentíos, pues se acerca el reino de los cielos» (Mt 3,2; 4,17). Esto sería un indicio de que Jesús fue miembro de la facción de Juan. Tras el encarcelamiento de Juan, Jesús se hace independiente y empieza a reclutar a sus propios seguidores, pero precisamente siguiendo el esquema del anuncio profético de Juan.

4,18-22 La pesca se realizaba normalmente de noche o a primeras horas de la mañana. Tras ella, el lavado y remiendo de las redes podía ocupar varias horas. ⇨ **Pesca, 4,18** (cf. pág. 378).

4,19 Vemos aquí a Jesús reclutando gente para una facción, que era una coalición creada por una sola persona para un propósito y un tiempo determinados. El propósito inmediato aquí es «pescar gente». Obviamente Jesús deseaba tener muchos seguidores, y recluta a estos pescadores para que le ayuden en su tarea. El propósito general sería el proyecto que Jesús había hecho suyo tras el encarcelamiento de Juan, es decir, proclamar el gobierno de Dios aceptándolo como patrón/padre. ¿Cuánto tiempo duraría esta facción? Quizás una sola estación seca: la estación adecuada para via-

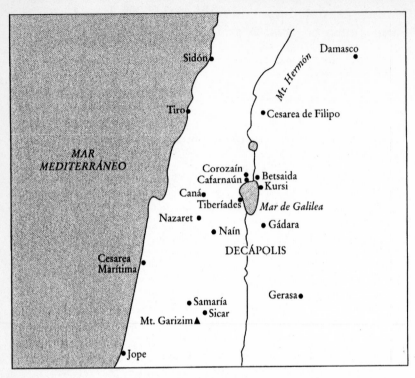

Mt 4,12. Mapa de Galilea, Samaría y áreas circundantes. (Cartografía de Gráficas Parrot).

jar, esperar la sazón del grano plantado, permanecer junto al hogar cuidando los rebaños y los campos. En esta época la gente estaba preparada para dejarse «capturar» por esos pescadores, y sólo durante la estación seca podía viajar la gente, bien por tierra o por mar.

Si exceptuamos las peregrinaciones, tanto la movilidad geográfica como la consiguiente ruptura temporal con el propio medio social (familia, patronos, amigos, vecinos) eran consideradas conductas anormales, y habrían sido mucho más traumáticas en la Antigüedad que abandonar el oficio o los aperos (cf. 9,9; 10,28).

Es ésta la primera vez que Mateo usa el término griego traducido por «seguir», que los autores del Nuevo Testamento aplican exclusivamente al seguimiento a Jesús. El término era usado para hablar de personas que se acercaban a un maestro notable con el propósito de aprender un «estilo de vida», bien en Israel (los discípulos de un maestro que enseña la Torá) o fuera de Israel (los seguidores de un filósofo). Observemos que Mateo subraya la prontitud con la que siguen a Jesús las personas invitadas. Parece evidente que las personas reclutadas tenían información previa de lo que Jesús pretendía.

II. 4,23-11,1 Jesús, maestro y sanador

Comienza a extenderse la fama del honor de Jesús 4,23-25

[23]Jesús recorría toda Galilea, enseñando en sus sinagogas. Anunciaba la buena noticia del reino y curaba las enfermedades y las dolencias del pueblo. [24]Su fama llegó a toda Siria; le trajeron todos los que se sentían mal, aquejados de enfermedades y sufrimientos diversos, endemoniados, lunáticos y paralíticos, y él los curó. [25]Y lo siguió mucha gente de Galilea, la Decápolis, Jerusalén, Judea y del otro lado del Jordán.

◆ *Notas:* Mateo 4,23-25

4,23 Utilizando un típico sumario, Mateo describe el primer recorrido de Jesús por Galilea, centrado en tres actividades: enseñar, proclamar el reino y curar. En los cc. 5-7 se nos dice lo que Jesús enseñaba; su actividad curativa es descrita después, en los cc. 8-9. El c. 10 empieza con la autorización de Jesús de que el núcleo de los miembros de su facción, «sus doce discípulos» (10,1), realicen por su cuenta actividades idénticas, pero sólo dirigidas «a las ovejas perdidas de la casa de Israel» (10,6). ⇨ **Intragrupo y extragrupo,** 10,5-6 (pág. 358).

4,24-25 La respuesta al primer recorrido galileo de Jesús es altamente positiva; Mateo lo destaca con otro sumario, esta vez centrado en la creciente reputación del honor de Jesús. Como resultado de la noticia, hubo concentraciones de grandes muchedumbres provenientes de todas las regiones durante la estación seca. ⇨ **Cadenas de comentarios,** 4,24-25 (cf. pág. 324); **Demonios/Posesión demoníaca,** 8,28-34 (cf. pág. 333).

Una nueva base del honor (Bienaventuranzas) 5,1-12

5 [1]Al ver a la gente, Jesús subió al monte, se sentó y se le acercaron sus discípulos. [2]Entonces comenzó a enseñarles con estas palabras:

[3]Dichosos los pobres en el espíritu, porque suyo es el reino de los cielos.

[4]Dichosos los que están tristes, porque Dios los consolará.
[5]Dichosos los humildes, porque heredarán la tierra.
[6]Dichosos los que tienen hambre y sed de justicia, porque Dios los saciará.

⁷Dichosos los misericordiosos,
porque recibirán misericordia.
⁸Dichosos los puros de corazón,
porque ellos verán a Dios.
⁹Dichosos los que construyen la paz,
porque serán llamados hijos de
Dios.
¹⁰Dichosos los perseguidos por la
justicia,

porque de ellos es el reino de los
cielos.
¹¹Dichosos seréis cuando os injurien
y os persigan, y digan contra vosotros
toda clase de calumnias por causa mía.
¹²Alegraos y regocijaos, porque será
grande vuestra recompensa en los cielos, pues del mismo modo persiguieron
a los profetas anteriores a vosotros.

◆ *Notas:* Mateo 5,1-12

5,1-12 ⇨ **Las bienaventuranzas en el evangelio de Mateo,** 5,3-
11 (cf. pág. 324). El lenguaje usado aquí, es decir, «bienaventurados», es un lenguaje honorífico. Contrariamente a los valores sociales dominantes, estas declaraciones «bienaventurados los...» pretenden adscribir honor a quienes no pueden defender sus posiciones o a quienes rechazan aprovecharse de, o pasar por encima de, la
posición de otro. Es obvio que el honor concedido proviene de
Dios, no de las habituales fuentes sociales.

5,3 ⇨ **Ricos, pobres y bienes limitados,** 5,3 (cf. pág. 393).

5,11 El ostracismo descrito aquí era el continuo destino de los
pobres en las sociedades agrarias, pero se convertirá igualmente en
el destino de los ricos que entran en las comunidades cristianas
donde hay pobres. Mateo conoce los terribles costos que esto implicaba, pero no busca compromisos en su exigencia. Ver notas a
5,3-12, 12,46-50 y 22,1-14.

La luz y el cumplimiento de la ley 5,13-20

¹³Vosotros sois la sal de la tierra; pero
si la sal se desvirtúa, ¿con qué se salará?
Para nada vale ya, sino para tirarla fuera y que la pisen los hombres. ¹⁴Voso-
tros sois la luz del mundo. No puede
ocultarse una ciudad situada en la cima
de un monte. ¹⁵Tampoco se enciende
una lámpara para taparla con un celemín; sino que se pone sobre el candelero, para que alumbre a todos los que
están en la casa. ¹⁶Brille de tal modo
vuestra luz delante de los hombres que,
al ver vuestras buenas obras, den gloria
a vuestro Padre que está en los cielos.

¹⁷No penséis que he venido a abolir

las enseñanzas de la ley y los profetas;
no he venido a abolirlas, sino a llevarlas
hasta sus últimas consecuencias. ¹⁸Porque os aseguro que, mientras duren el
cielo y la tierra, ni una letra ni un trazo
de letra de la ley será descuidado hasta
que todo se cumpla. ¹⁹Por eso, el que
descuide uno de estos mandamientos
más pequeños y enseñe a hacer lo mismo a los demás, será el más pequeño en
el reino de los cielos. Pero el que los
cumpla y enseñe, será grande en el reino de los cielos. ²⁰Os digo que si vuestra justicia no supera a la de los maestros de la ley y los fariseos, no entraréis
en el reino de los cielos.

◆ *Notas:* Mateo 5,13-20

5,13 La «tierra» es un horno de tierra (Job 28,5; Sal 12,6) situado en el exterior, cerca de la casa. El cabeza de familia ideal poseía una casa en torno a un patio, que contenía (1) un horno de tierra con (2) un hornillo doble, (3) una piedra de molino, (4) un lugar para amontonar los excrementos, junto con (5) pollos y (6) ganado (Baba Batra 3,5). El horno de tierra usaba los excrementos como combustible. El montón de excrementos contenía sal, y se usaban placas de sal como catalizador para hacer arder los excrementos. La sal pierde sus propiedades cuando las placas, una vez desgastadas, no sirven para facilitar la ignición. A diferencia de Mateo, Lucas especifica que la sal, sin su salinidad, ya «no sirve ni para la tierra ni para el montón de abono; la arrojan fuera» (Lc 14,34-35).

5,15 La casa normal de un agricultor en el siglo I era generalmente una «casa» de una sola habitación, adosada a otras casas de iguales características formando entre todas una U. Las casas que coincidían frente por frente compartían un patio cerrado con un muro de adobes. Un agricultor más próspero tendría una «casa» de idéntica planta con varias habitaciones, ocupadas por todos los familiares (de primer y segundo grado). Un ángulo de la casa con una habitación, construido con frecuencia a un nivel más alto que el resto, era utilizado para dormir a lo largo del año y como sala de estar durante la estación de las lluvias. La otra parte de la vivienda era usada para el ganado por la noche, si el corral resultaba inadecuado. La gente vivía en un pueblo, de donde salía a trabajar la tierra de los alrededores.

La casa de nuestra parábola es la casa de una sola habitación de la que venimos hablando, pues cualquiera que entra puede ver el soporte de la lámpara. El modo normal de instalar una lámpara de aceite consistía en colocarla debajo de un celemín (medida de áridos) para que no se llenase la casa de humo antes de que la gente se fuera a acostar.

Para entender el motivo de la luz y la oscuridad, el lector moderno debe advertir que, en el Mediterráneo del siglo I, la oscuridad era una realidad objetivamente presente; no se trataba sin más de la ausencia de luz, como para nosotros. La oscuridad es la presencia de lo oscuro, y la luz la presencia de la luminosidad. Lo oscuro puede hacer desaparecer la luz, del mismo modo que ésta puede acabar con la oscuridad (ver 6,22). Basándose en esta forma de ver las cosas, Jesús trata de establecer líneas de separación entre él y sus adversarios, advirtiendo de ello a sus oyentes.

5,18 Como el cielo y la tierra fueron creados por Dios, no pueden desaparecer. «Hasta que pasen el cielo y la tierra» significa, pues, «nunca». La frase es usada aquí a manera de juramento, con el sentido de «aunque pasasen el cielo y la tierra» (que todos saben que nunca sucederá). A fortiori, con mayor razón, nada pasará de la ley hasta que se cumpla. Tales juramentos tienen el valor de palabra de honor en labios de una persona honorable. Discutir lo que se dice supone impugnar el honor de quien habla y, por tanto, desafiarle.

5,20 El tópico general del Sermón del Monte es la «justicia», es decir, la relación y la conducta interpersonales adecuadas. Las personas implicadas son seguidores de Jesús y de Dios. Este versículo especifica la práctica que ha de seguirse: la justicia de los escribas (los cinco primeros de los Diez Mandamientos tratados en la antítesis de 5,21-48), la justicia de los fariseos (en la práctica de la limosna, la oración y el ayuno, 6,1-18) y finalmente «vuestra» (de los discípulos) justicia, que abarca ojos-corazón (6,19-7,6), boca-oídos (7,7-11), y manos-pies y poner en práctica la enseñanza (7,12-27).
⇨ **Las tres zonas de la personalidad,** 5,27-32 (cf. pág. 406).

Estrategias para evitar conflictos y enemistades inveteradas 5,21-48

²¹Habéis oído que se dijo a nuestros antepasados: *No matarás;* y «el que mate será llevado a juicio». ²²Pero yo os digo que todo el que se enfade con su hermano será llevado a juicio; el que lo insulte será llevado a juicio ante el sanedrín, y el que lo llame necio será condenado al fuego eterno. ²³Así pues, si en el momento de llevar tu ofrenda al altar recuerdas que tu hermano tiene algo contra ti, ²⁴deja allí tu ofrenda delante del altar y vete primero a reconciliarte con tu hermano; luego vuelve y presenta tu ofrenda. ²⁵Trata de ponerte pronto a buenas con tu acusador mientras vas de camino con él al tribunal; no sea que te entregue al juez, y el juez al alguacil, y te metan en la cárcel. ²⁶Te aseguro que no saldrás de allí hasta que hayas pagado el último céntimo.

²⁷Habéis oído que se dijo: *No cometerás adulterio.* ²⁸Pero yo os digo que todo el que mira con deseos a una mujer ya ha cometido adulterio con ella en su corazón. ²⁹Por tanto, si tu ojo derecho es ocasión de pecado para ti, arráncatelo y arrójalo lejos de ti; te conviene más perder uno de tus miembros que ser echado todo entero al fuego eterno. ³⁰Y si tu mano derecha es ocasión de pecado para ti, córtatela y arrójala lejos de ti; te conviene más perder uno de tus miembros que ser arrojado todo entero al fuego eterno.

³¹También se dijo: *El que se separe de su mujer, que le dé un acta de divorcio.* ³²Pero yo os digo que todo el que se divorcie de su mujer, salvo en caso de infidelidad, la hace cometer adulterio; y el que se casa con una divorciada, comete adulterio.

³³También habéis oído que se dijo a nuestros antepasados: *No jurarás en falso, sino que cumplirás lo que prometiste al Señor con juramento.* ³⁴Pero yo

os digo que no juréis en modo alguno; ni por el cielo, que es el trono de Dios; [35]ni por la tierra, que es el estrado de sus pies; ni por Jerusalén, que es la ciudad del gran rey. [36]Ni siquiera jures por tu cabeza, porque ni un cabello puedes volver blanco o negro. [37]Que vuestra palabra sea sí, cuando es sí; y no, cuando es no. Lo que pasa de ahí, viene del maligno.

[38]Habéis oído que se dijo: *Ojo por ojo y diente por diente.* [39]Pero yo os digo que no hagáis frente al que os hace mal; al contrario, a quien te abofetea en la mejilla derecha, preséntale también la otra; [40]al que quiera pleitear contigo para quitarte la túnica, dale también el manto; [41]y al que te exija ir cargado mil pasos, ve con él dos mil. [42]Da a quien te pida, y no vuelvas la espalda al que te pide prestado.

[43]Habéis oído que se dijo: *Ama a tu prójimo y odia a tu enemigo.* [44]Pero yo os digo: Amad a vuestros enemigos y orad por los que os persiguen. [45]De este modo seréis dignos hijos de vuestro Padre celestial, que hace salir el sol sobre buenos y malos, y manda la lluvia sobre justos e injustos. [46]Porque, si amáis a los que os aman, ¿qué recompensa merecéis? ¿No hacen también eso los publicanos? [47]Y si saludáis sólo a vuestros hermanos, ¿qué hacéis de más? ¿No hacen lo mismo los paganos? [48]Vosotros sed perfectos, como vuestro Padre celestial es perfecto.

◆ *Notas:* Mateo 5,21-48

5,21 El primer segmento del Sermón del Monte trata de la justicia de los escribas en relación con los cinco últimos de los Diez Mandamientos, tratados en la antítesis de 5,21-48. Desde el punto de vista histórico, el propósito de los Diez Mandamientos era evitar el enquistamiento de rencillas, que generaban interiormente la aniquilación del grupo. Las sociedades con base en el esquema honor-vergüenza eran sociedades agonísticas (conflictivas); de ahí que los desafíos en el interior del grupo podían conducir a su aniquilación. Por ejemplo, el propio Jesús fue matado por el conflicto que iba tomando forma en Israel.

Lo que ofrecen las escenas descritas en las antítesis es el modo de evitar el callejón sin salida al que conduce el honor-vergüenza con sus exigencias de satisfacción. Si contamos con el arrepentimiento, la reconciliación, la generosidad o la intervención de terceros, las rencillas arraigadas en la defensa del honor no tienen por qué estropear el panorama social de la facción de Jesús. Tales estrategias para contrarrestar la exigencia de satisfacción basada en el rencor inveterado operan de manera parecida a los efectos benéficos del sol y la lluvia que caen por igual sobre buenos y malos. Dada la cualidad de las sanciones morales en el Mediterráneo, basadas en situaciones concretas, es dudoso que tales estrategias implicasen una sanación interior, psicológica, como podríamos imaginarnos actualmente. Pero proporcionarían cierta libertad respecto a la enemistad fomentada en el grupo de origen, que tan generalizada estaba en las sociedades agonísticas.

Sin embargo, tales estrategias no sugieren que Jesús ponga en cuestión el sistema del honor como tal. Más bien redefine la cualidad de las conductas juzgadas como dignas de honor y ofrece una nueva valoración que conduce a un trastocamiento de los valores. Pero sigue intacto el modelo socio-psicológico de reclamar la valía (honor) y de contar con otras personas que apoyen esa reclamación. Como no existía otro sistema distinto del del honor y la vergüenza (de igual modo que no existía otro sistema de parentesco distinto del que seguía la gente), lo que se ponía en cuestión era el modo en que se practicaba el sistema del honor y la manera en que alimentaba el deseo de satisfacción basado en el rencor acumulado.

5,22 «Hermano» es el modo característico de Mateo de referirse a un compañero miembro de la facción de Jesús (e.d. compañero discípulo de Jesús). Como la palabra se usa normalmente en relación con los miembros de la familia, el uso que hace Mateo del término pone de manifiesto que entiende la facción de Jesús como una familia subrogada. ⇨ **Familia subrogada,** 12,46-50 (cf. pág. 351). Cuando la preocupación por el «hermano» se desarrolla en el Sermón del Monte, podemos ver que en Mateo la enseñanza va dirigida a los miembros de la facción de Jesús en sus relaciones intragrupales.

5,23-24 Esta parábola coloca la reconciliación con el propio «hermano» por encima de las obligaciones cultuales para con Dios en el templo.

5,27-30 El «adulterio» se refiere al acto de deshonrar a un hombre de la propia comunidad teniendo relaciones sexuales con su esposa. El deshonor consiste en la habilidad del adúltero para traspasar impunemente los límites de la familia de otra persona. Como deshonor a la reputación familiar, el adulterio requiere satisfacción, que puede conducir con frecuencia a interminables discusiones y a odios inveterados. Para prevenir esta situación, la ley israelita exigía que tanto el adúltero como la esposa sufrieran la pena capital (Dt 22,22: «Si un hombre es descubierto mientras yace con la esposa de otro hombre, ambos morirán, tanto el hombre que yace con la mujer como la mujer. Así extirparás el mal en Israel»). De ahí que la «mujer» del v. 28, a la que un hombre puede mirar «con lascivia», sea una mujer casada, una Sra.

Para el significado de ojo y mano, ⇨ **Las tres zonas de la personalidad,** 5,27-32 (cf. pág. 406). El matiz añadido aquí es el de ojo «derecho». «Arrancarse el ojo derecho» significa sufrir el deshonor (como en 1 Sam 11,2: «Pero Najas el amonita les dijo: 'Haré un pacto con vosotros con una condición, la de sacaros a todos el ojo derecho. Así afrentaré a todo Israel'»; ver también Zac 11,17). En nuestro texto se intima a padecer el deshonor en servicio de la paz comunitaria, que podría estar radicalmente trastornada por haber deshonrado a otro.

5,31-32 El «divorcio» es la disolución de un matrimonio; cuando el «matrimonio» significaba la fusión del honor de dos familias por razones políticas y económicas, el divorcio implicaba generalmente el comienzo de las rencillas entre las familias. En este caso, «hacer de la propia mujer una adúltera» significa deshonrarse a sí mismo actuando como un alcahuete y ofreciendo la propia esposa a otros hombres para que se unan sexualmente a ella. «Cometer adulterio» casándose con una divorciada significa deshonrar al anterior marido, que ha renunciado a los derechos a ella. Tales afirmaciones son exageraciones de determinados casos y tienen poco sentido literal en la cultura. Ver la interpretación que ofrece al respecto Mt 19,3-12.

5,25-26 En el siglo I hay claras evidencias de cómo una deuda podía ocasionar la pérdida de las tierras entre los campesinos. Una de las primeras cosas que hicieron los zelotas para controlar Jerusalén durante la gran revuelta del 66 d.C. fue quemar los archivos de deudas de la ciudad. El trasfondo legal de nuestro pasaje es probablemente más romano que israelita. Según la ley romana, un magistrado podía ofrecer a un acreedor dos alternativas: forzar al deudor a trabajar hasta que cancelase la deuda o llevarle a prisión. En este último caso, se podía esperar que los parientes vendiesen sus tierras para cancelar la deuda o que pagasen ellos mismos la fianza. ⇨ **Deudas, 6,12** (cf. pág. 337).

5,27-32 ⇨ **Las tres zonas de la personalidad, 5,27-32** (cf. pág. 406).

5,33-37 Jurar significa poner a Dios por testigo de la veracidad de lo que uno dice. Tales juramentos tienen lugar generalmente en el acto de comprar y vender. Siempre se trataba del mercadillo de un vendedor, y normalmente no existía un sistema de terceras partes que asegurasen la honestidad del intercambio comercial. Un vendedor invocaría a Dios como testigo de la calidad del producto mediante una serie de fórmulas que trataban de involucrar a Dios, pero sin mencionarlo directamente: «por el cielo», «por la tierra», «por Jerusalén», «por mi cabeza». Esos subterfugios desembocaban frecuentemente en un conflicto, y, tal como implica aquí el lenguaje, el vendedor que pronunciaba tales juramentos levantaba la sospecha de que había algo malo que se trataba de encubrir.

5,38-42 Estas tres escenas describen el modo humillante en que son infringidos los derechos de alguien: la bofetada en la mejilla derecha constituía un insulto, tan humillante como ser demandado ante los tribunales o ser obligado a transportar pertrechos militares durante kilómetro y medio. Tal conducta humillante exigía la defensa del propio honor. ¡Y el consejo que se ofrece es renunciar a los propios derechos! La clave para imaginar los escenarios implicados aquí es tener en cuenta que todos presuponen una audiencia. En el mundo mediterráneo, nadie riñe en público sin que otros intervengan para separar a los contendientes. Las pendencias de taberna en las que dos hombres se enzarzan al tiempo que los presentes se limitan a mirar, es algo propio de algunas sociedades actuales. Si alguien era insultado en público, los presentes intervendrían con toda seguridad. La verdadera cuestión planteada por la imagen ofrecida aquí es si una persona ofendida trataría de defender su propio honor o dejaría que otra persona le defendiese. Dejar que otros acudan en mi defensa me permite reconciliarme posteriormente con quien me ha deshonrado y evita así una demanda de satisfacción del honor.

5,39-42 ⇨ **Relaciones (intercambios) sociales,** 5,39-42 (cf. pág. 388). Estos versículos van claramente dirigidos a las élites acomodadas: los que tienen un manto de más, los que pueden prestar dinero y a quienes otros pueden pedir. Las acciones recomendadas («... sin esperar nada a cambio») implican la reciprocidad generalizada típica de las relaciones familiares.

5,43 ⇨ **Amor y odio,** 5,43-44 (cf. pág. 321).

5,44 Las características pendencieras de la sociedad mediterránea proporcionaban un buen número de «enemigos» a los varones adultos y a sus familias. Para un campesino, enemigos son todos cuantos tratan de quitarle lo que es legítimamente suyo. Son quienes destruyen su honor, le quitan las tierras, socavan las relaciones de su familia y amenazan a sus mujeres. Y poca diferencia había si se trataba de romanos, de las clases dirigentes de Jerusalén o de vecinos peligrosos.

Redefinición del honor en la limosna, la oración (incluida una oración de Jesús) y el ayuno 6,1-18

6 ¹No hagáis el bien para que os vean los hombres, porque entonces vuestro Padre celestial no os recompensará. ²Por eso, cuando des limosna, no vayas pregonándolo, como hacen los hipócritas en las sinagogas y en las calles, para que los alaben los hombres. Os aseguro que ya han recibido su recompensa.

³Tú, cuando des limosna, que no sepa tu mano izquierda lo que hace la derecha. ⁴Así tu lismosna quedará en secreto; y tu Padre, que ve en lo secreto, te premiará.

⁵Cuando oréis, no seáis como los hipócritas, a quienes les gusta orar de pie en las sinagogas y en las esquinas de las plazas para que los vea la gente. Os aseguro que ya han recibido su recompensa. ⁶Tú, cuando ores, entra en tu habitación, cierra la puerta y ora a tu Padre, que está en lo secreto; y tu Padre, que ve en lo secreto, te premiará. ⁷Y al orar, no os perdáis en palabras como hacen los paganos, creyendo que Dios los va a escuchar por hablar mucho. ⁸No seáis como ellos, pues ya sabe vuestro Padre lo que necesitáis antes de que vosotros se lo pidáis. ⁹Vosotros orad así:

Padre nuestro, que estás en el cielo, santificado sea tu nombre; ¹⁰venga tu reino; hágase tu voluntad

en la tierra como en el cielo; ¹¹danos hoy nuestro pan de cada día; ¹²perdónanos nuestras deudas, como también nosotros perdonamos a nuestros deudores; ¹³no nos conduzcas al juicio; y líbranos del malo. ¹⁴Porque si vosotros perdonáis a los demás sus ofensas, también os perdonará a vosotros vuestro Padre celestial. ¹⁵Pero si no perdonáis a los demás, tampoco vuestro Padre perdonará vuestras ofensas.

¹⁶Cuando ayunéis, no andéis cariacontecidos como los hipócritas, que desfiguran su rostro para que la gente vea que ayunan. Os aseguro que ya han recibido su recompensa. ¹⁷Tú, cuando ayunes, perfúmate la cabeza y lávate la cara, ¹⁸de modo que nadie note tu ayuno, excepto tu Padre, que está en lo escondido. Y tu Padre, que ve hasta lo más escondido, te premiará.

◆ *Notas:* **Mateo 6,1-18**

6,1-18 ⇨ **Fariseos,** 6,1-18 (cf. pág. 352).

6,2 El problema abordado en este pasaje es el de la definición de una conducta verdaderamente valiosa: la limosna pública, con un reconocimiento del honor por parte de los contemporáneos ahora, o la limosna en privado, con una recompensa de parte de Dios, también ahora. De lo que se trata, una vez más, es de la redifinición y el cambio de perspectiva de la conducta considerada valiosa. Mt 6,3-4 no implica un rechazo del sistema de intercambio social, pues uno tiene que dar para recibir. Se ofrece la alternativa de dar en público o en privado, y de recibir en consecuencia la recompensa de la sociedad o de Dios. No se especifica qué es exactamente lo que da Dios, pero sin duda se entendía bien en la sociedad en cuestión (seguramente no sería la gracia del alma, un mayor cariño, la vida futura, etc.). Dada la orientación de los grupos no elitistas en el Mediterráneo del siglo I, la recompensa otorgada por Dios sería algo concreto aquí y ahora, como las cien veces más que esperaban los discípulos de Jesús (Mt 19,29) y la ayuda material que esperaría Pablo después de su mensaje verbal (1 Cor 9,10-15).

6,7 ⇨ **Oración,** 6,7 (cf. pág. 367). Las oraciones no-israelitas que «acumulaban frases vacías» eran letanías, a menudo muy largas, que trataban de aburrir a la divinidad para que otorgase el favor solicitado. En las plegarias tradicionales romanas y griegas, la cosa solicitada tenía que ser descrita lo más detalladamente posible, para que la divinidad no concediera un favor equivocado. El patrón divino del grupo de Jesús «sabe lo que necesitas antes de pedírselo»; es decir, ni siquiera hay necesidad de pedir.

6,9 «Padre nuestro» es un modo de decir «Dios». La frase se refiere al Dios de Israel específicamente como patrón. En Mateo, «cielo» es un término que sustituye a «Dios»; de ahí que la expresión «que estás en el cielo» sea otro modo de decir «Dios».

«Santificado sea tu nombre» tiene forma imperativa. «Santificar» o «hacer santo» significa dotar de exclusividad a algo puro. Lo santo o sagrado siempre es exclusivo para alguna persona (algo o alguien puesto aparte para esa persona). Santificar consiste en trazar una línea divisoria entre lo que es designado y lo que no lo es, definiendo así su estatus y significado. Santificar el nombre de Dios, el símbolo de la persona de Dios, es distinguir el estatus de Dios del de los demás. Aquí se intima a Dios a que se haga presente con el estatus que realmente tiene.

«Venga tu reino» es un imperativo dirigido a Dios para que gobierne como Dios. Se pide que el reino de Dios suplante a los otros reinos.

«Hágase tu voluntad» es un imperativo dirigido a Dios para que haga en definitiva lo que le plazca, tanto «en la tierra como en el cielo», es decir, por doquier. Una vez más, se pide que la voluntad de Dios sustituya a todas las demás.

6,11 ⇨ **Pan,** 6,11 (cf. pág. 370). El término griego traducido por «cada día» significa «venidero», «para el día de mañana». El «pan venidero» deseado «hoy» es la alegría del patronazgo de Dios, es decir, de la participación en el «reino de los cielos». La vida bajo el patronazgo de Dios es considerada con frecuencia algo así como un banquete interminable, una imagen de gran interés para los campesinos. ⇨ **Comidas,** 22,1-14 (cf. pág. 331).

La antigua versión latina (Vetus Latina) tradujo la palabra «venidero» por «diario», de donde procede la forma latina: «Danos hoy nuestro pan diario». Pero sea que se traduzca «Danos hoy el pan de mañana» o bien «Danos hoy nuestro pan diario», la petición capta a la perfección el punto de vista que tenía sobre el tiempo el campesino: no interesa ni el ayer ni el lejano futuro; sólo merecen la atención las necesidades del presente inmediato.

6,12 Observemos el tiempo pasado del verbo: «ha perdonado» o «perdonó». El verbo se refiere a una actividad ya realizada, quizás una ceremonia de reconciliación en el grupo de Mateo. El uso que hace Mateo de «deudas» como contrapartida de «pecados» en Lucas (Lc 11,4) sugiere que cada término es una interpretación del otro. Si en Lucas se contempla una deuda material (como lo es seguramente en Mt 6,12 [el término griego por «deudas» se refiere a las obligaciones económicas o legales]), los «pecados» tienen un valor análogo; es decir, sitúan a uno en deuda con Dios. ⇨ **Deudas, 6,12** (cf. pág. 337).

6,13 El griego significa aquí literalmente «no nos lleves a la prueba» o «juicio». El término se refiere a cualquier prueba, aunque es usado frecuentemente en ese periodo para indicar la dura prueba de lealtades a la que eran sometidos quienes vivían en alianza con Dios. El escritor del Apocalipsis retoma este lenguaje en la carta a los cristianos de Filadelfia: «Te mantendré al margen de esta hora de la prueba que se avecina sobre el mundo entero, para poner a prueba a los habitantes de la tierra» (Ap 3,10).

Dada la antigua creencia mediterránea en la causalidad personal de todo lo que acontece, la frase generalmente traducida por «líbranos del mal» quedaría mejor como «rescátanos del maligno».

6,14 Este versículo subraya la petición del v. 12, extremando la analogía entre deuda y pecado (aquí literalmente «pasos en falso»). Dada la actual tendencia occidental a individualizar e interiorizar la culpa, es importante tener clara la diferente orientación que se observa en una sociedad guiada por el binomio honor-vergüenza. ⇨ **Perdón de los pecados, 6,14** (cf. pág. 375).

6,16 ⇨ **Ayuno, 6,16** (cf. pág. 323). El ayuno forma parte del esquema de la lamentación, que es un ritual de protesta ante la presencia del mal. El no comer pretendía ser una forma de comunicación, algo así como no hablar cuando uno está encolerizado. El silencio significa, pues, «estoy disgustado». Quien ayuna está diciendo «socórreme en mi aflicción»; el rostro desfigurado comunica tal necesidad a los vecinos. Ayunar con la cara limpia resultaba seguramente una novedad; ¡sólo Dios se daría cuenta de ello! Lo que aquí se pide es que la «comunicación» sea reorientada desde los vecinos a Dios.

Tesoros, el ojo sano, servir a dos señores, preocupación por las necesidades presentes 6,19-34

[19]No acumuléis tesoros en esta tierra, donde la polilla y la carcoma echan a perder las cosas, y donde los ladrones socavan y roban. [20]Acumulad mejor tesoros en el cielo, donde ni la polilla ni la carcoma echan a perder las cosas, y donde los ladrones no socavan no roban. [21]Porque donde está tu tesoro, allí está también tu corazón.

[22]El ojo es la lámpara del cuerpo. Si tu ojo está sano, todo tu cuerpo está iluminado; [23]pero si tu ojo está enfermo, todo tu cuerpo está en tinieblas. Y si la luz que hay en ti es tiniebla, ¡qué grande será la oscuridad!

[24]Nadie puede servir a dos amos; porque odiará a uno y querrá al otro, o será fiel a uno y al otro no le hará caso. No podéis servir a Dios y al dinero.

[25]Por eso os digo: No andéis preocupados pensando qué vais a comer o a beber para sustentaros, o con qué vestido vais a cubrir vuestro cuerpo. ¿No vale más la vida que el alimento y el cuerpo que el vestido? [26]Fijaos en las aves del cielo; ni siembran ni siegan ni recogen en graneros, y sin embargo vuestro Padre celestial las alimenta. ¿No valéis vosotros mucho más que ellas? [27]Quién de vosotros, por más que se preocupe, puede añadir una sola hora a su vida? [28]Y del vestido, ¿por qué os preocupáis? Fijaos cómo crecen los lirios del campo; no se afanan ni hilan; [29]y sin embargo, os digo que ni Salomón en todo su esplendor se vistió como uno de ellos. [30]Pues si a la hierba que hoy está en el campo y mañana se echa al horno Dios la viste así, ¿qué no hará con vosotros, hombres de poca fe? [31]Así que no andéis preocupados diciendo: ¿Qué comeremos? ¿Qué beberemos? ¿Con qué nos vestiremos? [32]Esas son las cosas que inquietan a los paganos. Ya sabe vuestro Padre celestial que las necesitáis. [33]Buscad ante todo el reino de Dios y lo que es propio de él, y Dios os dará lo demás. [34]No andéis preocupados por el día de mañana, que el mañana traerá su propia preocupación. A cada día le basta su propio afán.

◆ *Notas:* Mateo 6,19-34

6,22 La antigua gente del Mediterráneo creía que podía ver porque la luz procedía de sus ojos, que se comportaban algo así como un flash. Por supuesto, provenía del corazón. ⇨ **Las tres zonas de la personalidad,** 5,27-32 (cf. pág. 406). Cuando la gente se quedaba ciega, la oscuridad procedía de sus ojos, indicando que algo le pasaba a su corazón. Como hemos observado arriba (5,15), la oscuridad era una realidad objetivamente presente: presencia de la oscuridad y no ausencia de luz, como pensamos nosotros. Luz significa presencia de la luz.

6,24 El modo normal en que un esclavo (aquí se habla en masculino) podía verse sometido a dos señores era cuando un padre lo entregaba como herencia a dos hijos. ⇨ **Amor y odio,** 5,43-44 (cf. pág. 321).

6,25-34 La preocupación por el futuro requiere dedicar una continua atención a todas las necesidades presentes. Esto nunca constituía la experiencia de un campesino preindustrial. La preocupación de un campesino estaba más bien en relación con el hoy, con el presente. Estos dichos (que ya formaban una unidad de tradición antes de que Mateo los pusiera por escrito) presuponen el *ethos* campesino. Exigían del campesino que prescindiese de la preocupación por las necesidades cotidianas y que pensase en agradar de corazón al patrón celeste, que atendería a sus necesidades.

Juicios negativos, hipócritas y críticos 7,1-12

7 ¹No juzguéis, para que Dios no os juzgue; ²porque Dios os juzgará del mismo modo que vosotros hayáis juzgado y os medirá con la medida con que hayáis medido a los demás. ³¿Cómo es que ves la mota en el ojo de tu hermano y no adviertes la viga que hay en el tuyo? ⁴O ¿cómo dices a tu hermano: «Deja que te saque la mota del ojo», si tienes una viga en el tuyo? ⁵Hipócrita, saca primero la viga de tu ojo y entonces podrás ver para sacar la mota del ojo de te hermano.

⁶No déis lo santo a los perros, ni echéis vuestras perlas a los puercos, no sea que las pisoteen, se vuelvan contra vosotros y os destrocen.

⁷Pedid y recibiréis; buscad y encontraréis; llamad y os abrirán. ⁸Porque todo el que pide recibe, el que busca encuentra, y al que llama le abren. ⁹¿Acaso si a alguno de vosotros su hijo le pide pan le da una piedra?; ¹⁰o si le pide un pez, ¿le da una serpiente? ¹¹Pues si vosotros, que sois malos, sabéis dar cosas buenas a vuestros hijos, ¡cuánto más vuestro Padre que está en los cielos dará cosas buenas a los que se las pidan! ¹²Así pues, tratad en todo a los demás como queráis que ellos os traten a vosotros, porque en esto consisten la ley y los profetas.

◆ *Notas:* Mateo 7,1-12

7,1-5 «Juzgar» se refiere en gran medida a un juicio negativo, es decir, de condena. Los juicios tenían lugar en la zona llamada ojoscorazón. ⇨ **Las tres zonas de la personalidad**, 5,27-32 (cf. pág. 406). En las sociedades orientadas según el esquema honor-vergüenza, tal juicio negativo es en gran medida asunto de estereotipos. Las etiquetas que se ponían a la gente (pecador, cobrador de impuestos, mujer de la calle, hijo de carpintero) la encasillaban de tal modo que determinaban su estatus y controlaban sus relaciones con los demás.

7,6 Esta parábola anima a los seguidores de Jesús a ser críticos, como las dos anteriores les animaban a no condenar. La imagen describe al perro revolviéndose para atacar. En la antigua Palestina los perros eran animales impuros y no se les tenía como domésticos. Merodeaban por las ciudades y sus alrededores en busca de desperdicios; pertenecían al grupo más que a los individuos. De los cerdos, igualmente impuros, se dice que pisotean las perlas. Como los israelitas no podían comer cerdo, estos animales eran de los griegos, de los romanos o de gente semita no-israelita de entonces.

7,7-11 La parábola de los vv. 7-8 describe la conducta de un mendigo. El v. 8 sugiere que se trata de una referencia a la oración. Como es normal en el Nuevo Testamento, la oración está en relación con la petición de cosas, aquí de «cosas buenas». ⇨ **Oración**, 6,7 (cf. pág. 367).

7,12 La tradicional «regla de oro» tiene mucho más significado si la consideramos en el contexto literario que nos ofrece Mateo. En primer lugar, este versículo sirve de paréntesis de cierre a la enseñanza que empezó Jesús en 5,17, que también menciona «la ley y los profetas». El versículo señala, pues, la conclusión de la enseñanza y al mismo tiempo insiste en la acción. En segundo lugar, la expresión «En todo...» relaciona el versículo con toda la enseñanza que acaba de ofrecer Jesús. Finalmente, el versículo subraya el recurso a la zona manos-pies, es decir, a la actividad, a la acción. Este tema constituye el núcleo de los versículos siguientes (7,13-27).

Líneas de demarcación entre los de dentro y los de fuera 7,13-29

[13]Entrad por la puerta estrecha, porque es ancha la puerta y espacioso el camino que lleva a la perdición, y son muchos los que entran por él. [14]En cambio es estrecha la puerta y angosto el camino que lleva a la vida, y son pocos los que lo encuentran.

[15]Tened cuidado con los falsos profetas; vienen a vosotros disfrazados de ovejas, pero por dentro son lobos rapaces. [16]Por sus frutos los conoceréis. ¿Acaso se recogen uvas de los espinos o higos de las zarzas? [17]Del mismo modo, todo árbol bueno da frutos buenos, mientras que el árbol malo da frutos malos. [18]No puede un árbol bueno dar frutos malos, ni un árbol malo dar frutos buenos. [19]Todo árbol que no da buen fruto se corta y se echa al fuego. [20]Así que por sus frutos los conoceréis.

[21]No todo el que me dice ¡Señor, Señor! entrará en el reino de los cielos, sino el que hace la voluntad de mi Padre que está en los cielos. [22]Muchos me dirán aquel día: «¡Señor, Señor! ¿No profetizamos en tu nombre, y en tu nombre expulsamos demonios, y en tu nombre hicimos muchos milagros?». [23]Pero yo les responderé: «No os conozco de nada. ¡Apartaos de mí, malvados!».

[24]El que escucha estas palabras mías y las pone en práctica, es como aquel hombre sensato que edificó su casa sobre roca. [25]Cayó la lluvia, vinieron los torrentes, soplaron los vientos y se abatieron sobre la casa; pero no se derrumbó, porque estaba cimentada sobre roca. [26]Sin embargo, el que escucha estas palabras mías y no las pone en práctica, es como aquel hombre necio que edificó su casa sobre arena. [27]Cayó la lluvia, vinieron los torrentes, soplaron los vientos, se abatieron sobre la casa, y ésta se derrumbó. Y su ruina fue grande.

[28]Cuando Jesús terminó este discurso, la gente se quedó admirada de su enseñanza, [29]porque les enseñaba con autoridad, y no como sus maestros de la ley.

◆ *Notas:* Mateo 7,13-29

7,21-27 Un «señor» es una persona con derecho a controlar a otras totalmente y a voluntad, con derecho a la vida y la muerte de otros, con pleno derecho a las posesiones y el ser de otro. Como título de respeto (en Mt 21,3, por ejemplo), denota una extremada deferencia. Llamar a Jesús «Señor» sería solicitarle como patrón (o intermediario). ➪ **El sistema de patronazgo en la Palestina romana,** 8,5-13 (cf. pág. 399). Los clientes que no hacen lo que les pide el patrón corren el riesgo de que se rompan sus relaciones.

7,22-23 La identidad en la antigua Palestina no era individual, sino social. La gente era identificada y estereotipada por los grupos a quienes pertenecían. Así, saber «de dónde» era una persona (Jesús de Nazaret) suministraba la necesaria información para identificarla. ➪ **Acusación de desvío,** 12,22-30 (cf. pág. 319). Como esto faltaba en nuestro caso, las personas que llaman a la puerta recurren a una importante alternativa: reivindicar que han sido comensales. «Comer a la misma mesa» es una expresión hebrea tardía relativa a la solidaridad dentro de un grupo cuyos miembros colaboran a idéntico fin y se distinguen como tales frente a otros grupos. La comensalidad era la prueba de fuego de la unidad social en el mundo antiguo; de ahí que la protesta de quienes no son reconocidos por el *paterfamilias,* diciendo que han comido y bebido en su presencia, es una reclamación ignorada de solidaridad social.

7,28 Mateo observa esta reacción en varias ocasiones, y siempre con referencia a la enseñanza de Jesús (de ahí quizás con el matiz de «embelesado/hechizado»; ver 13,54; 19,25; 22,33). Más en relación con la conducta que con la enseñanza, la reacción es de estupefacción (8,10.27; 9,33; 15,31; 21,15.20.42; 22,22; 27,14). Finalmente, el verbo griego de 12,23 tiene el matiz de quedar sin habla. En cada caso se advierte que Jesús se sitúa por encima de lo que la gente esperaba de él, dado el estatus de honor estereotipado que normalmente se le habría adscrito en virtud de su origen como artesano de pueblo.

Tres curaciones: patronazgo de Dios para con un leproso, un centurión y la suegra de Pedro 8,1-17

8 [1]Cuando Jesús bajó del monte, lo siguió mucha gente. [2]Entonces se le acercó un leproso y se postró ante él diciendo: «Señor, si quieres, puedes limpiarme». [3]Jesús extendió la mano, lo tocó y le dijo: «Quiero, queda limpio». Y al instante quedó limpio de la lepra. [4]Jesús le dijo: «No se lo digas a nadie, pero ve, preséntate al sacerdote y lleva la ofrenda prescrita por Moisés, para que tengan constancia de tu curación».

⁵Al entrar en Cafarnaún, se le acercó un centurión suplicándole: ⁶«Señor, tengo en casa un criado paralítico que sufre terriblemente». ⁷Jesús le respondió: «Yo iré a curarlo». ⁸Replicó el centurión: «Señor, yo no soy digno de que vengas bajo mi techo, pero di una sola palabra y mi criado quedará sano. ⁹Porque yo, que soy un subalterno, tengo soldados a mis órdenes, y digo a uno: ¡ve! y va; y a otro: ¡haz esto! y lo hace».

¹⁰Al oírlo, Jesús se quedó admirado y dijo a los que le seguían: «En verdad os digo que en ningún israelita he encontrado tanta fe. ¹¹Por eso os digo que vendrán muchos de oriente y occidente y se sentarán con Abrahán, Isaac y Jacob en el banquete del reino de los cielos, ¹²mientras que los herederos del reino serán echados fuera a las tinieblas; allí llorarán y les rechinarán los dientes». ¹³Luego dijo al centurión: «Vete y que te suceda según tu fe». Y en aquel momento el criado quedó sano.

¹⁴Al llegar Jesús a la casa de Pedro, encontró a la suegra de éste acostada con fiebre. ¹⁵Jesús tomó su mano y la fiebre desapareció. Ella se levantó y se puso a servirle.

¹⁶Al atardecer le trajeron muchos endemoniados; expulsó a los espíritus con su palabra, y curó a todos los enfermos. ¹⁷Así se cumplió lo anunciado por el profeta Isaías:

Él tomó nuestras flaquezas
y cargó con nuestras enfermedades.

◆ *Notas:* Mateo 8,1-17

8,1-4 Lev 13,45 especifica que los leprosos tenían que llevar la ropa desgarrada, el cabello suelto y gritar «Impuro, impuro» cuando alguien se les acercaba. También debían vivir solos, fuera del campamento. ⇨ **Pureza/contaminación,** 8,2-4 (cf. pág. 383). Los leprosos solían mendigar a las puertas de la ciudad durante las horas del día (ver 2 Re 7,3-9). Caer rostro en tierra ante Jesús supone un gesto ante un patrón o un intermediario. El contacto físico con una persona enferma violaba las normas de pureza, y habría hecho a Jesús impuro. La auténtica lepra, la enfermedad de Hansen, era muy rara en la Palestina del siglo I, si es que en realidad existía. De ahí que el término se refiera aquí probablemente a diversos tipos de enfermedades cutáneas (ver Lev 13). Lev 14 prescribe las ofrendas exigidas para ser reincorporado a la comunidad. El pronombre «a ellos» se referiría entonces a la comunidad a la que se reincorporaba el leproso curado. ⇨ **Preocupación por la salud,** 8,1-4 (cf. pág. 381); y **Cadenas de comentarios,** 4,24-25 (cf. pág. 324). Mateo omite el detalle de Marcos (1,45) de que Jesús ya no podía entrar abiertamente en una ciudad, quizás porque tenía que hablar de la entrada de Jesús en Cafarnaún, y las reglas relativas a la impureza se lo impedirían.

8,5-13 ⇨ **El sistema de patronazgo en la Palestina romana,** 8,5-13 (cf. pág. 399). Como oficial representante de Roma, un centurión tendría con frecuencia posibilidades de actuar de intermediario imperial ante la población local. Aquí se dirige a Jesús llamándole «señor», un acto de humillación por su parte, que al propio tiempo honra a Jesús. El hombre desea claramente que Jesús haga de agente intermediario del patronazgo del Dios de Israel. Deja bien claro que, aun siendo un oficial romano, no pretende tratar a Jesús como un inferior. El dato es subrayado por el reconocimiento de su indignidad (como Juan el Bautista en Mt 3,11): «No soy digno de que vengas bajo mi techo». Sorprendido, Jesús reconoce lo asombrosa que es la manifestación de lealtad hacia el Dios de Israel por parte del centurión: «En verdad os digo, en ningún israelita he encontrado tanta fe». ⇨ **Fe, 21,21** (cf. pág. 353); y **Preocupación por la salud, 8,1-4** (cf. pág. 381). En vista de esta lealtad hacia el patrón, Jesús hace de intermediario del poder sanador de Dios que el centurión había solicitado.

8,11-12 ⇨ **Sociedades con base en el honor-vergüenza, 8,12** (cf. pág. 404). La nueva comunidad se caracterizará por la participación en la mesa de los provenientes de todas las naciones y por el alto honor que eso implica. Por otra parte, se describe a los «herederos del reino» como sometidos a la vergüenza pública; ver más arriba la nota sobre la participación en la mesa, 7,22-23. ⇨ **Comidas, 22,1-14** (cf. pág. 331).

8,14-15 ⇨ **Preocupación por la salud, 8,1-4** (cf. pág. 381). Simón es llamado Pedro (que significa «Roca») antes de que se le otorgue formalmente este sobrenombre en 16,18. Que la suegra de Pedro viviese con él no era normal, a menos que se tratara de una viuda sin hijos. Ponerse a servir a los que están en casa después de haber sido curada indica que ha recuperado en la familia el lugar que ocupaba como suegra.

Precedencia para Jesús de la nueva familia subrogada sobre la familia biológica 8,18-22

[18]Viendo Jesús que lo rodeaba una multitud de gente, mandó que lo llevaran a la otra orilla. [19]Se le acercó un maestro de la ley y le dijo: «Maestro, te seguiré adondequiera que vayas». [20]Jesús le dijo: «Las zorras tienen madrigueras y los pájaros del cielo nidos; pero el Hijo del hombre no tiene dónde reclinar la cabeza». [21]Otro de sus discípulos le dijo: «Señor, deja primero que vaya a enterrar a mi padre». [22]Jesús le dijo: «Sígueme y deja que los muertos entierren a sus muertos».

◆ *Notas:* Mateo 8,18-22

8,18-22 En estos planteamientos sobre el seguimiento a Jesús, el asunto que sobresale con claridad es el de la ruptura con el propio grupo biológico y con la red de relaciones sociales con las que uno está implicado. En el primer caso se ve claramente que los seguidores deben adoptar un estilo de vida desviado, alejados de casa. En el segundo, son rechazadas importantísimas obligaciones para con la familia de origen. En el tercero, se niega la oportunidad de suavizar la ruptura. ⇨ **Familia subrogada,** 12,46-50 (cf. pág. 351).

Poder de Jesús sobre la naturaleza 8,23-27

²³Jesús subió a una barca y sus discípulos lo siguieron. ²⁴De pronto, se alborotó el lago de tal manera que las olas cubrían la barca, pero Jesús estaba dormido. ²⁵Los discípulos se acercaron y lo despertaron diciéndole: «Señor, sálvanos, que perecemos». ²⁶Él les dijo: «¿Por qué tenéis miedo, hombres de poca fe?». Entonces se levantó, increpó a los vientos y al lago, y sobrevino una gran calma. ²⁷Y aquellos hombres, maravillados, se preguntaban: «¿Qué clase de hombre es éste, que hasta los vientos y el lago le obedecen?».

◆ *Notas:* Mateo 8,23-27

8,23-27 La pregunta que se hacen los discípulos en el v. 27 no se refiere a la «identidad», como podría pensar un lector moderno, sino al estatus u honor. Se preguntan por el lugar que ocupa Jesús en la jerarquía de poderes. ⇨ **Demonios/Posesión demoníaca,** 8,23-24 (cf. pág. 333).

Poder de Jesús sobre un demonio 8,28-34

²⁸Al llegar a la otra orilla, a la región de los gerasenos, salieron a su encuentro de entre los sepulcros dos endemoniados. Eran tan agresivos que nadie se atrevía a pasar por aquel camino. ²⁹Y se pusieron a gritar: «¿Qué tenemos nosotros que ver contigo, Hijo de Dios? ¿Has venido aquí a atormentarnos antes de tiempo?». ³⁰A cierta distancia de allí había una gran piara de cerdos hozando; ³¹y los demonios le rogaban: «Si nos echas, envíanos a la piara de cerdos». ³²Jesús les dijo: «Id». Ellos salieron y se metieron en los cerdos; de pronto toda la piara se lanzó al lago por el precipicio y los cerdos murieron ahogados. ³³Los porquerizos huyeron a la ciudad y lo contaron todo, incluso lo de los endemoniados. ³⁴Toda la ciudad salió al encuentro de Jesús, y cuando lo vieron le rogaron que se marchara de su territorio.

◆ *Notas:* Mateo 8,28-34

8,28-34 ⇨ **Demonios/Posesión demoníaca,** 8,28-34 (cf. pág. 333). Las personas que manifestaban una conducta desviada eran consideradas peligrosas y frecuentemente condenadas al ostracis-

mo, apartadas de la vida comunitaria. Los detalles ofrecidos aquí
encajan en dicha práctica.

Curación y perdón de un paralítico 9,1-8

9 ¹Subió a la barca, cruzó el lago y se fue a su propia ciudad. ²Entonces le trajeron un paralítico tendido en una camilla. Jesús, viendo la fe que tenían, dijo al paralítico: «Ánimo, hijo, tus pecados te quedan perdonados». ³Algunos maestros de la ley decían para sí: «Este blasfema». ⁴Jesús, dándose cuenta de lo que pensaban, les dijo: «¿Por qué pensáis mal? ⁵¿Qué es más fácil, decir: 'Tus pecados quedan perdonados' o decir: 'Levántate y anda'? ⁶Pues vais a ver que el Hijo del hombre tiene en la tierra poder para perdonar los pecados. Entonces se volvió al paralítico y le dijo: «Levántate, toma tu camilla y vete a tu casa». ⁷Él se levantó y se fue a su casa. ⁸Al verlo, la gente se llenó de temor y daba gloria a Dios por haber dado tal poder a los hombres.

◆ *Notas:* Mateo 9,1-8

9,1-8 Observad que Jesús funciona aquí como un sanador tradicional, abordando primero la condición de la dolencia y después la condición de la enfermedad. ⇨ **Preocupación por la salud**, 8,1-4 (cf. pág. 381). Jesús y sus antagonistas se enzarzan en un juego desafío-respuesta, en el que gana Jesús al conseguir curar al enfermo. Los testigos de la curación honran a Dios, como cabía esperar (cf. 9,8; 15,31), pues Jesús está actuando como su intermediario. ⇨ **Fe**, 21,21 (cf. pág. 353).

Un recaudador de impuestos como miembro de la facción 9,9-13

⁹Cuando se marchaba de allí, vio Jesús a un hombre que se llamaba Mateo, sentado en la oficina de impuestos, y le dijo: «Sígueme». Él se levantó y lo siguió.

¹⁰Después, mientras Jesús estaba sentado a la mesa en casa, muchos recaudadores de impuestos y pecadores vinieron y se sentaron con él y sus discípulos. ¹¹Al verlo los fariseos, preguntaban a sus discípulos: «¿Por qué come vuestro maestro con los recaudadores de impuestos y los pecadores?». ¹²Lo oyó Jesús y les dijo: «No necesitan médico los sanos, sino los enfermos. ¹³Entended lo que significa: 'misericordia quiero y no sacrificios'; yo no he venido a llamar a los justos, sino a los pecadores».

◆ *Notas:* Mateo 9,9-13

9,9-13 El término griego traducido por «recaudador de impuestos» se refiere a los recaudadores de aduanas empleados por quienes contrataban directamente con los romanos el cobro de derechos de movimiento de mercancías. ⇨ **Recaudadores de impuestos (de aduanas)**, 9,9-13 (cf. pág. 386). No se menciona la necesidad de abandonar todo, como en Lc 14,33. Muchos de aquellos recaudadores de impuestos, si no la mayoría, seguían siendo pobres. Los que no lo eran, tenían fama generalizada de deshonestos.

La lectura obvia del pasaje es que Jesús entró en la casa y se le unieron, a él y a sus discípulos, muchos recaudadores de impuestos y pecadores. Está claro que Jesús es capaz de dar una fiesta en su propia casa; en consecuencia, debió de hacerse de algún modo con los recursos necesarios. Los recaudadores de impuestos que se unieron a él son mencionados por la referencia previa a Mateo. Como la vida privada era inexistente en la vida de un pueblo, podía esperarse que los fariseos, como otras personas de la ciudad, se enterasen de lo que había pasado y pudiesen comentar los detalles de la comida.

La pregunta del v. 11 es claramente un desafío al honor. La respuesta de Jesús, formulada en estilo proverbial, implica que existe una analogía entre la enfermedad y la posición de recaudadores de impuestos y pecadores, y que el remedio es el arrepentimiento. Está claro que aquí no se está hablando de una enfermedad, sino de una dolencia: la pérdida de significado y de lugar en la comunidad. ⇨ **Preocupación por la salud**, 8,1-4 (cf. pág. 381).

La cita de Os 6,6, que aparece sólo en Mateo, sirve asimismo para rebatir en estilo proverbial. Recurrir al estilo epigramático era una forma de responder especialmente honorable. «Misericordia» significa disposición a devolver (y acción real de devolver) las deudas contraídas en la relación interpersonal con Dios y con los seres humanos. En esta refutación, la conducta de Jesús pertenece presumiblemente a esta categoría de misericordia, en contraste con «sacrificio», el degüello y ofrenda de un animal en el templo de Jerusalén. La misericordia está por encima del sacrificio, como en la parábola de 5,23-24.

Comentario sobre el ayuno, el vestido y los odres 9,14-17

[14]Se le acercaron entonces los discípulos de Juan y le preguntaron: «¿Por qué nosotros y los fariseos ayunamos, y tus discípulos no ayunan?». [15]Jesús les contestó: «¿Es que pueden estar tristes los amigos del novio mientras él está con ellos? Llegará un día en que les quitarán al novio; entonces ayunarán.

[16]Nadie pone un remiendo de paño nuevo a un vestido viejo, porque lo añadido tirará del vestido y el rasgón se hará mayor. [17]Tampoco se echa vino nuevo en odres viejos, porque los odres revientan, el vino se derrama y se pierden los odres. El vino nuevo se echa en odres nuevos, y así se conservan los dos».

◆ *Notas:* Mateo 9,14-17

9,14-17 ⇨ **Ayuno, 6,16** (cf. pág. 323). El versículo 14 es un desafío negativo que permite aclarar las prácticas de los seguidores de Jesús para la audiencia de Mateo. El versículo 15 indica claramente que el ayuno forma parte de un modelo más amplio de «duelo» para protestar por la presencia del mal. Ayunar (hacer duelo) en una boda es una ofensa gravísima, pues indica que la boda en cuestión es algo malo, lo mismo que quienes participan en ella.

Jesús hace de intermediario del favor de Dios para la hija de un mandatario, para una mujer con hemorragias, para un ciego, para un mudo y para otros muchos 9,18-38

[18]Mientras Jesús les decía esto, llegó un personaje importante y se postró ante él diciendo: «Mi hija acaba de morir; pero si tú vienes y pones tu mano sobre ella, vivirá». [19]Jesús se levantó y, acompañado de sus discípulos, lo siguió. [20]Entonces, una mujer que tenía hemorragias desde hacía doce años se acercó por detrás y tocó la orla de su manto, [21]pues pensaba: «Con sólo tocar su vestido quedaré curada». [22]Jesús se volvió y, al verla, dijo: «Animo, hija, tu fe te ha salvado». Y la mujer quedó curada desde aquel momento. [23]Al llegar Jesús a casa del personaje y ver a los flautistas y a la gente alborotando, [24]dijo: «Marchaos, que la niña no ha muerto; está dormida». Pero ellos se burlaban de él. [25]Cuando echaron a la gente, entró, la tomó de la mano y la niña se levantó. [26]Y la noticia se divulgó por toda aquella comarca.

[27]Al salir Jesús de allí, lo siguieron dos ciegos gritando:: «Ten piedad de nosotros, Hijo de David». [28]Cuando entró en la casa, se le acercaron los ciegos, y Jesús les dijo: «¿Creéis que puedo hacerlo?». Ellos dijeron: «Sí, Señor». [29]Entonces tocó sus ojos diciendo: «Que os suceda según vuestra fe». [30]Y se abrieron sus ojos. Jesús les ordenó terminantemente: «Tened cuidado de que nadie lo sepa». [31]Pero ellos, nada más salir, lo publicaron por toda aquella comarca.

[32]Mientras los ciegos se iban, le presentaron un hombre mudo poseído por un demonio. [33]Jesús expulsó al demonio y el mudo recobró el habla. Y la gente decía maravillada: «Jamás se vio cosa igual en Israel». [34]Pero los fariseos decían: «Expulsa los demonios con el poder del príncipe de los demonios».

[35]Jesús recorría todas las ciudades y aldeas, enseñando en sus sinagogas, anunciando la buena noticia del reino y curando todas las enfermedades y dolencias.

[36]Al ver a la gente, sintió compasión de ellos, porque estaban cansados y abatidos como ovejas sin pastor. [37]Entonces dijo a sus discípulos: «La mies es abundante, pero los obreros son pocos. [38]Rogad por tanto al dueño de la mies que envíe obreros a su mies».

◆ *Notas:* Mateo 9,18-38

9,18-26 Una mujer con hemorragias habría sido considerada impura y excluida, por tanto, de la comunidad. ⇨ **Pureza/contaminación, 8,2-4** (junto con el mapa de impurezas; cf. pág. 383); y **Preo-**

cupación por la salud, 8,1-4 (cf. pág. 381). Marcos (5,26) cuenta que la mujer había gastado todo su dinero con sanadores profesionales y que sólo había conseguido empeorar. Como los servicios de tales médicos eran contratados sobre todo por la élite, la mujer pudo haber pertenecido originalmente a ese grupo.

9,18 Caer a los pies de alguien es un gesto con el que se reconoce la inferioridad social, un gesto muy elocuente en un jefe de la sinagoga, de quien normalmente se esperaba que recurriese a médicos profesionales más que a un sanador tradicional. Que alguien muriese con doce años era algo bastante común en la Antigüedad. Durante la mayor parte del siglo I, el 60 por ciento de las personas que nacían vivas morían hacia los quince años. «A los treinta años un hombre podía ser abuelo» (Heráclito, *Sobre el Universo* 89, en Hipócrates 4). Con treinta años, la salud de una persona sería muy deficiente: dientes podridos, falta de visión, efectos de la deficiencia de proteínas, parásitos intestinales y dieta muy pobre. Muy pocos pobres sobrepasaban los treinta años. ⇨ **Edad,** 3,13 (cf. pág. 344).

9,21-22 Mateo no nos dice que la mujer toca a Jesús. Jesús parece saber lo que está pensando la mujer y evita por tanto el contacto, que podría suscitar preguntas relativas a la inadecuada violación de los límites del cuerpo. También suprime Mateo la conversación que trae Marcos entre Jesús y la mujer. Sin embargo, conserva el detalle de Jesús, que se dirige a ella como si fuera un miembro de la familia.

9,27 Sobre la ceguera, ver 6,22. ⇨ **Fe,** 21,21 (cf. pág. 353); y **Preocupación por la salud,** 8,1-4 (cf. pág. 381).

9,32 La elocuencia es una virtud masculina. Quedarse mudo haría de un hombre algo pasivo, deshonrado; ver los paralelos de 12,22; 15,30-31. La respuesta de los fariseos reconoce el poder de Jesús, pero trata de socavarlo tildándolo de poder del maligno. ⇨ **Acusación de desvío,** 12,22-30 (cf. pág. 319).

9,35 Mateo ha añadido el término «ciudades» a la fuente de Marcos, en la que sólo se habla de aldeas. Esto puede responder al hecho de que Mateo y su comunidad son gente urbana y han adaptado a su situación la tradición sobre Jesús. Y no es un cambio insignificante. En las sociedades agrarias estaban muy extendidos los conflictos ciudad-aldea, comentados frecuentemente por escritores antiguos. ⇨ **La ciudad preindustrial,** 9,35 (cf. pág. 328).

Consolidación del núcleo de la facción de Jesús 10,1-4

10 [1]Jesús llamó a sus doce discípulos y les dio poder para expulsar espíritus inmundos y para curar toda clase de enfermedades y dolencias. [2]Los nombres de los doce apóstoles son: primero Simón, llamado Pedro, y su hermano Andrés; luego Santiago el hijo de Zebedeo y su hermano Juan; [3]Felipe y Bartolomé; Tomás y Mateo el recaudador de impuestos; Santiago, el hijo de Alfeo, y Tadeo; [4]Simón el cananeo, y Judas Iscariote, el que lo entregó.

◆ *Notas:* Mateo 10,1-4

10,1-4 ⇨ Coaliciones/Facciones, 10,1-4 (cf. pág. 329).

Una misión de la facción de Jesús 10,5-15

[5]A estos doce los envió Jesús con las siguientes instrucciones: «No vayáis a regiones de paganos ni entréis en los pueblos de Samaría. [6]Id más bien a las ovejas perdidas de la casa de Israel. [7]Id anunciando que está llegando el reino de los cielos. [8]Curad a los enfermos, resucitad a los muertos, limpiad a los leprosos, expulsad a los demonios; gratis lo recibisteis, dadlo gratis. [9]No llevéis oro, ni plata ni dinero en el bolsillo; [10]ni zurrón para el camino, ni dos túnicas, ni sandalias ni cayado; porque el obrero tiene derecho a su sustento. [11]Cuando lleguéis a un pueblo o aldea, averiguad quién hay en ella digno de recibiros y quedaos en su casa hasta que marchéis. [12]Al entrar en la casa, saludad, [13]y si lo merecen, la paz de vuestro saludo se quedará con ellos; si no, volverá a vosotros. [14]Si no os reciben ni escuchan vuestro mensaje, salid de esa casa o de ese pueblo y sacudíos el polvo de los pies. [15]Os aseguro que el día del juicio será más llevadero para Sodoma y Gomorra que para ese pueblo.

◆ *Notas:* Mateo 10,5-15

10,5-6 Sólo Mateo subraya el encargo de Jesús a los Doce de permanecer exclusivamente en «Israel», nombre habitual que da Mateo al pueblo de Dios. ⇨ **Intragrupo y extragrupo**, 10,5-6 (cf. pág. 358); y **Rey de los judeos**, 2,2 (cf. pág. 391).

10,7-14 Obervemos la continuidad: los Doce han de ofrecer la misma proclamación con la que empezó Jesús su actividad magisterial, una proclamación tomada de Juan el Bautista. Al dar a los Doce poder sobre los demonios y la enfermedad, Jesús los promociona en la jerarquía de los poderes. Empiezan ha desempeñar el rol de intermediarios del poder de Dios. ⇨ **Demonios/Posesión demoníaca**, 8,28-34 (cf. pág. 333).

10,14 «Recibir» a una persona significa mostrarle hospitalidad. La hospitalidad es el proceso mediante el cual un extranjero recibe la protección de un anfitrión (patrón) durante un tiempo determinado, hasta dejar esa protección como amigo o enemigo. El acto público de sacudir el polvo de los pies es un insulto grave que indica, entre otras cosas, rechazo total, enemistad, indisponibilidad a ser tocado por lo que otros (el pueblo, la familia) tocan. Este aspecto es destacado después con la mención de Sodoma y Gomorra, cuyo pecado, según la tradición israelita, fue la falta de hospitalidad (Gn 19,1-25; Is 1,10-17; Ez 16,49).

Anuncio de las dificultades causadas por los adversarios 10,16-11,1

[16]Yo os envío como ovejas en medio de lobos. Sed, pues, astutos como serpientes y sencillos como palomas. [17]Tened cuidado, porque os entregarán a los tribunales y os azotarán en sus sinagogas. [18]Seréis llevados por mi causa ante los gobernadores y reyes, para que deis testimonio ante ellos y ante los paganos. [19]Cuando os entreguen, no os preocupéis de como hablaréis, ni de qué diréis. Dios mismo os sugerirá en ese momento lo que tenéis que decir, [20]pues no seréis vosotros los que habléis, sino que el Espíritu de vuestro Padre hablará a través de vosotros. [21]El hermano entregará a su hermano a la muerte y el padre a su hijo. Se levantarán hijos contra padres y los matarán. [22]Todos os odiarán por causa mía, pero el que persevere hasta el fin, ése se salvará. [23]Cuando os persigan en una ciudad, huid a otra; os aseguro que no recorreréis todas las ciudades de Israel antes de que venga el Hijo del hombre.

[24]El discípulo no es más que su maestro; ni el siervo más que su señor. [25]Basta con que el discípulo sea como su maestro, y el siervo como su señor. Si al dueño de casa lo llamaron Belzebú, ¡más aún a los de su familia!

[26]Así pues, no les tengáis miedo; porque no hay nada oculto que no haya de manifestarse, ni nada secreto que no haya de saberse. [27]Lo que yo os digo en la oscuridad, decidlo a la luz; lo que escucháis al oído, proclamadlo desde las azoteas. [28]No tengáis miedo a los que matan el cuerpo, pero no pueden quitar la vida; temed más bien al que puede destruir al hombre entero en el fuego eterno. [29]¿No se vende un par de pájaros por muy poco dinero? Y sin embargo ni uno de ellos cae en tierra sin que lo permita vuestro Padre. [30]En cuanto a vosotros, hasta los cabellos de vuestra cabeza están contados. [31]No temáis, vosotros valéis más que todos los pájaros.

[32]Si alguno se declara a mi favor delante de los hombres, yo también me declararé a su favor delante de mi Padre celestial; [33]pero a quien me niegue delante de los hombres, yo también lo negaré delante de mi Padre celestial.

[34]No penséis que he venido a traer la paz a la tierra; no he venido a traer paz, sino discordia. [35]Porque he venido a separar al hijo de su padre, a la hija de su madre, a la nuera de su suegra; [36]los enemigos de cada uno serán los de su casa. [37]El que ama a su padre o a su madre más que a mí, no es digno de mí; y el que ama a su hijo o a su hija más que a mí, no es digno de mí. [38]El que no toma su cruz y me sigue, no es digno de mí. [39]El que quiera conservar la vida, la perderá, y el que la pierda por mí, la conservará.

[40]El que os recibe a vosotros, me recibe a mí, y el que me recibe a mí, recibe al que me envió. [41]El que recibe a un profeta por ser profeta, recibirá recompensa de profeta; el que recibe a un justo por ser justo, recibirá recompensa de justo; [42]y quien dé un vaso de agua a uno de estos pequeños por ser discípulo mío, os aseguro que no se quedará sin recompensa.

11 [1]Cuando Jesús acabó de dar instrucciones a sus doce discípulos, se fue a enseñar y a proclamar el mensaje en los pueblos de la región.

◆ *Notas:* Mateo 10,16-11,1

10,21-22 En las sociedades mediterráneas de la Antigüedad, la familia de origen ha de ser objeto de una lealtad sin parangón y de una adhesión total. El parentesco constituye la suprema institución social, con precedencia y primacía en las vidas de todas las personas con las que trataba Jesús. Las personas que ponen la lealtad a una familia subrogada (⇨ **Familia subrogada,** 12,46-50, y notas; cf. pág. 351) por encima de su adhesión a la familia de origen (como se pide a los discípulos de Jesús en Mateo), verán cómo se vuelven en su contra la propia familia de origen y la red social asociada («amigos»). Así lo exigían la solidaridad social cultivada en esas redes y el honor de la familia de origen.

10,26 La vida de los campesinos en la Antigüedad apenas facilitaba la vida privada. Ésta era virtualmente desconocida en la vida de los pueblos antiguos. Cualquier intento de hacer las cosas en privado levantaría sospechas en todo el pueblo. Cerrar las puertas durante el día implicaba que se pretendía ocultar algo. El poder desvelador de la buena noticia sería algo positivo para la mentalidad campesina. La advertencia sirve aquí de comentario a la hipocresía de los fariseos; ver 6,1ss. En su uso corriente, el término «hipocresía» significaba interpretación perversa de la Torá viva.

10,29 La expresión «poco dinero» traduce el griego *assarion* (el as romano), moneda que valía la decimosexta parte de un denario. Sobre el valor de las monedas en Mateo, observemos la siguiente tabla:

cuadrante *(quadrans)* 5,26: 64 cuadrantes = 1 denario
assarion (as) 10,29: 16 *assaria* = 1 denario
didracma (doble sextercio) 17,24: medio siclo
2 didracmas = tetradracma (4 sextercios) = *stater* 17,27 = 1 siclo

10,32-33 Éste es el lenguage del patronazgo. A cambio de los beneficios que concedían, los patronos y los intermediarios esperaban lealtad y reconocimiento público por parte de los clientes. Aunque al intermediario Jesús se le puedan negar, a Dios como Patrón supremo, no. ⇨ **El sistema de patronazgo en la Palestina romana,** 8,5-13 (cf. pág. 399).

10,34-36 Como la gente mediterránea del siglo I era anti-introspectiva, con poco interés por la psicología, las palabras que hacían referencia a estados interiores de ánimo connotaban siempre una correspondiente expresión externa. Por ejemplo, la palabra «amor» puede traducirse mejor por «adhesión (al grupo)»; «odio» significaría «des-adhesión, indiferencia». No se menciona a un yerno porque era la mujer quien se casaba fuera; por eso se habla de nuera y no del yerno en la familia. Es de suponer que la esposa seguiría con su esposo, pues no se menciona ningún conflicto entre ellos.

Dado el sentido de la estratificación social que tenía la gente en la Antigüedad, las personas con relaciones sociales inadecuadas corrían el riesgo de ser excluidas de las redes de intercambio de las que dependía su posición. Tal práctica era tomada muy en serio en las sociedades tradicionales. Verse apartado de la familia o del clan podía ser literalmente asunto de vida o muerte, especialmente entre las élites, que podían arriesgar todo por un tipo equivocado de asociación con un tipo equivocado de gente. Como las comunidades cristianas inclusivas exigían precisamente este tipo de asociación, que pasaba por encima de las líneas de parentesco, la situación descrita aquí es sin duda muy realista. El rechazo iría más allá de la familia de origen (consanguinidad, parientes de «sangre»), manifestándose también en la red de parentesco más amplia formada por el matrimonio y la familia de orientación (afines, parientes «políticos»).

10,37-38 Queda aquí claramente formulada la ruptura con la familia de origen y con las redes sociales que implica la llamada de Jesús a un comensalismo inclusivo (ver notas a 22,8-9); igual de claro es el precio que hay que pagar por ello. El grupo de parentesco ficticio (⇨ **Familia subrogada**, 12,46-50; (cf. pág. 351) formado por la comunidad cristiana inclusiva ocupa el puesto de la familia original.

10,40 Ver nota sobre 10,14: «recibir» significa mostrar hospitalidad hacia, ser hospitalario con. A su vez, hospitalidad es el proceso de aceptar a un extraño bajo el propio patronazgo, tras el cual el extraño deja la relación como amigo o enemigo. Como una consecuencia positiva, quien muestra hospitalidad recibe a su vez buen trato de parte de la persona en cuestión y de su red de parentesco. Resultaba importante tener a la vista redes de parentesco, pues las antiguas sociedades mediterráneas no eran individualistas. Tenían lo que se llama una visión «diádica» de la personalidad: toda persona estaba implicada y subsumida en otras personas (especialmente la familia) y recibía su sentido de la identidad del grupo al que pertenecía. La gente podía así ser definida según estereotipos (ver Mc 6,3; 14,70; Jn 1,46; 7,52; Tito 1,12), pues se pensaba que la familia, el lugar de origen o la ocupación codificaba todos los datos necesarios para saber quién era una persona. También se daba por supuesto que la identidad, el carácter y los modelos de comportamiento existían en, y recibían forma de, este tejido de relaciones. Aquí tenemos exactamente este tipo de relación diádica.

III. 11,2-16,20 Reacciones ante Jesús y su mensaje
Aclaración del estatus de Jesús y de Juan 11,2-19

²Juan, que había oído hablar en la cárcel de las obras del Mesías, envió a sus discípulos ³a preguntarle: «¿Eres tú el que tenía que venir, o hemos de esperar a otro?». ⁴Jesús les respondió: «Id a contar a Juan lo que estáis viendo y oyendo: ⁵los ciegos ven, los cojos andan, los leprosos quedan limpios, los sordos oyen, los muertos resucitan y a los pobres se les anuncia la buena noticia. ⁶¡Y dichoso el que no encuentre en mí motivo de tropiezo!».

⁷Cuando se marcharon, Jesús se puso a hablar de Juan a la gente: «¿Qué salisteis a ver en el desierto? ¿Una caña agitada por el viento? ⁸¿Qué salisteis a ver? ¿Un hombre lujosamente vestido? Los que visten con lujo están en los palacios de los reyes. ⁹¿Qué salisteis entonces a ver? ¿Un profeta? Sí, y más que un profeta. ¹⁰Este es de quien está escrito: 'Yo envío mi mensajero delante de ti; él te preparará el camino'. ¹¹Os aseguro que entre los hijos de mujer no ha habido uno mayor que Juan el Bautista; sin embargo, el más pequeño en el reino de los cielos es mayor que él. ¹²Desde que apareció Juan el Bautista hasta ahora, el reino de los cielos sufre violencia, y los violentos pretenden apoderarse de él. ¹³Pues todos los profetas y la ley anunciaron esto hasta que vino Juan. ¹⁴Y es que, queráis aceptarlo o no, él es Elías, el que tenía que venir. ¹⁵El que tenga oídos, que oiga.

¹⁶¿Con quién compararé a esta generación? Es como esos muchachos que, sentados en la plaza, cantan a los otros esta copla: ¹⁷'Os hemos tocado la flauta y no habéis danzado, hemos entonado lamentos y no habéis hecho duelo'. ¹⁸Porque vino Juan, que no comía ni bebía, y dicen: 'Está endemoniado'. ¹⁹Viene el Hijo del hombre, que come y bebe, y dicen: 'Ahí tenéis un comilón y un borracho, amigo de recaudadores de impuestos y pecadores'. Pero la sabiduría ha quedado acreditada por sus obras».

◆ *Notas:* Mateo 11,2-19

11,2-6 ⇨ **Preocupación por la salud**, 8,1-4 (cf. pág. 381). Al ser el honor un bien limitado (de provisión finita), era algo que siempre se adquiría a expensas de otro. A Jesús le preocupa (v. 6) que su audiencia crea que está aspirando a lo que no es propiamente suyo.

11,16 Llamar niño a un adulto es un insulto. Los niños carecen de sabiduría, y su conducta no adiestrada es con frecuencia inapropiada. A veces no saben bailar lo suficientemente bien en una boda o lamentarse en un funeral.

11,19 El proverbio «la sabiduría ha quedado acreditada por sus obras» apunta a la orientación práctica de la sociedad campesina. A pesar de sus críticos, las personas sabias e inteligentes demuestran su buen hacer social con el resultado de su conducta. Los resultados prácticos producidos por la sabiduría o la inteligencia no hacen sino probar su valor al margen de la crítica. La conducta de Juan ayunando y la de Jesús no ayunando les proporcionaron seguidores y honor; de ese modo quedaba justificada la sabiduría de los dos profetas.

Ofensa a Corozaín, Betsaida y Cafarnaún 11,20-24

²⁰Entonces Jesús se puso a increpar a las ciudades en las que había hecho la mayoría de dus milagros, porque no se habían arrepentido: ²¹¡Ay de ti, Corozaín! ¡Ay de ti, Betsaida! Porque si en Tiro y en Sidón se hubieran hecho los milagros realizados en vosotras, hace tiempo que vestidas de saco y sentadas sobre ceniza, se habrían arrepentido.

²²Por eso os digo que el día del juicio será más llevadero para Tiro y Sidón que para vosotras. ²³Y tú, Cafarnaún, ¿te elevarás hasta el cielo? ¡Hasta el abismo te hundirás! Porque si en Sodoma se hubieran hecho los milagros realizados en ti, hoy seguiría en pie. ²⁴Por eso os digo que el día del juicio será más llevadero para Sodoma que para ti».

◆ *Notas:* Mateo 11,20-24

11,21 Las poblaciones de Corozaín, Betsaida y Cafarnaún son insultadas en público por su falta de «arrepentimiento». Son comparadas con poblaciones no-israelitas y completamente inhospitalarias (e.d. inhumanas), y además son juzgadas más duramente que ellas. Se trata de una ofensa increíble, indicativa del deshonor infligido a Jesús por esas poblaciones.

Jesús como Hijo/Intermediario de Dios 11,25-30

²⁵Entonces Jesús tomó la palabra y dijo: «Yo te alabo, Padre, Señor del cielo y de la tierra, porque has escondido estas cosas a los sabios e inteligentes, y se las has dado a conocer a los niños. ²⁶Sí, Padre, así te ha parecido bien. ²⁷Todo me lo ha entregado mi Padre, y nadie conoce al Hijo sino el Padre, y al Padre no lo conoce más que el Hijo y

aquél a quien el Hijo se lo quiera revelar.

²⁸Venid a mí todos los que estáis fatigados y agobiados, y yo os aliviaré. ²⁹Cargad con mi yugo y aprended de mí, que soy sencillo y humilde de corazón, y hallaréis descanso para vuestras vidas. ³⁰Porque mi yugo es suave y mi carga ligera».

◆ *Notas:* Mateo 11,25-30

11,25-27 «Padre, Señor del cielo y de la tierra» es el patrón de Jesús, para quien hace de intermediario del reino, es decir, del favor de Dios. Vemos aquí que lo opuesto a una conducta «sabia» o «inteligente» es la conducta de un niño; Dios pasa de largo de los sabios e inteligentes de Israel en favor de los simples.

Para subrayar el poder de su capacidad de intermediario, Jesús usa un proverbio fácilmente comprensible para los mediterráneos, que creen que «como el padre, así el hijo»: «Nadie conoce a un hijo sino el padre, y nadie conoce a un padre más que un hijo y aquellos a quien el hijo decide revelarlo» (v. 27, traducción del autor). Los artículos («el» padre, «el» hijo) y las mayúsculas (el Padre, el Hijo) de la traducción de arriba son el resultado de leer este proverbio a la luz del evangelio de Juan. Las mayúsculas no están indicadas en el relato de Mateo, y los artículos representan en griego las categorías genéricas de los proverbios.

11,28-30 Esta llamada a aceptar el «yugo» de Jesús en lugar del yugo que ahora soportan sería muy bien entendida por los campesinos. Desde cualquier punto de vista, «yugo» es usado metafóricamente para describir lo que controla a la gente en su quehacer diario. Recitar y vivir el Shema (Dt 6,4ss) era interpretado tradicionalmente en el Yavismo israelita como «llevar el yugo del reino de los cielos». En nuestro texto, el yugo de Jesús sería buscar el favor de Dios desde la perspectiva del estilo y dirección de vida descritos por Jesús.

Controversia sobre el mapa del tiempo 12,1-14

12 ¹En una ocasión iba Jesús caminando por los sembrados. Era sábado. Sus discípulos sintieron hambre y se pusieron a arrancar espigas y a comerlas. ²Los fariseos, al verlo, le dijeron: «¿Te das cuenta de que tus discípulos hacen algo que no está permitido en sábado?». ³Jesús les respondió: «¿No habéis leído lo que hizo David cuando sintió hambre él y sus compañeros: ⁴cómo entró en el templo de Dios y comió los panes de la ofrenda que ni a él ni a los suyos les estaba permitido comer, sino sólo a los sacerdotes? ⁵¿Tampoco habéis leído en la ley que en día de sábado los sacerdotes del templo pueden incumplir el precepto del sábado sin incurrir en culpa? ⁶Pues yo os digo que hay aquí algo más importante que el templo. ⁷Si supierais lo que significa 'misericordia quiero y no sacrificios', no condenaríais a los inocentes. ⁸Porque el Hijo del hombre es señor del sábado».

⁹Jesús marchó de allí y entró en la sinagoga de ellos. ¹⁰Había en ella un hombre que tenía una mano atrofiada. Entonces, los que buscaban un motivo para acusar a Jesús, le hicieron esta pregunta: «¿Está permitido curar en sábado?». ¹¹Él les contestó: «Si alguno de vosotros tiene una oveja y se le cae en un hoyo un día de sábado, ¿no le echa mano y la saca? ¹²Pues un hombre vale mucho más que una oveja. Por tanto, se puede hacer el bien en sábado». ¹³Entonces dijo al hombre: «Extiende tu mano». La extendió y quedó restablecida como la otra. ¹⁴Pero los fariseos, al salir, se pusieron a planear el modo de acabar con él.

◆ *Notas:* Mateo 12,1-14

12,1-8 ➪ **Dieta,** 12,1-8 (cf. pág. 339); y **Pureza/contaminación,** 8,2-4 (donde se puede ver un mapa de tiempos; cf. pág. 383). El asunto prioritario en el mapa de los tiempos, tal como lo entienden los adversarios de Jesús, es que sea violado.

12,9-14 ➪ **Pureza/contaminación,** 8,2-4 (cf. pág. 383). De nuevo está en el candelero el mapa de los tiempos, que es lo que realmente se debate en este relato, no la curación. La tensión del desafío anticipado y del modo dramático en que Jesús responde ponen una vez más de manifiesto que era un maestro en el juego desafío-respuesta. ➪ **Desafío-Respuesta,** 4,1-11 (cf. pág. 336). Al haber sido superados en el juego, es comprensible que sus adversarios, los fariseos, se irriten y decidan matarlo para satisfacer su honor mancillado.

Testimonio de la tradición sobre el honor de Jesús 12,15-21

¹⁵Jesús lo supo y se alejó de allí. Lo siguieron muchos y los curó a todos, ¹⁶y les mandaba que no dijeran que había sido él. ¹⁷Así se cumplió lo anunciado por el profeta Isaías:

¹⁸Éste es mi siervo a quien elegí;
mi amado en quien me complazco;
derramaré mi espíritu sobre él,

y anunciará el derecho a las naciones.
¹⁹No disputará ni gritará;
no se oirá en las plazas su voz.
²⁰No romperá la caña cascada
ni apagará la mecha que apenas arde,
hasta que haga triunfar la justicia.
²¹En él pondrán las naciones su esperanza.

◆ *Notas:* Mateo 12,15-21

12,15-21 Aunque Jesús curaba a «todos» cuanto acudían a él en Galilea, parece que su fama no iba más allá del círculo de la casa de Israel. Mateo nos ofrece aquí dos razones. La primera es que Jesús «les mandaba [a los curados] que no dijeran que había sido él». Este es el Jesús que se describe a sí mismo como «humilde de corazón» (11,29), no dispuesto a situarse por encima o a ir más allá de la posición social que Dios le había dado en su nacimiento. Jesús está contento con su estatus social. La segunda razón es que el siervo de Dios descrito por Isaías (42,1-2) se muestra reticente «hasta que haga triunfar la justicia». Sólo tras la resurrección, con la orden de 28,16, manda Jesús a sus discípulos que den a conocer su enseñanza a «todas las naciones».

Acusaciones de desvío por parte de los adversarios de Jesús y contraacusaciones de éste 12,22-37

²²Entonces le presentaron un endemoniado ciego y mudo. Jesús lo curó, de suerte que el mudo hablaba y veía. ²³Toda la gente, atónita, decía: «¿No será éste el Hijo de David?». ²⁴Pero los fariseos, al oírlo, dijeron: «Éste expulsa los demonios con el poder de Belzebú, príncipe de los demonios». ²⁵Jesús se dio cuenta de lo que pensaban y les dijo: «Todo reino dividido acaba en la ruina; ninguna ciudad o casa dividida puede subsistir. ²⁶Si Satanás expulsa a Satanás, está dividido. ¿Cómo, pues, subsistirá su reino? ²⁷Y si yo expulso los demonios con el poder de Belzebú, vuestros hijos ¿con qué poder los expulsan? Por eso ellos serán vuestros jueces. ²⁸Pero si yo expulso los demonios con el poder del Espíritu de Dios, es que ha llegado a vosotros el reino de Dios.

²⁹¿Cómo puede entrar uno en casa de un hombre fuerte y saquear su ajuar, si no lo ata primero? Sólo entonces podrá saquear su casa. ³⁰El que no está conmigo, está contra mí; y el que no recoge conmigo, desparrama.

³¹Por eso os digo que se perdonará a los hombres todo pecado y toda blasfemia; pero la blasfemia contra el Espíritu no se les perdonará. ³²Al que diga algo contra el Hijo del Hombre, se le perdonará; pero al que lo diga contra el Espíritu Santo, no se le perdonará ni en este mundo ni en el otro.

³³Si un árbol es bueno, dará fruto bueno; pero si un árbol es malo, dará fruto malo. Porque el árbol se conoce por el fruto. ³⁴¡Camada de víboras! ¿Cómo podéis vosotros decir cosas buenas, siendo malos? Porque la boca dice lo que brota del corazón. ³⁵Del hombre bueno, como atesora bondad, salen cosas buenas; en cambio, del hombre malo, como atesora maldad, salen cosas malas. ³⁶Y yo os digo que en el día del juicio tendréis que dar cuenta de las palabras vacías que hayáis dicho. ³⁷Por tus palabras serás absuelto, y por tus palabras serás condenado».

◆ *Notas:* Mateo 12,22-37

12,22-30 En la Antigüedad, se esperaba que la gente actuase conforme a su reconocido estatus social, a tenor de la posición de su familia de origen. La gente que no obraba así (Jesús) incurría en desvío, al menos que se ofreciese una justificación inusual de lo que hacían («¿Con qué autoridad haces estas cosas? ¿Quién te ha dado esa autoridad?», Mt 21,23). En este texto, algunos adversarios de Jesús le tachan de desviado, acusándole de que la fuente de su poder está en Satán. Otros desean poner a prueba el asunto: o permitir que Jesús rechace la acusación o dejar que sus adversarios la mantengan (un drama visible a lo largo de 12,22-45). ⇨ **Acusación de desvío**, 12,22-30 (cf. pág. 319).

12,31-37 «Blasfemia» es un término griego no traducido, sino simplemente transcrito con letras latinas. La palabra significa deshonor y ultraje hacia una persona mediante el lenguaje. «Espíritu», como de costumbre, significa actividad, conducta, obra; así, «Espíritu Santo» hace referencia a la actividad de Dios, a lo que Dios hace. Aquí se trata de la acusación de deshonor dirigida contra Dios por lo que está haciendo en y a través de Jesús. Ultrajar e insultar a Dios por su actividad, especialmente por la reconciliación y el perdón, no puede ser perdonado, pues la posibilidad del perdón queda anulada con el acto mismo del ultraje. Como Juan antes que él, Jesús caracteriza de manera ultrajante a sus adversarios israelitas como «camada de víboras» (ver 3,7-9; 23,33).

Desafío-Respuesta entre Jesús y sus adversarios 12,38-45

[38]Entonces, algunos maestros de la ley y fariseos le dijeron: «Maestro, queremos ver un signo hecho por ti». [39]Jesús respondió: «Esta generación perversa y adúltera reclama un signo, pero no tendrá otro signo que el del profeta Jonás. [40]Pues así como Jonás estuvo tres días y tres noches en el vientre del pez, así estará el Hijo del hombre tres días y tres noches en el corazón de la tierra». [41]Los ninivitas se levantarán en el día del juicio junto con esta generación y la condenarán, porque ellos hicieron penitencia ante la predicación de Jonás, y aquí hay uno que es más importante que Jonás. [42]La reina del sur se levantará en el juicio junto con esta generación y la condenará, porque ella vino del extremo de la tierra para oír la sabiduría de Salomón; y aquí hay uno que es más importante que Salomón.

[43]Cuando un espíritu inmundo sale del hombre anda por lugares áridos buscando descanso y, al no encontrarlo, [44]dice: 'Volveré a mi casa de donde salí'; al llegar la encuentra vacía, barrida y adornada. [45]Entonces va y toma consigo otros siete espíritus peores que él, y se instalan allí, con lo que el estado de ese hombre resulta peor al final que al principio. Así le ocurrirá también a esta generación perversa».

◆ *Notas:* Mateo 12,38-45

12,38-42 Conforme aumentaba el público, las pretensiones de Jesús con las que respondía a la etiqueta de desvío que sus adversarios trataban de endosarle (⇨ **Acusación de desvío,** 12,22-30; cf. pág. 319) se hacían cada vez más importantes. «Generación perversa y adúltera» es la etiqueta con la que Jesús define a sus adversarios como vástagos malvados de matrimonios adúlteros, es decir, bastardos malvados que no tienen derecho a reclamar el honor heredado de los hijos de Israel. Una vez más, se trata de insultos terribles. Además, Jesús manifiesta aquí la pretensión de ser más importante que Jonás o Salomón, detalle que no han querido reconocer sus adversarios, haciendo así que el juicio condenatorio recayera sobre quienes trataban de condenarle. Estos versículos tienen su paralelismo quiástico repetido en 16,1-2a.4.

12,43-45 Al rechazar la etiqueta de desvío en 12,22-30 (⇨ **Acusación de desvío,** 12,22-30, y notas; cf. pág. 319), Jesús se la imputa a sus propios acusadores, aquí y en 12,38-42.

Los espíritus inmundos se encuentran en «lugares áridos». La oposición a Jesús en Mateo es descrita aquí como «esta generación perversa», subrayando así la orientación de su misión.

Bases de la nueva familia subrogada de Jesús 12,46-50

⁴⁶Aún estaba Jesús hablando a la gente, cuando llegaron su madre y sus hermanos. Se habían quedado fuera y trataban de hablar con él. ⁴⁷Alguien le dijo: «¡Oye! Ahí fuera están tu madre y tus hermanos que quieren hablar contigo». ⁴⁸Respondió Jesús al que se lo decía: «¿Quién es mi madre, y quiénes son mis hermanos?». ⁴⁹Y, señalando con la mano a sus discípulos, dijo: «Éstos son mi madre y mis hermanos». ⁵⁰El que cumple la voluntad de mi Padre que está en los cielos, ése es mi hermano, mi hermana y mi madre».

◆ *Notas:* Mateo 12,46-50

12,46 ⇨ Parentesco, 12,46 (cf. pág. 374).

12,46-50 ⇨ Familia subrogada, 12,46-50 (cf. pág. 351). Este texto es casi programático en Mateo, que ve la buena noticia centrada en la familia de quienes aceptan la proclamación de Jesús y son leales así para con el Padre. Se trata de un alejamiento fundamental del Templo o de la familia de origen.

Parábola sobre la siembra. Comentarios sobre escuchar e interpretar 13,1-23

13 ¹Aquel día salió Jesús de casa y se sentó junto al lago. ²Se reunió en torno a él mucha gente, tanta que subió a una barca y se sentó, mientras la gente estaba de pie en la orilla. ³Y les expuso muchas cosas por medio de parábolas. Decía: «Salió el sembrador a sembrar. ⁴Al sembrar, parte de la semilla cayó al borde del camino, pero vinieron las aves y se la comieron. ⁵Parte cayó en terreno pedregoso, donde no había mucha tierra; brotó en seguida porque la tierra era poco profunda, ⁶pero cuando salió el sol se agostó y se secó porque no tenía raíz. ⁷Parte cayó entre cardos, pero éstos crecieron y la ahogaron. ⁸Finalmente otra parte cayó en tierra buena y dio fruto: un grano dio cien, otro sesenta, otro treinta. ⁹El que tenga oídos para oír, que oiga».

¹⁰Los discípulos se acercaron y le preguntaron: «¿Por qué les hablas por medio de parábolas?». ¹¹Jesús les respondió: «A vosotros Dios os ha dado a conocer los misterios del reino de los cielos, pero a ellos no. ¹²Porque al que tiene se le dará, y tendrá de sobra; pero al que no tiene, aun aquello que tiene se le quitará. ¹³Por eso les hablo por medio de parábolas, porque aunque miran no ven, y aunque oyen no escuchan ni entienden. ¹⁴De esta manera se cumple en ellos lo anunciado por Isaías:

Oiréis, pero no entenderéis;
miraréis, pero no veréis,
¹⁵porque se ha embotado
el corazón de este pueblo,
se han vuelto torpes sus oídos
y se han cerrado sus ojos;

de modo que sus ojos no ven,
sus oídos no oyen,
su corazón no entiende,
y no se convierten a mí
para que yo los sane.

[16]Dichosos vosotros por lo que ven vuestros ojos y por lo que oyen vuestros oídos; [17]porque os aseguro que muchos profetas y justos desearon ver lo que vosotros veis y no lo vieron, y oír lo que oís y no lo oyeron.

[18]Así pues, escuchad vosotros lo que significa la parábola del sembrador. [19]Hay quien oye el mensaje del reino, pero no lo entiende; viene el maligno y le arrebata lo sembrado en su corazón.

Éste es como la semilla que cayó al borde del camino. [20]La semilla que cayó en terreno pedregoso es como el que oye el mensaje y lo recibe en seguida con alegría, [21]pero no tiene raíz en sí mismo, es inconstante y, al llegar la tribulación o la persecución a causa del mensaje, en seguida sucumbe. [22]La semilla que cayó entre cardos es como el que oye el mensaje, pero las preocupaciones del mundo y la seducción del dinero asfixian el mensaje y queda sin fruto. [23]En fin, la semilla que cayó en tierra buena es como el que oye el mensaje y lo entiende; éste da fruto, sea ciento, sesenta o treinta».

◆ *Notas:* **Mateo 13,1-23**

13,1-9 No vendrá mal recordar que una parábola es una forma literaria o de discurso en la que un narrador describe un escenario con la intención de que éste haga referencia a algo más y/o a algo distinto de lo que en realidad está siendo descrito. Las interpretaciones que avalan una lectura de la parábola orientada hacia el futuro son justamente rechazadas por los más recientes especialistas. En el marco ofrecido por Jesús, se trata sin más de una historia sobre agricultores. La pregunta es: ¿a qué más o a qué otra cosa se refiere? En el escenario, la semilla es sembrada antes de arar la tierra, como habría sido lo normal; más aún, la siembra es realizada de manera descuidada. De esta forma los oyentes podían pensar que se trataba de un pequeño terrateniente (se habrían predispuesto negativamente). Además, si éste hubiese sido el caso, la parábola parecería perder su objetivo. Si la gente, en cambio, se imagina a un aparcero o un arrendatario luchando contra condiciones hostiles (visto por tanto con simpatía), la conexión con Dios como generoso suministrador habría significado una buena noticia. La imposible producción descrita en v. 8 es típica de las fantasías de las historias sobre agricultores, así como de las parábolas de Jesús. Las investigaciones recientes sugieren que lo normal habría sido una producción de entre cuatro o cinco veces la semilla usada. Mateo, que escribía quizás en una ciudad para una audiencia urbana, trata a sus oyentes como a gente de ciudad más que como a campesinos.

13,10-17 Cuando se le pregunta a Jesús por qué habla en parábolas, responde diciendo que se trata del lenguaje de los de dentro. ⇒ **Intragrupo y extragrupo**, 10,5-6 (cf. pág. 358). Para justificar su posición, cita la Gran Tradición. ⇨ **Poesía oral,** 13,10-17 (cf. pág. 379).

13,18-23 Según la gente mediterránea del siglo I, el corazón y los ojos eran la sede del pensamiento emotivo. Boca, orejas, lengua y labios constituían el centro de la expresión. Brazos, piernas, manos y pies eran los símbolos de la acción. Cuando las tres zonas estaban implicadas, como ocurre aquí (v. 23), la persona toda estaba implicada. ⇨ **Las tres zonas de la personalidad,** 5,27-32 (cf. pág. 406).

Parábola sobre agricultores enemistados 13,24-30

²⁴Jesús les propuso esta otra parábola: «Con el reino de los cielos sucede lo que con un hombre que sembró buena semilla en su campo. ²⁵Mientras todos dormían, vino su enemigo, sembró cizaña en medio del trigo, y se fue. ²⁶Y cuando creció la hierba y se formó la espiga, apareció también la cizaña. ²⁷Entonces los siervos vinieron a decir al amo: 'Señor, ¿no sembraste buena semilla en tu campo? ¿Cómo es posible que tenga cizaña?'. ²⁸El les respondió: 'Lo ha hecho un enemigo'. Le dijeron: '¿Quieres que vayamos a arrancarla?'. ²⁹El les dijo: 'No, no sea que, al arrancar la cizaña, arranquéis con ella el trigo. ³⁰Dejad que crezcan juntos ambos hasta el tiempo de la siega; entonces diré a los segadores: Recoged primero la cizaña y atadla en gavillas para quemarla, pero el trigo amontonadlo en mi granero'».

◆ *Notas:* Mateo 13,24-30

13,24-30 Ésta es la primera de muchas parábolas de Mateo que empiezan con la frase: «Con el reino de los cielos sucede lo que...» o «El reino de los cielos puede compararse con...» o «El reino de los cielos es como...». Como el título divino de «Padre» se refiere esencialmente a Dios como «patrón» y a los favores que concede a sus clientes (que, a su vez, deben reconocer públicamente su honor, es decir, glorificarle), la mejor traducción de esta frase es quizás: «El modo en que el patronazgo de Dios afecta a sus clientes se parece al siguiente escenario:...».

Las familias y grupos enfrentados o enemistados constituían el paisaje social del mundo mediterráneo del siglo I. Al nacer en una familia determinada, una persona heredaba normalmente una serie ya dispuesta de amigos y enemigos. Esta parábola sobre la continua y mutua presencia de cizaña y trigo hasta la época de la cosecha menciona al enemigo del hombre sin ofrecer una explicación. Los enemigos de una familia llevarían a cabo diversos intentos de deshonrarla. Tal como se menciona arriba (5,21), el propósito común de los cinco primeros de los Diez Mandamientos era prevenir las enemistades y los odios.

Rasgos del reino de Dios: la semilla de mostaza y la levadura 13,31-35

³¹Les propuso otra parábola: «Sucede con el reino de los cielos lo que con un grano de mostaza que un hombre toma y siembra en su campo. ³²Es la más pequeña de todas las semillas, pero, cuando crece, es mayor que las hortalizas y se hace como un árbol, hasta el punto de que las aves del cielo pueden anidar en sus ramas».

³³Les dijo otra parábola: «Sucede con el reino de los cielos lo que con la levadura que una mujer toma y mete en tres medidas de harina, hasta que todo fermenta».

³⁴Jesús expuso todas estas cosas por medio de parábolas a la gente, y nada les decía sin utilizar parábolas, ³⁵para que se cumpliera lo anunciado por el profeta:

Hablaré por medio de parábolas,
publicaré lo que estaba oculto
desde la creación del mundo.

◆ *Notas:* Mateo 13,31-35

13,31-32 Aquí, el modo en que el patronazgo de Dios afecta a sus clientes es comparado con el escenario de la siembra de la más pequeña de las semillas, seguida de una anticipación de los resultados: un gran arbusto capaz de albergar a las aves.

13,33 Ahora, el modo en que el patronazgo de Dios afecta a sus clientes es comparado con el escenario de la fermentación de la masa, que se dilata por encima de las aparentes posibilidades de la cantidad original.

13,34-35 Aquí el autor subraya la distinción entre el intragrupo de Jesús y el extragrupo. El extragrupo es instruido sólo mediante parábolas. Este dato de la tradición requiere una explicación, y Mateo la ofrece mediante una cita de Sal 78,2. En este caso se hace referencia al profeta David.

Se interpreta a los de dentro la parábola de los agricultores enemistados 13,36-43

³⁶Entonces dejó a la gente y se fue a la casa. Sus discípulos se le acercaron y le dijeron: «Explícanos la parábola de la cizaña del campo». ³⁷Jesús les dijo: «El que siembra la buena semilla es el Hijo del hombre; ³⁸el campo es el mundo; la buena semilla son los hijos del reino; y la cizaña, los hijos del maligno; ³⁹el enemigo que la siembra es el diablo; la siega es el fin del mundo; y los segadores, los ángeles. ⁴⁰Así como se recoge la cizaña y se hace una hoguera con ella, así también sucederá en el fin del mundo. ⁴¹El Hijo del hombre enviará a sus ángeles, que recogerán de su reino a todos los que fueron causa de tropiezo y a los malvados, ⁴²y los echarán al horno de fuego. Allí llorarán y les rechinarán los dientes. ⁴³Entonces los justos brillarán como el sol en el reino de su Padre. El que tenga oídos, que oiga».

◆ *Notas:* Mateo 13,36-43

13,36-43 Esta interpretación de «la parábola de la cizaña del campo» de 13,24-30 no describe la acción en el escenario y es casi con toda seguridad una adición posterior. En lugar de seguir la acción de la historia, cada elemento de ésta es referido a otra cosa. La parábola queda transformada, por tanto, en «alegoría». Se denomina interpretación alegórica a la búsqueda de elementos correspondientes que puedan encajar en cada detalle de la parábola. La primitiva interpretación cristiana de las parábolas era con frecuencia altamente alegórica, muy parecida a la interpretación que se hacía entonces de los escritos sagrados de los griegos: Homero y Hesíodo.

Más rasgos del reino de Dios: el tesoro oculto, la perla de valor, la red, tesoro nuevo y viejo 13,44-52

⁴⁴«Sucede con el reino de los cielos lo que con un tesoro oculto en el campo; el que lo encuentra lo deja oculto y, lleno de alegría, va, vende todo lo que tiene y compra aquel campo.

⁴⁵También sucede con el reino de los cielos lo que con un mercader que busca ricas perlas, y que, ⁴⁶al encontrar una de gran valor, se va a vender todo lo que tiene y la compra.

⁴⁷También sucede con el reino de los cielos lo que con una red que echan al mar y recoge toda clase de peces; ⁴⁸una vez llena, los pescadores la sacan a la playa, se sientan, seleccionan los buenos en cestos y tiran los malos. ⁴⁹Así será el fin del mundo. Saldrán los ángeles a separar a los malos de los buenos, ⁵⁰y los echarán al horno de fuego; allí llorarán y les rechinarán los dientes».

⁵¹Jesús preguntó a sus discípulos: «¿Habéis entendido todo esto?». Ellos le contestaron: «Sí». ⁵²Y Jesús les dijo: «Todo maestro de la ley que se ha hecho discípulo del reino de los cielos, es como un padre de familia que saca de su tesoro cosas nuevas y viejas».

◆ *Notas:* Mateo 13,44-52

13,44-52 Se nos ofrecen aquí tres escenas para caracterizar el reino de los cielos. Las metáforas están tomadas de la experiencia común de tres grupos no pertenecientes a la élite: agricultores, mercaderes y pescadores. Es significativo el uso de tal experiencia como fuente de metáforas, pues los autores de sociedades de alta contextualización (ver capítulo introductorio) daban por supuesto que compartían un conocimiento común con sus audiencias. Aquí, Jesús parece basarse en ese conocimiento compartido, pues no se ofrece ninguna explicación de los escenarios.

Reacción hostil al nuevo estatus de honor de Jesús
13,53-58

⁵³Cuando Jesús acabó de contar estas parábolas, se marchó de allí. ⁵⁴Fue a su pueblo y se puso a enseñarles en su sinagoga. La gente, admirada, decía: «¿De dónde le vienen a éste esa sabiduría y esos poderes milagrosos? ⁵⁵¿No es éste el hijo del carpintero? ¿No se llama su madre María, y sus hermanos Santiago, José, Simón y Judas? ⁵⁶¿No están todas sus hermanas entre nosotros? ¿De dónde, pues, le viene todo esto?». ⁵⁷Y los tenía desconcertados. Pero Jesús les dijo: «Un profeta sólo es despreciado en su pueblo y en su casa». ⁵⁸Y no hizo allí muchos milagros por su falta de fe.

◆ *Notas:* Mateo 13,53-58

13,54-57 El griego dice que Jesús se encuentra ahora «en su tierra», presumiblemente en Nazaret o sus alrededores. Esto queda de manifiesto por la referencia a la presencia de la familia de Jesús. Como todo lo demás en la Antigüedad, el honor era un bien limitado. Ser reconocido como «profeta» en el propio pueblo implicaba la disminución del honor debido a otras personas y otras familias. Si alguien lo conseguía, algún otro lo perdía. Las pretensiones de un honor por encima del debido (por nacimiento) amenazaban a los demás, y se pondrían eventualmente en funcionamiento mecanismos para restituar al pretencioso en el lugar que le correspondía. En nuestro texto emerge esta dinámica. Al negarle cualquier pretensión especial, los conciudadanos de Jesús podían seguir recibiéndolo en el pueblo y en la sinagoga. ⇨ **Sociedades con base en el honor-vergüenza,** 8,12 (cf. pág. 404).

Al principio, la gente reunida en la sinagoga parece dispuesta a reconocer el honor de Jesús, en cuanto que todos quedan admirados de sus palabras. Pero pronto empiezan a preguntarse si Jesús es realmente tan diferente. Y sus preguntas apuntan a lo que realmente contaba en aquella sociedad: familia de origen, relaciones de sangre y honor heredado, estatus especial de los miembros de las familia, honor grupal, etc. Al preguntar si Jesús no era el hijo de José, quienes participan en el acto de la sinagoga cuestionan que una enseñanza tan sorprendente pueda provenir del hijo de un artesano (trabajador en piedra o madera). Jesús advierte que irán adelante y ofrece una respuesta anticipada (v. 57), que por supuesto no requiere ulteriores explicaciones. Sin embargo, su respuesta es claramente injuriosa, apuntando a la posibilidad de que la gente de fuera (no perteneciente a su pueblo o familia) sea capaz de juzgar más acertadamente el honor de un profeta que quienes mejor lo conocen.

13,58 Esta conclusión indica que la capacidad de Jesús de llevar a cabo obras portentosas exige la fe. ⇨ **Fe**, 21,21 (cf. pág. 353). Tal fe se ponía de manifiesto en la lealtad confiada para con Dios y en la aceptación de lo que Dios trataba de llevar a cabo por parte de la gente. En un contexto mediterráneo, esta creencia no era la típica actitud psicológica, interna, cognitiva y afectiva a la que estamos acostumbrados los modernos occidentales. Se trataba más bien de la conducta de lealtad, entrega y solidaridad, una conducta social, manifestada hacia afuera y emocional. Lo que Jesús pide es lealtad y compromiso con el Dios de Israel, así como solidaridad con las personas entregadas a la obediencia al Dios de Israel. El pueblo de Jesús carecía de todo esto.

Herodes acaba con Juan el Bautista 14,1-12

14 ¹Por entonces, el tetrarca Herodes oyó hablar de Jesús, ²y dijo a sus cortesanos: «Es Juan Bautista, que ha resucitado de entre los muertos; por eso actúan en él los poderes milagrosos». ³Es que Herodes había detenido a Juan, lo había encadenado y lo había metido en la cárcel, por causa de Herodías, la mujer de su hermano Filipo. ⁴Pues Juan le decía: «No te es lícito tenerla por mujer». ⁵Y, aunque quería matarlo, tuvo miedo al pueblo, que lo tenía por profeta.

⁶Un día que se celebraba el cumpleaños de Herodes, la hija de Herodías danzó en público y agradó tanto a Herodes ⁷que éste juró darle lo que pidiese. ⁸Ella, azuzada por su madre, le dijo: «Dame ahora mismo en una bandeja la cabeza de Juan el Bautista». ⁹El rey se entristeció, pero por no romper el juramento que había hecho ante los comensales, mandó que se la dieran, ¹⁰después de mandar emisarios para que cortaran la cabeza a Juan en la cárcel. ¹¹Trajeron la cabeza en una bandeja y se la dieron a la muchacha, la cual a su vez se la llevó a su madre. ¹²Después vinieron sus discípulos, recogieron el cadáver, lo sepultaron y fueron a contárselo a Jesús.

◆ *Notas:* Mateo 14,1-12

14,1-11 Mateo deja bien claro que el asunto del interés de Herodes por Juan y por Jesús era el estatus (honor, poder), no la moderna noción de identidad (cf. 16,13-20). Herodes se pregunta dónde debe ser colocado Jesús en la jerarquía del poder; está calculando la amenaza potencial que supone para él. Reconoce que el grado del honor de Jesús es muy alto entre la gente.

Permitir a una hija bailar delante de personas que no eran de la familia habría sido considerado una conducta vergonzosa. También lo era dejarse embrujar por la danza de una mujer. Por Marcos sabemos que Herodes ofreció a Herodías todo lo que legalmente podía (la mitad del reino), promesa que quizás trate de dar una medida de su vergonzosa pérdida de control. La acción de la madre de Herodías tras los decorados indica que entendía perfectamente la amenaza que representaba Juan, aunque Herodes no lo viera. Sus acciones nos permiten vislumbrar un interesante y típico rol femenino en las sociedades que se movían por el binomio honor-vergüenza: controlar el estatus de la familia en su relación con la sociedad.

Comida de pan y peces al aire libre 14,13-21

[13]Jesús, al enterarse de lo sucedido, se retiró de allí en una barca a un lugar tranquilo para estar a solas. La gente se dio cuenta y lo siguió a pie desde los pueblos. [14]Cuando Jesús desembarcó y vio aquel gran gentío, sintió compasión de ellos y curó a los enfermos que traían. [15]Al anochecer, sus discípulos se acercaron a decirle: «El lugar está despoblado y es ya tarde; despide a la gente para que vaya a las aldeas y se compren comida». [16]Pero Jesús les dijo: «No necesitan marcharse; dadles vosotros de comer». [17]Le dijeron: «No tenemos aquí más que cinco panes y dos peces». [18]Él les dijo: «Traédmelos aquí». [19]Y después de mandar que la gente se sentase en la hierba, tomó los cinco panes y los dos peces, levantó los ojos al cielo, pronunció la bendición, partió los panes, se los dio a los discípulos y éstos a la gente. [20]Comieron todos hasta hartarse, y recogieron doce canastos llenos de los trozos sobrantes. [21]Los que comieron eran unos cinco mil hombres, sin contar mujeres y niños.

◆ *Notas:* Mateo 14,13-21

14,13-21 Como el descampado fuera de los poblados y ciudades era considerado un lugar de caos, normalmente no se comía en esos lugares. Una multitud de cinco mil personas habría superado con mucho la población de casi todos los principales asentamientos urbanos, escasos por otra parte. ⇨ **Dieta**, 12,1-8 (cf. pág. 339).

Poder de Jesús sobre la naturaleza 14,22-33

[22]Luego mandó a sus discípulos que subieran a la barca y que fueran delante de él a la otra orilla, mientras él despedía a la gente. [23]Después de despedirla, subió al monte para orar a solas. Al llegar la noche estaba allí solo, [24]pero para entonces la barca, que estaba ya muy lejos de la orilla, era sacudida por las olas, porque el viento era contrario. [25]Muy de madrugada Jesús se acercó a ellos caminando sobre el lago. [26]Los discípulos, al verlo caminar sobre el lago, se asustaron y decían: «Es un fantasma». Y se pusieron a gritar de miedo. [27]Pero Jesús les dijo: «¡Ánimo! Soy yo, no temáis». [28]Pedro le respondió: «Señor, si eres tú, mándame ir hacia ti sobre las aguas». [29]Jesús le dijo: «Ven». Pedro saltó de la barca y, andando sobre las aguas, iba

hacia Jesús. [30]Pero, al ver la violencia del viento, se asustó y, como empezaba a hundirse, gritó: «¡Señor, sálvame! [31]Jesús le tendió la mano, lo agarró y le dijo: «¡Hombre de poca fe! ¿Por qué has dudado?». [32]Subieron a la barca, y el viento se calmó. [33]Y los que estaban en ella se postraron ante Jesús diciendo: «Verdaderamente eres Hijo de Dios».

◆ *Notas:* Mateo 14,22-33

14,22-33 ➪ Oración, 6,7 (cf. pág. 367). Observemos que, en esta historia, Pedro se asusta al «ver» el viento; demuestra su falta de lealtad a Dios sucumbiendo ante el miedo a un viento personificado y visible, como si Dios no ejerciese también su poder sobre el espíritu del viento.

Informe-resumen sobre las actividades de Jesús 14,34-36

[34]Terminada la travesía, tocaron tierra en Genesaret. [35]Al reconocerlo los hombres del lugar, propagaron la noticia por toda aquella comarca y le trajeron todos los enfermos. [36]Le suplicaban que les dejara tocar siquiera el borde de su manto; y todos los que la tocaban quedaban sanos.

◆ *Notas:* Mateo 14,34-36

14,34-36 Este resumen subraya el hecho de que Jesús no curaba a nadie utilizando la magia. La gente le pide tocar «el borde de su manto» para curarse. Este borde llevaba una borla azul (había varias en los ángulos del manto) que servía como amuleto para el mal de ojo, no muy distinta de las cajitas de cuero (filacterias) usadas por los fariseos de entonces. Ver 23,5 y nota a 20,1-16.

Controversia sobre las reglas de pureza 15,1-20

15 [1]Entonces unos fariseos y maestros de la ley venidos de Jerusalén se acercaron a Jesús y le dijeron: [2]«¿Cómo es que tus discípulos no observan la tradición de nuestros antepasados? ¿Por qué no se lavan las manos para comer?». [3]Jesús les respondió: «¿Y cómo es que vosotros desobedecéis el mandato de Dios para seguir vuestra tradición? [4]Porque Dios dijo: *honra a tu padre y a tu madre, y el que maldiga a su padre o a su madre será reo de muerte.* [5]Pero vosotros decís: 'El que diga a su padre o a su madre: «He ofrecido a Dios los bienes con los que te podía ayudar» [6]no tiene obligación de socorrer a su padre'. Así anuláis el mandamiento de Dios con vuestra tradición. [7]¡Hipócritas!, bien profetizó de vosotros Isaías cuando dijo:

> [8]*Este pueblo me honra con los labios,*
> *pero su corazón está lejos de mí;*
> [9]*en vano me dan culto,*
> *pues las doctrinas que enseñan*
> *son preceptos humanos».*

[10]Y llamando a la gente les dijo: «Es-

cuchad atentamente: ¹¹lo que entra por la boca no mancha al hombre; lo que sale por la boca, eso es lo que le mancha». ¹²Los discípulos se acercaron entonces a decirle: «¿Sabes que los fariseos se han sentido ofendidos al oír tus palabras?». ¹³Jesús respondió: «Toda planta que no haya plantado mi Padre del cielo será arrancada de raíz. ¹⁴Dejadlos; son ciegos, guías de ciegos; y si un ciego guía a otro ciego, caerán ambos en el hoyo». ¹⁵Pedro tomó la palabra y le dijo: «Explícanos esta compa-

ración». ¹⁶Y Jesús contestó: «¿Ni siquiera vosotros entendéis todavía? ¹⁷¿No comprendéis que todo lo que entra por la boca baja al vientre y va a parar al estercolero? ¹⁸Sin embargo, lo que sale de la boca viene del corazón, y eso es lo que mancha al hombre. ¹⁹Porque del corazón vienen los malos pensamientos, los homicidios, los adulterios, las fornicaciones, los robos, los falsos testimonios y las injurias. ²⁰Eso es lo que mancha al hombre; comer sin lavarse las manos no mancha a nadie».

◆ *Notas:* Mateo 15,1-20

15,1-10 Condenar a los condenadores (⇨ **Acusación de desvío,** 12,22-30; cf. pág. 319) constituía una importante estrategia en el intento de rechazar las etiquetas que podían endosarle a uno. Los condenadores son condenados (1) por invalidar la palabra de Dios en favor de sus tradiciones (vv. 4-6), (2) por ser hipócritas, es decir, por comportarse al margen del nivel corazón-ojos, que era su personal modo de ser, de sentirse implicados. ⇨ **Las tres zonas de la personalidad,** 5,27-32 (cf. pág. 406). El pasaje de Isaías en v. 8 confirma ambos puntos. Finalmente, en v. 10 Jesús pronuncia ante la gente un mentís categórico del valor de la posición de los fariseos. En v. 15 se menciona esta frase con la categoría de «parábola».

15,14 Sobre la ceguera, ver nota a 6,22.

15,17 La argumentación se basa en la biología y el tópico social del siglo I: todo lo que uno introduce en su boca es finalmente evacuado, y todo lo que es evacuado no es impuro en términos de reglas de pureza. La materia fecal puede ser impropia, indecorosa y ofensiva, pero no es una substancia impura en términos de reglas de pureza. Por otra parte, lo que sale de la boca, la lista de v. 19, mancha a una persona (pero, una vez más, no según el sistema de pureza). Tales cosas manchan moralmente, sobre todo porque causan desorden social, odios y revanchas.

Jesús salva a la hija de una cananea 15,21-28

²¹Jesús se marchó de allí y se retiró a la región de Tiro y Sidón. ²²En esto, una mujer cananea venida de aquellos contornos se puso a gritar: «Ten piedad de mí, Señor, Hijo de David; mi hija vive

maltratada por un demonio». ²³Jesús no le respondió nada. Pero sus discípulos se acercaron y le decían: «Atiéndela, porque viene gritando detrás de nosotros». ²⁴Él respondió: «Dios me ha enviado sólo a las ovejas perdidas de la casa de Israel». ²⁵Pero ella fue, se postró ante Jesús y le suplicó: «¡Señor, ten misericordia de mí!». ²⁶Él respondió: «No está bien tomar el pan de los hijos para echárselo a los perrillos». Ella replicó: ²⁷«Eso es cierto, Señor, pero también los perrillos comen las migajas que caen de la mesa de los amos». ²⁸Entonces Jesús le dijo: «¡Mujer, qué grande es tu fe! Que te suceda lo que pides». Y desde aquel momento quedó curada su hija.

◆ *Notas:* Mateo 15,21-28

15,22 Misericordia, como ya se ha dicho en 9,9-13, significa disponibilidad a devolver (y devolver de hecho) las deudas de nuestras obligaciones interpersonales con Dios y con los seres humanos. Tener misericordia significa pagar las propias obligaciones interpersonales. Aquí, la razón por la que Jesús debe actuar con misericordia es su condición de «Hijo de David». Sin embargo, como Hijo de David, sus obligaciones están limitadas a «las ovejas perdidas de la casa de Israel» (v. 24). Finalmente accede por la lealtad y la entrega que le demuestra la mujer cananea (v. 28).

Nuevo resumen de las actividades curativas de Jesús 15,29-31

²⁹Jesús partió de allí y se fue a la orilla del lago de Galilea; subió al monte y se sentó allí. ³⁰Se le acercó mucha gente trayendo cojos, ciegos, sordos, mancos y otros muchos enfermos; los pusieron a sus pies y Jesús los curó. ³¹La gente se maravillaba al ver que los mudos hablaban, los mancos quedaban sanos, los cojos caminaban y los ciegos recobraban la vista; y se pusieron a alabar al Dios de Israel.

◆ *Notas:* Mateo 15,29-31

15,29-31 El resultado de la prodigiosa actividad curativa de Jesús es que la muchedumbre da honor y reconocimiento públicos no a Jesús, sino a Dios, como era lo adecuado.

Segunda comida de pan y peces al aire libre 15,32-39

³²Entonces Jesús llamó a sus discípulos y les dijo: «Me da lástima de esta gente, porque llevan ya tres días conmigo y no tienen qué comer. No quiero despedirlos en ayunas, no sea que desfallezcan por el camino». ³³Los discípulos le dijeron: «¿De dónde vamos a sacar en un despoblado pan para dar de comer a tanta gente?». ³⁴Jesús les preguntó: «¿Cuántos panes tenéis?». Ellos respondieron: «Siete, y unos pocos pececillos». ³⁵Entonces Jesús mandó a la gente que se sentara en el suelo. ³⁶Tomó los siete panes y los peces, dio gracias, los partió y se los iba dando a los discípulos, y éstos a la gente. ³⁷Comieron todos hasta saciarse, y recogieron siete cestos llenos de los trozos sobrantes. ³⁸Los que comieron eran cuatro mil hombres, sin contar mujeres y niños. ³⁹Después despidió a la gente, subió a la barca y fue a la región de Magadán.

◆ *Notas:* Mateo 15,32-39

15,32-39 Es ésta otra historia sobre cómo Dios, a través de Jesús, alimenta a un amplio grupo de la casa de Israel que se acercó a Jesús. El hecho significativo que conviene tener en cuenta es que la compasión de Jesús pone en movimiento ambos escenarios. La alimentación efectiva de la gente es lo que demuestra la compasión de Jesús. Una vez más hay que decir que una muchedumbre de cuatro mil hombres habría sido mayor que toda la población de los principales asentamientos urbanos, que en realidad eran pocos.

Desafío sobre los signos 16,1-4

16 ¹Los fariseos y saduceos se acercaron a Jesús con la intención de tenderle una trampa y le pidieron que les mostrase una señal del cielo. ²Él les respondió: «Por la tarde decís: 'Va a hacer buen tiempo, porque el cielo está rojizo'. ³Y por la mañana: 'Hoy hará malo, porque el cielo está rojizo y cargado'. Sabéis discernir el aspecto del cielo, pero no los signos de los tiempos. ⁴Esta generación perversa e infiel reclama un signo, pero sólo les darán el signo de Jonás». Y sin más, los dejó y se marchó.

◆ *Notas:* Mateo 16,1-4

16,1-4 Estos versículos repiten 12,38-39, formando un paréntesis literario o inclusión de la sección. Para el significado de estos versículos, consultar 12,38-42.

16,2-3 Las figuras de lenguaje usadas aquí sólo podrían haber nacido en un contexto palestino, pues reflejan con precisión las condiciones meteorológicas de la región. El viento del oeste lleva la brisa del Mediterráneo y transporta la humedad tierra adentro, hasta las colinas de Judea. El viento sur proviene del Négueb, del desierto. Actualmente se conoce como *hamsin* en árabe y *sharav* en hebreo. Es un viento del desierto parecido a una bocanada de horno (bastante normal al final de la primavera), que puede hacer subir la temperatura quince grados en una hora.

Instrucciones a los de dentro 16,5-12

⁵Cuando los discípulos alcanzaron la otra orilla, advirtieron que se habían olvidado de llevar pan. ⁶Jesús les dijo: «Vigilad y tened cuidado con la levadura de los fariseos y los saduceos». ⁷Se dijeron entre sí: «Lo dirá porque no hemos traído pan». ⁸Dándose cuenta de ello, les dijo Jesús: «Qué poca fe tenéis. ¿Qué andáis diciendo que no tenéis pan? ⁹¿No os dais cuenta todavía? ¿No recordáis los cinco panes para los cinco mil y cuántas cestas recogisteis? ¹⁰¿O los siete panes para los cuatro mil y cuántas cestas recogisteis?

[11]¿Cómo no os habéis dado cuenta que no estaba hablando de pan? Tened cuidado con la levadura de los fariseos y los saduceos». [12]Entonces comprendieron que no les había dicho que tuviesen cuidado con la levadura del pan, sino con la enseñanza de los fariseos y los saduceos.

◆ *Notas:* Mateo 16,5-12

16,5-12 La levadura es una metáfora relativa a lo que corrompe, pues puede hacer que la masa rebose por encima de los límites de su recipiente; no respeta moderación ni límites. Según las normas, las cosas situadas fuera de sus límites o contenedores son impuras, p.e. la sangre fuera del cuerpo o un cadáver en el mundo de los vivos.

Aclaración del estatus de Jesús 16,13-20

[13]De camino hacia la región de Cesarea de Filipo, Jesús preguntó a sus discípulos: «¿Quién dice la gente que es el Hijo del hombre?». [14]Ellos le contestaron: «Unos que Juan el Bautista; otros que Elías; otros que Jeremías o uno de los profetas». [15]Jesús les preguntó: «Pero según vosotros, ¿quién soy yo?». [16]Simón Pedro respondió: «Tú eres el Cristo, el hijo de Dios vivo». [17]Jesús le dijo: «Dichoso tú, Simón, hijo de Juan, porque eso no te lo ha revelado la carne y la sangre, sino mi Padre del cielo. [18]Yo te digo: tú eres Pedro, y sobre esta piedra edificaré mi iglesia, y el poder del Hades no podrá con ella. [19]Te daré las llaves del reino de los cielos; lo que ates en la tierra quedará atado en los cielos, y lo que desates en la tierra quedará desatado en los cielos». [20]Entonces mandó a sus discípulos que no dijesen a nadie que él era el Mesías.

◆ *Notas:* Mateo 16,13-20

16,13-20 ⇨ **Personalidad diádica,** 16,13-20 (cf. pág. 376). En la Antigüedad no preocupaba como ahora la identidad de un individuo, sino la posición y el poder que se desprendían del estatus de honor adscrito o adquirido. La respuesta que podía esperarse a la pregunta sobre quién es alguien, consistiría en identificar la familia o el lugar de origen (Pablo de Tarso, Jesús de Nazaret). En esta identificación estaba codificada toda la información necesaria para conocer quién es la persona en cuestión y poder situarla en la escala del honor. (⇨ **Sociedades con base en el honor-vergüenza,** 8,12) (cf. pág. 404). Como la conducta de Jesús se desvía de la que podía esperarse a tenor de su lugar de nacimiento, se proponen otros medios de identificar su poder y estatus. La designación final («Cristo, el hijo de Dios vivo») es clara, pues identifica a Jesús con su familia ficticia más que con su familia de origen. ⇨ **Familia subrogada,** 12,46-50 (cf. pág. 351).

A Simón Bar-Yona se le pone un apodo: Pedro o Piedra/roca. En la vida de un grupo, con ocasión de coyunturas importantes, se solían poner nombres a personas prominentes en él. Pedro desempeña un papel importante, pues da el primer paso apoyando la carrera de Jesús y proyectándola.

Las llaves del reino se refieren a que Pedro tiene acceso a Dios como benefactor; acabará siendo un intermediario como Jesús. La expresión atar y desatar parece referirse a la emisión de juicios autoritativos que crean costumbre obligatoria, una dotación de poder que se ofrece también a todos los discípulos en 18,18.

La advertencia final (v. 20) sirve para adelantar información a los lectores de Mateo: la designación honorífica no sufrirá mella con la muerte de Jesús.

IV. 16,21-20,34 Jesús viaja a Jerusalén

El camino de la cruz 16,21-28

²¹Desde entonces comenzó Jesús a manifestar a sus discípulos que tenía que ir a Jerusalén y que tenía que sufrir mucho por causa de los ancianos, los jefes de los sacerdotes y los maestros de la ley; que lo matarían y al tercer día resucitaría. ²²Entonces Pedro, tomándolo aparte, se pudo a reprenderlo: «Dios no lo quiera, Señor; no te ocurrirá eso». ²³Pero Jesús, dirigiéndose a Pedro, dijo: «¡Colócate detrás de mí, Satanás! Eres para mí un obstáculo, porque no piensas como Dios, sino como los hombres».

²⁴Y dirigiéndose a sus discípulos aña-

dió: «Si alguno quiere venir detrás de mí, que renuncie a sí mismo, cargue con su cruz y me siga. ²⁵Porque el que quiera salvar su vida, la perderá; pero el que pierda su vida por mí, la conservará. ²⁶Pues, ¿de qué le sirve a uno ganar todo el mundo si pierde su vida? ¿O qué puede uno dar a cambio de su vida?

²⁷El Hijo del hombre va a venir con la gloria de su Padre y con sus ángeles. Entonces tratará a cada uno según su conducta. ²⁸Os aseguro que algunos de los aquí presentes no morirán sin ver antes al Hijo del hombre venir como rey».

◆ Notas: Mateo 16,21-28

16,23 Los planes de Pedro sobre Jesús difieren de lo que el propio Jesús cree necesario. La represión de Pedro es interpretada como que Pedro pone a prueba a Jesús para comprobar si es leal a Dios. Por eso el apóstol es un «Satanás» que pone a prueba las lealtades. ⇨ **Desafío-Respuesta**, 4,1-11 (cf. pág. 336).

16,27-28 Normalmente, las sociedades agrícolas están orientadas hacia el presente. Existe poco interés por el futuro, al menos que se intuya en algo ya presente. Por ejemplo, a un niño se le ve casi presente en el vientre de su madre; a una cosecha, en el campo sembrado. De manera parecida, están ya cerca los beneficios de Dios mediados por el Hijo del hombre: en la generación de los seguidores de Jesús, antes de que mueran algunos de los presentes. De ahí la urgencia de seguir a Jesús en el estilo tan vagamente descrito en los vv. 24-26.

Jesús anticipa su pretensión de ser Hijo de Dios 17,1-13

17 [1]Seis días después, tomó Jesús consigo a Pedro, a Santiago y a su hermano Juan, los llevó a una montaña muy alta a solas [2]y se transfiguró en su presencia. Su rostro brillaba como el sol y sus vestidos se volvieron blancos como la luz. [3]En esto, se les aparecieron Moisés y Elías que conversaban con Jesús. [4]Pedro tomó la palabra y dijo a Jesús: «Señor, ¡qué bien estamos aquí! Si quieres, hago tres tiendas: una para ti, otra para Moisés y otra para Elías». [5]Aún estaba hablando, cuando una nube luminosa los cubrió, y una voz desde la nube decía: «Este es mi hijo amado, en quien me complazco, escuchadle». [6]Al oír esto, los discípulos cayeron rostro a tierra, llenos de miedo. [7]Jesús se acercó, los tocó y les dijo:

«Levantaos, no tengáis miedo». [8]Al levantar la vista no vieron a nadie más que a Jesús.

[9]Cuando bajaban de la montaña, Jesús les ordenó: «No contéis a nadie esta visión hasta que el Hijo del hombre haya resucitado de entre los muertos». [10]Los discípulos le preguntaron: «¿Por qué dicen los maestros de la ley que primero tiene que venir Elías?». [11]Jesús les respondió: «Sí, Elías tenía que venir a restaurarlo todo. [12]Pero os digo que Elías ha venido ya y no lo han reconocido, sino que han hecho con él lo que han querido. Del mismo modo van a hacer padecer al Hijo del hombre». [13]Entonces entendieron los discípulos que se refería a Juan el Bautista.

◆ *Notas:* Mateo 17,1-13

17,1-9 La afirmación del v. 5 es precisamente lo que piensa Mateo (ver nota a 3,13-17) y lo que los demás cuestionan (ver 4,1-11; 9,11.14; 11,3; 12,1.9-14; 13,55; etc.): la última instancia del estatus de honor de Jesús. Esa afirmación aparece en el bautismo de Jesús, al comienzo de su carrera; aquí es recapitulada cuando la carrera llega a su fin. Esta retroproyección de una aparición del resucitado trata de adelantar al lector la reivindicación final de la pretensión de Jesús.

Jesús salva a un hombre con un hijo epiléptico 17,14-20

[14]Cuando llegaban a donde estaba la gente, se acercó un hombre, se arrodilló ante él [15]y le dijo: «Señor, ten compasión de mi hijo, que tiene ataques y está muy mal! Muchas veces se cae al fuego y otras al agua; [16]lo he traído a tus discípulos, pero no han podido sanarlo». [17]Jesús respondió: «¡Generación incrédula y perversa! ¿Hasta cuándo tendré que estar con vosotros? ¿Hasta cuándo tendré que soportaros? Traédmelo aquí». [18]Jesús ordenó salir al de-

monio, y éste salió del muchacho, que sanó en el acto. [19]Después, los discípulos se acercaron en privado a Jesús y le preguntaron: «¿Por qué nosotros no pudimos expulsarlo?». [20]Él les dijo: «Porque tenéis poca fe; os aseguro que si tuvierais una fe del tamaño de un grano de mostaza, diríais a esta montaña: 'Trasládate allá' y se trasladaría; nada os sería imposible».

◆ *Notas:* Mateo 17,14-20

17,15-18 Un hombre con un hijo poseído por un demonio (v. 18) corría el peligro de ser condenado al ostracismo por toda la comunidad. Como su hijo no podía casarse, el padre se enfrentaba a la falta de descendencia, y por tanto a la pérdida de la tierra y del lugar que ocupaba en el pueblo. Todos los miembros de su familia estaban en peligro. La curación del muchacho implicaba también la restauración de toda la familia. ⇨ **Preocupación por la salud,** 8,28-34 (cf. pág. 381).

17,20 ⇨ **Fe,** 21,21 (cf. pág. 353).

Aviso sobre las angustias que se avecinan 17,22-23

[22]Un día que estaban juntos en Galilea, les dijo Jesús: «El Hijo del hombre va a ser entregado en manos de los hombres, [23]y le darán muerte, pero al tercer día resucitará». Y se entristecieron mucho.

◆ *Notas:* Mateo 17,22-23

17,22-23 Ésta es la segunda de las llamadas predicciones de la pasión, típicas de la historia de Jesús en Marcos. Jesús repite su convicción de que su actividad implica la traición y la muerte. Pero su confianza en Dios es inconmovible; Dios lo resucitará.

Desafío sobre el impuesto del templo 17,24-27

[24]Cuando llegaron a Cafarnaún, se acercaron a Pedro los que cobraban el impuesto del templo y le dijeron: «¿No paga tu maestro el impuesto?». [25]Pedro contestó: «Sí». Al entrar Pedro en la casa, se anticipó Jesús a preguntarle: «¿Qué te parece, Simón? Los reyes de la tierra ¿a quiénes cobran los impuestos y contribuciones: a los ciudadanos de su país o a los extranjeros?». [26]Pedro contestó: «A los extranjeros». Jesús le dijo: «Por tanto, los ciudadanos de su país están exentos. [27]Con todo, para que no se ofendan, ve al lago, echa el anzuelo y saca el primer pez que pique; ábrele la boca y encontrarás una moneda de plata. La tomas y la das por mí y por ti».

◆ *Notas:* Mateo 17,24-27

17,24-27 El pasaje habla de los cobradores del *didrachma*. El uso que hace Mateo de este término griego, junto con el término adicional *stater* (la moneda en la boca del pez), indica que Mateo escribe para personas que conocen esas monedas, es decir, a no-judíos, probablemente un grupo no-palestino. Este impuesto, dedicado al mantenimiento del templo y de su personal, había de ser pagado anualmente por todos los miembros de la casa de Israel, es decir, la gente relacionada con Judea y su templo, vivieran donde vivieran. La argumentación es clara: si los reyes de la tierra no cobran impuestos a sus súbditos, sino más bien a los pueblos conquistados, lo mismo cabría esperar del rey del cielo. Deberían ser los no-israelitas quienes pagasen el tributo del templo, por supuesto en provecho de la casa de Israel. Los hijos del reino están libres de tasas.

Inversión de las reglas relativas al estatus esperadas por la facción de Jesús y preocupación por la gente humilde 18,1-10

18 ¹En aquel momento se acercaron los discípulos a Jesús y le dijeron: «¿Quién es el más importante en el reino de los cielos?». ²Él llamó a un niño, lo puso en medio de ellos 3y dijo: «Os aseguro que si no cambiáis y os hacéis como los niños no entraréis en el reino de los cielos. ⁴El que se haga humilde como este niño, ése es el mayor en el reino de los cielos. ⁵El que recibe a un niño como éste en mi nombre, a mí me recibe.

⁶Al que sea ocasión de pecado para uno de estos pequeños que creen en mí, más le valdría que le ataran al cuello una piedra de molino y lo arrojaran al fondo del mar. ⁷¡Ay de quienes son ocasión de pecado en el mundo! Es inevitable que esto exista. Sin embargo, ¡ay de aquellos que sean ocasión de pecado!

⁸Por eso, si tu mano o tu pie es ocasión de pecado para ti, córtatelo y arrójalo. Es mejor entrar en la vida manco o cojo que ser arrojado con las dos manos o los dos pies al fuego que no se apaga. ⁹Y si tu ojo es ocasión de pecado para ti, sácatelo y arrójalo; es mejor entrar en la vida con un solo ojo que ser echado con los dos ojos al fuego que no se apaga.

¹⁰Cuidado con despreciar a uno de estos pequeños; porque os digo que sus ángeles en el cielo contemplan sin cesar el rostro de mi Padre del cielo».

◆ *Notas:* Mateo 18,1-10

18,1-5 Las disputas sobre el estatus de honor eran algo típico de cualquier grupo de la antigua cultura mediterránea. Una vez establecida la jerarquía social, los conflictos quedaban reducidos al mínimo. La expresión «ser humilde» hace referencia a la permanencia en el estatus social que uno ha heredado, sin tratar de medrar junto con la familia a expensas de algún otro. Por contraste, «hacerse humilde» significa dar precedencia a otro, ceder a otro el estatus social que uno ha heredado y soportar, por tanto, un tratamiento inferior al que merecemos. «Recibir» significa ser hospitalario, tal como se explica en las notas a 10,14 y 10,40. Esta inversión del orden que cabía esperarse echa por tierra de manera fundamental los presupuestos de una sociedad basada en el binomio honor-vergüenza. ⇨ **Niños**, 18,1-5 (cf. pág. 367).

18,6 «Uno de estos pequeños que creen en mí» hace referencia a la gente de cuna humilde que sigue a Jesús. ⇨ **Perdón de los pecados**, 6,14 y su explicación (cf. pág. 375). El término griego traducido aquí por «ocasión de pecado» se refiere a las cosas que causan «ofensa», «cólera» o «repugnancia». En términos mediterráneos, los problemas que cuentan son siempre interpersonales, aquellos que implican a individuos entre sí. Los problemas que un individuo podía tener con las cosas, con el sistema social o consigo mismo, no eran en realidad problemas. Por eso, en este texto se trata sin duda de un problema que responde a una determinada situación: la que implica a dos individuos cuando la conducta controlada por uno de ellos puede causar en el otro ofensa, cólera o repugnancia.

18,10 Jesús menciona la extendida creencia mediterránea de que cada persona cuenta con un espíritu protector. Los romanos los llamaban «genios» y los griegos «demonios buenos». En Israel, tales espíritus eran conocidos como «ángeles». Tales siervos del cielo venían del Templo celeste de Dios, el Patrón, donde podían «contemplar el rostro de mi Padre del cielo». Sobre el tema de contemplar a Dios en el templo, bien sea en el original del cielo bien en su copia de Jerusalén, ⇨ **Las bienaventuranzas en el evangelio de Mateo**, 5,3-11 (cf. pág. 324).

La oveja perdida 18,12-14

[12]«¿Qué os parece? Si un hombre tiene cien ovejas y se le extravía una de ellas, ¿no dejará en la montaña las noventa y nueve para ir a buscar la descarriada? [13]Y si llega a encontrarla, os aseguro que se alegrará por ella más que por las noventa y nueve que no se extraviaron. [14]Del mismo modo, el Padre del cielo no quiere que se pierda ni uno solo de estos pequeños».

◆ *Notas*: Mateo 18,12-14

18,12-14 Era fácil pasar del tema de las personas de bajo estatus social al tema de los pastores. Éstos constituían un colectivo de trabajadores menospreciados. Se podía hablar románticamente de los pastores, en gran medida por la tradición del rey David, primero pastor y después pastor-rey en Israel. De él se hicieron eco esperanzadamente profecías como Sof 3,19-20 y Miq 5,2-5. De hecho, sin embargo, los pastores eran generalmente equiparados a arrieros, curtidores, pescadores, carniceros, camelleros y otras ocupaciones despreciables. Como tenían que ausentarse de casa por la noche, no podían proteger el honor de sus mujeres; por eso, se daba por supuesto que carecían de honor. Con frecuencia eran considerados ladrones, pues apacentaban sus rebaños en la propiedad de otras personas. Sin embargo, aquí juegan otro papel: el de confirmar acontecimientos que requieren reconocimiento público para que el honor sea adscrito a alguien (p.e. ver Lc 2,17, donde los pastores informan de lo que han visto y oído).

Jesús pide a su audiencia farisea que se imaginen en esa situación («¿Qué os parece? Si un hombre tiene cien ovejas...»). Probablemente un rebaño de cien ovejas pertenecía a una gran familia, no a un individuo; el número implica que hay otros pastoreando el rebaño junto con el pastor de la historia. Más aún, perder una oveja haría al pastor responsable de ello ante toda la familia. Por eso, puede entenderse bien que haya una celebración comunitaria tras la recuperación de la oveja. Una oveja perdida, fuera del rebaño, frecuentemente se queda echada e inmóvil, sin parar de balar. Una vez encontrada la oveja, el pastor tendría que llevarla a cuestas seguramente.

Reglas para solucionar conflictos 18,15-22

[15]«Por eso, si tu hermano te ofende, ve y llámale la atención a solas. Si te hace caso, habrás ganado a tu hermano. [16]Si no te hace caso, toma contigo uno o dos, para que cualquier asunto se resuelva en presencia de dos o más testigos. [17]Si no les hace caso a ellos, díselo a la comunidad; y si no hace caso ni siquiera a la comunidad, considéralo como un pagano o como uno que recauda impuestos para Roma. [18]Os aseguro que lo que atéis en la tierra quedará atado en el cielo; y lo que desatéis en la tierra quedará desatado en el cielo. [19]También os aseguro que, si dos de vosotros os ponéis de acuerdo en la tierra para pedir cualquier cosa, la obtendréis de mi Padre del cielo. [20]Porque donde están dos o tres reunidos en mi nombre, allí estoy yo en medio de ellos».

[21]Entonces se acercó Pedro y le preguntó: «Señor, ¿cuántas veces tengo que perdonar a mi hermano cuando me ofende? ¿Siete veces?». [22]Jesús le respondió: «No te digo siete veces, sino setenta veces siete».

◆ *Notas:* Mateo 18,15-22

18,15-18 Mateo presenta un procedimiento para solucionar conflictos que sin duda se practicaba en su grupo. Merece la pena observar la llamativa ausencia de «aguantarlo», es decir, «poner la otra mejilla». En su lugar encontramos otras tres formas de solución de conflictos: «enfrentamiento» (v. 15), «negociación» (v. 16) y «sentencia judicial» (v. 17). «Hermano» se refiere al compañero seguidor de Jesús, a alguien del grupo. Los términos «pagano» y «recaudador de impuestos» aluden a los de fuera, a los que deben evitar los seguidores de Jesús en la sociedad de Mateo. En el v. 18 se concede a todos los discípulos autoridad para atar y desatar («vosotros»), específicamente en el contexto de solución de conflictos y arreglo de disputas. ⇨ **Intragrupo y extragrupo**, 10,5-6 (cf. pág. 358).

18,19-20 Jesús se refiere claramente a la fuerza que tienen las decisiones tomadas en casos de conflicto por los discípulos encargados de juzgar dichos casos que enfrentan a los seguidores de Jesús. El pasaje alude a dos discípulos que se ponen de acuerdo sobre un litigio (griego *pragma*) que les ha sido confiado; si se ponen de acuerdo, también intervendrá el Padre del cielo. Pues cuando dos o tres «se reúnen para arbitrar un litigio» en nombre de Jesús, allí está también Jesús.

18,21-22 La exigencia de perdonar a un compañero seguidor de Jesús («hermano») ha de ser constante («setenta veces siete» significa «siempre»). La reconciliación es un importantísimo rasgo social de la presentación mateana de la enseñanza de Jesús. Es obvio que la reconciliación («perdón de corazón», 18,35) requiere el perdón. El tema es presentado en la parábola siguiente.

Este pasaje ofrece un buen ejemplo de la noción interpersonal de «pecado» en las sociedades orientadas según el binomio honor-vergüenza. El pecado es una ofensa a otro, y el «perdón» reintegra al ofensor en la comunidad. La tremenda presión del grupo sobre el ofensor, tal como lo vemos aquí, pone de relieve el rol de la comunidad. ⇨ **Perdón de los pecados**, 6,14 (cf. pág. 375).

Una presentación del reino de Dios: como el perdón de las deudas 18,23-35

[23]Porque el reino de los cielos puede compararse con aquel rey que quiso ajustar cuentas con sus siervos. [24]Al comenzar a ajustarlas, le fue presentado uno que le debía diez mil talentos. [25]Como no podía pagar, el señor mandó que lo vendieran a él, a su mujer y a sus hijos, y todo cuanto tenía, para pagar la deuda. [26]El siervo se echó a sus pies suplicando: «¡Ten paciencia conmigo, que te lo pagaré todo!». [27]El señor tuvo compasión de aquel siervo, lo dejó libre

y le perdonó la deuda. ²⁸Nada más salir, aquel siervo encontró a un compañero suyo que le debía cien denarios; lo agarró y le apretaba el cuello, diciendo: «¡Paga lo que me debes!». ²⁹El compañero se echó a sus pies, suplicando: «¡Ten paciencia conmigo y te lo pagaré!». ³⁰Pero él no quiso, sino que fue y lo metió en la cárcel hasta que pagara la deuda. ³¹Al verlo sus compañeros se disgustaron mucho y fueron a contar a su señor todo lo ocurrido. ³²Entonces el señor lo llamó y le dijo: «Siervo miserable, yo te perdoné toda aquella deuda, porque me lo suplicaste. ³³¿No debías haberte compadecido de tu compañero como yo me compadecí de ti?». ³⁴Entonces el señor, muy enojado, lo entregó para que lo castigaran hasta que pagara toda la deuda. ³⁵Lo mismo hará con vosotros mi Padre celestial si no os perdonáis de corazón unos a otros.

◆ *Notas:* Mateo 18,23-35

18,23-35 Esta parábola sigue con el tema del perdón, y mantiene la analogía entre deudas y pecados. El modo en que Dios, patrón celeste, se relaciona aquí con sus clientes se parece al siguiente escenario: un rey llama a sus burócratas («siervos» miembros de la familia real) para hacer cuentas. Un siervo debe una suma astronómica. Un talento equivalía a seis mil denarios, y un denario al sueldo de una jornada de trabajo. Por eso, la deuda del primer siervo del relato era enorme. La hipérbole es típica de los relatos campesinos y sirve para poner de relieve el contraste del que depende el relato.

Para paliar sus pérdidas, el rey ordena que sean vendidos el siervo y su familia, pero, ante la petición de paciencia, el rey da un paso más y decide actuar en términos de «misericordia». Es decir, recurre a su honor real para pagar sus deudas de obligación interpersonal a un miembro de la «familia». En virtud de tal «misericordia», el rey perdona la deuda. Por otra parte, el siervo-burócrata no quiere perdonar una deuda verdaderamente insignificante a un colega de la misma «familia». ⇨ **Cien denarios,** 18,28 (cf. pág. 327). En otras palabras, el siervo libre de deudas se cierra a la «misericordia», es decir, a pagar sus deudas de obligación interpersonal a un igual. El rey, tras ser informado, se ve obligado a conservar su honor, pues la conducta del siervo cuya deuda fue perdonada supone una burla a la conducta del rey. Con su modo de actuar, el siervo proclama a los cuatro vientos que ha sido tan «sabio e inteligente» como para ponerse impunemente por encima del rey. El rey no puede hacer otra cosa que tomar «satisfacción» entregando al burócrata a los carceleros. Sobre la costumbre de mandar a prisión a los deudores, ⇨ **Deudas,** 6,12 (cf. pág. 337); también ⇨ **Perdón de los pecados,** 6,14 (cf. pág. 375).

Desafío sobre el matrimonio 19,1-12

19 ¹Cuando Jesús terminó este discurso, salió de Galilea y se dirigió a la región de Judea, a la otra orilla del Jordán. ²Lo siguió muchísima gente y allí los sanó.

³Se acercaron unos fariseos y, para ponerlo a prueba, le preguntaron: «¿Puede uno separarse de su mujer por cualquier motivo?». ⁴Jesús respondió: «¿No habéis leído que el Creador, desde el principio, *los hizo hombre y mujer*, ⁵y que dijo: *Por eso dejará el hombre a su padre y a su madre, se unirá a su mujer, y serán los dos una sola carne?* ⁶De manera que ya no son dos, sino una sola carne. Por tanto, lo que Dios unió, que no lo separe el hombre». ⁷Ellos le dijeron: «Entonces, ¿por qué mandó Moisés que el marido *diera un acta de divorcio a su mujer para separarse de ella?*». ⁸Jesús les dijo: «Moisés os permitió separaros de vuestras mujeres por vuestra incapacidad para entender los planes de Dios, pero al principio no era así. ⁹Ahora yo os digo: El que se separe de su mujer, excepto en caso de infidelidad, y se casa con otra, comete adulterio».

¹⁰Los discípulos le dijeron: «Si tal es la situación del hombre con respecto a su mujer, es mejor no casarse». ¹¹El les dijo: «No todos pueden hacer esto, sino sólo aquellos a quienes Dios se lo concede. ¹²Algunos no se casan porque nacieron eunucos; otros son eunucos porque los hombres los incapacitaron; y hay quienes se han hecho a sí mismos eunucos por causa del reino de los cielos. Quien pueda poner esto en práctica, que lo haga».

◆ *Notas: Mateo 19,1-12*

19,3-9 Esta especie de cuerpo a cuerpo verbal es un ejemplo clásico del esquema desafío-respuesta que tipificaba las relaciones públicas entre hombres en las sociedades basadas en el binomio honor-vergüenza. También típico es el uso de citas de la tradición por ambas partes. La capacidad de recurrir a la tradición para responder a un desafío era tenida en alta estima. ⇨ **Desafío-Respuesta**, 4,1-11 (cf. pág. 336).

El divorcio constituye la disolución de un matrimonio, la separación de los esposos sabiendo que las previas disposiciones matrimoniales ya no son vinculantes. Para entender el divorcio hay que entender lo que significa el matrimonio en una cultura específica. En el mundo de Jesús, en circunstancias normales, quienes se casaban en realidad no eran los individuos, sino las familias. Una familia ofrecía un varón, otra una hembra. Su boda representaba la boda de dos familias extensas. Por eso, en el mundo mediterráneo del siglo I e incluso antes, el matrimonio simbolizaba la fusión del honor de dos familias extensas y se llevaba a cabo pensando en intereses políticos y/o económicos (incluso cuando se limitaba a individuos del mismo grupo étnico, como en el Israel del siglo I). ⇨ **Esponsales**, 1,18 (cf. pág. 345). El divorcio implicaba, pues, la disolución de los vínculos familiares, un desafío a la familia de la ex-esposa y la enemistad.

19,6 Jesús consideraba a la pareja casada «no dos, sino una sola carne». Esto indica que el matrimonio es una relación «de sangre» más que un contrato legal. Al ser una relación de sangre, como la relación con la madre y el padre (v. 5) o con los hermanos, el matrimonio no podía ser legalmente disuelto. Y lo mismo que sólo Dios determina quiénes van a ser nuestros padres, también es Dios quien «une» en el matrimonio. No resulta difícil imaginar esto en un mundo de matrimonios arreglados, donde la elección de pareja está supeditada a la obediencia a los padres y a las necesidades de la familia; la elección realizada por los padres o la familia era vista con toda naturalidad como la voluntad de Dios.

19,9 Lo que estaba prohibido en la comunidad de Mateo era divorciarse y volverse a casar, o divorciarse *para poder* casarse de nuevo. Un divorcio así conduciría inevitablemente al enfrentamiento entre las familias, a un desafío realmente negativo al honor de la familia de la ex-esposa. Sin embargo, para la comunidad de Mateo, tal divorcio estaba justificado en caso de «infidelidad». La fórmula «excepto en caso de infidelidad» se refiere a la tipología de conductas reproducida en Lv 18,6-23 y dirigida a los hombres, que describe los grados de parentesco que impiden el matrimonio.

Divorciarse para volver a casarse recibe el calificativo de «adulterio». ¿Adulterio contra quién? La prohibición del adulterio en los Diez Mandamientos pretendía reducir las posibilidades de interminables enemistades en la sociedad israelita. El adulterio exigía que un varón defendiese su honor y el de su familia frente a la ofensa de la adúltera. El adulterio era una forma de desafío al honor del esposo. A su vez, la familia de la adúltera defendería su honor familiar. Y así continuamente, en una enemistad sin fin.

El adulterio significa deshonrar a un varón teniendo relaciones sexuales con su esposa. Conviene tomar esta definición al pie de la letra. Como es el varón quien encarna el honor debido a su género, y como sólo otros varones pueden lanzar un reto a su honor, una mujer nunca puede deshonrar (y de hecho no deshonra) a una esposa teniendo relaciones sexuales con el marido de ésta, ni puede un hombre casado deshonrar a su esposa teniendo relaciones sexuales con otra mujer. Las relaciones de un casado con una prostituta no deshonran a su honorable esposa. Si un hombre se divorcia de su esposa para volver a casarse, ¿qué varón quedaría deshonrado? En todo caso tendría que serlo el padre (u otros varones) de la familia de la divorciada.

19,10-12 Los discípulos interpretan el dicho de Jesús como una prohibición del divorcio. Su argumentación es que si uno no puede divorciarse, lo mejor es no enredarse siquiera en acuerdos matrimoniales. Jesús responde con una parábola sobre eunucos. Los eunucos son varones sin testículos, es decir, sin la parte de la anatomía masculina que simboliza el honor. Ser eunuco significa carecer de honor. Los eunucos de nacimiento difaman el honor real de su padre y de su familia, así como el estado de virginidad de la madre cuando se casó. Los eunucos convertidos en tal por los hombres eran, bien esclavos, bien gente humillada públicamente con la castración. En ambos casos se trata de hombres que no pueden tener honor o ser considerados honorables, hombres permanentemente marginados que llevan marcado en su cuerpo el mapa social del honor y la vergüenza. El tercer tipo de eunuco, un reflejo moral del estado físico de los eunucos antes mencionados, se hace a sí mismo eunuco como cliente de Dios, para gozar del favor de Dios, para agradar a Dios-patrón (e.d. por el reino de los cielos).

Según el contexto, este tercer tipo de eunuco es el hombre deshonrado por la conducta sexual de su esposa, pero que, en lugar de divorciarse para volver a casarse, soporta la deshonra «por el reino de los cielos». El marido se preocupa por su honor no divorciándose. Este escenario trata de posibilitar la reconciliación incluso en casos de infracción del honor masculino. La preocupación por la reconciliación encaja muy bien aquí con la enseñanza moral de Jesús a lo largo del evangelio de Mateo.

Inversión de las reglas para acceder al intermediario de Dios 19,13-15

[13]Entonces le presentaron unos niños para que les impusiera las manos y orara por ellos. Los discípulos los reprendían, [14]pero Jesús dijo: «Dejad a los niños y no les impidáis que vengan a mí, porque de los que son como ellos es el reino de los cielos». [15]Después de imponerles las manos se fue de allí.

◆ *Notas:* Mateo 19,13-15

19,13-15 Nos encontramos ante las proverbiales vulnerabilidad e indefensión de los niños. La imposición de manos de Jesús pretendería protegerles del mal de ojo; era ésta una acción maligna de la que los padres debían proteger a sus hijos en el mundo mediterráneo. El trato de los niños con Jesús es ofrecido como modelo para quienes quieran disfrutar del patronazgo de Dios (= entrar en el reino de los cielos). El patronazgo de Dios pertenece a quienes estén voluntariamente dispuestos a ser sus clientes. ⇨ **Niños,** 18,1-5 (cf. pág. 367); y **Edad,** 3,13 (cf. pág. 344).

Advertencias sobre las riquezas que impiden la lealtad a la nueva familia subrogada de Jesús 19,16-30

[16]En cierta ocasión se acercó uno y le preguntó: «Maestro, ¿qué buena acción debo hacer para obtener vida eterna?». [17]Jesús le contestó: «¿Por qué me preguntas por lo que es bueno? Sólo hay uno que es bueno. Si quieres entrar en la vida, observa los mandamientos». [18]El le preguntó: «¿Cuáles?». Jesús contestó: *«No matarás, no cometerás adulterio, no darás falso testimonio;* [19]*honra a tu padre y a tu madre, ama a tu prójimo como a ti mismo».* [20]El joven le dijo: «Todo eso ya lo he cumplido. ¿Qué me falta aún?». [21]Jesús le dijo: «Si quieres ser perfecto, ve a vender todo lo que tienes y dáselo a los pobres; así tendrás un tesoro en los cielos. Luego ven y sígueme». [22]Al oír esto, el joven se fue muy triste porque poseía muchos bienes.

[23]Jesús dijo a sus discípulos: «Yo os aseguro: es difícil que un rico entre en el reino de los cielos. [24]De nuevo os digo: es más fácil a un camello pasar por el ojo de una aguja que a un rico entrar en el reino de Dios». [25]Al oír esto, los discípulos se quedaron impresionados y dijeron: «Entonces, ¿quién podrá salvarse?». [26]Jesús los miró y les dijo: «Para los hombres esto es imposible, pero para Dios todo es posible».

[27]Entonces Pedro tomó la palabra y le dijo: «Nosotros lo hemos dejado todo y te hemos seguido. ¿Qué nos espera?». [28]Jesús les contestó: «Os aseguro que vosotros, los que me habéis seguido, cuando todo se haga nuevo y el Hijo del hombre se siente en su trono de gloria, os sentaréis también en doce tronos para juzgar a las doce tribus de Israel. [29]Y todo el que haya dejado casas, hermanos, hermanas, padre, madre, hijos y tierras por mi causa, recibirá cien veces más y heredará la vida eterna. [30]Hay muchos primeros que serán últimos y muchos últimos que serán primeros».

◆ *Notas:* Mateo 19,16-30

19,21 Jesús exige dos cosas a este joven «codicioso»: vender lo que posee y seguir a Jesús. La exigencia de vender lo que posee, si la tomamos al pie de la letra, implica deshacerse de las posesiones más queridas para un mediterráneo: el hogar familiar y las tierras. Por el giro que toma la discusión en vv. 23-30 advertimos que es esto precisamente lo que estaba en juego. Seguir a Jesús significa abandonar o romper con la unidad de parentesco (v. 29), un sacrificio inconmensurable. Tal separación de la familia era algo moralmente imposible en una sociedad en la que la unidad de parentesco era la institución social central. Lo que uno posee debe ser sustituido por un tesoro en el ámbito de Dios, patrón celeste; por su parte, el seguimiento de Jesús reemplaza los lazos familiares. El joven, lamentable pero comprensiblemente, rechaza ambas cosas. ⇨ **Familia subrogada,** 12,46-50 (cf. pág. 351).

19,23 Antes de seguir adelante, conviene tener en cuenta que las personas «ricas» eran consideradas ladrones o herederos de ladrones, pues se pensaba que todas las cosas buenas de la vida eran limitadas. El único modo de abrirse camino era adelantarse a los demás tomando lo que era en justicia de uno (⇨ **Ricos, pobres y bienes limitados,** 5,3; cf. pág. 393). Por eso, para poder percibir lo que un campesino mediterráneo pensaba de un rico, hemos calificado a este joven de «codicioso». El camello es el animal más grande del Próximo Oriente, y el ojo de una aguja la abertura más pequeña. La elocuencia, virtud masculina en la Antigüedad, implicaba el arte de la exageración verbal o hipérbole, que Jesús utiliza aquí con un efecto llamativo.

19,25-29 Los discípulos se quedan sorprendidos al oír que los ricos «codiciosos» no gozan de ventaja alguna cuando se trata del patronazgo divino. En respuesta a su pregunta retórica «Entonces, ¿quién podrá salvarse?», Jesús utiliza un proverbio popular: «Para Dios todo es posible». A continuación, Pedro aborda la cuestión planteada por la petición que Jesús dirige al joven codicioso: la recompensa preparada para quienes siguen a Jesús. La recompensa del seguimiento de Jesús consiste en recibir honor y en ser plenamente aceptado en la familia de Dios. Jesús promete así al núcleo central de su facción una precedencia de honor sobre las «tribus de Israel», mientras que el resto se hará con el céntuplo (presumiblemente ahora) y con la participación en la nueva sociedad, la nueva familia de Dios, el Patrón. Comparado con el estatus actual del rico codicioso, el estatus de quienes siguen a Jesús indica una inversión del concepto de posición social, como implica el proverbio del v. 30. ⇨ **Familia subrogada,** 12,46-50, y nota a 26,26-29 (cf. pág. 351).

Una presentación del reino de Dios: Dios como patrón generoso 20,1-16

20 ¹«Por eso, el reino de los cielos se parece al dueño de una hacienda que salió muy de mañana a contratar trabajadores para su viña. ²Después de contratar a los trabajadores por un denario al día, los envió a su viña. ³Salió a media mañana, vio a otros que estaban en la plaza sin trabajo, ⁴y les dijo: 'Id también vosotros a la viña, y os daré lo que sea justo'. ⁵Ellos fueron. Salió de nuevo a mediodía y a primera hora de la tarde e hizo lo mismo. ⁶Salió por fin a media tarde, encontró a otros que estaban sin trabajo y les dijo: '¿Por qué estáis aquí todo el día sin hacer nada?'. ⁷Le contestaron: 'Porque nadie nos ha contratado'. El les dijo: 'Id también vosotros a mi viña'. ⁸Al atardecer, el dueño de la viña dijo a su administrador: 'Llama a los trabajadores y págales el jornal, empezando por los últimos hasta los primeros'. ⁹Vinieron los de media tarde y recibieron un denario cada uno.

¹⁰Cuando llegaron los primeros, pensaban que recibirían más; pero también ellos recibieron un denario cada uno. ¹¹Al recibirlo, se quejaban contra el dueño, ¹²diciendo: 'Estos últimos han trabajado sólo un rato y les ha pagado igual que a nosotros, que hemos soportado el peso del día y del calor'. ¹³Pero él respondió a uno de ellos: 'Amigo, no te hago ninguna injusticia. ¿No quedamos en un denario? ¹⁴Toma lo tuyo y vete. Si yo quiero dar a este último lo mismo que a ti, ¹⁵¿no puedo hacer lo que quiera con lo mío? ¿O es que tienes envidia porque yo soy bueno?'. ¹⁶Así los últimos serán primeros, y los primeros serán últimos».

◆ *Notas:* Mateo 20,1-16

20,1-16 La escena descrita aquí responde con toda naturalidad a la experiencia de los campesinos mediterráneos. Los jornaleros constituían uno de los colectivos más pobres de la sociedad. Generalmente eran campesinos que habían perdido las tierras de sus antepasados a causa de las deudas y que se veían obligados a ir a las ciudades o pueblos en busca de trabajo. Más aún, la pérdida de la tierra implicaba normalmente pérdida de la familia y de la ayuda que ésta significaba. Para esta gente, la supervivencia suponía una dura lucha. Aunque los campesinos con tierras podían ofrecerse como jornaleros al acabar la recolección, el hecho de que aquí nos encontremos en plena cosecha mueve a pensar que la gente descrita aquí carecía de propiedades, de lo contrario estarían trabajando en ellas.

Una vez más, la expresión «el reino de los cielos se parece» significa «el modo en que el patronazgo de Dios afecta a sus clientes se parece al siguiente escenario:...». De hecho nos encontramos con un hacendado que actúa como el típico patrón mediterráneo (⇨ **El sistema de patronazgo en la Palestina romana**, 8,5-13; cf. pág. 399). Observemos que nadie va en busca de trabajo; como corresponde a los hombres con honor, también los campesinos deben ser buscados y contratados (vv. 3.7). El buen patrón paga a cada uno según lo convenido. Sin embargo, cualquier cantidad dada por encima del salario contratado requiere una relación previa patrón-cliente. El patrón muestra el patronazgo dando «a este último lo mismo que a ti» (v. 14). Se trata de un favor que bien puede esperarse de un patrón. Quienes no son clientes reciben sin más lo que se les debe, motivo por el que lanzan una mirada de envidia (ojo malo o mal de ojo) al patrón. El mal de ojo no actúa porque el patrón es bueno. El resultado es el proverbio del v. 16, un eco de 19,30.

Si bien la inversión de valores implicada en el relato sorprendería a un auditorio de campesinos, también les movería a admirar la generosidad del patrón. La última frase del relato está mal traducida en algunas versiones. Literalmente dice así: «¿Es malo tu ojo porque yo soy bueno?». El mal de ojo era un asunto muy serio en las sociedades del Mediterráneo. Se trata del ojo de la envidia, y la gente tiene que estar constantemente en guardia ante el mal que puede causar. Para protegerse, la gente usaba amuletos y hacía gestos de diversa índole. (En el Mediterráneo oriental se recurre actualmente a estas costumbres). Desempeñaban esta función las borlas azules cosidas en mantos y los chales para la oración (Mt 18,20). Se creía también que dibujar los genitales o hacer gestos obscenos evitaban el mal de ojo, pues desviaban la mirada de la presunta víctima. Las puertas pintadas de azul (color que controla el mal) protegían también la casa. El décimo mandamiento aborda el mismo problema.

Un aviso sobre la angustia que se avecina 20,17-19

[17]Cuando Jesús subía a Jerusalén, tomó consigo a los doce discípulos aparte y les dijo por el camino: [18]«Mirad, estamos subiendo a Jerusalén. Allí el Hijo del hombre va a ser entregado a los jefes de los sacerdotes y maestros de la ley, que lo condenarán a muerte, [19]y lo entregarán a los paganos, para que se burlen de él, lo azoten y lo crucifiquen; pero al tercer día resucitará».

◆ *Notas:* Mateo 20,17-19

20,17-19 No sólo se anticipa la muerte de Jesús; también se especifica la degradación ritual por la que tendrá que pasar. ➪ **Rituales de degradación de estatus,** 26,67-68 (cf. pág. 396). Observemos que se ofrecen aquí más detalles de los que aparecen después en el relato.

Competencia por el honor en la facción de Jesús 20,20-28

[20]Entonces, la madre de los Zebedeos se acercó a Jesús con sus hijos y se arrodilló para pedirle un favor. [21]Él le preguntó: «¿Qué quieres?». Ella contestó: «Manda que estos dos hijos míos se sienten uno a tu derecha y otro a tu izquierda cuando tú reines». [22]Jesús respondió: «No sabéis lo que pedís. ¿Podéis beber la copa que yo voy a beber?». Ellos dijeron: «Sí, podemos».

[23]Jesús les respondió: «Beberéis el copa, pero sentaros a mi derecha o a mi izquierda no me toca a mí concederlo, sino que es para quienes lo ha reservado mi Padre».

[24]Al oír aquello, los otros diez se indignaron contra los dos hermanos. [25]Pero Jesús los llamó y les dijo: «Sabéis que los jefes de las naciones las gobiernan tiránicamente y que los dirigentes las oprimen. [26]No debe ser así entre vosotros. El que quiera ser importante entre vosotros, sea vuestro servidor, [27]y el que quiera ser el primero, que sea vuestro esclavo. [28]De la misma manera que el Hijo del hombre no ha venido a ser servido, sino a servir y dar su vida en rescate por todos».

◆ *Notas:* Mateo 20,20-28

20,20-28 Estamos ante una disputa sobre el honor y el estatus que se deriva de él (⇨ **Sociedades con base en el honor-vergüenza,** 8,12; cf. pág. 404). La madre mediterránea de Santiago y Juan los lleva ante Jesús pidiendo que se les conceda más honor que al resto del grupo. Es típico de las madres mediterráneas conseguir un estatus a través de sus hijos. La respuesta de Jesús tiene dos facetas. En primer lugar, pregunta si los dos serán capaces de compartir su destino, es decir, beber su «copa». En la Biblia, «copa» se refiere con frecuencia a la cantidad limitada y fija de lo que Dios está dispuesto a ofrecer a una persona durante la vida, bien de una vez o en partes. Después afirma Jesús que sólo Dios es el patrón capaz de manejar tal patronazgo. Jesús es el intermediario del reino, no el patrón. ⇨ **El sistema de patronazgo en la Palestina romana,** 8,5-13 (cf. pág. 399).

Los ciudadanos ricos que actuaban como patronos concedían beneficios a sus clientes a cambio de que éstos reconocieran públicamente su honor. Se esperaba que quienes tenían algún cargo público actuasen como bienhechores en favor de la ciudad que los había elegido. El título de bienhechor se concedía con frecuencia en el mundo helenista a dioses y reyes. César Augusto y Nerón aparecen designados así en inscripciones que celebraban su generosidad.

20,26-27 El tema de la inversión de valores, tan típico de Jesús, contrapone aquí los menos honrados y los más honrados, los últimos y los primeros. Las primeras imágenes contraponen el mundo real fuera de la casa de Israel (jefes y dirigentes de los gentiles) y el modo en que deberían ser las cosas en el Israel renovado (seguidores de Jesús). En el nuevo Israel, grandes son quienes funcionan como «jefes de comedor» («diácono» designa a un maestro de ceremonias en comidas rituales), y primeros, quienes tienen estatus de esclavo. Estas inversiones de valores sustituyen a la reciprocidad generalizada típica de las relaciones familiares, una reciprocidad equilibrada de cara a los asuntos públicos. ⇨ **Relaciones (intercambios) sociales,** 5,39-42 (cf. pág. 388).

20,28 En este versículo se pretende explicar la inversión de estatus requerida en el (los) grupo(s) del movimiento de Jesús. Se basa en la conducta del «Hijo del hombre», que «dispuso las cosas en beneficio de otros» (lo que hace el diácono) y «dio su vida en rescate», es decir, liberando a otros. ¿Por qué alguien aceptaría a otra persona en rescate por otros? Sólo a condición de que la persona aceptada como rescate tuviese mayor honor que quienes quedan libres, de tal forma que los raptores alcanzasen mayor reconocimiento y prestigio reteniendo y ejecutando a un personaje de mayor rango. Por ejemplo, un rey, a pesar de ser una sola persona, vale más que todos los súbditos de su reino (aunque fuesen millones) desde el punto de vista de la calidad. (Es lo mismo que ocurre con el rey en el ajedrez; cuando se le pone un cerco insalvable, el juego se ha acabado, aunque el resto de las piezas sigan intactas).

Jesús salva a dos ciegos 20,29-34

²⁹Al salir ellos de Jericó, le siguió mucha gente. ³⁰Y dos ciegos, que estaban sentados junto al camino, al oír que Jesús pasaba, gritaron: «¡Señor, Hijo de David, ten misericordia de nosotros!». ³¹La gente les decía que se callaran, pero ellos gritaban todavía más fuerte diciendo: «¡Señor, Hijo de David, ten misericordia de nosotros!». ³²Jesús se detuvo, los llamó y les preguntó: «¿Qué queréis que haga por vosotros?». ³³Ellos contestaron: «¡Señor, que se abran nuestros ojos!». ³⁴Jesús, compadecido, tocó sus ojos, y al instante recuperaron la vista y lo siguieron.

◆ Notas: Mateo 20,29-34

20,29-34 La yuxtaposición mateana de este relato a los precedentes (búsqueda de los discípulos de precedencia y honor entre ellos) constituye un intento claro por parte de Mateo de establecer una asociación entre las condiciones físicas y las sociales. ⇨ **Preocupación por la salud**, 8,1-4 (cf. pág. 381).

20,30 «Misericordia» se refiere a la buena disposición a cumplir con los deberes del compromiso interpersonal. Pedir misericordia a una persona significa que el peticionario cree que la otra persona tiene con él ese «deber». Aquí se pide que Jesús, un conocido sanador («mucha gente», v. 29), cumpla con los deberes del compromiso interpersonal, pues es Hijo de David (sin duda significa Mesías en Mateo, pero también es una referencia a Salomón, el sabio omnipotente); como «Hijo de David» tiene deberes para con los de la casa de Israel que le reconocen como tal y así le honran públicamente. Los ciegos insisten en su identificación y recuperan la vista.

Tras la curación, Mateo nos dice intencionadamente que se pusieron a seguir a Jesús. ⇨ **El sistema de patronazgo en la Palestina romana,** 8,5-13 (cf. pág. 399).

V. 21,1-25,46 Actividad en Jerusalén

Entrada de Jesús en Jerusalén 21,1-11

21 ¹Cerca ya de Jerusalén, al llegar a Betfagé, en las proximidades del monte de los Olivos, Jesús envió a dos discípulos ²con este encargo: «Id al poblado de enfrente; al entrar, encontraréis una burra atada con su borrico al lado; desatadlos y traédmelos. ³Y si alguien os dice algo, diréis que el Señor los necesita, pero que en seguida los devolverá. ⁴Esto sucedió para que se cumpliera lo que dice el profeta:

⁵*Decid a la hija de Sión:*
Mira, tu rey viene a ti,
humilde y sentado en un burro,
en un borrico,
cría de un animal de carga.

⁶Los discípulos fueron e hicieron lo que Jesús les mandó: ⁷trajeron la burra y el borrico; pusieron sobre ellos los mantos, y él montó encima. ⁸El gentío, que era muy numeroso, extendía sus mantos en el camino; otros cortaban ramas de árboles y las extendían por el camino. ⁹Y la gente que iba delante y detrás gritaba:

Hosanna al Hijo de David,
bendito el que viene en nombre del Señor.
Hosanna en las alturas.

¹⁰Al entrar Jesús en Jerusalén, toda la ciudad se alarmó y se preguntaban: «¿Quién es éste?». ¹¹La gente respondía: «Es el profeta Jesús, el de Nazaret de Galilea».

◆ *Notas:* **Mateo 21,1-11**

21,2 El caballo se usaba normalmente para la guerra; por eso era símbolo de fuerza y poder. El burro, por su parte, era animal de tiro, usado para transportar personas y mercancías. El pasaje de Zac 9,9 citado en el v. 5 indica que el hecho de que un rey (rol esencialmente vinculado a la milicia y al poder) montase un burro era acción «humilde», es decir, inadecuada al estatus de rey.

21,7-9 En Lucas la alabanza ofrecida como respuesta a las acciones de Jesús va dirigida siempre en primer lugar a Dios, el Patrón, y no a Jesús, el Intermediario. ⇨ **El sistema de patronazgo en la Palestina romana,** 8,5-13 (cf. pág. 399). Mateo, sin embargo, presenta a Jesús como patrón.

Los vestidos y ramas extendidos por el camino forman una alfombra, para que ni siquiera los pies del burro toquen el suelo o las piedras. El extraordinario personaje a quien se concede esta bienvenida queda así puesto aparte y por encima de las condiciones y asuntos humanos normales. (La «alfombra roja» que actualmente se utiliza en la recepción de ciertos personajes indica más o menos lo mismo).

Conforme Jesús conduce el asno a la ciudad, la gente lo identifica como el que viene «en nombre del Señor». Observemos la alarma que se suscita en la ciudad cuando sus moradores ven una muchedumbre de forasteros siguiendo a Jesús (v. 10). Dada la distancia social entre los habitantes de una ciudad y los de fuera, resulta evidente la tensión de la escena.

Para valorar este escenario, observemos que Jesús cabalga sobre un animal no usado en la guerra y se adentra en la ciudad, centro neurálgico de la casa de Israel, mientras la muchedumbre le aclama a gritos como Hijo de David (Mesías) y le da la bienvenida como apoderado de Dios. Mateo presenta así a Jesús como patrón en quien busca un patronazgo la muchedumbre de Jerusalén. Por otra parte, la respuesta de la muchedumbre, identificando con orgullo a Jesús como profeta y al mismo tiempo como residente de una pequeña población del interior, supone un serio desafío a la sensibilidad urbana.

21,10-11 En el relato de Mateo, la última vez que se conmovió Jerusalén a causa de Jesús fue durante su nacimiento (ver 2,3). Ahora tiene lugar otra conmoción, justo al comienzo de la actividad de Jesús en Jerusalén. Los habitantes de Jerusalén podían mirar hacia el este por encima de las murallas y ver a la gente vitoreando a Jesús mientras cabalgaba. Dados los conflictos entre los habitantes de las ciudades y la gente de fuera, característicos de la antigua sociedad mediterránea, no sorprende la agitación y la pregunta de los jerosolimitanos: «¿Quién es éste?». Mateo reproduce con cierta ironía lo que dicen los de fuera (de la ciudad) sobre quién es Jesús: nada más y nada menos que «el profeta Jesús». Más aún, es de «Nazaret de Galilea», es decir, no precisamente de Jerusalén. Jesús entra en el Templo de Dios, donde lleva a cabo una acción simbólica profética.

Oposición de Jesús al sistema del Templo 21,12-13

[12]Jesús entró en el templo y echó a todos los que estaban allí vendiendo y comprando, tumbó las mesas de los que cambiaban dinero y los puestos de los que vendían palomas. [13]Y les dijo: «Está escrito: *'Mi casa es casa de oración,* pero vosotros la habéis convertido en cueva de ladrones'».

◆ *Notas:* Mateo 21,12-13

21,12 Mateo describe ahora una acción profética simbólica. Desde el punto de vista literario, tal acción consiste en la descripción de cierta acción simbólica (generalmente ordenada por Dios) llevada a cabo por un profeta, seguida de las palabras que aclaran el sentido de tal acción. Una acción simbólica está cargada de significado y sentimiento, e invariablemente es eficaz respecto a lo que simboliza. Por ejemplo, en Ezequiel 5 Dios ordena al profeta que corte y trocee parte del pelo de su cabeza y su barba; el destino de estos cabellos será el destino de los jerosolimitanos («Así dice el Señor: Todo esto se refiere a la ciudad de Jerusalén», Ez 5,5), ante quienes lleva a cabo la acción simbólica. También se describe el cumplimiento de esa acción profética.

En nuestro texto, la acción consiste en el comportamiento de Jesús para con personas que realizaban un acto legítimo en el templo, pues facilitaban la celebración de los sacrificios prescritos por Dios en la Torá. Expulsarles equivalía a poner freno a los sacrificios del templo queridos por Dios.

21,13 Estas palabras pretenden aclarar el sentido de la acción. Una «cueva de ladrones» es el lugar donde éstos acumulan sus ganancias ilegítimas. La frase está tomada de Jer 7,11. Llamar al Templo «cueva de ladrones» es pensar que se trata de una institución que busca el lucro (y el lucro se conseguía con extorsiones y avaricia; ⇨ **Ricos, pobres y bienes limitados**, 5,3; cf. pág. 393). No es por tanto extraño que la élite (21,15) se opusiera a Jesús y tratase de destruirlo. Tampoco es extraño que el pueblo escuchase con atención las palabras de Jesús.

Alabanza del honor de Jesús y desafío de sus adversarios 21,14-17

[14]Algunos ciegos y cojos se acercaron a Jesús en el templo, y él los sanó. [15]Pero los jefes de los sacerdotes y los maestros de la ley, al ver los prodigios realizados y a los niños que aclamaban en el templo: «¡Hosanna al Hijo de David!», se indignaron [16]y le dijeron: «¿No oyes lo que están diciendo?». Jesús les respondió: «Sí. ¿Es que nunca habéis leído aquel pasaje de la Escritura que dice: *De la boca de los niños de pecho has sacado una alabanza?*». [17]Y dejándolos, salió fuera de la ciudad y se fue a Betania, donde pasó la noche.

◆ *Notas:* Mateo 21,14-17

21,14-17 Tras la acción simbólica profética, Jesús cura a ciegos y cojos en el Templo, y su conducta se convierte a su vez en otra acción profética. Ciegos y cojos son categorías de personas a quienes, entre otras cosas, no se les permitía acercarse al altar durante el culto celebrado en el Templo (Lv 21,16-24). Jesús los sana, al tiempo que en un segundo plano los niños recitan Sal 118,25, una especie de voz proveniente de Dios para aclarar el significado de la actividad de Jesús: «Hosanna, Hijo de David». Como resultado de esa acción, se indignan «los jefes de los sacerdotes y los maestros de la ley», es decir, el personal oficial del Templo. Ellos lanzan un desafío a Jesús, que les corta con un insultante «¿Es que nunca habéis leído?» y los deja plantados para irse a Betania.

Jesús demuestra la fuerza de la lealtad a Dios 21,18-22

[18]Por la mañana, temprano, cuando regresaba a la ciudad, Jesús sintió hambre. [19]Vio una higuera junto al camino, se acercó a ella y, al no encontrar más que hojas, le dijo: «Que nunca jamás brote de ti fruto alguno». Y la higuera se secó al instante. [20]Al ver esto, los discípulos se quedaron admirados y se preguntaban: «¿Cómo es que la higuera se secó al instante?». [21]Jesús les respondió: «Os aseguro que si tenéis fe y no dudáis, no sólo haréis lo de la higuera, sino que, si decís a esta montaña: 'Quítate de ahí y arrójate al mar', así pasará. [22]Y todo lo que pidáis con fe en la oración lo obtendréis».

◆ *Notas:* Mateo 21,18-22

21,18-22 La serie de acciones simbólicas proféticas termina con la maldición de una higuera. Una maldición es un conjunto significativo de palabras que producen eficazmente un resultado negativo sobre una persona u objeto. En nuestra sociedad, lo que más se puede parecer a las maldiciones del Mediterráneo son las maldiciones sociales de los jueces en los tribunales, cuando dictan sentencia. Cuando en un contexto propiamente legal dice un juez «Te condeno a treinta años de prisión», inevitablemente, y como por arte de magia, la persona sentenciada es conducida a prisión. Aunque tales maldiciones sociales (o proclamaciones de sentencias) son simples palabras, resultan eficaces debido a una creencia social compartida. De manera análoga, una persona puede ser «declarada» enferma mental por un médico y ser confinada en una institución sanitaria durante un tiempo determinado. Se trata de palabras, pero pronunciadas en un contexto social pertinente. Las maldiciones operan de manera parecida.

El contexto social pertinente para las maldiciones son el estatus y el rol del profeta. La maldición de la higuera sirve en Mateo de acción simbólica profética para poner de relieve el lugar central que debe ocupar la lealtad a Dios. La conducta profética se manifiesta en la maldición del árbol y en el marchitamiento de éste. La palabra que aclara esa conducta es la respuesta de Jesús en v. 21. Jesús empieza con una palabra de honor («Os aseguro») y explica por qué se marchitó el árbol, no cómo (pregunta de los discípulos en v. 20). La higuera se marchitó por la total lealtad de Jesús hacia Dios y por no dudar de lo que Dios le pide. Esto es «tener fe y no dudar». Su falta de dudas explica lo que está haciendo en Jerusalén: su actividad profética y el destino unido a esta actividad, es decir, su sufrimiento y su muerte.

21,22 Las peticiones dirigidas a Dios llevan garantizada la respuesta para quienes son totalmente leales a Dios; ⇨ **Fe**, 21,21 (cf. pág. 353); y **Oración**, 6,7 (cf. pág. 367).

Desafío a la autoridad de Jesús y respuesta ofensiva por parte de éste 21,23-32

[23]Jesús entró en el templo y, mientras enseñaba, se le acercaron los jefes de los sacerdotes y los ancianos del pueblo y le dijeron: «¿Con qué autoridad haces estas cosas? ¿Quién te ha dado esa autoridad?». [24]Jesús les respondió: «También yo os voy a hacer una pregunta. Si me contestáis, os diré con qué autoridad hago esto. [25]El bautismo de Juan, ¿de dónde venía, de Dios o de los hombres?». Ellos intentaban ponerse de acuerdo y razonaban así: «Si decimos que de Dios, nos dirá: 'Entonces, ¿por qué no le creisteis?'. [26]Y si decimos que de los hombres, la gente se pondrá en contra nuestra, porque todos piensan que Juan era un profeta». [27]Así que respondieron a Jesús: «No sabemos». Entonces Jesús les dijo: «Pues tampoco yo os digo con qué autoridad hago estas cosas».

[28]«¿Qué os parece? Un hombre tenía dos hijos. Se acercó al primero y le dijo: 'Hijo, ve hoy a trabajar en la viña'. [29]Él respondió: 'No quiero'. Pero después se arrepintió y fue. [30]Luego se acercó al segundo y le dijo lo mismo. Él respondió: 'Voy, señor'. Pero no fue. [31]¿Cuál de los dos cumplió la voluntad de su padre?». Le contestaron: «El primero». Entonces Jesús les dijo: Os aseguro que los recaudadores de impuestos y las prostitutas os llevarán ventaja para entrar en el reino de Dios. [32]Porque vino Juan a manifestaros el camino de la salvación y no le creisteis; en cambio los recaudadores de impuestos y las prostitutas le creyeron. Y vosotros, a pesar de esto, no os arrepentisteis ni creisteis en él».

◆ *Notas:* Mateo 21,23-32

21,23-27 Mientras Jesús enseñaba es desafiado públicamente por los jefes de los sacerdotes y los ancianos del pueblo. ⇨ **Desafío-Respuesta**, 4,1-11 (cf. pág. 336). Como es habitual en él, Jesús responde a la pregunta con una contrapregunta que sirve de respuesta eficaz.

La autoridad consiste en la capacidad de influir en la conducta de los demás. En la Antigüedad, lo que daba a la gente autoridad para actuar en público era la posición social, es decir, su escala en el honor tal como era reconocido por la comunidad. ➩ **Sociedades con base en el honor-vergüenza**, 8,12 (cf. pág. 404). La posición social dependía generalmente del nacimiento (honor adscrito), pero también podía conseguirse (honor adquirido). Cualquiera que fuera su origen, para que uno tuviera credibilidad pública, la posición social tenía que ser proporcionada a lo que uno hacía o decía en público. Las acciones que no respondían a la posición social requerían alguna forma alternativa de legitimación, para que la gente no pensara que estaban inspiradas por el diablo (ver la nota a 12,22-30). En nuestro texto, el rechazo de Jesús a proporcionar una legitimación adicional de sus acciones parece basarse en el hecho de que, lo mismo que el profeta Juan, también él gozaba de credibilidad de profeta a los ojos de la gente.

21,28-32 Jesús dirige estas palabras («¿Qué os parece?») a sus interlocutores previos: sumos sacerdotes y ancianos. En la sociedad mediterránea del siglo I, el hijo embustero que dice «Voy, señor», pero luego no va, es el hijo que hace que su padre se sienta bien; se comporta correctamente, es un buen hijo. Pero no hace lo que agrada a su padre (que es la pregunta de Jesús). En cambio, el segundo hijo, que enfada a su padre diciendo que no, pero que después hace lo que el padre quiere, hace en realidad lo que agrada a su padre. Los recaudadores de impuestos y las prostitutas se sitúan en el plano del segundo hijo, que inicialmente dice que no, mientras que los adversarios de Jesús son como el primero: dicen que sí, pero que luego no hacen lo que agrada a Dios.

Otra ofensa en forma de parábola 21,33-46

[33]«Escuchad esta otra parábola: El dueño de una hacienda *plantó una viña, la rodeó con una cerca, construyó un lagar, edificó una torre,* la arrendó a unos viñadores y se ausentó. [34]Al llegar la cosecha, envió sus criados a los viñadores para recoger los frutos. [35]Pero los viñadores cogieron a los criados, hirieron a uno, mataron a otro y al otro lo apedrearon. [36]De nuevo envió otros criados, en mayor número que la primera vez, e hicieron con ellos lo mismo. [37]Finalmente les envió a su hijo, pensando: 'A mi hijo lo respetarán'. [38]Pero los viñadores, al ver al hijo, se dijeron: 'Este es el heredero. Matémoslo y nos quedaremos con su herencia'. [39]Lo agarraron, lo arrojaron fuera de la viña y lo mataron. [40]¿Qué os parece? Cuando regrese el señor de la viña, ¿qué hará con esos viñadores?». [41]Le respondieron: «Matará sin compasión a

esos miserables, y arrendará la viña a otros viñadores que le entreguen los frutos a su tiempo».

⁴²Jesús les dijo: «¿No habéis leído nunca en las Escrituras:
La piedra que rechazaron los constructores
se ha convertido en piedra fundamental;
esto lo hizo el Señor
y es realmente admirable?

⁴³Por eso os digo que se os quitará el reino de Dios y se le entregará a un pueblo que dé a su tiempo los frutos que al reino corresponden. ⁴⁴El que caiga sobre esta piedra quedará despedazado, y sobre quien ella caiga será aplastado.

⁴⁵Cuando los jefes de los sacerdotes y los fariseos oyeron sus parábolas, se dieron cuenta de que Jesús se refería a ellos. ⁴⁶Querían capturarlo, pero tuvieron miedo de la gente, porque lo tenían por profeta.

◆ *Notas:* Mateo 21,33-46

21,33-46 ⇨ **Economía familiar agrícola, 21,33-46** (cf. pág. 343). Esta parábola va también dirigida contra los jefes de los sacerdotes y los ancianos del Templo. Describe una situación bien conocida para quienes vivían en Galilea: la de un propietario que vive fuera del territorio. Si, después de mandar dos veces a sus siervos, el propietario envía a su hijo, los arrendatarios podían llegar a pensar que el propietario había muerto y que el hijo era el único obstáculo que quedaba para hacerse con la tierra. Pero el propietario vive. Los adversarios responden correctamente a la pregunta que les hace Jesús en v. 40; el propietario regresará, mandará matar a los arrendatarios y arrendará la viña a otros cederá la tierra «a otros viñadores que le entreguen los frutos a su tiempo».

Jesús aplica después la parábola directamente a sus adversarios (v. 43): se les retirará el patronazgo de Dios y le será ofrecido a una nación que produzca sus frutos.

(Si en el estadio más primitivo de la tradición evangélica este relato no era una alegoría sobre las relaciones de Dios con Israel, como lo es ahora, bien pudo haber sido una advertencia a los terratenientes que expropiaban y exportaban los productos del campo. En el *Evangelio de Tomás* 65 no hay tal alegorización).

21,46 Los adversarios de Jesús, que ahora incluyen a los jefes de los sacerdotes y a los fariseos, captan la indirecta y tratan de arrestarlo. La mención de los fariseos prepara al lector para el desafío sobre el tributo al César en 22,15-22. De nuevo oímos que los enemigos de Jesús tenían miedo a la gente porque ésta creía que Jesús era un profeta.

Una presentación del reino de Dios: como una fiesta nupcial 22,1-14

22 ¹Jesús tomó de nuevo la palabra y les dijo esta parábola: ²«El reino de los cielos se puede comparar a aquel rey que celebraba la boda de su hijo. ³Envió a sus criados para llamar a los invitados a la boda, pero no quisieron ir. ⁴De nuevo envió otros criados encargándoles que dijeran a los invitados: 'Mi banquete está preparado, he matado reses y becerros cebados, y todo está listo; venid a la boda'. ⁵Pero ellos no hicieron caso, y se fueron unos a su campo y otros a su negocio. ⁶Los demás, cogiendo a los criados, los maltrataron y los mataron. ⁷El rey entonces se enfadó y envió sus tropas para que acabaran con aquellos asesinos e incendiaran la ciudad. ⁸Después dijo a sus criados: 'El banquete de boda está preparado, pero los invitados no eran dignos. ⁹Id, pues, a los cruces de caminos e invitad a la boda a todos los que encontréis'. ¹⁰Los criados salieron a los caminos y reunieron a todos los que encontraron, malos y buenos; y la sala se llenó de invitados.

¹¹Al entrar el rey para ver a los invitados, observó que uno de ellos no llevaba traje de boda. ¹²Le dijo: 'Amigo, ¿cómo has entrado aquí sin traje de boda?'. Él se quedó callado. ¹³Entonces el rey dijo a los sirvientes: 'Atadlo de pies y manos y echadlo fuera a las tinieblas; allí llorará y le rechinarán los dientes'. ¹⁴Porque son muchos los llamados, pero pocos los elegidos».

◆ *Notas:* Mateo 22,1-14

22,1-14 Se trata de otra parábola dirigida contra la élite de adversarios de Jesús en Jerusalén. Una vez más, la fórmula «el reino de los cielos se puede comparar» significa «el modo en que el patronazgo de Dios afecta a sus clientes se parece al siguiente escenario:...». El escenario describe acontecimientos en torno a una boda real celebrada en una ciudad real. Tiene lugar una doble invitación (vv. 3-4, presumiblemente también a otras ciudades; ver v. 7). Las dobles invitaciones son de sobra conocidas en los antiguos papiros. Permitían a los potenciales huéspedes enterarse de quién acudía y si todo había sido dispuesto correctamente. Si los que iban eran personas adecuadas, todo el mundo acudiría. Si las personas consideradas adecuadas se retraían, el resto haría lo mismo. Se sucederían excusas triviales.

22,5 Las excusas, muchas extralimitadas, eran una manera indirecta y tradicional de manifestar desaprobación por parte de la élite invitada. El tratamiento afrentoso y el asesinato de los siervos del rey constituyen un insulto directo al honor real. Las satisfacciones exigidas por el rey incluirían algo parecido a lo descrito en v. 7.

22,8-9 Se invita a personas no relacionadas con la élite. Al invitar a estas personas a penetrar en la sección elitista de la ciudad, donde sin duda estaría el palacio real, el rey rompe con la gente de élite. El término griego traducido por «cruces de caminos» incluye también los lugares donde se cruzaban las calles (plazas de la ciudad, etc.), es decir, donde uno podía comunicarse con la gente no-elitista de la ciudad. La invitación es dirigida, pues, a personas totalmente distintas de los invitados originales.

Para captar la ironía de la escena, conviene observar que en las sociedades tradicionales era muy raro que los comensales fueran de distintos estratos sociales. En las comunidades cristianas inclusivas constituyó un ideal que causó serias fricciones en la práctica (cf. 1 Cor 11,17-34). Resultaba especialmente difícil a las personas de clase elevada, que se arriesgaban a ser expulsadas de la familia si eran vistos comiendo en público con gente de rango inferior, aunque éstos fuesen también cristianos. Ocurría especialmente en las ciudades (ambientación de este pasaje), donde era neta la estratificación en diferentes estatus y donde se esperaba que fuese mantenida así por la propia gente de la élite. ⇨ **La ciudad preindustrial**, 9,35 (cf. pág. 328); también **Comidas**, 22,1-14 (cf. pág. 331), y las notas a los dos pasajes previos.

22,10-13 El rey tendría preparada ropa adecuada para la gente no-elitista que acudía al banquete. Pero el rey se fija en alguien que no ha querido ponerse la ropa que le ha sido proporcionada, avergonzando por tanto al rey. El resultado se podía prever: el hombre impropiamente vestido queda avergonzado al ser echado fuera por los criados.

Desafío sobre los impuestos al emperador 22,15-22

[15]Entonces los fariseos se pusieron de acuerdo para buscar en las palabras de Jesús algún motivo para acusarlo, [16]y le enviaron algunos de sus discípulos con los herodianos a decirle: «Maestro, sabemos que eres sincero, que enseñas con verdad el camino de Dios y que no te dejas influenciar por nadie, pues no miras las apariencias de las personas. [17]Dinos, pues, tu parecer: ¿Es lícito pagar impuestos al emperador o no?». [18]Jesús se dio cuenta de su mala intención y les contestó: «¿Por qué me ponéis a prueba, hipócritas? [19]Mostradme la moneda con que pagáis el impuesto». Ellos le presentaron un denario, [20]y él les preguntó: «¿De quién es esta imagen y la inscripción?». [21]Le respondieron: «Del emperador». Entonces Jesús les dijo: «Pues dad al emperador lo que es del emperador y a Dios lo que es de Dios». [22]Al oír esto, se quedaron asombrados, lo dejaron y se fueron.

◆ *Notas:* Mateo 22,15-22

22,15-22 Un nuevo grupo de adversarios de Jerusalén trata de poner a Jesús una trampa. Se trata ahora de fariseos y herodianos (o monárquicos). ⇨ **Desafío-Respuesta**, 4,1-11 (cf. pág. 336). La moneda que Jesús pide a sus adversarios que le enseñen es la «moneda usada para el impuesto», un denario romano, que llevaba grabado no sólo la imagen del emperador, sino también la inscripción «Tiberio César, Augusto, hijo del divino Augusto» (ver v. 20). En su interés por la práctica de la Torá («¿Es lícito...» = «¿Está en línea con la Torá...»), los adversarios de Jesús se sienten incómodos por poseer una moneda romana impura. Si, como es probable, eran los herodianos quienes tenían la controvertida moneda, se habrían puesto inmediatamente a discutir con sus colaboradores en el desafío a Jesús: los discípulos de los fariseos no querían tener contacto alguno con tales objetos idolátricos.

Tras preguntar por la imagen y la inscripción, aumentando así la tensión y la turbación, Jesús responde positivamente a su pregunta original: pagad al emperador lo que es del emperador. Pero poco después sus adversarios aducirían que había respondido negativamente (ver 23,2). Quizás lo hacen porque Jesús siguió adelante en su respuesta: dad a Dios lo que es de Dios. De esta forma daba por supuesto que sus adversarios (aquí fariseos y herodianos) no pagaban a Dios lo que le era debido. Se maravillan de su respuesta, es decir, la dan por buena (v. 22). ➪ **Religión, economía y política,** 22,15-22 (cf. pág. 390).

Desafío-Respuesta sobre la resurrección 22,23-33

[23]Aquel mismo día se le acercaron unos saduceos, que niegan la resurrección, y le preguntaron: [24]«Maestro, Moisés dijo: *Si alguno muere sin tener hijos, su hermano se casará con la viuda para dar descendencia al hermano difunto.* [25]Pues bien, había entre nosotros siete hermanos, y el primero, que estaba casado, murió. Al no dejar descendencia, su mujer se casó con su hermano. [26]Y pasó lo mismo con este segundo y con el tercero, y así con los siete. [27]La última en morir fue la mujer. [28]En la resurrección, ¿de cuál de los siete será mujer, si todos estuvieron casados con ella?».

[29]Jesús les respondió: «Estáis equivocados. No comprendéis las Escrituras ni el poder de Dios. [30]Porque cuando resuciten, ni ellos ni ellas se casarán, sino que serán como ángeles en el cielo. [31]Y en cuanto a la resurrección de los muertos, ¿no habéis leído cómo Dios os dijo: [32]*Yo soy el Dios de Abrahán, el Dios de Isaac y el Dios de Jacob?* No es Dios de muertos, sino de vivos».

◆ *Notas:* Mateo 22,23-33

22,23-33 Se acerca ahora un nuevo grupo de adversarios a desafiar a Jesús; se trata de los saduceos, que «niegan la resurrección». ➪ **Desafío-Respuesta,** 4,1-11 (cf. pág. 336). Los saduceos eran el grupo aristocrático y sacerdotal que controlaba el Templo y sus posesiones. Su desafío adopta la forma de una pregunta sarcástica, de burla, basada en Dt 25,5ss, que establece un sistema de transmisión de los derechos de propiedad mediante el procedimiento conocido como levirato o matrimonio con un cuñado. La respuesta de Jesús es asimismo sarcástica y ofensiva, pues acusa a los maestros oficiales de Israel de ignorar las Escrituras y el poder de Dios. En v. 31 nos encontramos con el sonsonete tan recurrente: «¿no habéis leído?». Según el v. 33, Jesús supera de nuevo a sus adversarios.

Desafío sobre el mandamiento principal 22,34-40

³⁴Cuando los fariseos oyeron que había tapado la boca a los saduceos, se reunieron, ³⁵y uno de ellos, experto en la ley, le preguntó para ponerlo a prueba: ³⁶«Maestro, ¿cuál es el mandamiento más importante de la ley?». ³⁷Jesús le contestó: «*Amarás al Señor tu Dios con todo tu corazón, con toda tu alma* y con toda tu mente. ³⁸Éste es el primer mandamiento y el más importante. ³⁹El segundo es semejante a éste: *Amarás a tu prójimo como a ti mismo.* ⁴⁰En estos dos mandamientos se basa toda la ley y los profetas».

◆ *Notas:* Mateo 22,34-40

22,34-40 Los fariseos ensayan, por su parte, una situación de desafío-respuesta; uno de ellos le formula una pregunta relativa a los principios de la Torá que pueden servir para conducirse en la vida. Mateo ya nos dice que se trata de una «prueba» (v. 35), es decir, de un desafío. Sorprendentemente, Jesús da una respuesta rápida basándose en Dt 6,5 y Lv 19,18, sobre el «amor» a Dios y al prójimo (⇨ **Amor y odio,** 5,43-44; cf. pág. 321). Al citar de ese modo la tradición, Jesús se presenta como un honorable maestro. Pero la sorpresa es momentánea, pues esa respuesta rápida permite a Jesús plantarles un desafío en toda regla.

Contradesafío por parte de Jesús 22,41-46

⁴¹Cuando estaban reunidos los fariseos, Jesús les preguntó: ⁴²«¿De quién pensáis que es hijo el Mesías?». Contestaron: «De David». ⁴³Jesús les argumentó: «Entonces, ¿cómo es que David, inspirado por el Espíritu, lo llama Señor, cuando dice:

⁴⁴*Dijo el Señor a mi Señor:*

siéntate a mi derecha
hasta que ponga a tus enemigos
debajo de tus pies?

⁴⁵Si David lo llama Señor, ¿cómo puede ser el Mesías hijo suyo?». ⁴⁶Nadie podía responderle; y desde aquel día nadie se atrevió a hacerle más preguntas.

◆ *Notas:* Mateo 22,41-46

22,41-46 Esta pieza forma un todo con la anterior, como un desafío a los fariseos para contrarrestar el que éstos le han planteado previamente en vv. 34-40. El desafío de Jesús está en relación con la naturaleza del Mesías. Los fariseos responden que es «el hijo de David» (título habitual de Jesús en Mateo). Jesús responde: tendrá que ser más grande que David, pues éste le llama Señor. Jesús consigue así reducir al silencio a todos sus adversarios. A partir de este momento ya no será directamente desafiado.

Ofensas y desafíos de Jesús a sus adversarios 23,1-39

23 ¹Entonces Jesús, dirigiéndose a la gente y a sus discípulos, les dijo: ²«En la cátedra de Moisés se han sentado los escribas y los fariseos. ³Obedecedles y haced lo que os digan, pero no imitéis su ejemplo, porque no hacen lo que dicen. ⁴Atan cargas pesadas e insoportables, y las ponen sobre los hombros de la gente; pero ellos no mueven ni un dedo para llevarlas. ⁵Todo lo hacen para que los vea la gente: exageran sus distintivos religiosos y alargan los adornos del manto; ⁶les gusta el primer asiento en los banquetes y los puestos de honor en las sinagogas, ⁷el ser saludados por la calle y que los llamen maestros. ⁸Vosotros, en cambio, no os dejéis llamar maestro, porque uno es vuestro maestro, y todos vosotros sois hermanos. ⁹Ni llaméis a nadie padre en la tierra; porque uno solo es vuestro Padre: el del cielo. ¹⁰Ni os dejéis llamar jefes, porque uno solo es quien os conduce: el Mesías. ¹¹El mayor de vosotros será el que sirva a los demás. ¹²Porque el que se engrandece será humillado, y el que se humilla será engrandecido.

¹³¡Ay de vosotros, escribas y fariseos hipócritas, que cerráis a los demás la puerta del reino de los cielos! Vosotros no entráis, y a los que quieren entrar, no los dejáis. ¡Ay de vosotros, escribas y fariseos hipócritas, que recorréis mar y tierra para convertir a un pagano, y cuando lo convertís lo hacéis merecedor el doble más que vosotros del fuego que no se apaga!

¹⁶¡Ay de vosotros, guías ciegos, que decís: 'Jurar por el santuario no compromete, pero si uno jura por el oro del santuario queda comprometido'! ¹⁷¡Torpes y ciegos! ¿Qué es más, el oro o el santuario que santifica el oro? ¹⁸También decís: 'Jurar por el altar no compromete, pero si uno jura por la ofrenda que hay sobre él queda comprometido'. ¹⁹¡Ciegos! ¿Qué es más, la ofrenda o el altar que la santifica? ²⁰Pues el que jura por el altar, jura por él y por todo lo que hay encima; ²¹el que jura por el santuario, jura por él y por quien lo habita; ²²el que jura por el cielo, jura por el trono de Dios y por el que está sentado en él.

²³¡Ay de vosotros, escribas y fariseos hipócritas, que pagáis el diezmo de la menta, del anís y del comino, y descuidáis lo más importante de la ley: la voluntad de Dios, la misericordia y la fe! Hay que hacer esto sin descuidar aquello. ²⁴¡Guías ciegos, que no dejáis que pase el mosquito y os tragáis el camello!

²⁵¡Ay de vosotros, escribas y fariseos hipócritas, que limpiáis por fuera el vaso y el plato, mientras que por dentro seguís llenos de codicia y desenfreno! ²⁶¡Fariseo ciego, limpia por dentro el vaso, para que también por fuera quede limpio!

²⁷¡Ay de vosotros, escribas y fariseos hipócritas, que parecéis sepulcros blanqueados: por fuera vuestra apariencia

es hermosa, pero por dentro estáis llenos de huesos de muerto y podredumbre! 28Lo mismo pasa con vosotros: por fuera parecéis justos ante los hombres, pero por dentro estáis llenos de hipocresía y de perversidad.

29¡Ay de vosotros, escribas y fariseos hipócritas, que edificáis sepulcros a los profetas y adornáis los mausoleos de los justos! 30Decís: 'Si hubiéramos vivido en tiempos de nuestros antepasados, no habríamos colaborado en la muerte de los profetas'. 31Con lo cual confirmáis que sois hijos de quienes mataron a los profetas. 32¡Completad, pues, lo que vuestros antepasados comenzaron! 33¡Serpientes, raza de víboras! ¿Cómo escaparéis a la condenación del fuego que no se apaga? 34Por eso, yo os envío profetas, sabios y escribas; mataréis y

crucificaréis a unos, mientras que a otros los azotaréis en vuestras sinagogas, y los perseguiréis de ciudad en ciudad. 35Así os hacéis responsables de toda la sangre inocente derramada sobre la tierra, desde la sangre del justo Abel hasta la sangre de Zacarías, hijo de Baraquías, a quien asesinasteis entre el templo y el altar. 36Os aseguro que todo esto le pasará a esta generación.

37¡Jerusalén, Jerusalén, que matas a los profetas y apedreas a los que Dios te envía! ¡Cuántas veces he querido reunir a tus hijos como la gallina reúne a sus pollitos debajo de las alas, y no habéis querido! 38Pues bien, vuestro santuario quedará desierto. 39Os digo que ya no me veréis más hasta que proclaméis: '*Bendito el que viene en nombre del Señor*'».

◆ *Notas:* Mateo 23,1-39

23,1-36 Jesús dirige toda esta serie de desafíos públicos negativos a «los escribas y los fariseos» mientras habla a «la gente y a sus discípulos». ⇨ **Sociedades con base en el honor-vergüenza, 8,12** (cf. pág. 404); y **Desafío-Respuesta, 4,1-11** (cf. pág. 336). Se trata de una grave serie de ofensas, y, aunque la ofensa constituía en la Antigüedad un arte fino y frecuente, amontonarlas aquí como hace Mateo sugiere que el conflicto entre Jesús y sus adversarios (o entre los seguidores de Jesús en la comunidad de Mateo y los adversarios de entonces) es realmente serio. Sobre la relación entre estas afirmaciones y las bienaventuranzas, ⇨ **Las bienaventuranzas en el evangelio de Mateo, 5,3-11** (cf. pág. 324).

23,2-10 El desafío da comienzo con una serie de acusaciones: (1) Los escribas fariseos no practican lo que predican (la predicación en la sinagoga tenía lugar cuando el predicador se sentaba; de ahí la expresión «en la cátedra de Moisés»). (2) Se niegan a interpretar la ley de un modo favorable a un arco más amplio de opciones. (3) Actúan para ser vistos por los demás: cómo visten, dónde se sientan, cómo son saludados, los títulos que les gustan.

Es importante observar que los jefes de la comunidad de Mateo se consideraban a sí mismos homólogos de tales escribas fariseos. Como discípulos de Jesús, vivían en la práctica una inversión del tipo de conducta condenado aquí. Practicaban lo que predicaban, interpretaban la ley dando más margen a la libertad (como dice Jesús en 11,28-30), actuaban para ser vistos en privado por Dios (como Jesús pide en 6,1ss), rechazaban títulos como «maestro», «padre» o «jefe» (gurú, guía moral) y ocupaban puestos inferiores a los que les correspondían, tratando de servir a los demás.

Los escribas farisaicos mencionados aquí eran la avanzadilla de una tradición que surge a comienzos del siglo III como «rabinismo» (precursores de lo que hoy denominamos «judaísmo»). La primitiva costumbre rabínica exigía que el saludo entre la gente fuese iniciado por la persona menos experta en la Torá (y. *Berakot* 2,4b). En los tribunales, los asientos eran ocupados de acuerdo con la fama de sabiduría de los presentes. En una sinagoga, donde los mejores sitios estaban en la plataforma situada frente a la asamblea (la espalda se apoyaba en la pared donde estaba la alacena que contenía los rollos de la Torá), los asientos preferentes eran ocupados por los expertos en la Torá (*t. Megillah* 4,21). En las comidas, los puestos dependían de la edad (*b. Baba Batra* 120a) o la eminencia (*t. Berakot* 5,5). Este tipo de protocolo era un modo de reconocer públicamente el estatus o el honor de las personas. Durante la oración, los varones observantes llevaban filacterias (cajitas de cuero que contenían palabras del *Shema* y los Diez Mandamientos, de acuerdo con las directrices de Dt 6,6-8), así como chales con borlas. Aunque tanto las filacterias como las borlas trataban de preservar del mal de ojo, habían sido racionalizadas como símbolos para la plegaria. El despliegue llamativo de tales adornos pretendía representar el honor. Como el grado de honor tenía que ser visible para ser válido, la crítica de Jesús aquí y en los versículos siguientes formaba parte de la vida diaria.

23,13ss ⇨ **Acusación de desvío,** 12,22-30 (cf. pág. 319), y las notas al pasaje previo. Jesús lanza aquí contraacusaciones de conducta vergonzosa a los escribas farisaicos, expertos en la Torá. Éstos reconocen que también ellos son objeto de la condena lanzada por Jesús contra sus adversarios que trataban de colocarle una etiqueta o de ponerle a prueba. Este tipo de escriba farisaico parece haber sido el principal antagonista de la comunidad de Mateo. Los cáusticos insultos que implican estas acusaciones sugieren que existía un alto grado de hostilidad entre Jesús y sus adversarios, y ponen de relieve que, en el juego desafío-respuesta, Jesús contaba con instrumentos peligrosamente afilados. Al menos por lo que se refiere a Mateo, Jesús ha desacreditado con éxito a sus acusadores; esto se desprende de forma evidente del hecho de que esta serie de acusaciones pone punto final a la actividad pública de Jesús.

23,13 Jesús y sus discípulos proclaman el patronazgo de Dios, «el reino de los cielos»; los escribas farisaicos niegan tal patronazgo: rechazan a Dios como patrón.

23,14 Este versículo falta en muchos de los antiguos manuscritos, y algunas Biblias lo traen en nota a pie de página. Devorar las casas de las viudas significa quizás defraudar a las viudas mientras se es guardián legal de lo dispuesto por el esposo. ⇨ **Viuda**, 23,14 (cf. pág. 408).

23,15 Jesús y sus discípulos habrían ayudado a que los hijos de la casa de Israel se convirtiesen en «hijos de su Padre que está en los cielos»; los escribas farisaicos y sus seguidores son más bien «hijos del fuego que no se apaga», lo opuesto a los cielos.

23,16-22 Con un argumento que recuerda 5,33-37 sobre la autenticidad en las relaciones sociales, especialmente en la compraventa, Jesús llama a los escribas «torpes y ciegos», términos reservados a los de fuera, prohibidos entre «hermanos» según 5,22.

23,23 El propósito de los diezmos era socorrer a las personas sin tierras con alimentos «del país», la tierra santa (p.e. sacerdotes, levitas y pobres). Está claro que Mateo no se opone a los diezmos; más bien critica a los «hipócritas», los perversos intérpretes de la Torá que se fijan en asuntos secundarios. Lc 11,42 y 18,11-12 ofrecen una lista de alimentos de los que no se cobraba el diezmo. ⇨ **Diezmos**, 23,23 (cf. pág. 340).

23,25-28 Estos versículos retoman el argumento de 15,17-20 sobre el exterior y el interior de una persona; el mal sale de dentro, no viene de fuera. Los escribas farisaicos se fijan en el lado equivocado.

23,29-36 Llamar a los escribas farisaicos «hijos de quienes mataron a los profetas» es el supremo insulto y la más grave acusación de deshonra. El insulto «serpientes, camada de víboras» (ver explicación en 3,7-9) indica que son también impuros e ilegítimos. Dados los rasgos familiares heredados, no es nada extraño que actúen de ese modo.

Como en un intercambio público de réplicas agudas, Jesús asegura que enviará «profetas, sabios y escribas» a los grupos de fariseos, que los tratarán de manera ignominiosa. Sin duda se trata de un eco de lo mal que lo pasaron los miembros de la comunidad de Mateo entre los antagonistas fariseos. Los cristianos podían esperar esa conducta extrema y negativa, pues Jesús ya lo había predicho. No hay que sorprenderse de que tal situación continuase en tiempos de Mateo, pues, como afirma Jesús poniendo en juego su palabra: «os aseguro que todo esto le pasará a esta generación».

23,37-39 Los mediterráneos del siglo I creían que las características de los distintos grupos y subgrupos étnicos provenían del lugar donde vivían, con su aire y su agua característicos. De ahí que los comportamientos y los rasgos culturales distintivos estuviesen geográficamente enraizados, dando lugar a estereotipos étnicos relacionados precisamente con la geografía. Aquí se nos dice que los habitantes de Jerusalén son conocidos por matar a los profetas y apedrear a quienes se les envía. Este rasgo ya ha aparecido antes en relación con los escribas farisaicos (presumiblemente de Jerusalén, donde está ahora Jesús) en 23,29-32. Puede constituir también la base de los dichos de Jesús en que anuncia su muerte cuando se dispone a ir a Jerusalén (16,21-23; 17,22-23; 20,17-19), pues normalmente Jerusalén asesina a sus profetas.

Mateo adelanta aquí el tema del segundo discurso: el rechazo del intento profético de Jesús de poner a Jerusalén bajo el patronazgo de Dios; en respuesta a tal vergonzoso rechazo, también la ciudad será rechazada. El tema les es anunciado a los discípulos cuando contemplan admirados la ciudad (24,1-2). Queda así preparada la escena para el discurso sobre la «señal de tu venida y del fin de este mundo». En lugar de «este mundo» o «este tiempo», quizás habría que traducir: «la sociedad tal como la conocemos», «la sociedad contemporánea». El fin este mundo sería el fin de la sociedad tal como está ahora constituida.

Advertencias y garantías a los de dentro 24,1-51

24 ¹Jesús salió del templo y, cuando se alejaba, se acercaron sus discípulos para mostrarle las construcciones del templo. ²Él les dijo: «¿Veis todo esto? Os aseguro que no quedará aquí piedra sobre piedra. ¡Todo será destruido!».

³Estaba sentado en el monte de los Olivos, cuando se le acercaron los discípulos en privado y le dijeron: «Dinos cuándo ocurrirá esto, y cuál será la señal de tu venida y del fin de este mundo». ⁴Jesús les respondió: «Estad atentos para que nadie os engañe. ⁵Porque muchos vendrán en mi nombre diciendo: 'Yo soy el Mesías', y engañarán a mucha gente. ⁶Oiréis hablar de guerras y rumores de guerra. Tratad de no alar-

maros, pues eso tiene que suceder, pero no es todavía el fin. [7]Se levantará nación contra nación y reino contra reino, y habrá hambre y terremotos en diversos lugares; [8]todo eso será el comienzo de un doloroso alumbramiento.

[9]Entonces os entregarán a la tortura y os matarán, y todos los pueblos os odiarán por causa de mi nombre. [10]Muchos estarán en peligro de ceder, se traicionarán y se odiarán mutuamente. [11]Surgirán numerosos falsos profetas que engañarán a mucha gente; [12]y por la maldad que crecerá constantemente se enfriará el amor de la mayoría. [13]Pero el que persevere hasta el final, ése se salvará. [14]Esta buena noticia del reino se anunciará en el mundo entero, como testimonio para todas las naciones. Entonces vendrá el fin.

[15]Cuando veáis instalado en el lugar santo el ídolo abominable y destructor, anunciado por el profeta Daniel (procure entenderlo el que lee), [16]entonces los que estén en Judea que huyan a las montañas; [17]el que esté en la azotea, que no baje a tomar nada de su casa; [18]y el que esté en el campo, que no regrese en busca de su manto. [19]¡Ay de las que estén encinta y de las que estén amamantando en aquellos días! [20]Orad para que no les toque huir en invierno o en sábado. [21]Porque habrá entonces un sufrimiento tan grande como no lo hubo desde el principio del mundo hasta ahora ni lo habrá jamás. [22]Y si no se acortaran aquellos días, nadie se salvaría; pero, en atención a los elegidos, se acortarán. [23]Si alguno os dice entonces: 'Mira, el Mesías está aquí o allí', no lo creáis. [24]Porque surgirán falsos mesías y falsos profetas y harán grandes señales y prodigios con el propósito de engañar, si fuera posible, incluso a los mismos elegidos. [25]Fijaos cómo os he advertido de antemano. [26]Así que, si os dicen que está en el desierto, no vayáis; y si os dicen que está en un lugar secreto, no lo creáis. [27]Porque como el relámpago sale de oriente y brilla hasta occidente, así será la venida del Hijo del hombre. [28]Donde esté el cadáver, allí se reunirán los buitres.

[29]Inmediatamente después del sufrimiento de aquellos días, el sol se oscurecerá, la luna no dará su resplandor, las estrellas caerán del cielo y las fuerzas celestes se tambalearán. [30]Entonces aparecerá en el cielo la señal del Hijo del hombre, y todos los pueblos de la tierra se golpearán el pecho, y verán venir sobre las nubes del cielo al Hijo del hombre, con gran poder y gloria. [31]Él enviará a sus ángeles con la gran trompeta y reunirá de los cuatro vientos a los elegidos, de un extremo a otro del cielo.

[32]Fijaos en el ejemplo de la higuera: cuando sus ramas se ponen tiernas y brotan las hojas, sabéis que se acerca el verano. [33]Pues lo mismo vosotros, cuando veáis todas estas cosas, sabed que el Hijo del hombre ya está cerca, a las puertas. [34]Os aseguro que no pasará esta generación hasta que todo esto suceda. [35]El cielo y la tierra pasarán, pero mis palabras no pasarán.

[36]En cuanto al día aquel y a la hora, nadie sabe nada, ni los ángeles del cielo ni el Hijo, sino sólo el Padre. [37]Cuando se manifieste el Hijo del hombre sucederá lo mismo que en tiempos de Noé. [38]En los días anteriores al diluvio, la gente comía y bebía, hombres y mujeres se casaban, hasta el día en que entró Noé en el arca; [39]y no sospechaban nada hasta que vino el diluvio y los arrastró a todos. Pues así será también la venida del Hijo del hombre. [40]Entonces, de dos que haya en el campo, a uno lo tomarán y a otro lo dejarán. [41]De dos que estén moliendo, a una la llevarán y a otra la dejarán. [42]Estad, pues, atentos, porque no sabéis qué día llegará vuestro Señor. [43]Entended bien que si el amo de casa supiera a qué hora de la noche iba a venir el ladrón, estaría en vela y no lo dejaría asaltar su casa. [44]Lo mismo vosotros, estad preparados; porque a la hora en que menos penséis, vendrá el Hijo del hombre.

[45]Portaos como el criado fiel y prudente, a quien el señor pone al frente de su servidumbre para que les dé de comer a su debido tiempo. [46]Dichoso

ese criado si, al llegar su señor, lo encuentra haciendo lo que debe. ⁴⁷Os aseguro que lo pondrá al frente de todos sus bienes. ⁴⁸Pero, si ese criado es malo y piensa: 'Mi señor tarda', ⁴⁹y comienza a golpear a sus compañeros y a comer y a beber con los borrachos, ⁵⁰su señor llegará el día en que menos lo piense, ⁵¹lo castigará con todo rigor y lo tratará como se merecen los hipócritas. Entonces llorará y le rechinarán los dientes».

◆ *Notas:* Mateo 24,1-51

24,1-51 El hecho de que Jesús reclutase una facción e hiciese de su grupo una familia subrogada implica al mismo tiempo una gran exigencia de lealtad de parte de sus seguidores y unos límites estrictamente definidos entre los de fuera y los de dentro del grupo. ⇨ **Coaliciones/Facciones,** 10,1-4 (cf. pág. 329); **Intragrupo y extragrupo,** 10,5-6 (cf. pág. 360); y **Familia subrogada,** 12,46-50 (cf. pág. 351). Como podemos observar aquí, el lenguaje intragrupal trata de asegurar la solidaridad del grupo y de identificar cuanto pueda amenazarle. Como creador de este discurso, Mateo trata también de comprometer al lector en ese lenguaje. Eso implica que, según el evangelista, aunque el lector forme parte del intragrupo, está al mismo tiempo sujeto a las amenazas que debe afrontar el propio grupo.

Los vv. 3-36 describen los signos de la llegada de Jesús como Mesías con poder. Pero, antes de su llegada, los discípulos deberán soportar engaños (vv. 5-8) y oposiciones (vv. 9-13). Jerusalén se verá especialmente agobiada (vv. 15-22). Continuarán los engaños (vv. 23-24), pero los signos serán ya públicos (vv. 27-28). El acontecimiento contará con la participación de Dios (v. 29), que se parecerá mucho a la visita oficial de un emperador (*parousia* en griego), con toques de trompeta, afluencia en tropel de la población y manifestaciones de poder y gloria (vv. 30-31).

Significativamente, todo esto sucederá en vida del auditorio de Jesús, como el propio Jesús declara poniendo en juego su palabra: «Os aseguro que no pasará esta generación hasta que todo suceda» (v. 34).

A esta palabra de honor añade Jesús una especie de juramento: «El cielo y la tierra pasarán, pero mis palabras no pasarán» (v. 35; ver 5,18). El propósito de tales juramentos, que hacen las veces de una palabra de honor, es poner de manifiesto con la mayor claridad posible la intención sincera de la persona de honor. Los juramentos son necesarios cuando las personas con quien se relaciona el hombre de honor creen que su conducta o sus pretensiones resultan

ambiguas o increíbles. Para entender la naturaleza de juramento de
este texto, hemos de completarlo con un semitismo introductorio:
«Aunque pasasen el cielo y la tierra...». Una cosa es cierta en la tradición israelita: Dios creó el mundo, y durará por siempre, pues es
bueno y proviene de Dios (ver Gn 1,1-2,4). Este modo hiperbólico
de hacer un juramento equivale a decir que, aun en el supuesto de
que sucediese lo imposible, más improbable todavía es que no suceda lo que yo digo. El juramento de Jesús se podría traducir así: es
más concebible que suceda lo imposible (que desaparezcan el cielo
y la tierra) que pensar que mis palabras pueden fallar.

24,38 Previamente Jesús ha dicho que su llegada sería pronto;
las dos comparaciones de ahora indican que también será repentina. El proverbio «come, bebe y sé feliz» encuentra aquí su expresión plena. «Sé feliz» es un eufemismo por tener relaciones sexuales, especificadas así en el texto griego: «casarse (para varones) y
dar en matrimonio (para mujeres)».

24,40 Los propietarios no vivían en caseríos aislados en su
propiedad, sino en poblaciones equidistantes de las áreas de cultivo. Los que están «en el campo» (también v. 18) serían agricultores
que vivían en un poblado pero que habían salido a cultivar las tierras.

24,51 Los seguidores de Jesús que no vivan pensando en la
pronta y repentina llegada del Mesías serán castigados: equiparados
con los hipócritas (siempre fariseos en Mateo) y avergonzados
también en público.

Una presentación del reino de Dios: ser un buen cliente del patronazgo de Dios 25,1-13

25 ¹«El reino de los cielos se parece a aquellas diez jóvenes que salieron con sus lámparas al encuentro del novio. ²Cinco de ellas eran necias y cinco prudentes. ³Las necias, al tomar las lámparas, no se proveyeron de aceite, ⁴mientras que las prudentes llevaron provisión de aceite, junto con las lámparas. ⁵Como el novio tardaba, les entró sueño y se durmieron. ⁶A medianoche se oyó un grito: 'Ya llega el novio, salid a su encuentro'. ⁷Todas las jóvenes se despertaron y prepararon sus lámparas. ⁸Las necias dijeron a las prudentes: 'Prestadnos de vuestro aceite, que nuestras lámparas se apagan'. ⁹Las prudentes respondieron: 'Como no tendremos suficiente para nosotras y para vosotras, es mejor que vayáis a los vendedores y lo compréis'. ¹⁰Mientras iban a comprarlo, llegó el novio. Las que estaban preparadas entraron con él a la boda y se cerró la puerta. ¹¹Más tarde llegaron también las otras jóvenes diciendo: 'Señor, señor, ábrenos'. ¹²Pero él respondió: 'Os aseguro que no os conozco'. ¹³Por eso, estad preparados, porque no sabéis el día ni la hora».

◆ *Notas:* Mateo 25,1-13

25,1-13 Esta parábola sobre el patronazgo de Dios está provista de un final nuevo (v. 13), que intenta poner de relieve el tema de la conducta adecuada cuando se espera la pronta y repentina llegada del Mesías. Sin este final, tenemos que «El modo en que el patronazgo de Dios afecta a sus clientes se puede comparar al siguiente escenario:...». Diez adolescentes en edad núbil (e.d. «vírgenes»), cinco prudentes y cinco necias, esperan que el novio vuelva a casa con la novia. En la Palestina del siglo I las familias practicaban el matrimonio patrilocal, es decir, la novia se trasladaba a la casa que había preparado el novio, que podía coincidir con la del padre de éste o estar muy cerca de ella. El momento clave en la prologada celebración de una boda es cuando el novio va con sus parientes a casa de la familia de la novia para llevarse a ésta a su propia casa. Aquí es donde tendrá lugar el resto de la celebración, y aquí es donde las muchachas de nuestra historia parecen estar esperando al novio. Le saludarán cuando llegue con la comitiva y tomarán parte en el regocijo general, cuando todos esperen la consumación del matrimonio y se enseñe la sábana manchada de sangre, testimonio de que la novia estaba físicamente intacta (ver Dt 22,13-21). Después seguirá la fiesta, en la que todos participarán. Las necias no supieron prever las cosas y fueron excluidas de los festejos. Como parábola sobre el patronazgo de Dios, su mensaje sería algo parecido a esto: sed prudentes cuando desempeñéis vuestro rol de clientes y en todo lo que se refiera al patronazgo de Dios. Como parábola sobre la pronta y repentina llegada del Mesías, su mensaje es: estad siempre preparados.

El escenario propuesto es confirmado por una variante textual, que propone añadir al final del versículo primero las palabras: «y de la novia».

Historia que ilustra un tópico agrícola: el rico que se hace más rico 25,14-30

[14]«Es como si un hombre, al irse de viaje, llamase a sus criados y les encomendase sus bienes. [15]A uno le dio cinco talentos, a otro dos y a otro uno, a cada uno según su capacidad; y se ausentó. [16]El que había recibido cinco talentos fue a negociar en seguida con ellos, y ganó otros cinco. [17]Asimismo el que tenía dos ganó otros dos. [18]Pero el que había recibido uno solo, fue, hizo un hoyo en la tierra y escondió el dinero de su señor. [19]Después de mucho tiempo, regresó el señor y pidió cuentas a sus criados. [20]Se acercó el que había recibido cinco talentos, llevando otros cinco, y dijo: 'Señor, cinco talen-

tos me entregaste; aquí tienes otros cinco que he ganado'. ²¹Su señor le dijo: 'Bien, criado bueno y fiel; como fuiste fiel en lo poco, te pondré al frente de mucho: comparte la felicidad de tu señor'. ²²Llegó también el de los dos talentos y dijo: 'Señor, dos talentos me entregaste, aquí tienes otros dos que he ganado'. ²³Su señor le dijo: 'Bien, criado bueno y fiel; como fuiste fiel en lo poco, te pondré al frente de mucho: comparte la felicidad de tu señor'. ²⁴Se acercó finalmente el que sólo había recibido un talento y dijo: 'Señor, sé que eres hombre duro, que cosechas donde no sembraste y recoges donde no esparciste; ²⁵tuve miedo y escondí tu talento en tierra; aquí tienes lo tuyo'. ²⁶Su señor le respondió: '¡Criado malvado y perezoso! ¿Sabías que yo cosecho donde no sembré y recojo donde no esparcí? ²⁷Debías haber puesto mi dinero en el banco; y al regresar yo, habría retirado mi dinero con los intereses. ²⁸Por eso quitadle el talento y dádselo al que tiene diez. ²⁹Porque a todo el que tiene se le dará y tendrá de sobra; pero al que no tiene, se le quitará incluso lo que tiene. ³⁰Y a este criado inútil arrojadlo fuera a la oscuridad. Allí llorará y le rechinarán los dientes'».

◆ *Notas:* Mateo 25,14-30

25,14-30 Se trata de una parábola difícil, que encaja mejor en el contexto de la instrucción sobre las actitudes que hay que adoptar cuando se espera la pronta y repentina llegada del Mesías. No se menciona el reino de Dios. El escenario describe sin más a un hombre rico que se va de viaje y deja su propiedad al cuidado de sus capataces.

Dos siervos negocian con el dinero del dueño y lo doblan. Son siervos inteligentes, que se han portado como les corresponde. Sin embargo, en el mundo de «bienes limitados» del Mediterráneo del siglo I, tratar de conseguir «más» era una actitud inmoral. ⇨ **Ricos, pobres y bienes limitados, 5,3** (cf. pág. 393). Como el pastel era «limitado» y ya estaba repartido, el incremento de los bienes de una persona implicaba automáticamente que algún otro había tenido una pérdida. Por eso, la gente honorable no andaba buscando más; quienes obraban de otro modo eran considerados automáticamente ladrones. La gente noble, para evitar ser acusados de querer enriquecerse a costa de los demás, dejaban sus negocios en manos de los siervos. En los siervos podía pasarse por alto tal conducta, pues de todos modos ya carecían de honor.

El tercer siervo enterró la moneda del dueño para asegurarse de que seguiría intacta. Por supuesto, ésta es la conducta honorable que cabía esperar de un hombre libre; ¿pero lo era en un siervo? La ley consuetudinaria rabínica posterior establecía que, dado que enterrar una prenda o depósito era la forma más segura de proteger el dinero de otro, su pérdida no recaía sobre quien lo había enterrado.

Cuando llega el día de hacer cuentas, vemos que el dueño recompensa a quienes habían sido lo suficientemente interesados y desvergonzados como para acrecentar su dinero a costa de otros muchos. Estos siervos son, de hecho, como su dueño. Pues, por lo que dice el tercer siervo (con el asentimiento del dueño), su señor es un depredador y un desvergonzado, «un hombre duro, que cosechas donde no sembraste y recoges donde no esparciste» (v. 24). Un hombre «duro» (griego *skleros*) es aquel cuyos ojos-corazón, boca-oídos y manos-pies son rígidos, con disfunciones, arrogantemente inhumanos. ⇨ **Las tres zonas de la personalidad**, 5,27-32 (cf. pág. 406).

Pero el problema del dueño radica en que el tercer siervo es malvado y perezoso; no fue siquiera capaz de meter el dinero en el banco a usura (v. 27). Debido a su indolencia, el dueño decide confiar la propiedad del tercer criado a quien sea capaz de sacar el mayor provecho posible de ella. La razón de esta conducta responde a un tópico de la sociedad campesina: los que tienen más consiguen siempre más, hasta nadar en la abundancia; a los que no tienen casi nada se les quitará hasta ese poco que tienen. La decisión final del señor es avergonzar públicamente al siervo «inútil» (v. 30).

En el contexto del evangelio de Mateo, esta parábola no toca los temas de la ganancia, la capacidad negociadora, el compartir las riquezas o cosas por el estilo. Trata más bien del modo de conducirse durante el tiempo previo a la pronta y repentina llegada del Mesías. Esta historia, usando el escenario de la gente depredadora y codiciosa (y de su mundo), enseña al auditorio a no ser perezosos ni inútiles. Lucas 19,11-27 utiliza esta parábola en un contexto totalmente diferente, con un propósito enteramente distinto.

Por tanto, desde un punto de vista campesino, fue el tercer siervo quien obró honradamente, pues rehusó tomar parte en los esquemas depredadores del señor. Más aún, la dura condena que recibió de parte de su codicioso dueño, así como la recompensa recibida por los siervos que colaboraron, es lo que los campesinos podían haber esperado. Normalmente un rico sólo se preocupaba por lo suyo. ⇨ **Enterrar un talento**, 25,14-30 (cf. pág. 344).

Límite trazado entre los de dentro y los de fuera 25,31-46

[31]«Cuando venga el Hijo del hombre en su gloria con todos sus ángeles, se sentará en su trono glorioso. [32]Todas las naciones se reunirán delante de él, y él separará unos de otros, como el pastor separa los carneros de las cabras, [33]y pondrá los carneros a su derecha y las cabras a la izquierda. [34]Entonces el rey

dirá a los de su derecha: 'Venid, benditos de mi padre, tomad posesión del reino preparado para vosotros desde la creación del mundo. [35]Porque tuve hambre, y me disteis de comer; tuve sed, y me disteis de beber; era un extraño, y me hospedasteis; [36]estaba desnudo, y me vestisteis; enfermo, y me visitasteis; en la cárcel, y fuisteis a verme'. [37]Entonces le responderán los justos: 'Señor, ¿cuándo te vimos hambriento y te alimentamos; sediento y te dimos de beber? [38]¿Cuándo fuiste un extraño y te hospedamos, o estuviste desnudo y te vestimos? [39]¿Cuándo te vimos enfermo o en la cárcel y fuimos a verte?'. [40]Y el rey les responderá: 'Os aseguro que cuando lo hicisteis con uno de estos mis hermanos más pequeños, conmigo lo hicisteis'. [41]Después dirá a los de su izquierda: 'Apartaos de mí, malditos, id al fuego que no se apaga, preparado para el diablo y sus ángeles. [42]Porque tuve hambre, y no me disteis de comer; tuve sed, y no me disteis de beber; [43]fui un extraño, y no me hospedasteis; estaba desnudo y no me vestisteis; enfermo y en la cárcel, y no me visitasteis'. [44]Entonces responderán también éstos diciendo: 'Señor, ¿cuándo te vimos hambriento o sediento, cuándo fuiste un extraño o estuviste desnudo, enfermo o en la cárcel, y no te socorrimos?'. [45]Y él les responderá: 'Os aseguro que cuando dejasteis de hacerlo con uno de estos pequeños, dejasteis de hacerlo conmigo'. [46]E irán éstos al castigo eterno, y los justos a la vida eterna».

◆ *Notas:* Mateo 25,31-46

25,31-46 Este discurso establece la línea de separación entre los de dentro y los de fuera con expresiones tajantes. ⇨ **Intragrupo y extragrupo**, 10,5-6 (cf. pág. 358). Sobre el lenguaje relativo a los de dentro y los de fuera, ver nota a 24,1-51. La base de la separación en este texto es la acción misericordiosa para con los débiles y los pobres. Es casi total la condena de quienes no quieren ayudar a la gente necesitada pudiendo hacerlo. Este texto debería ser leído en su contexto, para no interpretar mal la parábola precedente. Ver notas a 25,14-30.

25,31-33 «Gloria» hace referencia al reconocimiento del honor, manifestado en público para que todos puedan verlo. En Mateo, este tema de la llegada del Hijo del hombre en gloria y de su entronización se refiere claramente a la cercana llegada del Mesías, que tendrá lugar con poder y en compañía de sus ángeles. Tras la llegada tendrá lugar el juicio de «todas las naciones», que adoptará la forma de la separación que hace un pastor entre los carneros y las cabras. Los carneros están a la derecha; forman parte del grupo de los animales machos. Las cabras, fuente de la leche y el queso que necesitaba diariamente la familia, y que pertenecen al grupo de las hembras, están a la izquierda. Los términos en que está descrito este juicio se parecen a los de la pesca de 13,47-50. Por supuesto, el juicio precede a la recompensa (idéntica idea en 16,27).

25,34-46 Estos versículos sirven de apéndice a los anteriores. Se trata de una parábola sobre un rey que va de incógnito entre sus súbditos para comprobar su conducta. El escenario vuelve a ser de juicio; el rey ya ha puesto a su derecha a quienes han superado la prueba (los justos, v. 37), y a su izquierda a quienes se han mostrado indignos. La prueba consistía en ver cómo reaccionaban sus súbditos ante la gente necesitada; los que apoyaron materialmente a «mis hermanos» (en el código mateano este término equivale a miembro de la comunidad cristiana) la superaron positivamente; quienes se negaron a echar una mano, fracasaron. Las consecuencias son notables: los primeros recibieron vida eterna en «el reino preparado... desde la creación del mundo» (v. 34); los otros, un castigo eterno en «el fuego que no se apaga, preparado para el diablo y sus ángeles» (v. 41).

En ambos pasajes, fundidos ahora en uno, Mateo enseña que la pronta y repentina llegada del Mesías en poder se caracterizará por un juicio basado en la conducta que se demuestre ante la gente necesitada.

VI. 26,1-28,20 Pasión y resurrección

Se anticipa al lector la angustia que se avecina 26,1-5

26 ¹Cuando terminó Jesús este discurso, dijo a sus discípulos: ²«Ya sabéis que dentro de dos días se celebra la fiesta de la pascua, y el Hijo del hombre será entregado para que lo crucifiquen».

³Entonces se reúnen los jefes de los sacerdotes y los ancianos del pueblo en el palacio de Caifás, que era el sumo sacerdote, ⁴y acordaron en consejo arrestar a Jesús con sigilo y darle muerte. ⁵Pero decían: «Durante la fiesta no, pues podría amotinarse el pueblo».

◆ *Notas:* Mateo 26,1-5

26,3-5 Tras el intenso conflicto que Mateo ha descrito en Jerusalén, se nos dice que «los jefes de los sacerdotes y los ancianos» están hartos y que han decidido arrestar a Jesús «con sigilo y darle muerte». Deben conseguir su propósito con los medios que consideren necesarios, incluidos los utilizados normalmente en las sociedades mediterráneas por las élites: sigilo (como aquí), soborno de Judas (26,14-16), falso testimonio (26,60), acusaciones clamorosas ante el gobernador romano (27,12), incitación de la muchedumbre contra Jesús (27,70) y la revancha final: mofarse de él mientras cuelga de la cruz, es decir, avergonzarlo públicamente (27,41-42). Todo este proceso, promovido por cierta élite contra una persona de estatus inferior que ha sido capaz de desafiar con éxito su honor, está motivado por la «envidia», como observa Pilato estereotípicamente (27,18).

El dato de que las autoridades se preocuparían en caso de que el pueblo se amotinase es otro modo de decir que, a estas alturas del relato, la valoración pública del honor de Jesús era muy alta. El proceso tradicionalmente llamado «pasión y muerte de Jesús» intentará socavar precisamente esa valoración popular. La actuación «con sigilo» empezará con el soborno de Judas (26,14-16). ⇨ **Rituales de degradación de estatus**, 26,67-68 (cf. pág. 396).

Explicación de una unción de Jesús 26,6-13

⁶Se encontraba Jesús en Betania, en casa de Simón el leproso, ⁷cuando se acercó a él una mujer con un frasco de alabastro lleno de un perfume muy caro, y lo derramó sobre la cabeza de Jesús mientras estaba recostado a la mesa. ⁸Al ver esto, los discípulos se indignaron y decían: «¿A qué se debe semejante derroche? ⁹Podía haberse vendido en un buen precio y haber dado el dinero a los pobres». ¹⁰Jesús se dio cuenta y les dijo: «¿Por qué apenáis a esta mujer? Ha hecho una buena obra conmigo. ¹¹A los pobres los tenéis siempre con vosotros, pero a mí no me tendréis siempre. ¹²Y al derramar ella este perfume sobre mi cuerpo, se ha anticipado a preparar mi sepultura. ¹³Os aseguro que en cualquier parte del mundo en que se anuncie esta buena noticia, será recordada esta mujer y lo que ha hecho».

◆ *Notas:* Mateo 26,6-13

26,6-13 Jesús «estaba recostado a la mesa». La postura indica que participaba en un banquete. El banquete tradicional se componía de dos fases. En la primera, durante la cual se servían aperitivos, los siervos lavaban las manos y los pies de los invitados y ungían a éstos con perfumes para neutralizar el olor del cuerpo. Durante la segunda fase se servían el resto de los platos. ⇨ **Comidas**, 22,1-14 (cf. pág. 331).

La indignación de los discípulos pudo ser motivada por algunos detalles de la escena. En primer lugar, resulta anómalo el libre acceso de una mujer a un banquete de hombres; la reputación de esa mujer podría cuestionarse. En segundo lugar, en una sociedad de bienes limitados, una unción «muy cara» es una forma de robo social si sirve simplemente para perfumar los pies de un invitado; lo normal habría sido dar su valor a los pobres, como una forma de restitución social. Jesús aborda con su respuesta esas preocupaciones. La mujer está haciendo algo moralmente bueno; por eso no debe temer nada. El proverbio «a los pobres los tenéis siempre con vosotros» resta fuerza a la preocupación de los discípulos por la restitución social, lo mismo que la explicación de que el perfume no es un elemento de autocomplacencia en el banquete, sino la preparación de su enterramiento; por eso es una acción cargada de mérito religioso.

Primer paso en la venganza contra Jesús: deslealtad de Judas 26,14-16

[14]Entonces uno de los Doce, el llamado Judas Iscariote, fue a ver a los jefes de los sacerdotes, y [15]les dijo: «¿Qué me dais si os entrego a Jesús?». Ellos le ofrecieron treinta monedas de plata. [16]Y desde ese momento buscaba una oportunidad para entregarlo.

◆ *Notas:* Mateo 26,14-16

26,14-16 El primer paso del plan sigiloso para vengarse de Jesús consistió en la aceptación de un soborno por parte de Judas para traicionar al maestro del estilo de vida que él mismo había llevado con anterioridad. Si el éxito del soborno de uno de los seguidores íntimos de Jesús era algo honorable para los jefes de los sacerdotes, para Judas sería sin duda algo vergonzoso. Como miembro íntimo de la facción de Jesús, Judás habría dado seguramente su palabra de honor de comprometerse personalmente con Jesús y con su proyecto. Más aún, como la lealtad a la familia, al grupo o al patrón constituía una de las principales virtudes cultivadas en una sociedad que basculaba sobre el binomio honor-vergüenza, la traición era uno de los pecados más ruines. Aunque Mateo presenta aquí la muerte de Jesús como algo que respondía al plan de Dios («El Hijo del hombre se va, tal como está escrito de él», v. 24), la condena del traidor es severa.

Traición contra Jesús y Última Cena 26,17-29

[17]El primer día de la fiesta de los panes sin levadura se acercaron los discípulos a Jesús y le preguntaron: «¿Dónde quieres que te preparemos la cena de pascua?». [18]Él contestó: «Id a la ciudad, a casa de Fulano, y decidle: 'El maestro dice: Se acerca el momento y quiero celebrar la pascua en tu casa con mis discípulos'». [19]Ellos hicieron lo que Jesús les había mandado y prepararon la cena de pascua.

[20]Al atardecer, se puso a la mesa con los Doce, [21]y mientras cenaban les dijo: «Os aseguro que uno de vosotros me va a entregar». [22]Muy entristecidos, se pusieron a decirle uno por uno: «¿Acaso soy yo, Señor?». [23]Jesús respondió:

«El que come en el mismo plato que yo, ése me entregará. ²⁴El Hijo del hombre se va, tal como está escrito de él; pero ¡ay de aquél que entrega al Hijo del hombre! ¡Más le valdría a ese hombre no haber nacido!». ²⁵Entonces preguntó Judas, el traidor: «¿Soy yo acaso, maestro?». Y Jesús le respondió: «Tú lo has dicho».

²⁶Durante la cena, Jesús tomó pan, pronunció la bendición, lo partió y dándolo a sus discípulos, dijo: «Tomad y comed; esto es mi cuerpo». ²⁷Tomó luego un cáliz y, después de dar gracias, lo dio a sus discípulos diciendo: «Bebed todos de él, ²⁸porque ésta es mi sangre, la sangre de la alianza, que se derrama por todos para el perdón de los pecados. ²⁹Os digo que a partir de ahora no beberé más de este fruto de la vid hasta el día aquel en que beba con vosotros un vino nuevo en el reino de mi Padre».

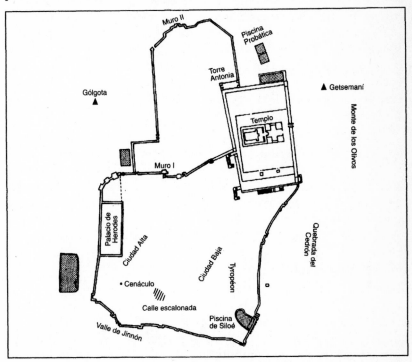

Mt 26,17. Este mapa da una idea de cómo era la ciudad de Jerusalén cuando la pasión y muerte de Jesús. Las dimensiones de la ciudad eran muy pequeñas: unos mil quinientos metros de longitud y poco más de ochocientos de anchura. El lugar donde Jesús celebró la última cena con sus amigos se localiza tradicionalmente al sur del palacio de Herodes. La casa del sumo sacerdote estaba también, probablemente, en este barrio suroccidental de la ciudad. Tras la cena, se piensa que Jesús bajaría por una calle escalonada en dirección al valle del Cedrón, para llegar desde aquí a Getsemaní tras subir a la falda del Monte de los Olivos. Probablemente, tras su detención, lo condujeron por el mismo camino, en dirección contraria, para llevarlo a casa del sumo sacerdote. La arqueología moderna ha demostrado de modo convincente que el juicio de Jesús ante Pilato tuvo lugar en una plaza frente (e.d. a la parte derecha) al palacio de Herodes. En el Via Crucis Jesús atravesaría la puerta indicada al norte del palacio, en dirección al Gólgota. La sepultura, según la tradición y el juicio de los actuales especialistas, tuvo lugar a unos treinta y cinco metros, y casi directamente al oeste del Gólgota (J. González Echegaray, Arqueología y evangelios, Verbo Divino, Estella 1994, p. 92).

◆ *Notas:* Mateo 26,17-29

26,17-18 Se nos informa aquí que Jesús celebró la ceremonia de la Pascua. Fue preparada por sus discípulos, es decir, por hombres, pues era un rito significativo que implicaba una comida. También se nos informa de que Jesús tenía en Jerusalén discípulos con propiedades, pues en una de ellas celebra la Pascua Jesús con los Doce.

26,21-25 Jesús afirma públicamente, poniendo en juego su palabra, que sabe lo que se está tramando. Se ha ido dando cuenta de los detalles del plan secreto tramado contra él, incluida la traición de uno de los miembros del grupo de íntimos. El pesar que experimentan sus seguidores nace del sentimiento de deshonor ante la idea de semejante traición. Judas demuestra su falta total de vergüenza al preguntar con cinismo a Jesús si sabía que era él quien formaba parte del plan secreto; Jesús le hace saber que está al corriente del asunto (v. 25) y continúa como si nada, como conviene a un hombre de honor.

26,26-29 No podemos sobrestimar en este texto la importancia crítica de la comensalidad como realidad y símbolo, al mismo tiempo, de cohesión social y de valores compartidos. ⇨ **Comidas,** 22,1-14 (cf. pág. 331). Más aún, como la Pascua, más que ninguna otra comida, era una comida familiar, comerla con sus discípulos es reconocer que el grupo es una familia subrogada en el sentido más profundo del término. ⇨ **Familia subrogada,** 12,46-50 (cf. pág. 351).

Mientras comen, Jesús lleva a cabo una acción profética simbólica. Dichas acciones simbólicas (normalmente ordenadas por Dios) son llevadas a cabo por un profeta y van seguidas por las palabras que explican el sentido de la acción. Una acción simbólica es una acción que encierra significado y sentimiento, y que afecta invariablemente a lo que simboliza (ver nota a 21,12). La acción consiste aquí en comer pan y beber vino de una copa. La primera acción está en relación con el cuerpo de Jesús, con su yo. La copa, que de por sí ya es un símbolo del destino previsto por Dios (ver nota a 20,20-28), es la sangre de la alianza para el perdón de los pecados, es decir, para la reconciliación y la confirmación de las disposiciones de la alianza. La separación de la sangre (elemento donde reside la vida) y del yo es una forma de definir la muerte. De hecho, esta acción simbólica profética proclama el sentido de la cercana muerte de Jesús.

Pero la muerte no es el fin. Para expresar esto, Jesús pronuncia un juramento («Os digo»), al que añade la promesa de abstenerse del «fruto de la vid» (ver Nm 6,1-21 y el voto de nazireato; ⇨ **Ayuno, 6,16**; cf. pág. 323). El propósito de tales juramentos, que desempeñan la función de una palabra de honor, es expresar lo más claramente posible la sinceridad de intención de la persona de honor. Los juramentos son necesarios cuando las personas con quienes tiene tratos la persona de honor encuentran ambiguas o increíbles su conducta o pretensiones. Al añadir al juramento el dato de la abstinencia de vino, la comunicación resulta redundante; no hace sino volver a subrayar el punto en cuestión: todos volveremos pronto a beber en el reino del Padre.

Anuncio de la deslealtad de Pedro 26,30-35

³⁰Y después de cantar los himnos, salieron hacia el Monte de los Olivos.

³¹Entonces Jesús les dijo: «Esta noche seré ocasión de tropiezo para todos vosotros, porque está escrito: *Heriré al pastor, y se dispersarán las ovejas del rebaño.* ³²Pero después de resucitar, me encontraré de nuevo con vosotros en Galilea». ³³Pedro le respondió: «Aunque seas ocasión de tropiezo para todos, no lo serás para mí». ³⁴Jesús le dijo: «Te aseguro que esta misma noche, antes de que el gallo cante, me habrás negado tres veces». ³⁵Pedro le contestó: «Aunque tenga que morir contigo, jamás te negaré». Y lo mismo dijeron todos los discípulos.

◆ *Notas:* Mateo 26,30-35

26,31-32 Una vez más vemos que Jesús está enterado de todos los acontecimientos que se van a desarrollar en breve; y tendrán lugar tal como estaba previsto (26,56). También se nos informa de que, después de que Dios resucite a Jesús, la localización geográfica de su facción será de nuevo Galilea. Se trata de otro detalle que queda pendiente de confirmación en el texto (ver 28,10).

26,33-35 Una vez más, Jesús es plenamente consciente del sigilo y el secreto que rodean el compló para acabar con él públicamente. Ver nota a 26,21-25.

Arresto de Jesús en Getsemaní 26,36-56

³⁶Entonces fue Jesús con sus discípulos a un huerto llamado Getsemaní, y les dijo: «Sentaos aquí mientras voy a orar un poco más allá». ³⁷Llevó consigo a Pedro y a los dos hijos de Zebedeo; comenzó a sentir tristeza y angustia, ³⁸y les dijo: «Me muero de tristeza, quedaos aquí y velad conmigo». ³⁹Después, avanzando un poco más, cayó rostro en tierra y suplicaba así: «Padre mío, si es posible, aleja de mí este cáliz de amargura; pero no se haga como yo

quiero, sino como quieres tú». ⁴⁰Regresó junto a los discípulos y los encontró dormidos. Entonces dijo a Pedro: «¿De modo que no habéis podido velar conmigo ni siquiera una hora? ⁴¹Velad y orad, para que podáis afrontar la prueba; pues el espíritu está bien dispuesto, pero la carne es débil». ⁴²Se alejó de nuevo por segunda vez y volvió a orar así: «Padre mío, si no es posible evitar que yo beba este cáliz de amargura, hágase tu voluntad». ⁴³Regresó y volvió a encontrarlos dormidos, porque sus ojos se cerraban de sueño. ⁴⁴Los dejó y volvió a orar por tercera vez, repitiendo las mismas palabras. ⁴⁵Entonces regresó donde estaban los discípulos y les dijo: «¿Todavía estáis durmiendo y descansando? Ha llegado la hora y el Hijo del hombre va a ser entregado en manos de los pecadores. ⁴⁶Vamos, levantaos. Ya está aquí el que me va a entregar».

⁴⁷Aún estaba hablando Jesús cuando llegó Judas, uno de los Doce, y con él un gran tumulto de gente con espadas y palos, enviados por los jefes de los sacerdotes y los ancianos del pueblo. ⁴⁸El traidor les había dado esta señal: «Al que yo bese, ése es; arrestadlo». ⁴⁹En cuanto llegó, se acercó a Jesús y le dijo: «Hola, maestro». Y lo besó. ⁵⁰Jesús le dijo: «Amigo, ¡a lo que has venido!». Entonces se abalanzaron sobre Jesús, lo agarraron y lo arrestaron. ⁵¹Uno de los que estaban con Jesús sacó su espada y, dando un golpe al criado del sumo sacerdote, le cortó una oreja. ⁵²Jesús le dijo: «Guarda tu espada, que todo el que pelea con espada, a espada morirá. ⁵³¿O crees que no puedo acudir a mi Padre, que pondría en seguida a mi disposición más de doce legiones de ángeles? ⁵⁴Pero, ¿cómo se cumplirían las Escrituras, según las cuales tiene que suceder así?». ⁵⁵Luego se dirigió a la gente y dijo: «Habéis salido a detenerme con espadas y palos, como si fuera un bandido. A diario me sentaba en el templo para enseñar, y no me arrestasteis. ⁵⁶Pero todo esto ha ocurrido para que se cumpla lo que escribieron los profetas». Entonces todos los discípulos lo abandonaron y huyeron.

◆ *Notas:* Mateo 26,36-56

26,36-46 Pedro y los hijos de Zebedeo forman el núcleo íntimo de la facción de Jesús. Están con Jesús mientras éste espera ser arrestado, pero no son conscientes del compló.

Sobre la copa, ver nota a 20,20-28; para la oración, ➪ **Oración,** 6,7 (cf. pág. 367).

26,47 Ha llegado la hora de los jefes de los sacerdotes y los ancianos del pueblo, que envían un nutrido grupo guiado por Judas y armados de espadas y palos. El escenario indica que esperaban que los seguidores de Jesús luchasen. Según v. 51, Jesús había armado a sus seguidores. Pero evita la lucha con el proverbio: «Todo el que pelea con espada, a espada morirá». El problema de la debilidad social de Jesús en este momento es resuelto con las consideraciones del v. 53: «¿O crees...?».

26,55-56 Aunque el término griego usado aquí *(lestes)* puede significar «ladrón» en sentido general, las circunstancias descritas en el relato sugieren el significado alternativo que le da Josefo: «bandido social». Como los bandidos sociales se ocultaban normalmente en cuevas y wadis remotos, Jesús explica que él nunca se ha ocultado, sino que ha estado a diario en el templo, donde podía haber sido arrestado sin la mínima dificultad. ⇨ **Ladrones/Bandidos sociales**, 26,55 (cf. pág. 361).

Primer ritual de degradación de estatus para acabar con Jesús 26,57-68

⁵⁷Los que arrestaron a Jesús lo condujeron a casa del sumo sacerdote Caifás, donde estaban reunidos los maestros de la ley y los ancianos. ⁵⁸Pedro lo seguía de lejos hasta el palacio del sumo sacerdote; entró y se sentó con los criados para ver cómo terminaba todo. ⁵⁹Los jefes de los sacerdotes y todo el Consejo de Ancianos buscaban una acusación falsa contra Jesús con intención de darle muerte. ⁶⁰Pero no lo encontraron, a pesar de que se presentaron muchos testigos falsos. Al fin se presentaron dos, ⁶¹que declararon: «Éste ha dicho: 'Puedo destruir el templo de Dios y reconstruirlo en tres días'». ⁶²Entonces el sumo sacerdote tomó la palabra y le preguntó: «¿No respondes nada? ¿De qué te acusan éstos?». ⁶³Pero Jesús callaba. El sumo sacerdote le dijo: «Te conjuro por Dios vivo; dinos si tú eres el Mesías, el Hijo de Dios». ⁶⁴Jesús le respondió: «Tú lo has dicho; y además os digo que a partir de ahora veréis al Hijo del hombre sentado a la derecha del Poder, y que viene sobre las nubes del cielo». ⁶⁵Entonces el sumo sacerdote rasgó sus vestiduras y dijo: «¡Ha blasfemado! ¿Qué necesidad tenemos ya de testigos? Acabáis de oír la blasfemia. ⁶⁶¿Qué os parece?». Ellos respondieron: «Merece la muerte». ⁶⁷Entonces se pusieron a escupirle en la cara y a darle bofetadas; otros lo golpeaban, ⁶⁸diciendo: «Mesías, adivina quién te ha golpeado».

◆ *Notas:* **Mateo 26,57-68**

26,63-66 A lo largo del evangelio de Mateo hemos encontrado la designación «Hijo de Dios» como base de la reivindicación mateana de la autenticidad de la palabra y los hechos de Jesús. Así lo dijo claramente una voz en el bautismo de Jesús (3,17), cuyas palabras fueron desafiadas tanto por Satán (4,1-13) como por los paisanos de Jesús (13,53-58). La designación fue reafirmada por Pedro: «Mesías, Hijo del Dios vivo» (16,16) y por una voz en la transfiguración de Jesús (17,5). Dicha designación es ahora el asunto central en los cargos contra Jesús. ⇨ **Rituales de degradación de estatus,** 26,67-68, y notas más abajo (cf. pág. 396).

Interesa observar que el título aplicado aquí a Jesús es precisamente la designación puesta en boca de Pedro en 16,16. Jesús responde que efectivamente él es el Mesías. Pero no se detiene ahí; insiste en que pronto vendrá con poder (v. 64). La respuesta es considerada una «blasfemia», un ultraje verbal. Se supone que el objeto del ultraje es Dios; de ahí que el sumo sacerdote rasgue sus vestiduras. Este acto simboliza la ruptura de las fronteras que rodean el honor de Jesús; es un signo de separación del cuerpo social, un signo de «duelo» o protesta por la presencia de un mal flagrante, merecedor de la muerte. Sobre el duelo, ⇨ **Ayuno, 6,16** (cf. pág. 323).

26,67-68 Éste es el resultado del primer juicio de Jesús ante el Consejo, del primer intento público de destruir el estatus de honor (⇨ **Sociedades con base en el honor-vergüenza;** cf. pág. 404) de Jesús narrado por Mateo conforme el relato avanza hacia su condena a muerte. Los «juicios» ante el Consejo (26,59-66) y ante Pilato (27,1-2.11-23) van encaminados al mismo propósito. ⇨ **Rituales de degradación de estatus,** 26,57-68 (cf. pág. 396).

Deslealtad de Pedro 26,69-75

⁶⁹Pedro estaba fuera, sentado en el patio. Se le acercó una criada y le dijo: «Tú también estabas con Jesús, el galileo. ⁷⁰Pero él lo negó ante todos, diciendo: «No sé de qué me hablas». ⁷¹Salió después al portal, lo vio otra criada y dijo a los que estaban allí: «Éste andaba con Jesús de Nazaret». ⁷²Y por segunda vez negó con juramento: «Yo no conozco a ese hombre». ⁷³Poco después se acercaron a Pedro los que estaban allí y le dijeron: «No hay duda de que tú eres uno de ellos; se nota en tu acento». ⁷⁴Entonces él se puso a maldecir y a jurar: «No conozco a ese hombre». Inmediatamente cantó un gallo. ⁷⁵Pedro recordó lo que Jesús le había dicho: «Antes de que cante el gallo, me habrás negado tres veces». Y saliendo fuera, lloró amargamente.

◆ *Notas:* Mateo 26,69-75

26,69-75 Muy en consonancia con los valores mediterráneos, Pedro practica el engaño para conservar su honor e independencia frente a los desafíos. Mentir a otros sobre su relación con Jesús no sería considerado una mala acción. El problema es que Jesús le había anunciado a Pedro que se comportaría de ese modo, aunque el apóstol había insistido en lo contrario. Lo que resulta vergonzoso para Pedro (26,35) es el hecho de no haber cumplido la palabra de honor dada a Jesús en presencia de los demás.

Muerte y deshonor de Judas 27,1-10

27 ¹Cuando amaneció, todos los jefes de los sacerdotes y los ancianos del pueblo tomaron la decisión de matar a Jesús. ²Lo llevaron atado y lo entregaron a Pilato, el gobernador.

³Mientras tanto, Judas, el traidor, al ver que habían condenado a Jesús, sintió remordimiento y devolvió las treinta monedas de plata a los jefes de los sacerdotes y a los ancianos ⁴diciendo: «He pecado entregando a un inocente». Ellos contestaron: «¿A nosotros qué

nos importa? Allá tú». ⁵Entonces Judas, arrojando en el templo las monedas, se retiró, luego fue y se ahorcó. ⁶Los jefes de los sacerdotes tomaron las monedas y dijeron: «No se pueden echar en el tesoro del templo, porque son precio de sangre». ⁷Y después de deliberar, compraron con ellas el campo del alfarero para sepultura de los extranjeros. ⁸Por eso, aquel campo se llama hasta hoy 'Campo de Sangre'. ⁹Así se cumplió lo anunciado por el profeta Jeremías: 'Tomaron las treinta monedas de plata, precio que le pusieron los hijos de Israel, ¹⁰y compraron el campo del alfarero, según lo que mandó el Señor'.

◆ Notas: Mateo 27,1-10

27,1-10 Los principales agentes del drama de la satisfacción del honor, los jefes de los sacerdotes y los ancianos del pueblo, prolongan su compló conduciendo a Jesús ante «Pilato, el gobernador», añadiendo un elemento más a su degradación. Mientras tanto se nos informa del final de Judas: arrepentimiento (un cambio de corazón, como en 21,30) y confesión ante los jefes de los sacerdotes, urdidores del compló, de que había entregado a «sangre inocente» (vv. 3-4). A continuación, como señal pública de arrepentimiento y de reparación del honor perdido, se ahorcó (v. 5).

Degradación de Jesús ante Pilato y los soldados 27,11-31

¹¹Jesús compareció ante el gobernador, y éste le preguntó: «¿Eres tú el rey de los judíos?». Jesús respondió: «Tú lo dices». ¹²Pero no respondió nada a las acusaciones que le hacían los jefes de los sacerdotes y los ancianos. ¹³Entonces Pilato le preguntó: «¿No oyes todas las acusaciones que formulan contra ti?». ¹⁴Pero él no respondió nada, de suerte que el gobernador se quedó muy extrañado.

¹⁵Por la fiesta, solía el gobernador conceder al pueblo la libertad de un preso, el que ellos quisieran. ¹⁶Tenía entonces un preso famoso, llamado Barrabás. ¹⁷Así que, viéndolos reunidos, les preguntó Pilato: «¿A quién queréis que os suelte, a Barrabás o a Jesús, el llamado Mesías?». ¹⁸Pues se daba cuenta de que lo habían entregado por envidia. ¹⁹Estaba aún sentado en el tribunal cuando su mujer envió este mensaje: «No te metas con ese justo, porque esta noche he tenido pesadillas horribles por su causa». ²⁰Los jefes de los sacerdotes y los ancianos persuadieron a la gente para que pidiera la libertad de Barrabás y la muerte de Jesús. ²¹El gobernador volvió a preguntarles: «¿A quién de los dos queréis que os suelte?». Respondieron ellos: «A Barrabás». ²²Pilato preguntó de nuevo: «¿Y qué hago entonces con Jesús, el llamado Mesías?». Respondieron todos: «Crucifícalo». ²³Él les dijo: «Pues, ¿qué mal ha hecho?». Pero ellos gritaron todavía más fuerte: «Crucifícalo».

²⁴Viendo Pilato que no conseguía nada, sino que la gente se amotinaba cada vez más, tomó agua y se lavó las manos ante el pueblo, diciendo: «No me hago responsable de esta muerte; allá vosotros». ²⁵Todo el pueblo respondió: «Nosotros y nuestros hijos nos hacemos responsables de esta muerte». ²⁶Entonces les soltó a Barrabás; y a Jesús, después de azotarlo, lo entregó para que fuera crucificado.

²⁷Los soldados del gobernador llevaron a Jesús al pretorio y reunieron en

torno a él a toda la tropa. ²⁸Lo desnuda-
ron y le echaron por encima un manto
de color rojo; ²⁹trenzaron una corona
de espinas y se la pusieron en la cabeza,
y una caña en su mano derecha; luego
se arrodillaban ante él y se burlaban diciendo: «Salve, rey de los judíos». ³⁰Le
escupían, le quitaban la caña y lo golpeaban con ella en la cabeza. ³¹Después
de burlarse de él, le quitaron el manto,
lo vistieron con sus ropas y lo llevaron
para crucificarlo.

◆ *Notas:* Mateo 27,11-31

27,11-14 Una parte importante de la degradación del estatus
consiste en la interpretación revisionista del pasado de una persona
para hacer ver que ya actuaba mal con anterioridad. A pesar de «todas las acusaciones» que lanzan contra Jesús los jefes de los sacerdotes y los ancianos, Mateo no menciona ninguno de los cargos
aparte de la pregunta inicial de Pilato, que implicaba que Jesús se
había proclamado Mesías real (27,11; cf. 16,16-20).

27,15-23 La muchedumbre está presente (vv. 15.17) en el acto
final del ritual de degradación; así lo requería la legitimación del
proceso contra el honor. A lo largo del evangelio de Mateo hemos
visto a Jesús como el honorable Hijo de Dios (ver especialmente las
notas a 3,13-17; 4,1-11; y 17,1-9). Ahora, con una nota de suprema
ironía, los dirigentes y la muchedumbre gritan a favor de Barrabás
(literalmente «hijo del padre», una forma helenizada del arameo
Bar 'Abba'). Intercambian los papeles un criminal y Jesús. La degradación de Jesús, confirmada por todos los presentes (v. 22), está
ya completa. ⇨ **Rituales de degradación de estatus,** 26,67-68, y
nota (cf. pág. 396). En v. 18 se nos informa de que Pilato sabe que
Jesús está siendo acusado para satisfacer el honor de sus acusadores; está allí sólo por envidia. Además, se nos informa también del
sueño de la esposa de Pilato (v. 19), una comunicación divina que la
pone al corriente de la absoluta inocencia de Jesús.

27,24 Pilato lleva a cabo una acción simbólica para poner de relieve su inocencia en el asunto de la muerte de Jesús (por lo que respecta a las manos, ⇨ **Las tres zonas de la personalidad,** 5,27-32;
cf. pág. 406). Después entrega a Jesús para que sea crucificado; así
previene un altercado con la gente de Jerusalén, que acepta su responsabilidad en la muerte de Jesús.

27,27-31 Los soldados romanos se burlan de Jesús llamándolo
«rey de los judeos» (así habría que traducir, pues se refiere a la gente de Judea; ver Apéndice, más abajo), insultando así a la gente que
pedía su humillación y muerte. De ese modo, Jesús es utilizado para deshonrar a los habitantes de Jerusalén.

Degradación final de Jesús (crucifixión) 27,32-66

[32]Cuando salían, encontraron a un hombre de Cirene, llamado Simón, y lo obligaron a llevar la cruz de Jesús. [33]Al llegar al lugar llamado Gólgota, es decir, lugar de la Calavera, [34]dieron a Jesús vino mezclado con hiel para que lo bebiera, pero, después de probarlo, no quiso beberlo. [35]Los que lo crucificaron se sortearon su ropa y se la repartieron. [36]Y se sentaron allí para custodiarlo. [37]Sobre su cabeza pusieron un letrero con la causa de su condena: 'Éste es Jesús, el rey de los judíos'.

[38]Al mismo tiempo crucificaron a dos bandidos, uno a su derecha y otro a su izquierda. [39]Los que pasaban por allí lo insultaban haciendo muecas [40]y diciendo: «Tú, que destruías el templo y lo construías en tres días, sálvate a ti mismo; si eres Hijo de Dios, baja de la cruz». [41]Y de la misma manera los jefes de los sacerdotes, junto con los maestros de la ley y los ancianos, se burlaban de él diciendo: [42]«A otros salvó, y a sí mismo no puede salvarse. Si es rey de Israel, que baje ahora de la cruz, y creeremos en él». [43]Ha puesto su confianza en Dios; que lo libre ahora, si es que lo quiere, ya que decía: 'Soy Hijo de Dios'». [44]Hasta los bandidos que habían sido crucificados junto con él lo insultaban.

[45]Desde el mediodía, toda la región se cubrió de tinieblas hasta las tres de la tarde. [46]A esa hora Jesús gritó con fuerte voz: «Elí, Elí, lemá sabaktani», que quiere decir: «Dios mío, Dios mío, ¿por qué me has abandonado?». [47]Algunos de los que estaban allí, al oírlo decían: «Está llamando a Elías». [48]En seguida, uno de ellos fue corriendo en busca de una esponja, la empapó en vinagre y, sujetándola en una caña, le ofrecía de beber. [49]Los otros decían: «Vamos a ver si viene Elías a salvarlo». [50]Y Jesús, dando de nuevo un fuerte grito, entregó su espíritu. [51]Entonces, la cortina del templo se rasgó en dos partes de arriba abajo; la tierra tembló y las piedras se resquebrajaron; [52]se abrieron los sepulcros y muchos santos que habían muerto resucitaron, [53]salieron de los sepulcros y, después de que Jesús resucitó, entraron en la ciudad santa y se aparecieron a muchos. [54]El oficial romano, y los que estaban con él custodiando a Jesús, al sentir el terremoto y ver todo lo que pasaba, se llenaron de miedo y decían: «Verdaderamente éste era Hijo de Dios».

[55]Muchas mujeres que habían seguido a Jesús desde Galilea para asistirlo, estaban allí y contemplaban la escena desde lejos. [56]Entre ellas, estaban María Magdalena y María, la madre de Santiago y de José, y la madre de los Zebedeos.

[57]Al caer la tarde, llegó un hombre rico, llamado José, originario de Arimatea, que también se había hecho discípulo de Jesús. [58]Este José se presentó a Pilato y le pidió el cuerpo de Jesús. Pilato mandó que se lo entregaran. [59]José tomó el cuerpo, lo envolvió en una sábana limpia [60]y lo puso en un sepulcro nuevo que había hecho excavar en la roca. Tapó la entrada del sepulcro con una gran piedra y se fue. [61]María Magdalena y la otra María estaban allí, sentadas frente al sepulcro.

[62]Al día siguiente, es decir, el día después de la preparación de la pascua, los jefes de los sacerdotes y los fariseos se reunieron ante Pilato [63]y le dijeron: «Señor, recordamos que ese impostor dijo cuando aún vivía: 'A los tres días resucitaré'. [64]Así que manda asegurar el sepulcro hasta el día tercero, no sea que vengan sus discípulos, roben su cuerpo y digan al pueblo que ha resucitado de entre los muertos, y este último engaño sea peor que el primero». [65]Pilato les respondió: «Tenéis una guardia; id y aseguradlo como vosotros sabéis hacer». [66]Ellos fueron, aseguraron el sepulcro y sellaron la piedra dejando allí la guardia.

◆ *Notas:* Mateo 27,32-66

27,33-38 La degradación del estatus de Jesús continúa cuando dirigentes y soldados se mofan en público de Jesús. ⇨ **Rituales de degradación de estatus**, 26,67-68, y nota (cf. pág. 396). Los dos criminales crucificados con Jesús son llamados aquí «ladrones», palabra que en griego se refiere probablemente a un bandolero o bandido social. ⇨ **Ladrones/Bandidos sociales**, 26,55 (cf. pág. 361). El cargo contra Jesús, «rey de los judeos» (traducción más apropiada, pues se refiere a los habitantes de Judea, v. 37; ver Apéndice, más abajo), muestra el modo en que los romanos trataban a cualquiera que intentase gobernar en su lugar. Tal como está, sirve para insultar a los judeos (ver Apéndice, más abajo), al presentar a su rey como un esclavo desnudo expuesto a la mofa de todo el mundo.

27,41-43 Éste es el punto álgido de la revancha y la satisfacción que buscaban los enemigos jerosolimitanos de Jesús, los que urdieron todo el asunto desde el principio (26,4). En realidad no hay mayor satisfacción del propio deshonor que lo descrito aquí: Jesús es clavado, desnudo, a una cruz y expuesto a todo el mundo, la degradación y humillación públicas supremas. Entre tanto, sus enemigos, «los jefes de los sacerdotes, los maestros de la ley y los ancianos», se recrean contemplándolo y haciendo observaciones despectivas.

27,45-54 En la muerte de Jesús concurren ciertos signos cósmicos, que aluden a la presencia de Dios: la oscuridad que cubre el país (v. 45), la rasgadura de la cortina del templo (dejando a la vista de todos el Santo de los Santos, v. 51), terremotos, la resurrección de «los santos que habían muerto» (designación de los seguidores de Jesús, v. 52) y su aparición a muchos. También el centurión y sus soldados son testigos de los signos y aclaman a Jesús como «Hijo de Dios».

27,55-56 Es mencionado el testimonio de algunas mujeres galileas, que vieron todo «desde lejos»; pronto serán testigos ante la tumba (v. 61).

27,57-61 Una de las obligaciones de los «amigos» en el mundo grecorromano era preparar lo necesario para el entierro. ⇨ **El sistema de patronazgo en la Palestina romana**, 8,5-13 (cf. pág. 399).

27,62-66 Los jefes de los sacerdotes acuden una vez más a Pilato, no sea que los discípulos de Jesús les hagan quedar en ridículo. Esta vez los acompañan los fariseos, sin duda por la misma razón. Con el permiso de Pilato, envían a sus propios guardias a custodiar la tumba.

Jesús es reivindicado (resurrección) 28,1-10

28 ¹Pasado el sábado, al alba del primer día de la semana, María Magdalena y la otra María fueron a visitar el sepulcro. ²De pronto hubo un gran temblor. El ángel del Señor bajó del cielo, se acercó, rodó la piedra del sepulcro y se sentó en ella. ³Su aspecto era como el del relámpago y su vestido blanco como la nieve. ⁴Al verlo, los guardias se pusieron a temblar y se quedaron como muertos. ⁵Pero el ángel se dirigió a las mujeres y les dijo: «No temáis; sé que buscáis a Jesús, el crucificado. ⁶No está aquí, ha resucitado como lo había dicho. Venid a ver el sitio donde estaba puesto. ⁷Id en seguida a decir a sus discípulos: 'Ha resucitado de entre los muertos y va camino de Galilea; allí lo veréis'. Eso es todo». ⁸Ellas salieron rápidamente del sepulcro y, con temor pero con mucha alegría, corrieron a llevar la noticia a los discípulos. ⁹Jesús salió a su encuentro y las saludó. Ellas se acercaron, se echaron a sus pies y lo adoraron. ¹⁰Entonces Jesús les dijo: «No temáis, decid a mis hermanos que vayan a Galilea; allí me verán».

◆ *Notas:* Mateo 28,1-10

28,1-8 Las mujeres son ahora testigos de una teofanía junto a la tumba: un terremoto causado por un ser celeste (su aspecto era como el del relámpago y llevaba un vestido blanco como la nieve), responsable de la remoción de la piedra que tapaba la tumba. Este ser celeste, «un ángel del Señor» se había aparecido por última vez a José en sueños (2,19); ahora que Jesús ya no está presente, vuelve el ángel cumpliendo una orden de Dios. Su propósito al descorrer la piedra de la tumba es que las mujeres puedan ver que está vacía y vayan a recordar a los discípulos que Jesús los verá en Galilea (ver 26,32). Jesús ya se ha ido, pero no se ha alejado mucho.

28,9-10 El propio Jesús se aparece ahora a las mujeres cuando van donde los discípulos, y les da el mismo mensaje que el ángel: recordar a los discípulos que tienen que ir a Galilea.

Los adversarios de Jesús tratan de evitar la vergüenza 28,11-15

¹¹Mientras las mujeres iban de camino, algunos de la guardia fueron a la ciudad y comunicaron a los jefes de los sacerdotes todo lo ocurrido. ¹²Éstos se reunieron con los ancianos y acordaron en consejo dar una buena suma de dinero a los soldados, ¹³advirtiéndoles: «Decid que sus discípulos fueron de noche y robaron su cuerpo mientras vosotros dormíais. ¹⁴Y si el asunto llega a oídos del gobernador, nosotros lo convenceremos y responderemos de vosotros». ¹⁵Los soldados tomaron el dinero e hicieron lo que les habían dicho, y ésta es la versión que ha corrido entre los judíos hasta hoy.

◆ *Notas:* Mateo 28,11-15

28,11-15 Para poder explicar la historia divulgada «entre los judeos» (ver notas anteriores) de que los discípulos de Jesús habían sustraído su cuerpo mientras los guardias del templo dormían, Mateo habla una vez más de las intrigas de los jefes de los sacerdotes y de los ancianos. En esta ocasión se enfrentan a una situación de deshonor provocada presumiblemente por Dios. Y fieles al modelo que ya habían utilizado en su trato con Jesús, recurren al soborno, a las campañas denigratorias y a las influencias políticas con la esperanza de preservar su honor.

Instrucciones de Jesús a sus seguidores sobre la misión futura 28,16-20

¹⁶Los once discípulos fueron a Galilea, a la montaña donde Jesús los había citado. ¹⁷Al verlo, lo adoraron; ellos que habían dudado. ¹⁸Jesús se acercó y se dirigió a ellos con estas palabras: «Dios me ha dado autoridad plena sobre cielo y tierra. ¹⁹Id y haced discípulos a todos los pueblos y bautizadlos para consagrarlos al Padre, al Hijo y al Espíritu Santo, ²⁰enseñándoles a poner por obra todo lo que os he mandado. Y sabed que yo estoy con vosotros todos los días hasta el fin de los tiempos».

◆ *Notas:* Mateo 28,16-20

28,16-20 Una vez con los once en una montaña de Galilea, Jesús aleja las dudas de algunos proclamando un edicto, demostrando que su estatus ha sido transformado con éxito gracias a la intervención de Dios en la resurrección. El edicto en cuestión pone punto final al evangelio de Mateo (lo mismo que en Crónicas, último libro de la Biblia hebrea). Con este edicto se ordena a los discípulos que vayan a «todos los pueblos», no sólo a la «casa de Israel», como en Mt 10,6. Este alejamiento del particularismo israelita fue anticipado por las relaciones de Jesús con gente de fuera y por dichos como: «Os digo que vendrán muchos de oriente y occidente y se sentarán con Abrahán, Isaac y Jacob en el banquete del reino de los cielos» (Mt 8,11). ⇨ **Estructura social y monoteísmo**, 28,16-20 (cf. pág. 350).

MARCOS

I. 1,1-15: Prólogo: Presentación de Jesús, Hijo de Dios

Comienzos de la actividad pública de Jesús el Hijo de Dios 1,1-15

1 ¹Comienzo de la buena noticia de Jesús, Mesías, Hijo de Dios.

²Según está escrito en el profeta Isaías:
*Mira, envío mi mensajero
delante de ti,
el que ha de preparar tu camino.*
³*Voz del que grita en el desierto:
¡Preparad el camino al Señor;
allanad sus senderos!*

⁴Apareció Juan el Bautista en el desierto, predicando un bautismo de conversión para el perdón de los pecados. ⁵Toda la región de Judea y todos los habitantes de Jerusalén acudían a él y, después de reconocer sus pecados, Juan los bautizaba en el río Jordán. ⁶Iba Juan vestido con pelo de camello, llevaba una correa de cuero a su cintura, y se alimentaba de saltamontes y miel silvestre. ⁷Esto era lo que proclamaba: «Detrás de mí viene el que es más fuerte que yo. Yo no soy digno ni de postrarme ante él para desatar la correa de sus sandalias. ⁸Yo os bautizo con agua, pero él os bautizará con Espíritu Santo».

⁹Por aquellos días llegó Jesús desde Nazaret de Galilea y fue bautizado por Juan en el Jordán. ¹⁰En cuanto salió del agua vio rasgarse los cielos y al Espíritu descender sobre él como una paloma. ¹¹Se oyó entonces una voz desde los cielos: «Tú eres mi Hijo amado, en ti me complazco».

¹²A continuación, el Espíritu lo impulsó hacia el desierto, ¹³donde Satanás lo puso a prueba durante cuarenta días. Estaba con las fieras, y los ángeles le servían.

¹⁴Después que Juan fue arrestado, marchó Jesús a Galilea, proclamando la buena noticia de Dios. ¹⁵Decía: «El plazo se ha cumplido. El reino de Dios está llegando. Convertíos y creed en el evangelio».

◆ *Notas:* Marcos 1,1-15

1,1-15 Estos versículos forman el prólogo del evangelio. El «título» del v. 1, la palabra griega traducida por «evangelio» (*euange-*

lion), quizás debería ser traducida por «proclamación». Los contenidos de tales proclamaciones incluían una amnistía con ocasión del advenimiento de un nuevo gobernante, de la victoria de un dirigente, del nacimiento de un niño en la corte, etc. En la versión griega de la Biblia hebrea, el término se refería a la intervención de YHWH-Dios en favor de su pueblo. En cualquier caso, el versículo de apertura anuncia la proclamación de Jesús Mesías, y cualquier lector mediterráneo se preguntaría inmediatamente por la autoridad que le asistía a Jesús para hacer tales proclamaciones. En aquella sociedad, la autoridad de una persona para actuar en público se basaba siempre en su estatus y su grado de honor. ⇨ **Sociedades con base en el honor-vergüenza**, 6,1-4 (cf. pág. 404). Tal grado dependía a su vez de la posición del padre. Sin embargo, a diferencia de Mateo y Lucas, Marcos no trae ninguna genealogía de Jesús. Lo que hace es identificar inmediatamente a Jesús como Hijo de Dios, y le concede un estatus imposible de alcanzar a través de José. Por tanto, Marcos asegura la base de la autoridad de Jesús en el momento mismo en que la cuestión se plantea en la mente del lector. ⇨ **Hijo de Dios**, 1,1 (cf. pág. 357).

1,2-3 Al citar las Sagradas Escrituras de Israel, Marcos certifica también su propia autoridad. En las sociedades orales, la capacidad de escritores y narradores para citar la tradición les confería honor, especialmente si podían usarla creativamente como hace aquí Marcos al fundir un texto de Mal 3 y otro de Is 40. ⇨ **Poesía oral**, 1,2 (cf. pág. 379).

1,4-6 La gente concebía el desierto como algo que escapaba al control de una sociedad estructurada. Al ir allí, Juan (y quienes le seguían) se retira simbólicamente del sistema social establecido. Al contarnos que la gente iba a escuchar a Juan desde Jerusalén y desde el territorio de Judea, Marcos está hablando tanto de agrupaciones sociales como de localizaciones geográficas. Los del territorio de Judea serían campesinos, mientras que los de Jerusalén formarían parte probablemente de gremios de artesanos u otros grupos no-elitistas de la ciudad. Los viajes en la Antigüedad constituían una actividad peligrosa, y quienes viajaban eran sospechosos de conducta desviada, excepto por ciertas razones específicas (fiestas, visitas familiares, ciertos negocios). El viaje en grupo descrito aquí era mucho más seguro.

Al exigir el arrepentimiento, Juan da a entender directamente que se trata de una transformación personal y social (siempre en relación con el mundo mediterráneo). El término «bautismo» significa literalmente «inmersión», y es usado aquí para simbolizar la incorporación a la comunidad transformada cuya inauguración anuncia Juan. El comentario sobre el bautismo para el perdón de los pecados implica un mensaje similar. ➪ **Perdón de los pecados**, 2,9 (cf. pág. 375). El término usado por Marcos para decir «perdón» es generalmente empleado en los papiros griegos con referencia a la remisión de una deuda, un asunto de gran trascendencia en el mundo de los campesinos. Ver también el uso de la analogía de la deuda en las notas de la Oración del Señor en Mateo (6,12) y Lucas (11,4).

1,7 La confesión de indignidad por parte de Juan es una exageración típica de las sociedades con base en el honor-vergüenza. Aquí indica que Juan no está buscando indebidamente honor para sí mismo desafiando el honor de Jesús. Muestra que se trata de una persona que sabe cómo defender su propio honor, pero que no lo hará a costa de pisar el honor de otra persona.

1,8 Espíritu Santo (literalmente «viento santo») se refiere a la actividad de Dios. ➪ **Las tres zonas de la personalidad**, 8,17-19 (cf. pág. 406). En esta escena alude a la actividad divina de juicio, de separar a la gente lo mismo que el viento separa, al aventar, el grano de la paja.

1,9-11 Como otros que habían salido a escuchar a Juan (ver notas a 1,4-6), Jesús deja su pueblo y a su familia para viajar a una zona desértica. De este modo se aleja simbólicamente de la red de parentesco en la que había nacido y se había criado. ➪ **Parentesco**, 1,9-11 (cf. pág. 374). Ésta es una de las razones por las que viajar era una actividad considerada desviada en el Mediterráneo antiguo, especialmente cuando alguien viajaba solo.

Designar a Jesús como «Hijo de Dios» es una altísima declaración de honor. Sin embargo, una declaración de honor requiere un público que dé el visto bueno, de lo contrario carece de sentido. En nuestro texto, la descripción de los cielos rasgados hace público lo que de otro modo sería un acontecimiento privado y carente de significado. Pero, como no se dice que hubiese algún testigo presente, está claro que Marcos pretende que sean sus lectores el público que confirme la concesión de honor a Jesús.

En las sociedades con base en el honor-vergüenza eran importantísimas las declaraciones públicas en las que un padre reconocía su paternidad. En la sociedad romana, un bebé se convertía en hijo o hija sólo cuando el padre reconocía que dicho bebé era suyo. En nuestro texto, la voz del cielo confirma lo que Marcos había dicho en 1,1 (ver notas). ⇨ **Hijo de Dios/Genealogías**, Lc 3,23-38 (cf. págs. 357 y 355).

1,12-13 Al principio Jesús aparece en el desierto con Juan; ahora lo encontramos solo. Se ha apartado de la red protectora de los parientes y se hace, por tanto, vulnerable a cualquier ataque. Sin embargo, acude en su ayuda la red social del ámbito celeste, y se pone de manifiesto que no está solo en absoluto. Una vez más se confirma su pertenencia al grupo de parentesco divino. Marcos no describe la elaborada escena de desafío-respuesta de la que nos informan Mateo y Lucas.

1,14-15 Una vez que regresa a su región de origen, Jesús lanza su primera proclama. Su semejanza con la proclama de Juan puede sugerir que Jesús era inicialmente miembro de la facción de Juan y que, tras el encarcelamiento de éste, se independiza y comienza a reclutar a sus propios seguidores. Como hemos dicho antes, la palabra «evangelio» era generalmente usada en la Antigüedad para anunciar una victoria militar o la ascensión al trono de un nuevo rey (o, en la versión griega de la Biblia hebrea, la intervención de YHWH-Dios en favor de su pueblo). En nuestro texto se trata de esto último: una proclamación del reino de Dios, al que los lectores deben conceder su lealtad.

II. 1,16-45: Un día en la vida de Jesús

Reclutamiento inicial de la facción de Jesús 1,16-20

[16]Pasando Jesús junto al lago de Galilea, vio a Simón y a su hermano Andrés que estaban echando las redes en el lago, pues eran pescadores. [17]Jesús les dijo: «Veníos detrás de mí y os haré pescadores de hombres». [18]Ellos dejaron inmediatamente las redes y lo siguieron. [19]Un poco más adelante vio a Santiago, el de Zebedeo, y a su hermano Juan. Estaban en la barca reparando las redes. [20]Jesús los llamó también; y ellos, dejando a su padre Zebedeo en la barca con los jornaleros, se fueron tras él.

◆ *Notas:* **Marcos 1,16-20**

1,16-20 Generalmente se pescaba de noche o al amanecer. Se nos dice aquí que los reclutados por Jesús estaban preparando sus redes. Tras descargar la captura, el lavado y la reparación de las redes podía llevar varias horas de trabajo. ⇨ **Pesca**, 1,16-20 (cf. pág. 378).

Los versículos 16-45 presentan el escenario de un día en el ministerio público de Jesús, por así decir. El día empieza con el reclutamiento de una facción por parte de Jesús. ⇨ **Coaliciones/Facciones**, 3,13-19 (cf. pág. 331). Una facción es una coalición formada por una persona con un propósito determinado y para un tiempo determinado. En nuestro texto, el propósito determinado es ser «pescadores de hombres». Obviamente, Jesús deseaba un amplio grupo de seguidores y necesitaba reclutar gente como estos pescadores para que le ayudasen en su tarea. El propósito más amplio sería el proyecto que Jesús había diseñado tras el encarcelamiento de Juan: proclamar el reinado de Dios, tener a Dios como patrón/padre de Israel. ¿Cuánto tiempo tenía que durar esta facción? Quizás una sola estación seca: el tiempo necesario para que madurase el grano sembrado. La gente estaría entonces más o menos libre para ser «capturada» por tales pescadores. Más aún, sólo durante la estación seca podía la gente ir de viaje (por tierra o por mar) siguiendo a Jesús.

Si prescindimos de las peregrinaciones, la movilidad geográfica y la consiguiente ruptura con la propia red social (familia, patronos, amigos, vecinos) eran consideradas fruto de una conducta anormal, y en la Antigüedad sería una actividad mucho más traumática que el simple abandono del trabajo y las herramientas. Esta es la primera vez que Marcos utiliza el verbo «seguir». Los autores del Nuevo Testamento aplican este término principalmente al seguimiento de Jesús. En la literatura filosófica, el término describe con frecuencia la relación entre maestro y discípulos. Observemos cómo Marcos subraya la prontitud con que los llamados siguen a Jesús. Está claro que estos reclutados para la facción ya tenían información de lo que Jesús pretendía hacer.

Poder de Jesús sobre los espíritus inmundos, las dolencias y la enfermedad 1,21-34

²¹Llegaron a Cafarnaún y, cuando llegó el sábado, entró en la sinagoga y se puso a enseñar. ²²La gente estaba admirada de su enseñanza, porque les enseñaba con autoridad, y no como los maestros de la ley. ²³Había precisamente en la sinagoga un hombre con espíritu inmundo, que se puso a gritar: ²⁴«¿Qué tenemos nosotros que ver contigo, Jesús de Nazaret? ¿Has venido a destruirnos? ¡Sé quién eres: el Santo de Dios!». ²⁵Jesús lo increpó diciendo: «¡Cállate y sal de ese hombre!». ²⁶El espíritu inmundo lo retorció violentamente y, dando un fuerte alarido, salió de él. ²⁷Todos quedaron asombrados y se preguntaban unos a otros: «¿Qué es esto? ¡Una doctrina nueva llena de autoridad! ¡Manda incluso a los espíritus inmundos y éstos le obedecen!». ²⁸Pronto se extendió su fama por todas partes, en toda la región de Galilea.

²⁹Al salir de la sinagoga, Jesús se fue inmediatamente a casa de Simón y de Andrés, con Santiago y Juan. ³⁰La sue-

gra de Simón estaba en cama con fiebre. Le hablaron en seguida de ella, ³¹y él se acercó, la cogió de la mano y la levantó. La fiebre le desapareció y se puso a servirles.

³²Al atardecer, cuando ya se había puesto el sol, le llevaron todos los enfermos y endemoniados. ³³Toda la gente de la ciudad se agolpaba a la puerta. ³⁴El curó entonces a muchos enfermos de diversos males y expulsó a muchos demonios, pero a éstos no les dejaba hablar, pues sabían quién era.

◆ *Notas:* Marcos 1,21-34

1,21-27 Este texto ofrece el primero de una interesante serie de pasajes que a menudo han sido llamados corchetes o emparedados. El autor describe un escenario inicial (llamémoslo A: aquí, Jesús enseñando) para pasar a continuación a algo nuevo (llamémoslo B: aquí, las palabras del espíritu inmundo), y después concluye volviendo al escenario original (llamémoslo A': reacción de la muchedumbre a la enseñanza). El resultado es un efecto literario en forma de corchetes: A B A'. Al usar este artificio, parece ser que el autor pretende expresar la idea de simultaneidad: mientras Jesús enseñaba, el espíritu inmundo gritaba. Marcos nos ofrece pasajes de este tipo en 1,21-27; 3,20-35; 5,21-43; 6,7-31; 11,12-25. Numerosos intérpretes creen que el incidente externo trata de aclarar el interno, que a su vez vuelve a aclarar el externo.

1,21-22 Aparece una vez más el importantísimo problema de la autoridad. Las personas que no actuaban en consonancia con el grado de honor adquirido con el nacimiento llamaban de inmediato la atención en las comunidades del mundo mediterráneo. Como no se esperaba que el hijo de un artesano hablase en público, los oyentes de Jesús estaban admirados, quizás un poco conmocionados. Sin embargo, Marcos ya ha justificado a los ojos del lector esta forma de actuar de Jesús, al hablar de su altísimo grado de honor como Hijo de Dios. Ver las notas a 1,1 y 1,9-11.

1,23-27 ⇨ **Demonios/Posesión demoníaca,** 1,23-27 (cf. pág. 333). El poder de Jesús sobre el demonio demuestra que ocupa un grado más alto en la jerarquía cósmica que los poderes demoníacos. Los demonios gritan sobre todo para protegerse de Jesús, usando fórmulas y técnicas conocidas por quienes practicaban la magia. La técnica que vemos aquí es el uso de un nombre que constituye en realidad la verdadera identidad de Jesús (ver también Mc 3,11; 5,7). El poder y la posición de Jesús son entonces reconocidos por los espectadores de Cafarnaún (v. 27).

En la Antigüedad, los estereotipos sociales estaban codificados en nombres. El código proporcionaba al oyente todo lo necesario para situar a una persona en la escala del honor y le facilitaba instrucciones para las relaciones sociales. ⇨ **Personalidad diádica**, 8,27-30 (cf. pág. 376). El nombre «Jesús de Nazaret» codifica una información social que toda la gente de la región podía entender. Al seguir identificando a Jesús como el «Santo de Dios», el demonio reconoce otro estatus de Jesús que la muchedumbre pronto podrá comprobar en la práctica.

Encontramos aquí por vez primera el motivo del «secreto», tan importante en el evangelio de Marcos (1,25.34.44; 3,12; 5,43; 7,24.36; 8,30; 9,9.30). ⇨ **Secretos**, 4,10-20 (cf. pág. 398).

1,28 ⇨ **Cadenas de comentarios**, 1,45 (cf. pág. 324). La fama de Jesús recorre toda la región de donde era oriundo, donde la apelación Jesús «de Nazaret» (ver notas a 1,23-27) codificaba sin duda toda la información relativa al honor que cabía esperar de él. Los comentarios tienen dos propósitos: (1) informar a la comunidad del nuevo estatus de Jesús, y (2) volver a situar al hombre poseído en el lugar que ocupaba en la comunidad. En un caso, el honor ha sido conquistado; en el otro, restablecido. Ambos requieren el reconocimiento público. ⇨ **Sociedades con base en el honor-vergüenza**, 6,1-4 (cf. pág. 404).

1,29-31 Como en la Palestina del siglo I los matrimonios eran patrilocales, el hecho de que la suegra de Pedro estuviese en casa de éste puede significar que era viuda y que no quedaba con vida ningún miembro de su familia que pudiese ocuparse de ella. Tras ser curada, queda restablecido su lugar en la familia y se reasume el rol que desempeña en ella, un importante aspecto de los relatos de curación. ⇨ **Preocupación por la salud**, 5,21-24a (cf. pág. 381).

1,32-34 ⇨ **Demonios/Posesión demoníaca**, 1,23-27 (cf. pág. 333); y **Preocupación por la salud**, 5,21-24a (cf. pág. 381). Marcos observa con detalle que las curaciones tuvieron lugar tras la puesta del sol, es decir, después de acabar el shabbat. Aunque Marcos llama «ciudad» a Cafarnaún, se trataba sin duda de una población modesta. Ver cómo en el v. 33 toda la gente de la «ciudad» se agolpaba a la puerta de la casa de Pedro. Los residentes actúan como testigos para dar validez a los acontecimientos curativos. Descubrimos aquí por segunda vez el motivo del «secreto» en Marcos. El término usado, «ordenar severamente», es particularmente fuerte en griego. Jesús es inflexible. ⇨ **Secretos**, 4,10-20 (cf. pág. 398) y **La ciudad preindustrial** (cf. pág. 328).

Jesús libera a un leproso 1,35-45

³⁵Muy de madrugada, antes del amanecer, se levantó, salió, se fue a un lugar solitario y allí se puso a orar. ³⁶Simón y sus compañeros fueron en su busca. ³⁷Cuando lo encontraron, le dijeron: «Todos te buscan». ³⁸Jesús les contestó: «Vamos a otra parte, a los pueblos vecinos, para predicar también allí, pues para esto he venido». ³⁹Y se fue a predicar en sus sinagogas por toda Galilea, expulsando los demonios.

⁴⁰Se le acercó un leproso y le suplicó de rodillas: «Si quieres, puedes limpiarme». ⁴¹Jesús, compadecido, extendió la mano, lo tocó y le dijo: «Quiero, queda limpio». ⁴²Al instante le desapareció la lepra y quedó limpio. ⁴³Entonces lo despidió, advirtiéndole severamente: ⁴⁴«No se lo digas a nadie; vete, muéstrate al sacerdote y ofrece por tu purificación lo que mandó Moisés, para que les sirva de testimonio». ⁴⁵Él, sin embargo, tan pronto como se fue, se puso a divulgar a voces lo ocurrido, de modo que Jesús no podía ya entrar abiertamente en ninguna ciudad. Tenía que quedarse fuera, en lugares despoblados, y aun así seguían acudiendo a él de todas partes.

◆ *Notas:* Marcos 1,35-45

1,40-45 Levítico 13,45 especifica que los leprosos debían llevar las vestiduras rasgadas, dejar que el cabello les cayese suelto y gritar «impuro, impuro» cuando alguien se les acercaba. Debían vivir solos «fuera del campamento». Los leprosos solían pedir en las puertas de la ciudad durante las horas del día (ver 2 Re 7,3-9). Arrodillarse ante Jesús (v. 40) es el gesto típico de un cliente ante el patrón o el intermediario. ⇨ **El sistema de patronazgo en la Palestina romana**, 9,14-28 (cf. pág. 399). La acción de tocar a una persona enferma violaba las normas de pureza, y habría hecho a Jesús impuro. La verdadera lepra, la enfermedad de Hansen, era muy rara en la Palestina del siglo I; de ahí que el término se refiera probablemente aquí a enfermedades de la piel de distinto tipo (cf. Lv 13). Lv 14 contempla las ofrendas necesarias para que una persona pudiese reintegrarse en la comunidad. El término griego traducido frecuentemente aquí como «prueba» se puede tomar en el sentido habitual de «testimonio». El pronombre «les» se refiere a la comunidad en la que queda integrado el leproso curado. ⇨ **Preocupación por la salud**, 5,21-24a (cf. pág. 381).

1,45 A pesar de la petición de Jesús de que guardase silencio, el leproso sanado esparce la noticia de lo sucedido. Jesús ya no puede entrar en ninguna población de su propia región (quizás porque ha tocado a un leproso y ha quedado impuro; quizás también porque la gente ha empezado con habladurías agresivas). ⇨ **Cadenas de comentarios**, 1,45 (cf. pág. 324).

III. 2,1-3,6: Jesús desafía curando y comiendo

Controversia con los adversarios sobre la curación de un paralítico 2,1-12

2 ¹Después de algunos días entró de nuevo en Cafarnaún, y se corrió la voz de que estaba en casa. ²Acudieron tantos, que no cabían ni delante de la puerta. Jesús se puso a anunciarles el mensaje. ³Le llevaron entonces un paralítico entre cuatro. ⁴Pero, como no podían llegar hasta él a causa del gentío, levantaron la techumbre por encima de donde él estaba, abrieron un boquete y descolgaron la esterilla en que yacía el paralítico. ⁵Jesús, viendo la fe que tenían, dijo al paralítico: «Hijo, tus pecados te son perdonados». ⁶Unos maestros de la ley que estaban allí sentados comenzaron a pensar para sus adentros: ⁷«¿Cómo habla éste así? ¡Blasfema! ¿Quién puede perdonar los pecados sino sólo Dios?». ⁸Jesús, percatándose en seguida de lo que estaban pensando, les dijo: «¿Por qué pensáis eso en vuestro interior? ⁹¿Qué es más fácil? ¿Decir al paralítico: 'Tus pecados te son perdonados'; o decirle: 'Levántate, carga con tu esterilla y vete'? ¹⁰Pues vais a ver que el Hijo del hombre tiene en la tierra poder para perdonar los pecados». Entonces se volvió hacia el paralítico y le dijo: ¹¹«Levántate, toma tu esterilla y vete a tu casa». ¹²El paralítico se puso en pie, cargó en seguida con la esterilla y salió a la vista de todos, de modo que todos se quedaron maravillados y daban gloria a Dios diciendo: «Nunca hemos visto cosa igual».

◆ Notas: Marcos 2,1-12

2,1-12 Observemos que Jesús actúa aquí como un sanador tradicional, abordando antes la condición de doliente (perdón: reincorporación a la comunidad) que la condición de enfermo. Se ve con especial claridad en el uso del apelativo «hijo» por parte de Jesús (v. 5). Trata así de reconducir al hombre a su propia comunidad familiar. ⇨ **Familia subrogada**, 3,31-35 (cf. pág. 351). Jesús y sus antagonistas se enredan después en un intercambio desafío-respuesta, del que Jesús sale victorioso como resultado de la curación.

2,1 La cadena de comentarios funciona a la perfección. Ver las notas a 1,45. La noticia de que Jesús está en casa, como otras muchas referencias «geográficas» del texto, define seguramente más el espacio social que la localización física. Jesús está ahora donde todo el mundo sabe exactamente quién es. Tras este detalle, el autor pasa a presentar un bloque de cinco escenas:

A 2,1-12 dentro, v. 11: levántate		curación
B 2,13-17 fuera, v. 17: proverbio cristológico		comida
C 2,18-22 sin lugar específico, tema del ayuno y de lo nuevo		
B' 2,23-28 fuera, v. 27: proverbio cristológico		comida
A' 3,1-6 dentro, v. 3: levántate y ponte en medio		curación

Mientras que 1,1-15 forma el prólogo del evangelio y 1,16-45 describe un día en la vida del maestro, 2,1-3,6 constituye un bloque de cinco escenas.

2,4 El término «esterilla» (cf. el uso del término «cama» en Mateo y Lucas) se refiere específicamente a la alfombrilla usada por la gente pobre para dormir. Se enrollaba durante el día para dejar espacio en las casas de una sola habitación donde vivían los pobres. Si alguien quería viajar, los trastos necesarios para el viaje eran envueltos en la esterilla, que así servía de maleta y al mismo tiempo de «cama» portátil. El uso que hace Marcos de esta terminología nos habla del nivel social de su comunidad, o puede que sea un reflejo del uso de la tradición anterior. El cambio de la terminología en Mateo y Lucas (que probablemente tomaron este relato de Marcos) es socialmente importante y puede muy bien ser un eco del nivel social de sus respectivas audiencias.

2,5 Es digno de tener en cuenta que es la fe de un grupo de amigos más que la del enfermo la que mueve a Jesús a intervenir. ⇨ Fe, 11,22-26 (cf. pág. 353). Los cuatro amigos demuestran su lealtad para con Jesús a la vista de la comunidad. Marcos redacta con cuidado las palabras sobre el perdón. Quien perdona es Dios, Patrón divino. Jesús actúa como intermediario. Ver más abajo nota a 2,10; ver también más arriba la nota a 2,1-12, sobre el uso del término «hijo» (⇨ **Perdón de los pecados**, 11,22-26; cf. pág. 375).

2,8-9 El hombre honorable tenía un afinado sentido de la vergüenza. Hablamos de una vergüenza positiva, es decir, de una sensibilidad hacia la propia posición de honor en la comunidad y de una fina percepción para descubrir cuándo era o no era desafiada esa posición. El éxito en el juego desafío-respuesta exigía absolutamente ese tipo de sensibilidad. Jesús presiente aquí el desafío y lo aborda de frente. ⇨ **Desafío-Respuesta**, 2,1-12 (cf. pág. 336); y, más importante, **Sociedades con base en el honor-vergüenza**, 6,1-4 (cf. pág. 404). La acción de devolver al hombre a un estado en el que pudiese funcionar normalmente (prioritario en nuestra sociedad) sería considerado por aquella gente más fácil que devolverle a un estado de dignidad y rango en la comunidad. ⇨ **Preocupación por la salud**, 5,21-24a (cf. pág. 381).

2,10 Numerosas veces en los evangelios pronuncia Jesús las palabras «te perdono». En cambio, como ocurre en 2,5, Marcos tiene cuidado en mostrar que es Dios quien perdona, y que Jesús actúa como intermediario del perdón del Patrón. Los patronos se ausentaban con frecuencia y designaban intermediarios para que repartiesen favores en su nombre. Lo que se cuestiona en el desafío lanzado a Jesús, y lo que éste demuestra con su atinada respuesta, es que está autorizado para actuar como intermediario, designado por el propio Dios. ⇨ **El sistema de patronazgo en la Palestina romana**, 9,14-28 (cf. pág. 399).

2,11 Al decir al paralítico, ya curado, que se vaya a casa, Jesús lo devuelve a su comunidad. Su dolencia ha sido sanada junto con su enfermedad. ⇨ **Preocupación por la salud**, 5,12-24a (cf. pág. 381).

2,12 Como es lo propio, la alabanza va dirigida al Patrón, Dios, más que al intermediario, Jesús. Ver arriba nota a 2,10.

Jesús recluta pecadores y se asocia con ellos 2,13-17

[13]Jesús volvió a la orilla del lago. Toda la gente acudía a él, y él les enseñaba. [14]Al pasar vio a Leví, el hijo de Alfeo, que estaba sentado en su oficina de impuestos, y le dijo: «Sígueme». El se levantó y lo siguió.

[15]Después, mientras Jesús estaba sentado a la mesa en casa de Leví, muchos publicanos y pecadores se sentaron con él y sus discípulos, pues eran ya muchos los que lo seguían. [16]Los maestros de la ley del partido de los fariseos, al ver que Jesús comía con pecadores y publicanos, decían a sus discípulos: «¿Por qué come con publicanos y pecadores?». [17]Jesús lo oyó y les dijo: «No necesitan médico los sanos, sino los enfermos. Yo no he venido a llamar a justos, sino a pecadores».

◆ *Notas:* Marcos 2,13-17

2,13-14 El término griego *telones* se refiere a los recaudadores de impuestos empleados por quienes servían directamente a los romanos en la recaudación de tasas sobre el movimiento de mercancías. Muchos de tales recaudadores, si no todos, seguían siendo pobres. Quienes no lo eran, tenían fama generalizada de fraudulentos. ⇨ **Recaudadores de impuestos (de aduanas)**, 2,13-17 (cf. pág. 386).

2,15-17 Recaudadores de impuestos y otras personas a quienes se suponía no observantes de la Torá de Dios aparecen normalmente en compañía de Jesús. ⇨ **Recaudadores de impuestos (de aduanas)**, 2,13-17 (cf. pág. 386). No habría que dar un sentido paulino al término «pecadores», pues designa a quienes viven apartados de la comunidad por el motivo sea. Las comidas eran momentos en los que las reglas de pureza eran tomadas muy en serio por los miembros de la casa de Israel interesados en mantenerse separados de extragrupos. ⇨ **Comidas**, 2,15-17 (cf. pág. 331). Como la vida privada era inexistente en los pueblos, es de suponer que fariseos y escribas estuvieran al tanto de la comida que tenía lugar en casa de Leví. ⇨ **Pureza/Contaminación**, 7,1-13 (cf. pág. 383), especialmente los comentarios sobre los mapas de las comidas. Era el mapa esencial de la cultura israelita en expresión farisaica.

El comentario de v. 16 constituye claramente un desafío al honor. Aquí va dirigido a los discípulos de Jesús, parte de su intragrupo. ⇨ **Intragrupo y extragrupo**, 2,16 (cf. pág. 358). Jesús responde en forma de proverbio, una manera de contestar especialmente honorable. La enfermedad sirve de analogía a la posición de recaudadores de impuestos y de pecadores; la medicina necesaria es el arrepentimiento. Está claro que aquí no se trata de una enfermedad, sino de una dolencia, es decir, de la pérdida de significado y de espacio en la comunidad. ⇨ **Preocupación por la salud**, 5,21-24a (cf. pág. 381).

Controversia sobre el ayuno 2,18-22

[18]Un día en que los discípulos de Juan y los fariseos ayunaban, fueron a decir a Jesús: «¿Por qué los discípulos de Juan y los discípulos de los fariseos ayunan y los tuyos no?». [19]Jesús les contestó: «¿Pueden acaso ayunar los invitados a la boda mientras el novio está con ellos? Mientras el novio está con ellos, no tiene sentido que ayunen. [20]Llegará un día en que el novio les será arrebatado. Entonces ayunarán.

[21]Nadie cose un remiendo de paño nuevo en un vestido viejo, porque lo añadido tirará de él, lo nuevo de lo viejo, y el rasgón se hará mayor. [22]Nadie echa tampoco vino nuevo en odres viejos, porque el vino reventará los odres, y se perderán vino y odres. El vino nuevo, en odres nuevos».

◆ *Notas:* Marcos 2,18-22

2,18-22 ⇨ **Ayuno**, 2,18 (cf. pág. 323). La pregunta del v. 18 es un desafío negativo que permite aclarar las prácticas de Jesús a los lectores de Marcos. Lucas habla de la práctica común entre los fariseos de ayunar los lunes y los jueves (18,12), aunque el único ayuno prescrito por la ley era el del Día de la Expiación. Ayunar en una boda, es decir, negarse a participar plenamente en la celebración, sería un grave insulto, pues implicaría desaprobar el matrimonio que estaba teniendo lugar.

Disputas sobre el mapa de los tiempos 2,23-3,6

[23]Un sábado pasaba Jesús por entre los sembrados, y sus discípulos comenzaron a arrancar espigas según pasaban.

[24]Los fariseos le dijeron: «¿Te das cuenta de que hacen en sábado lo que no está permitido?». [25]Jesús les respondió:

«¿No habéis leído nunca lo que hizo David cuando tuvo necesidad y sintió hambre él y los que lo acompañaban? ²⁶¿Cómo entró en la casa de Dios en tiempos del sumo sacerdote Abiatar, comió de los panes de la ofrenda, que sólo a los sacerdotes les era permitido comer, y se los dio además a los que iban con él?». ²⁷Y añadió: «El sábado ha sido hecho para el hombre, y no el hombre para el sábado. ²⁸Así que el Hijo del hombre también es señor del sábado».

3 ¹Entró de nuevo en la sinagoga y había allí un hombre que tenía la mano atrofiada. ²Lo estaban espiando para ver si lo curaba en sábado, y tener así un motivo para acusarlo. ³Jesús dijo entonces al hombre de la mano atrofiada: «Levántate y ponte ahí en medio». ⁴Y a ellos les preguntó: «¿Qué está permitido en sábado: hacer el bien o hacer el mal; salvar una vida o destruirla?». Ellos permanecieron callados. ⁵Mirándolos con indignación y apenado por la dureza de su corazón, dijo al hombre: «Extiende la mano». Él la extendió, y su mano quedó restablecida. ⁶En cuanto salieron, los fariseos se confabularon con los herodianos para planear el modo de acabar con él.

◆ *Notas:* Marcos 2,23-3,6

2,23-28 La pregunta formulada presupone una solidaridad familiar entre Jesús y sus discípulos. También constituye un desafío al que Jesús debe responder si no quiere perder su honor. La observancia del sábado era una de las características fundamentales de la casa de Israel, que la distinguían de otros grupos de entonces. Por eso, un desafío sobre ese tema no era ninguna broma. ⇨ **Pureza/ Contaminación**, 7,1-13, mapa de los tiempos (cf. pág. 383). Según entienden los adversarios de Jesús, ha sido violado el punto principal del mapa de los tiempos.

3,1-6 ⇨ **Pureza/Contaminación**, 7,1-13 (cf. pág. 383). En este escenario se pone de nuevo sobre el tapete el asunto del mapa de los tiempos (como en 2,23-28), que tiene más importancia que la curación en sí. El sentido de la vergüenza por parte de Jesús, es decir, su sensibilidad ante los desafíos a su honor, es realmente acusado. La tensión creada por la espera del desafío y el modo dramático en que responde Jesús muestran una vez más que era un maestro en el juego desafío-respuesta. ⇨ **Desafío-Respuesta**, 2,1-12 (cf. pág. 336). Al decir al hombre que se pusiera en medio pretendía que todos pudieran contemplar la curación como una respuesta al desafío de que era objeto. Al verse derrotados, es normal que sus adversarios se enfureciesen hasta el punto de planear la muerte de Jesús «en satisfacción» por la vergüenza que habían soportado (⇨ **Dieta**, 2,23-28; cf. pág. 339).

IV. 3,7-8,26: En compañía de Jesús y sus discípulos junto al Lago

Aumenta la fama del honor de Jesús como Hijo de Dios 3,7-12

[7]Jesús se retiró con sus discípulos hacia el lago y lo siguió una gran muchedumbre de Galilea. También de Judea, [8]de Jerusalén, de Idumea, de Transjordania y de la región de Tiro y Sidón acudió a él una gran multitud, al oír hablar de lo que hacía. [9]Como había mucha gente, encargó a sus discípulos que le preparasen una barca, para que no lo estrujaran. [10]Pues había curado a muchos, y cuantos padecían dolencias se le echaban encima para tocarlo. [11]Los espíritus inmundos, cuando lo veían, se postraban ante él y gritaban: «Tú eres el Hijo de Dios». [12]Pero él les prohibía enérgicamente que lo descubriesen.

◆ *Notas:* Marcos 3,7-12

3,7-12 A partir de 3,7, y hasta 8,26, el gran escenario del relato es el lago; ver 3,7.9; 4,35; 5,1.21; 6,32.45.53; 8,10.14.

El comentario del v. 7 de que Jesús «se retiró» implica apartarse del peligro. Sin embargo, la información sobre la gran afluencia de gente desde distintas y numerosas regiones indica que su fama se había extendido de boca en boca. La cadena de comentarios resulta eficaz. ⇨ **Cadenas de comentarios,** 1,45 (cf. pág. 324). La buena fama era importantísima en las sociedades orales, pues con ella crecía también la autoridad para hablar y actuar. Vemos aquí que el mensaje de Jesús va siendo aceptado, a pesar de que su autoridad podía ser cuestionada debido a su lugar de origen y a su nivel social. Ver notas a 1,1 y 1,9-11.

A pesar de la fama, nos encontramos una vez más con el motivo del secreto. Jesús insiste en que sus pretensiones de honor supremo (Hijo de Dios) no se den a conocer a los de fuera. ⇨ **Secretos,** 4,10-20 (cf. pág. 398).

Consolidación del núcleo de la facción de Jesús 3,13-19

[13]Subió después al monte, llamó a los que quiso y se acercaron a él. [14]Designó entonces a doce, a los que llamó apóstoles, para que lo acompañaran y para enviarlos a predicar [15]con poder de expulsar a los demonios. [16]Designó a estos doce: a Simón, a quien dio el sobrenombre de Pedro; [17]a Santiago, el hijo de Zebedeo, y a su hermano Juan, a quienes dio el sobrenombre de Boanerges, es decir, hijos del trueno; [18]a Andrés, Felipe, Bartolomé, Mateo, Tomás, Santiago el hijo de Alfeo, Tadeo, Simón el cananeo [19]y Judas Iscariote, el que lo entregó.

◆ *Notas:* Marcos 3,13-19

3,13-19 ⇨ **Coaliciones/Facciones,** 3,13-19 (cf. pág. 329). La llamada y el encargo a los Doce de predicar y expulsar demonios, actividades semejantes a las del propio Jesús, indican que está designando a los Doce como intermediarios a los que otros pueden acudir en busca del favor de Dios. ⇨ **El sistema de patronazgo en la Palestina romana,** 9,14-28 (cf. pág. 399).

3,17 Jesús da a los hijos de Zebedeo el apodo de «hijos del trueno». Dado que los semitas en general concebían el trueno como la voz de la divinidad, este apodo significaría algo así como «receptores de la voz de Dios».

Acusaciones de desvío lanzadas contra Jesús 3,20-30

²⁰Volvió a casa, y de nuevo se reunió tanta gente que no podían ni comer. ²¹Sus parientes, al enterarse, fueron para llevárselo, pues la gente decía que estaba trastornado. ²²Los maestros de la ley que habían bajado de Jerusalén decían: «Tiene dentro a Belzebú». Y añadían: «Con el poder del príncipe de los demonios expulsa a los demonios». ²³Jesús los llamó y les propuso estas parábolas: «¿Cómo puede Satanás expulsar a Satanás? ²⁴Si un reino está dividido contra sí mismo, ese reino no puede subsistir. ²⁵Si una casa está dividida contra sí misma, esa casa no puede subsistir. ²⁶Si Satanás se ha rebelado contra sí mismo y está dividido, no puede subsistir, sino que está llegando a su fin. ²⁷Nadie puede entrar en la casa de un hombre fuerte y saquear su ajuar, si primero no ata al fuerte; sólo entonces podrá saquear su casa.

²⁸Os aseguro que todo se les podrá perdonar a los hombres, los pecados y cualquier blasfemia que digan, ²⁹pero el que blasfeme contra el Espíritu Santo no tendrá perdón jamás; será reo de pecado eterno». ³⁰Decía esto porque le acusaban de estar poseído por un espíritu inmundo.

◆ *Notas:* Marcos 3,20-30

3,20-30 Es importante observar que Marcos sitúa esta escena en presencia de una muchedumbre. La acusación de desvío debe recibir el visto bueno de la opinión pública para cargar con ella. ⇨ **Acusación de desvío,** 3,22-27 (cf. pág. 319).

3,20-21 El término griego traducido aquí por «llevárselo» sugiere una acción decidida y enérgica. Como todos los miembros de una familia tenían que estar constantemente alerta para que la conducta de un miembro no dañase el honor de todos, el comentario sobre la intención de la familia de Jesús de llevárselo sugiere que el resto de los parientes veían su honor amenazado.

3,22-27 En la Antigüedad se esperaba que la gente actuase conforme al estatus de honor públicamente reconocido. Las personas que no actuaban así (Jesús, Pablo) eran acusados de desviados, al menos que pudieran aducir a su favor alguna justificación inhabitual («¿Con qué autoridad haces estas cosas? ¿Quién te ha dado autoridad para actuar así?», Mc 11,28). Aquí sus adversarios acusan a Jesús de desvío, al pensar que la fuente de su inesperado poder es Satán. Se enfrenta así a una seria respuesta (⇨ **Desafío-Respuesta**, 2,1-12; cf. pág. 336) en presencia de la multitud, tratando de invalidar la acusación demostrando que es absurda. Tal agudeza retórica era muy apreciada como virtud masculina. ⇨ **Acusación de desvío**, 3,22-27 (cf. pág. 319).

3,28-30 «Blasfemia» es un término griego no traducido, sino simplemente reproducido en el alfabeto romano. Significa deshonrar y ultrajar a una persona de palabra. «Espíritu», como es habitual, significa actividad, conducta, acción. Por tanto, «Espíritu Santo» se refiere a la actividad de Dios, a lo que Dios está haciendo. Aquí el ultraje consiste en que, al evaluar la inesperada conducta de Jesús y dado su estatus social, sus adversarios la atribuyen a un espíritu inmundo y no a un espíritu santo. Atribuyen a Satán la acción de Dios. Nunca se podrá perdonar hablar mal de Dios e insultarle identificando su actividad con la de los espíritus inmundos. Lo que más molestaba a los adversarios de Jesús es que dijese que Dios perdonaba los pecados, que el hombre tenía a su alcance la reconciliación con Dios y con los demás. Negaban que Jesús pudiese legítimamente afirmar tal cosa de parte de Dios, excluyéndose por tanto a sí mismos del perdón.

Bases de la nueva familia subrogada de Jesús 3,31-35

[31]Llegaron su madre y sus hermanos y, desde fuera, lo mandaron llamar. [32]La gente estaba sentada a su alrededor, y le dijeron: «¡Oye! Tu madre, tus hermanos y tus hermanas están fuera y te buscan». [33]Jesús les respondió: «¿Quiénes son mi madre y mis hermanos?». [34]Y mirando entonces a los que estaban sentados a su alrededor, añadió: «Éstos son mi madre y mis hermanos. [35]El que cumple la voluntad de Dios, ése es mi hermano, mi hermana y mi madre».

◆ *Notas:* Marcos 3,31-35

3,31-35 ⇨ **Familia subrogada**, 3,31-35 (cf. pág. 351). Este texto es casi programático en Marcos (lo mismo que para los otros evangelistas), que ve cómo la buena nueva va creando una nueva familia, formada por quienes aceptan el mensaje de Jesús y demuestran así su lealtad al Padre. Se trata de un decidido alejamiento del templo o de la familia biológica, así como del entramado social del que dependían. ⇨ **Parentesco**, 1,9-11 (cf. pág. 374).

Parábola de la siembra e interpretación para los del grupo
4,1-20

4 ¹De nuevo se puso a enseñar junto al lago. Acudió a él tanta gente, que tuvo que subir a una barca que había en el lago y se sentó en ella, mientras toda la gente permanecía en tierra, a la orilla del lago. ²Les enseñaba muchas cosas por medio de parábolas. ³Les decía: «¡Escuchad! Salió el sembrador a sembrar. ⁴Y sucedió que, al sembrar, parte de la semilla cayó al borde del camino. Vinieron las aves y se la comieron. ⁵Otra parte cayó en terreno pedregoso, donde no había mucha tierra; brotó en seguida, porque la tierra era poco profunda, ⁶pero en cuanto salió el sol se agostó y se secó porque no tenía raíz. ⁷Otra parte cayó entre cardos, pero los cardos crecieron, la ahogaron y no dio fruto. ⁸Otra parte cayó en tierra buena y creció, se desarrolló y dio fruto: el treinta, el sesenta, y hasta el ciento por uno». ⁹Y añadió: «¡Quien tenga oídos para oír, que oiga!».

¹⁰Cuando quedó a solas, los que lo seguían y los doce le preguntaron sobre las parábolas. ¹¹Jesús les dijo: «A vosotros se os ha comunicado el misterio del reino de Dios, pero a los de fuera todo les resulta enigmático, ¹²de modo que:

por más que miran, no ven,
y, por más que oyen, no entienden;
a no ser que se conviertan
y Dios los perdone».

¹³Y añadió: «¿No entendéis esta parábola? ¿Cómo vais a comprender entonces todas las demás? ¹⁴El sembrador siembra el mensaje. ¹⁵La semilla sembrada al borde del camino se parece a aquellos en quienes se siembra el mensaje, pero en cuanto lo oyen viene Satanás y les quita el mensaje sembrado en ellos. ¹⁶Lo sembrado en terreno pedregoso se parece a aquellos que, al oír el mensaje, lo reciben en seguida con alegría, ¹⁷pero no tienen raíz en sí mismos; son inconstantes y, en cuanto sobreviene una tribulación o persecución por causa del mensaje, sucumben. ¹⁸Otros se parecen a lo sembrado entre cardos. Son esos que oyen el mensaje, ¹⁹pero las preocupaciones del mundo, la seducción del dinero y la codicia de todo lo demás los invaden, ahogan el mensaje y éste queda sin fruto. ²⁰Lo sembrado en tierra buena se parece a aquellos que oyen el mensaje, lo acogen y dan fruto: uno treinta, otro sesenta y otro ciento».

◆ *Notas:* Marcos 4,1-20

4,1-9 La mayor parte de los actuales investigadores sostienen que la interpretación de la parábola tiene poco que ver con un futuro remoto. En el contexto de la actividad de Jesús, se trata simplemente de una historia de labradores. Los campesinos que la oyesen pensarían que un sembrador tan poco cuidadoso sería un modesto terrateniente; es decir, lo considerarían negativamente. Pero, si esto fuera así, la parábola perdería su sentido. Si, por el contrario, la gente se imaginase a un aparcero o un agricultor arrendatario luchando contra condiciones hostiles, es decir, si lo percibieran con benevolencia, entonces la conexión con Dios como proveedor generoso tendría el carácter de buena nueva. La superproducción de la que habla la parábola es un ejemplo típico de hipérbole parabólica. La producción normal se situaba entre el doble y el quíntuple.

En una sociedad de bienes limitados en la que las ganancias de uno eran interpretadas como pérdidas en otro, la ganancia era siempre considerada un robo. Entre los campesinos, las excepciones eran la producción de cereales, la producción ganadera y los hijos. Se pensaba que eran un don de Dios.

4,10-20 El uso que hace Marcos de la cita de Isaías (v. 12) para sugerir que Jesús oscurecía deliberadamente su enseñanza a los de fuera del grupo, hace que este pasaje sea considerado por los intérpretes como uno de los más difíciles del Nuevo Testamento. ⇨ **Intragrupo y extragrupo**, 2,16 (cf. pág. 358). La explicación de la parábola a los miembros del grupo en los versículos siguientes palía el problema. Sean cuales sean las conclusiones que se deduzcan, lo importante es reconocer que la diferencia de lenguaje para los de dentro y los de fuera constituye un rasgo permanente en las sociedades con base en el honor-vergüenza. ⇨ **Secretos**, 4,10-20 (cf. pág. 398).

En la interpretación que ofrece Marcos (seguido por Mateo y Lucas), escrita quizás en una ciudad para una audiencia urbana, el evangelista construye el relato pensando precisamente en gente de ciudad más que en campesinos.

Advertencias a los de dentro sobre la actitud en la escucha 4,21-25

[21]Les decía también: «¿Acaso se trae la lámpara para taparla con una vasija de barro o ponerla debajo de la cama? ¿No es para ponerla sobre el candelero? [22]Pues nada hay oculto que no haya de ser descubierto; nada secreto que no haya de ponerse en claro. [23]¡Quien tenga oídos para oír, que oiga!». [24]Les decía además: «Prestad atención a lo que escucháis. Con la medida con que vosotros midáis, Dios os medirá, y con creces. [25]Pues al que tenga se le dará, y al que no tenga se le quitará incluso lo que tiene».

◆ *Notas:* Marcos 4,21-25

4,21-23 El hecho de que la luz sea traída a la casa indica que continúa el motivo de la iluminación de los de dentro. Se asegura a éstos que no se les ocultará ningún secreto. Ver nota a 4,10-20.

4,24-25 La medida está en relación con los juicios, generalmente con los juicios negativos, es decir, con la actitud de condenar a los demás. En las sociedades basadas en el honor-vergüenza, tal juicio negativo está en relación con los estereotipos. Las etiquetas (pecador, recaudador de impuestos, mujer de la calle, hijo de artesano) encasillaban a la gente: determinaban su estatus y controlaban sus relaciones con los demás.

Presentaciones del reino de Dios: crecimiento otorgado por Dios, patrón generoso 4,26-34

²⁶Decía también: «Sucede con el reino de Dios lo que con el grano que un hombre echa en la tierra. ²⁷Duerma o vele, de noche o de día, el grano germina y crece, sin que él sepa cómo. ²⁸La tierra da fruto por sí misma: primero hierba, luego espiga, después trigo abundante en la espiga. ²⁹Y cuando el fruto está a punto, en seguida se mete la hoz, porque ha llegado la siega».

³⁰Proseguía diciendo: «¿Con qué compararemos el reino de Dios o con qué parábola lo expondremos? ³¹Sucede con él lo que con un grano de mostaza. Cuando se siembra en la tierra, es la más pequeña de todas las semillas. ³²Pero, una vez sembrada, crece, se hace mayor que cualquier hortaliza y echa ramas tan grandes que las aves del cielo pueden anidar a su sombra».

³³Con muchas parábolas como éstas Jesús les anunciaba el mensaje, acomodándose a su capacidad de entender. ³⁴No les decía nada sin parábolas. A sus propios discípulos, sin embargo, se lo explicaba todo en privado.

◆ *Notas:* Marcos 4,26-34

4,26-29 Esta parábola es exclusiva de Marcos y tiene una enseñanza parecida a la de la parábola del sembrador (4,3-9) cuando la leemos como una simple historia de agricultores. En una sociedad de bienes limitados, donde se pensaba que las ganancias de unos implicaban pérdidas en otros, la ganancia era siempre considerada un robo. La única excepción a esta regla entre los agricultores era la «producción orgánica», es decir, producción de animales, producción de cereales e hijos. Todo esto era considerado un misterioso pero bienvenido don de Dios. ⇨ **Ricos, pobres y bienes limitados,** 11,17 (cf. pág. 393).

4,30-33 Continúa el motivo del crecimiento gracioso otorgado por Dios. Ver notas a 4,1-9 y 4,26-29.

4,33 Se sigue manteniendo la distinción entre los de dentro y los de fuera. ⇨ **Secretos,** 4,10-20, y notas (cf. pág. 398).

Poder de Jesús sobre la naturaleza 4,35-41

³⁵Aquel mismo día, al caer la tarde, les dijo: «Pasemos a la otra orilla». ³⁶Ellos dejaron a la gente y lo llevaron en la barca, tal como estaba. Otras barcas lo acompañaban. ³⁷Se levantó entonces una fuerte borrasca y las olas se abalanzaban sobre la barca, de suerte que la barca estaba ya a punto de hundirse. ³⁸Jesús estaba a popa, durmiendo sobre el cabezal, y lo despertaron diciéndole: «Maestro, ¿no te importa que perezcamos?». ³⁹El se levantó, increpó al viento y dijo al lago: «¡Cállate! ¡Enmudece!». El viento amainó y sobrevino una gran calma. ⁴⁰Y a ellos les dijo: «¿Por qué sois tan cobardes? ¿Todavía no tenéis fe?». ⁴¹Ellos se llenaron de un gran temor y se decían unos a otros: «¿Quién es éste, que hasta el viento y el lago le obedecen?».

♦ *Notas:* **Marcos 4,35-41**

4,35-41 Sentir abiertamente miedo, como los discípulos aquí, sería una grave pérdida de honor para un hombre del Mediterráneo, si es que ese miedo llegase a oídos de alguien ajeno al grupo. Habría que añadir a esto la frecuente caracterización que ofrece Marcos de los discípulos como obtusos y tardos para entender. La pregunta de los discípulos en v. 41 no se refiere a la «identidad», como podría pensar un lector moderno. Se refiere al estatus o al honor. Los discípulos se preguntan por el puesto que ocupa Jesús en la jerarquía de los poderes (⇨ **Demonios/Posesión demoníaca**, 1,23-27; cf. pág. 333), dado que «hasta el viento y el lago le obedecen».

Poder de Jesús sobre la legión de demonios 5,1-20

5 ¹Llegaron a la otra orilla del lago, a la región de los gerasenos. ²En cuanto saltó Jesús de la barca, le salió el encuentro de entre los sepulcros un hombre poseído por un espíritu inmundo. ³Tenía su morada entre los sepulcros y ni con cadenas podía ya nadie sujetarlo. ⁴Muchas veces había sido atado con grilletes y cadenas, pero él había roto las cadenas y había hecho trizas los grilletes. Nadie podía dominarlo. ⁵Continuamente, noche y día, andaba entre los sepulcros y por los montes, dando gritos e hiriéndose con piedras. ⁶Al ver a Jesús desde lejos, echó a correr y se postró ante él, ⁷gritando con todas sus fuerzas: «¿Qué tengo yo que ver contigo, Jesús, Hijo del Dios Altísimo? Te conjuro por Dios que no me atormentes». ⁸Es que Jesús le estaba diciendo: «Espíritu inmundo, sal de este hombre». ⁹Entonces le preguntó: «¿Cómo te llamas?». El le respondió: «Legión es mi nombre, porque somos muchos». ¹⁰Y le rogaba insistentemente que no los echara fuera de la región. ¹¹Había allí cerca una gran piara de cerdos, que estaban hozando al pie del monte, ¹²y

los demonios rogaron a Jesús: «Envíanos a los cerdos para que entremos en ellos». ¹³Jesús se lo permitió. Los espíritus inmundos salieron, entraron en los cerdos, y la piara se lanzó al lago desde lo alto del precipicio, y los cerdos, que eran unos dos mil, se ahogaron en el lago. ¹⁴Los porquerizos huyeron y lo contaron por la ciudad y por los caseríos. La gente fue a ver lo que había sucedido. ¹⁵Llegaron donde estaba Jesús y, al ver al endemoniado que había tenido la legión sentado, vestido y en su sano juicio, se llenaron de temor. ¹⁶Los testigos les contaron lo ocurrido con el endemoniado y con los cerdos. ¹⁷Entonces comenzaron a suplicarle que se alejara de su territorio. ¹⁸Al subir a la barca, el que había estado endemoniado le pedía que le dejase ir con él. ¹⁹Pero no le dejó, sino que le dijo: «Vete a tu casa con los tuyos, y cuéntales todo lo que el Señor ha hecho contigo y cómo ha tenido compasión de ti». ²⁰El se fue y se puso a publicar por la región de la Decápolis lo que Jesús había hecho con él, y todos se quedaban maravillados.

♦ *Notas:* **Marcos 5,1-20**

5,1-20 Las personas que exhibían una conducta desviada o que demostraban poderes anormales en un ser humano, eran consideradas peligrosas. Eran impredecibles y a menudo escapaban al control de la comunidad. Generalmente estaban condenadas al ostracismo, al margen de la vida comunitaria. ⇨ **Demonios/Posesión demoníaca**, 1,23-27 (cf. pág. 333). Un documento judío tardío describe cuatro pruebas habituales para detectar la locura: (1) pasar la noche junto a una tumba; (2) rasgarse la ropa; (3) caminar sin rumbo de noche; (4) destruir las cosas recibidas de los demás. Los cuatro puntos están presentes en nuestro caso. La conducta anormal era atribuida con frecuencia a una implicación en relaciones anormales (en este caso con espíritus inmundos).

5,6-7 El verbo griego usado aquí, traducido a menudo por «adorar», puede significar humillarse ante la divinidad. Pero en nuestro contexto significa probablemente «postrarse». ⇨ **El sistema de patronazgo en la Palestina romana**, 9,14-28 (cf. pág. 399). No está claro, sin embargo, si hemos de considerar este movimiento como una acción del hombre poseído o del demonio poseedor. Arrojarse ante los pies de un patrón era el gesto típico de los clientes que solicitaban algún favor. Si éste es el caso aquí, el hombre está pidiendo a Jesús que lo cure. Al mismo tiempo, tal postración era un modo de reconocer a un superior. Si atribuimos la postración al demonio, entonces está reconociendo que Jesús ocupa un lugar más alto que los demonios en la jerarquía cósmica. Se confiesa esto claramente en el v. 7, que entonces estaría perfectamente en consonancia con el acto de la postración (acciones ambas realizadas por el demonio); o bien la confesión está desvinculada de la postración, entendiendo ésta como una solicitud de curación por parte del hombre poseído.

5,9-17 Poder usar un nombre significa poder controlar lo nombrado. Jesús lo pide y el demonio obedece. Presumiblemente la piara era propiedad de un gentil, lo que podría indicar que nos encontramos en territorio de gentiles. Esto, unido a la alusión a las legiones romanas (que a ninguna persona de la Palestina ocupada pasaría desapercibido), puede responder al punto de vista local sobre la intrusión de la cultura helenista y la incursión demoníaca de Roma. También esto puede explicar la reacción de la gente de la ciudad. Jesús les asustó, pues su actuación implicaba quizás una amenaza disruptiva al orden romano establecido en la región.

5,18-20 Como ha recuperado su honor gracias a Jesús, el hombre sanado desea quedarse con él como cliente. Pero Jesús lo envía a su casa. El término griego especifica tanto el propio domicilio como la red social más amplia de la que el hombre forma parte. Jesús dirige también su atención a quien realmente se debe el honor:

Dios, Patrón generoso. Sin embargo, el hombre no sigue las instrucciones, pues confiere honor a Jesús en vez de a Dios. ⇨ **El sistema de patronazgo en la Palestina romana**, 9,14-28 (cf. pág. 399).

Jesús libera a una muchacha y a una mujer con hemorragias 5,21-43

[21]Al regresar Jesús, mucha gente se aglomeró junto a él a la orilla del lago. [22]Entonces llegó uno de los jefes de la sinagoga, llamado Jairo. Al ver a Jesús, se echó a sus pies [23]y le suplicaba con insistencia, diciendo: «Mi niña está agonizando; ven a poner las manos sobre ella para que se cure y viva». [24]Jesús se fue con él.

Mucha gente lo seguía y lo estrujaba. [25]Una mujer, que padecía hemorragias desde hacía doce años [26]y que había sufrido mucho con los médicos y había gastado todo lo que tenía sin provecho alguno, yendo más bien a peor, [27]oyó hablar de Jesús, se acercó por detrás entre la gente y tocó su manto. [28]Pues se decía: «Si logro tocar aunque sólo sea sus vestidos, quedaré curada». [29]Inmediatamente se secó la fuente de sus hemorragias, y sintió que estaba curada del mal. [30]Jesús se dio cuenta en seguida de la fuerza que había salido de él, se volvió en medio de la gente y preguntó: «¿Quién ha tocado mi ropa?». [31]Sus discípulos le replicaron: «Ves que la gente te está estrujando, ¿y preguntas quién te ha tocado?». [32]Pero él miraba alrededor a ver si descubría a la que lo había hecho. [33]La mujer, entonces, asustada y temblorosa, sabiendo lo que le había pasado, se acercó, se postró ante él y le contó toda la verdad. [34]Jesús le dijo: «Hija, tu fe te ha salvado; vete en paz y queda curada de tu mal».

[35]Todavía estaba hablando cuando llegaron unos de casa del jefe de la sinagoga diciendo: «Tu hija ha muerto; no sigas molestando al Maestro». [36]Pero Jesús, que oyó la noticia, dijo al jefe de la sinagoga: «No temas; basta con que tengas fe». [37]Y sólo permitió que lo acompañaran Pedro, Santiago y Juan, el hermano de Santiago. [38]Llegaron a casa del jefe de la sinagoga y, al ver el alboroto, unos que lloraban y otros que daban grandes alaridos, [39]entró y les dijo: «¿Por qué alborotáis y lloráis? La niña no ha muerto; está dormida». [40]Pero ellos se burlaban de él. Entonces Jesús echó afuera a todos, tomó consigo al padre de la niña, a la madre y a los que lo acompañaban, y entró adonde estaba la niña. [41]La tomó de la mano y le dijo: «Talitha kum» (que significa: Niña, a ti te hablo, levántate). [42]La niña se levantó al instante y echó a andar, pues tenía doce años. Ellos se quedaron atónitos. [43]Y él les insistió mucho en que nadie se enterase de aquello, y les dijo que dieran de comer a la niña.

◆ *Notas:* Marcos 5,21-43

5,21-24a Una vez más, dejarse caer a los pies de alguien es un gesto con el que se reconoce la inferioridad social, un gesto llamativo en un jefe de sinagoga, del que normalmente se podía esperar que buscase un médico profesional y no un sanador tradicional como Jesús. Más aún, el gesto tiene lugar ante una gran muchedumbre, de quien se podía esperar que esparciese el rumor de lo sucedido. Curar mediante el tacto era un gesto típico de sanadores populares más que de médicos profesionales. ⇨ **Preocupación por la salud**, 5,21-24a (cf. pág. 381).

La muerte de una niña de doce años era algo normal en la Antigüedad. Durante casi todo el siglo I, el 60 por ciento de los nacidos vivos morían hacia la mitad de la segunda década de su vida. ⇨ **Edad**, 5,42 (cf. pág. 344).

5,24b-34 Marcos introduce una historia dentro de otra historia. Una persona con flujos de sangre era considerada impura, con el subsiguiente extrañamiento de la comunidad. ⇨ **Pureza/Contaminación**, 7,1-13, mapa de impurezas (cf. pág. 383); y **Preocupación por la salud**, 5,21-24a (cf. pág. 381). Marcos cuenta que la mujer había gastado todo su dinero con médicos profesionales y que sólo había conseguido empeorar. Como tales médicos eran usados sobre todo por las clases acomodadas, podemos pensar que la mujer había formado originalmente parte de dichos grupos. La valoración negativa que hace Marcos de la experiencia de la mujer a manos de sanadores profesionales puede ser un indicio de su propia localización social. El hecho de que la mujer gaste su dinero implica que quizás era viuda. Había oído hablar de Jesús a través de las cadenas de comentarios. ⇨ **El sistema de patronazgo en la Palestina romana**, 9,14-28 (cf. pág. 399).

La acción de tocar viola las barreras del cuerpo. Como una especie de mapa portátil del cuerpo social, el cuerpo humano estaba cuidadosamente regulado por reglas y costumbres de pureza. El que una mujer tocase a un hombre en público era una acción tremendamente impropia, por eso la mujer se siente obligada a dar explicaciones. Al confesarse culpable de contacto físico, la mujer corre el peligro de que Jesús la rechace, pero demuestra su fe con el gesto del cliente que solicita el favor de un patrón. ⇨ **Fe**, 11,22-26 (cf. pág. 353). Al llamarla «hija», Jesús le habla como si fuese un miembro de la familia, dándole a entender que no sólo ha sido curada de su enfermedad, sino también de su dolencia social (ostracismo).

5,35-43 Notemos el título honorífico «maestro». La burla de la muchedumbre en respuesta a las palabras de Jesús de que la niña sólo está dormida pone en entredicho el honor de Jesús. El lector sabe que el honor de Jesús está a salvo, pero la advertencia dirigida a la familia para que no diga nada deja a la gente sorprendida. ⇨ **Secretos**, 4,10-20 (cf. pág. 398).

La manifestación pública de duelo es un modo de honrar a la

familia de un difunto; sobre el significado de los duelos, ➪ **Ayuno**, 2,18 (cf. pág. 323). Las palabras arameas con las que es curada la muchacha deben ser conservadas en la traducción del texto o cuando se cuenta la historia, pues el poder que encierran sólo habría sido considerado real en su forma original.

Tras la curación de la muchacha, se nos informa intencionadamente de que Jesús manda que su familia le dé de comer. La esencia de las curaciones de Jesús es la reincorporación a la comunidad. ➪ **Preocupación por la salud**, 5,21-24a (cf. pág. 381).

Reacción hostil al nuevo estatus de honor de Jesús 6,1-6

6 ¹Salió de allí y fue a su pueblo, acompañado de sus discípulos. ²Cuando llegó el sábado se puso a enseñar en la sinagoga. La muchedumbre que le escuchaba estaba admirada y decía: «¿De dónde le viene a éste todo esto? ¿Qué sabiduría es esa que le ha sido dadà? ¿Y los milagros hechos por él? ³¿No es éste el artesano, el hijo de María, el hermano de Santiago, de José, de Judas y de Simón? ¿No están sus hermanas aquí entre nosotros?». Y los tenía desconcertados. ⁴Jesús les dijo: «Un profeta sólo es despreciado en su tierra, entre sus parientes y en su casa». ⁵Y no pudo hacer allí ningún milagro. Tan sólo curó a unos pocos enfermos, imponiéndoles las manos. ⁶Y estaba sorprendido de su falta de fe.

◆ *Notas:* **Marcos 6,1-6**

6,1-4 Jesús está ahora «en su pueblo», presumiblemente en Nazaret o sus alrededores. Como muchas de las aparentes referencias «geográficas» de los evangelios, ésta pretende ofrecer información social más que información propiamente geográfica. Jesús está donde la gente conoce el estatus que le corresponde por nacimiento y el lugar que ocupa en la escala del honor.

Como cualquier otra cosa en la Antigüedad, el honor era un bien limitado. Si alguien ganaba, algún otro perdía. Ser reconocido como «profeta» en su propio pueblo significaba que iba a sufrir menoscabo el honor debido a otras personas o familias. Pretender más honor que el que otorgaba el nacimiento suponía una amenaza para otros y podía provocar intentos de bajar los humos a tal pretendiente. En este texto emerge tal dinámica. ➪ **Sociedades con base en el honor-vergüenza**, 6,1-4 (cf. pág. 404).

Al principio parece que la gente de la sinagoga está dispuesta a conceder honor a Jesús, pues está admirada de sus palabras. Pero después empiezan a preguntarse si Jesús es realmente diferente. Sus preguntas van dirigidas a lo que contaba en aquella sociedad: familia de origen, relaciones de sangre, honor heredado, estatus social y logros de los miembros de la familia, honor del grupo, etc. Al preguntarse si no era un artesano, la gente de la sinagoga se está preguntando cómo es posible que tan sorprendente doctrina pueda provenir de un artesano manual (trabajador en piedra o madera). En tiempo de Jesús, tales artesanos era frecuentemente itinerantes, especialmente los que vivían en pueblos o aldeas. Como todas las personas itinerantes que no permanecían en casa para proteger a sus esposas y el honor de su familia, eran consideradas personas «sin vergüenza».

Jesús se da cuenta de que los presentes van a seguir con las preguntas y ofrece una respuesta en forma de proverbio (v. 4). Su respuesta lleva una gran carga de insulto, pues plantea la posibilidad de que la gente de fuera (no perteneciente a su pueblo o familia) sea más capaz de juzgar el honor de un profeta que quienes mejor le conocen.

6,5-6 Esta conclusión indica que la capacidad de Jesús para obrar portentos exige la fe. Esa fe se pone de manifiesto en la lealtad confiada hacia Dios y en la aceptación por parte de la gente de lo que Dios trata de llevar a cabo. En un contexto mediterráneo, esta fe no es una actitud psicológica, interna, cognitiva y afectiva de la mente, sino más bien una conducta social, exterior y emotiva, de lealtad, entrega y solidaridad. Lo que pide Jesús es lealtad y entrega al Dios de Israel, solidaridad con cuantos se sienten inclinados a obedecer al Dios de Israel. Al pueblo de Jesús le faltaba esto. ⇨ **Fe,** 11,22-26 (cf. pág. 353).

En el evangelio de Marcos, Jesús opera casi siempre en un contexto «rural». ⇨ **El campo,** 6,6 (cf. pág. 325).

Una misión de la facción de Jesús 6,7-13

⁷Jesús recorría las aldeas del contorno enseñando. ⁷Llamó a los doce y comenzó a enviarlos de dos en dos, dándoles poder sobre los espíritus inmundos. ⁸Les ordenó que no tomaran nada para el camino, excepto un bastón. Ni pan, ni zurrón, ni dinero en la faja. ⁹Que calzaran sandalias, pero que no llevaran dos túnicas. ¹⁰Les dijo además: «Cuando entréis en una casa, quedaos en ella hasta que os marchéis de aquel lugar. ¹¹Si en algún sitio no os reciben ni os escuchan, salid de allí y sacudid el polvo de la planta de vuestros pies, como testimonio contra ellos». ¹²Ellos marcharon y predicaban la conversión. ¹³Expulsaban muchos demonios, ungían con aceite a muchos enfermos y los curaban.

◆ *Notas:* Marcos 6,7-13

6,7-9 Los viajes en pareja o en grandes grupos están bien atestiguados en las obras de la Antigüedad, incluido el Nuevo Testamento. Los viajes resultaban peligrosos. Observemos la continuidad entre la tarea encomendada a los Doce y la del propio Jesús. Tienen asignada la misma proclamación que aquella con la que Jesús inició su actividad, una proclamación tomada de Juan. Al dar a los Doce poder sobre los demonios y la enfermedad, Jesús los encumbra en la jerarquía de los poderes. ⇨ **Demonios/Posesión demoníaca,** 1,23-27 (cf. pág. 335).

6,10-13 «Recibir» a una persona significaba mostrar hospitalidad. La hospitalidad, por su parte, es el proceso mediante el cual un extraño es acogido bajo la protección de un anfitrión (patrón) durante un tiempo determinado, para acabar dejando esa protección como amigo o enemigo. El acto público de sacudir el polvo de los pies es un insulto grave, pues indica, entre otras cosas, rechazo total, enemistad y no querer tocar lo que otros (el pueblo, la familia) tocan. Los miembros de la casa de Israel, al volver a su tierra después de viajar por el extranjero, se sacudían el polvo de los pies. ⇨ **El sistema de patronazgo en la Palestina romana,** 9,14-28 (cf. pág. 399).

Herodes acaba con Juan el Bautista 6,14-29

[14]La fama de Jesús se había extendido, y el rey Herodes oyó hablar de él. Unos decían que era Juan el Bautista resucitado de entre los muertos, y que por eso actuaban en él poderes milagrosos; [15]otros, por el contrario, sostenían que era Elías; y otros que era un profeta como los antiguos profetas. [16]Herodes, al oírlo, decía: «Ha resucitado Juan, a quien yo mandé decapitar».

[17]Y es que Herodes había mandado prender a Juan y lo había encerrado en la cárcel por causa de Herodías, la mujer de su hermano Filipo, con quien él se había casado. [18]Pues Juan le decía a Herodes: «No es lícito tener la mujer de tu hermano». [19]Herodías detesta a Juan y quería matarlo, pero no podía, [20]porque Herodes lo respetaba, sabiendo que era un hombre recto y santo, y lo protegía. Cuando le oía, quedaba muy perplejo, pero le escuchaba con gusto. [21]La oportunidad se presentó cuando Herodes, en su cumpleaños, ofrecía un banquete a sus magnates, a los tribunos y a la nobleza de Galilea. [22]Entró la hija de Herodías y danzó, gustando mucho a Herodes y a los comensales. El rey dijo entonces a la joven: «Pídeme lo que quieras y te lo daré». [23]Y le juró una y otra vez: «Te daré lo que me pidas, aunque sea la mitad de mi reino». [24]Ella salió y preguntó a su madre: «¿Qué le pido?». Su madre le contestó: «La cabeza de Juan el Bautista». [25]Ella entró en seguida y a toda prisa adonde estaba el rey y le hizo esta petición: «Quiero que me des ahora mismo en una bandeja la cabeza de Juan el Bautista». [26]El rey se entristeció mucho, pero a causa del juramento y de los comensales no quiso desairarla. [27]Sin más dilación envió a un guardia con la orden de traer la cabeza de Juan. Éste fue, le cortó la cabeza en la cárcel, [28]la trajo en una bandeja y se la entregó a la joven, y la joven se la dio a su madre. [29]Al enterarse sus discípulos, fueron a recoger el cadáver y le dieron sepultura.

◆ *Notas:* **Marcos 6,14-29**

6,14-29 La cadena de comentarios ha esparcido la noticia sobre Jesús. ⇨ **Cadenas de comentarios**, 1,45 (cf. pág. 324). La cuestión planteada no está relacionada con la «identidad», como ocurre en el mundo moderno. Está más bien en relación con el honor o el estatus. Al parecer no ha acabado el proceso de descubrir el lugar que ocupa Jesús en la escala del honor. Ver nota a 6,1-4.

Los complicados problemas de la familia de Herodes proporcionan el telón de fondo del relato y explican las enemistades que hay en juego. El respeto que Herodes demostraba hacia Juan es un indicio del alto grado de honor que había alcanzado Juan a los ojos de la gente y una de las numerosas señales de la debilidad de Herodes. Las danzas, que tenían lugar sobre todo en las bodas, estaban cargadas de erotismo y se interpretaban sólo ante el grupo de parientes. Aquí están presentes los tribunos y la nobleza de Galilea. A los ojos de la gente sencilla, los hombres honorables nunca permitirían que una mujer de su familia hiciera tal cosa; si no conseguían impedirlo, quedaban etiquetados como faltos de vergüenza. También resultaba vergonzoso que un hombre quedase hechizado en público por la proverbial sensualidad de una mujer. Como lo máximo que podía recibir una mujer de un hombre era sólo la mitad de lo que éste poseía, Herodes ofreció a la hija de Herodías todo lo que podía. Herodes hizo un juramento ante testigos. El honor le obligaba, pues, a mantener su palabra. De no haberla mantenido, sus nobles invitados ya no habrían podido confiar en él.

Comida de pan y peces al aire libre 6,30-44

³⁰Los apóstoles volvieron a reunirse con Jesús y le contaron todo lo que habían hecho y enseñado. ³¹El les dijo: «Venid vosotros solos a un lugar solitario para descansar un poco». Porque eran tantos los que iban y venían, que no tenían ni tiempo para comer. ³²Se fueron en la barca, ellos solos, a un lugar despoblado. ³³Pero los vieron marchar y muchos los reconocieron y corrieron allá, a pie, de todos los pueblos, llegando incluso antes que ellos. ³⁴Al desembarcar, vio Jesús un gran gentío, sintió compasión de ellos, pues eran como ovejas sin pastor, y se puso a enseñarles muchas cosas. ³⁵Como se hacía tarde, los discípulos se acercaron a decirle: «El lugar está despoblado y ya es muy tarde. ³⁶Despídelos para que vayan a los caseríos y aldeas del contorno y se compren algo de comer». ³⁷Jesús les replicó: «Dadles vosotros de comer». Ellos le contestaron: «¿Cómo vamos a comprar nosotros pan por valor de doscientos denarios para darles de comer?». ³⁸El les preguntó: «¿Cuántos panes tenéis? Id a ver». Cuando lo averiguaron, le dijeron: «Cinco panes y dos peces». ³⁹Jesús mandó que se sentaran todos por grupos sobre la hierba verde, ⁴⁰y se sentaran en corros de cien y de cincuenta. ⁴¹El tomó entonces los cinco

Un siclo de Tiro, ca. 126 a.C.-70 d.C. Cabeza del dios fenicio Melqart y águila de pie. (Foto cortesía de Mehrad Sadigh, Ancient Artifacts and Coins, Nueva York).

Lepton. acuñado en tiempos de Poncio Pilato. (Foto cortesía del British Museum).

Denario. Acuñado en tiempos de Tiberio César. (Foto cortesía del British Museum).

Mc 6,37. Las referencias a las monedas en el Nuevo Testamento son complicadas por diferentes razones. Había en circulación monedas griegas y romanas, así como monedas provinciales para valores menores. Por otra parte, también se usaban en ocasiones nombres hebreos. Ofrecemos a continuación lo que podría significar un consenso entre los especialistas relativo a las relaciones entre los nombres de las monedas.

El siclo de Tiro equivale más o menos al tetradracma sirio. Pudo ser la moneda usada por el sumo sacerdote cuando pagó a Judas Iscariote treinta piezas de plata (argyria, Mt 26,15; 27,6; cf. Éx 21,32).

El lepton y el kodrantes eran diminutas monedas de cobre. Marcos dice que los dos lepta con los que contribuyó la viuda en 12,24 equivalían a un kodrantes. También se mencionan lepta en Lc 12,59 y 21,2. Mateo habla de kodrantes en 5,26.

El denario es la unidad monetaria más mencionada en los evangelios sinópticos. Era una moneda romana acuñada en plata. Llevaba la imagen del emperador reinante y era casi con toda seguridad la moneda que utilizó Jesús para tapar la boca a sus adversarios (Mt 22,19; Mc 12,15; Lc 20,13). Por lo general se piensa que equivalía al jornal de un día de trabajo de un obrero sin cualificar (ver Mt 20,2-13). Se usa aquí para calcular el costo del pan necesario para alimentar a la multitud en descampado (doscientos denarios, Mc 6,37). Ver también Mt 18,29; Mc 14,5; Lc 7,41; y 10,35.

panes y los dos peces, levantó los ojos al cielo, pronunció la bendición, partió los panes y se los fue dando para que los distribuyeran. Y también repartió los dos peces entre todos. ⁴²Comieron todos hasta quedar saciados, ⁴³y recogieron doce canastos llenos de trozos de pan y de lo que sobró del pescado. ⁴⁴Los que comieron los panes eran cinco mil hombres.

◆ *Notas:* **Marcos 6,30-44**

6,35-44 Como las zonas alejadas de los pueblos y las aldeas eran considerados lugares de caos, generalmente no se comía en ellas. En el Mediterráneo del siglo I, la gente no solía hacer comidas campestres. No se podían preparar adecuadamente los alimentos o las cosas necesarias para la pureza ritual. El hecho de que se hable de la adquisición de alimentos es un indicio más de que la gente estaba algo distante de la familia. Una muchedumbre de cinco mil personas era mayor que la población de casi todos los asentamientos urbanos de la región, un ejemplo más del uso de la hipérbole en la tradición. ⇨ **Comidas**, 2,15-17 (cf. pág. 331); **Pan**, 6,37 (cf. pág. 70); **Doscientos denarios**, 6,37 (cf. pág. 342).

Poder de Jesús sobre las regiones desérticas y el mar 6,45-52

⁴⁵Luego mandó a sus discípulos que subieran a la barca y fueran delante de él a la otra orilla, en dirección a Betsaida, mientras él despedía a la gente. ⁴⁶Cuando los despidió se fue al monte para orar. ⁴⁷Al anochecer, estaba la barca en medio del lago, y Jesús solo en tierra. ⁴⁸Viéndolos cansados de remar, ya que el viento les era contrario, se les acercó hacia el final de la noche caminando sobre el lago. Hizo además de pasar de largo, ⁴⁹pero ellos, al verlo caminar sobre el lago, creyeron que era un fantasma y se pusieron a gritar. ⁵⁰Porque todos lo habían visto y se habían asustado. Pero Jesús les habló inmediatamente y les dijo: «¡Ánimo! Soy yo. No temáis». ⁵¹Subió entonces con ellos a la barca y el viento se calmó. Ellos quedaron más asombrados todavía, ⁵²ya que no habían entendido lo de los panes y su mente seguía embotada.

◆ *Notas:* **Marcos 6,45-52**

6,45-46 A veces, en los relatos evangélicos, Jesús se va solo. Se trata de una conducta extraña (1,12-13; 1,35-36 par. Lc 4,42-43; 6,47 par. Mt 14,23). Se pensaba que las personas que andaban solas constituían una anomalía peligrosa. Más aún, Jesús penetra aquí en las regiones de los poderes que escapan al control humano. El hecho de que pueda actuar así sin sufrir daño alguno es un indicio del alto lugar que ocupa en la jerarquía de los poderes cósmicos. Es mucho más frecuente el escenario en que Jesús va solo y los discípulos un poco rezagados, como en la descripción de Lucas: «Jesús estaba orando a solas, con algunos discípulos cerca de él» (9,18).

6,47-52 Los vientos violentos son frecuentes en el lago de Galilea en determinadas épocas del año, y sorprende la rapidez con la que pueden desencadenarse. El poder de Jesús sobre los elementos naturales es una prueba adicional de su lugar en la jerarquía de los poderes cósmicos. ⇨ **Demonios/Posesión demoníaca**, 1,23-27 (cf. pág. 333).

Sumario sobre la divulgación de la fama de Jesús 6,53-56

[53]Terminada la travesía, tocaron tierra en Genesaret y atracaron. [54]Al desembarcar lo reconocieron en seguida. [55]Se pusieron a recorrer toda aquella comarca y comenzaron a traer a los enfermos en camillas adonde oían decir que se encontraba Jesús. [56]Cuando llegaba a una aldea, pueblo o caserío, colocaban en la plaza a los enfermos y le pedían que les dejase tocar siquiera la orla de su manto; y todos los que lo tocaban quedaban curados.

◆ *Notas:* Marcos 6,53-56

6,53-56 La fama de Jesús se ha extendido. ⇨ **Cadenas de comentarios**, 1,45 (cf. pág. 324). El término «camillas» describe las esterillas que usaba la gente pobre para dormir. Ver nota a 2,4. El término traducido aquí por «plaza» se refiere a los lugares abiertos en la conjunción de los muros interiores de la ciudad, usados para la comunicación pública y las ceremonias. Al lado estaban los mercados. La curación mediante el tacto era una práctica común entre los sanadores populares. ⇨ **Preocupación por la salud**, 5,21-24a (cf. pág. 381).

Controversia sobre las normas de pureza 7,1-23

7 [1]Los fariseos y algunos maestros de la ley procedentes de Jerusalén se acercaron a Jesús [2]y observaron que algunos de sus discípulos comían con manos impuras, es decir, sin lavárselas [3]-es de saber que los fariseos y los judeos en general no comen sin antes haberse lavado las manos meticulosamente, aferrándose a la tradición de los mayores; [4]y al volver de la plaza, si no se lavan, no comen; y observan por tradición otras muchas costumbres, como la purificación de vasos, jarras y bandejas-. [5]Así que los fariseos y los maestros de la ley le preguntaron: «¿Por qué tus discípulos no proceden conforme a la tradición de los antepasados, sino que comen con manos impuras?». [6]Jesús les contestó: «Bien profetizó de vosotros, hipócritas, según está escrito:

Este pueblo me honra con los labios,
pero su corazón está lejos de mí.
[7]En vano me dan culto,
enseñando doctrinas
que son preceptos humanos.

⁸Vosotros dejáis a un lado el mandamiento de Dios y os aferráis a la tradición de los hombres».

⁹Y añadió: «¡Qué bien anuláis el mandamiento de Dios para conservar vuestra tradición! ¹⁰Pues Moisés dijo: *'Honra a tu padre y a tu madre'*, y *'el que maldiga a su padre o a su madre, será reo de muerte'*. ¹¹Vosotros, en cambio, afirmáis que si uno dice a su padre o a su madre: 'Declaro corbán, es decir, ofrenda sagrada, los bienes con los que te podía ayudar', ¹²ya le permitís que deje de socorrer a su padre o a su madre, ¹³anulando así el mandamiento de Dios con esa tradición vuestra, que os habéis transmitido. Y hacéis otras muchas cosas semejantes a ésta».

¹⁴Y llamando de nuevo a la gente, les dijo: «Escuchadme todos y entended esto: ¹⁵Nada de lo que entra en el hombre puede mancharlo. Lo que sale de dentro es lo que contamina al hombre».

¹⁷Cuando dejó a la gente y entró en casa, sus discípulos le preguntaron por el sentido de la comparación. ¹⁸Jesús les dijo: «¿De modo que tampoco vosotros entendéis? ¿No comprendéis que nada de lo que entra en el hombre puede mancharlo, ¹⁹puesto que no entra en su corazón, sino en el vientre, y va a parar al estercolero?». Así declaraba puros todos los alimentos. ²⁰Y añadió: «Lo que sale del hombre, eso es lo que mancha al hombre. ²¹Porque es de dentro, del corazón de los hombres, de donde salen los malos pensamientos, fornicaciones, robos, homicidios, ²²adulterios, codicias, perversidades, fraude, libertinaje, envidia, injuria, soberbia e insensatez. ²³Todas estas maldades salen de dentro y manchan al hombre».

◆ *Notas:* **Marcos 7,1-23**

7,1-13 En la tradición israelita hay numerosos precedentes de este tipo de debate sobre las leyes de pureza. Marcos necesita proporcionar algunos datos (vv. 3-4) para que puedan entenderle sus lectores no-israelitas. La pureza en temas de alimentación era importantísima en la práctica postexílica israelita, aunque lo que aquí se discute es la expresión farisaica de la costumbre israelita más que la Ley de Moisés. Jesús rechaza aquí lo primero en favor de lo segundo. ⇨ **Pureza/Contaminación**, 7,1-13 (cf. pág. 383).

La «Gran Tradición», como es llamada por los antropólogos modernos, o la «tradición de los mayores», tal como se dice en el texto, era ampliamente conservada, definida y practicada por las élites de las ciudades. Sin embargo, era exigida a todos por gente como los fariseos y sus alumnos (llamados «escribas»), que consideraban al margen de la Ley a la gente sin asear, como los campesinos y pescadores galileos (ver Jn 7,48-52).

La práctica de las leyes de pureza resultaba casi imposible a los agricultores, que bien podían carecer del agua necesaria para los baños rituales, o a los pescadores, que estaban en continuo contacto con peces muertos, animales muertos, etc. También tenía dificultades la gente que viajaba, como ocurría con Jesús y sus discípulos. La «Pequeña Tradición» de los agricultores había sabido adaptarse en gran medida a la realidad de la vida campesina. Ver notas a 7,6-7.14-15.16-23.

7,6-7 Aquí, y otras trece veces en Marcos, cita Jesús el Antiguo Testamento. Ser capaz de recurrir a la tradición de un modo creativo en medio de una discusión o debate era una habilidad particularmente honorable en un varón. ⇨ **Poesía oral**, 1,2 (cf. pág. 379).

7,14-15 Marcos ha recogido aquí material tradicional sobre lo puro y lo impuro. Puede que hubiera algún debate importante en la comunidad de Marcos entre quienes provenían de la casa de Israel y los que no eran de raza israelita o carecían de afiliación previa alguna. El debate pudo desembocar en una redefinición de las barreras de pureza para los seguidores de Jesús. ⇨ **Pureza/Contaminación**, 7,1-13 (cf. pág. 383).

En la sección precedente veíamos a Jesús enfrentado a los cumplidores de la Gran Tradición (ver notas a 7,1-13.6-7.16-23). Aquí el desacuerdo tiene lugar con quienes conocían todas las dificultades que creaba la Gran Tradición a la gente no-israelita. La afirmación de Jesús de que nada de fuera es impuro equivale a un rechazo de ciertas prácticas establecidas por la ley judía (ver Lv 11; Dt 14).

7,16-23 Tras discutir sobre reglas de pureza con los defensores de la Gran Tradición y con la muchedumbre (practicantes de la Pequeña Tradición), Jesús se dedica ahora a hacer algunos comentarios íntimos con sus discípulos. En los vv. 18-19 se dice que no importa lo que entre en la boca, sea puro o impuro, pues todo se convierte en excremento. Aunque el excremento pueda ser algo más bien repulsivo e indecoroso, no es impuro. Ver notas sobre las preocupaciones por la pureza en 7,1-13.6-7.14-15. Por otra parte, lo que sale del corazón es lo que origina las disensiones sociales.

Los comentaristas se han dado cuenta de la frecuencia con que Marcos presenta a los discípulos como gente tarda y obtusa. Sin embargo, el asunto que se trata aquí no es ni mucho menos insignificante, como puede desprenderse de las dificultades descritas en Hch 15. Las prácticas de pureza son una forma de poner límites al grupo. Definen a quien está dentro y a quien está fuera. Trazan líneas de separación entre la gente leal al grupo y los que no lo son. ⇨ **Intragrupo y extragrupo**, 2,16 (cf. pág. 358). El abandono de la práctica de las reglas de pureza israelitas planteaba dudas sobre la lealtad de los seguidores nativos de Jesús al Dios de Israel, un asunto realmente importante teniendo en cuenta la presencia romana y la dispersión de lealtades entre los grupos israelitas en conflicto. La redefinición de las normas de pureza que describe Marcos aquí y en los dos pasajes precedentes se puede, en consecuencia, interpretar como la redefinición de un grupo y de sus límites. Por eso es esencial explicar las cosas a los de dentro.

En la literatura griega abundan las listas de vicios. El término griego traducido aquí por «envidia» (v. 22) dice literalmente «ojo malo». La creencia en el mal de ojo es característica de casi todas las sociedades con base en el honor-vergüenza, en las que la competencia por el honor (un bien limitado) institucionalizaba virtualmente la envidia. Sigue siendo una realidad entre segmentos tradicionales de las sociedades mediterráneas actuales. ⇨ **Sociedades con base en el honor-vergüenza,** 6,1-4 (cf. pág. 404). Se pensaba que las miradas malignas podían realmente dañar a otra persona. Las estratagemas para escapar al mal de ojo varían desde gesticular con la mano a escupir a quienes llevan colores o amuletos protectores. El color predominante para la protección es el azul. Los amuletos podían tener forma de ojo (para contrarrestar el mal de ojo de otro) o de genitales humanos (especialmente símbolos fálicos), que podían desviar la mirada de quien intentaba hacer mal de ojo. Todos siguen en vigor en Oriente Medio.

Jesús salva a una mujer griega y a un sordo 7,24-37

²⁴Salió de allí y se fue a la región de Tiro y Sidón. Entró en una casa, y no quería que nadie lo supiera, pero no logró pasar inadvertido. ²⁵Una mujer, cuya hija estaba poseída por un espíritu inmundo, oyó hablar de él, e inmediatamente vino y se postró a sus pies. ²⁶La mujer era pagana, sirofenicia de origen, y le suplicaba que expulsara de su hija al demonio. ²⁷Jesús le dijo: «Deja que primero se sacien los hijos, pues no está bien tomar el pan de los hijos y echárselo a los perrillos». ²⁸Ella le replicó: «Es cierto, Señor, pero también los perrillos, debajo de la mesa, comen las migajas de los niños». ²⁹Entonces Jesús le contestó: «Por haber hablado así, vete, que el demonio ha salido de tu hija». ³⁰Al llegar a su casa, encontró a la niña echada en la cama, y el demonio había salido de ella.

³¹Dejó el territorio de Tiro y marchó de nuevo, por Sidón, hacia el lago de Galilea, atravesando el territorio de la Decápolis. ³²Le llevaron un hombre que era sordo y apenas podía hablar, y le suplicaban que le impusiera la mano. ³³Jesús lo apartó de la gente y, a solas con él, le metió los dedos en los oídos y le tocó la lengua con saliva. ³⁴Luego, levantando los ojos al cielo, suspiró y le dijo: «Effatha» (que significa: ábrete). ³⁵Y al momento se le abrieron sus oídos, se le soltó la traba de la lengua y comenzó a hablar correctamente. ³⁶El les mandó que no se lo dijeran a nadie, pero cuanto más insistía, más lo pregonaban. ³⁷Y en el colmo de la admiración decían: «Todo lo ha hecho bien. Hace oír a los sordos y hablar a los mudos».

◆ *Notas:* **Marcos 7,24-37**

7,24-30 El detalle de que Jesús no quiere que su presencia sea advertida en la región de Tiro y de Sidón es un indicio de que su fama había traspasado las fronteras de Galilea. La cadena de comentarios había logrado que también la sirofenicia se enterase de su presencia y de su fama. Se nos informa del origen de la mujer porque, para los antiguos escritores, el origen de una persona codificaba toda la información relativa a su estatus, necesaria para saber cómo tener tratos con ella.

Caer a los pies de otra persona es el gesto de un cliente que solicita el favor de un patrón o un intermediario. ⇨ **El sistema de patronazgo en la Palestina romana**, 9,14-28 (cf. pág. 399). Jesús responde a la mujer que el favor de Dios se debería conceder primero a los hijos de la familia, es decir, a Israel. El término «perro» es un grave insulto en el mundo mediterráneo, pues los perros eran animales carroñeros, no domésticos. Es interesante observar que el término usado aquí es el diminutivo «cachorro» o «perrito». Pudo haber sido elegido porque el favor solicitado era para una niña, pero a pesar de todo es insultante. La respuesta de la mujer indica una insólita confianza en Jesús como intermediario de Dios, que en consecuencia cura a la niña.

7,31-37 El itinerario del viaje propuesto en el texto es altamente improbable. Sin embargo, con frecuencia, tales datos se interesan menos por la geografía que por la información social codificada en los nombres. Jesús regresa a su tierra por regiones donde ya se ha extendido su fama. En Galilea la gente no sólo conoce su fama, sino también su estatus familiar.

Las acciones que realiza aquí Jesús son típicas de los sanadores tradicionales. ⇨ **Preocupación por la salud**, 5,21-24a (cf. pág. 381). Escupir es una acción muy común para preservarse del mal (ver nota al «mal de ojo» en 7,17-23). Como las palabras pronunciadas en los episodios de curaciones encierran un poder en sí, Marcos reproduce una vez más el original arameo (ver nota a 5,35-43). Si se traducen, las palabras pierden su poder. Aunque las acciones de Jesús tienen lugar en privado, los resultados llegan en seguida a oídos de la gente. Una vez más pide Jesús silencio. ⇨ **Secretos**, 4,10-20 (cf. pág. 398).

Segunda comida de pan y pecesal aire libre 8,1-10

8 ¹Por aquellos días se congregó de nuevo mucha gente y, como no tenían nada que comer, llamó Jesús a los discípulos y les dijo: ²«Me da lástima esta gente, porque llevan ya tres días conmigo y no tienen nada que comer. ³Si los envío a sus casas en ayunas, desfallecerán por el camino, pues algunos han venido de lejos». ⁴Sus dicípulos le replicaron: «¿De dónde vamos a sacar pan para todos éstos aquí en despoblado?». ⁵Jesús les preguntó: «¿Cuántos panes tenéis?». Ellos respondieron: «Siete». ⁶Mandó entonces a la gente que se sentara en el suelo. Tomó luego los siete panes, dio gracias, los partió y se los iba dando a sus discípulos para que los repartieran. Ellos los repartieron a la gente. ⁷Tenían además unos pocos pececillos. Jesús los bendijo y mandó que los repartieran también. ⁸Comieron hasta saciarse, y llenaron siete cestos con los trozos sobrantes. ⁹Eran unos cuatro mil. Jesús los despidió, ¹⁰subió en seguida a la barca con sus discípulos y se marchó hacia la región de Dalmanuta.

◆ *Notas:* Marcos 8,1-10

8,1-10 Aunque difiere en algunos detalles, esta escena es generalmente considerada un duplicado de 6,35-44. No podemos perder de vista el lenguaje eucarístico en ambos episodios. Para un comentario desde las ciencias sociales, ver nota a 6,35-44.

Desafío-Respuesta con los fariseos 8,11-13

¹¹Se presentaron los fariseos y comenzaron a discutir con Jesús, pidiéndole una señal del cielo, con la intención de tenderle una trampa. ¹²Jesús, dando un profundo suspiro, dijo: «¿Por qué pide esta generación una señal? Os aseguro que a esta generación no se le dará señal alguna». ¹³Y dejándolos, embarcó de nuevo y se dirigió a la otra orilla.

◆ *Notas:* Marcos 8,11-13

8,11-13 A lo largo de gran parte del evangelio de Marcos ha estado en el candelero el asunto de la autenticidad del estatus de Jesús como Hijo de Dios. Ni habla ni actúa en conformidad con la posición social propia de su nacimiento o con el estatus de su familia de Nazaret. El problema emerge aquí de nuevo cuando sus adversarios tratan de ponerlo a prueba. La señal del cielo confirmaría el estatus de Jesús como hijo del ámbito celeste. Sin embargo, en respuesta a la petición de una señal, Jesús ignora a sus adversarios fariseos. Da su palabra de honor de que «a esta generación no se le dará señal alguna». Después se traslada en barca a la otra orilla.

Advertencias a los de dentro sobre los adversarios 8,14-21

¹⁴Se habían olvidado de llevar pan, y sólo tenían un pan en la barca. ¹⁵Jesús entonces se puso a advertirles, diciendo: «Abrid los ojos y tened cuidado con la levadura de los fariseos y con la levadura de Herodes». ¹⁶Ellos comentaban entre sí, pensando que les había dicho aquello porque no tenían pan. ¹⁷Jesús se dio cuenta y les dijo: «¿Por qué comentáis que no tenéis pan? ¿Aún no entendéis ni comprendéis? ¿Es que tenéis endurecido vuestro corazón? ¹⁸Tenéis ojos

y no veis; tenéis oídos y no oís. ¿Es que ya no os acordáis? [19]¿Cuántos canastos llenos de trozos recogisteis cuando repartí los cinco panes entre los cinco mil?». Le contestaron: «Doce». [20]Jesús insistió: «¿Y cuántos cestos llenos de trozos recogisteis cuando repartí los siete entre los cuatro mil?». Le respondieron: «Siete». [21]Jesús añadió: «¿Y aún no entendéis?».

◆ *Notas:* Marcos 8,14-21

8,14-21 La levadura es una metáfora de lo que corrompe, pues puede hacer que la masa fermentada rebose por encima del recipiente; no respeta fronteras, propiedades ni límites. Por regla general, las cosas que se salen de sus límites o recipientes son impuras, p.e. la sangre que brota del cuerpo o un cadáver en el mundo de los seres vivos. Aquí los fariseos y los herodianos son agentes de fermentación. Sobre el lenguaje relativo a ojos, corazón y oídos, ⇨ **Las tres zonas de la personalidad,** 8,17-19 (cf. pág. 406).

Jesús libera a un ciego 8,22-26

[22]Llegaron a Betsaida y le presentaron un ciego, pidiéndole que lo tocara. [23]Jesús tomó de la mano al ciego, lo sacó de la aldea y, después de haber echado saliva en sus ojos, le impuso las manos y le preguntó: «¿Ves algo?». [24]El, abriendo los ojos, dijo: «Veo hombres; son como árboles, que caminan». [25]Jesús volvió a poner las manos sobre sus ojos; entonces el ciego comenzó ya a ver con claridad y quedó curado, de suerte que hasta de lejos veía perfectamente todas las cosas. [26]Después le mandó a su casa, diciéndole: «No entres ni siquiera en la aldea».

◆ *Notas:* Marcos 8,22-26

8,22-26 Este episodio puede muy bien ser un duplicado de 7,32-37. Aunque en esa historia el hombre curado es sordo y éste es ciego, el lenguaje usado es casi idéntico. Ver allí la nota sobre curaciones populares.

V. 8,27-10,52: En compañía de Jesús y sus discípulos camino de Jerusalén

Aclaración del estatus de Jesús 8,27-30

[27]Jesús salió con sus discípulos hacia las aldeas de Cesarea de Filipo y por el camino les preguntó: «¿Quién dice la gente que soy yo?». [28]Ellos le contestaron: «Unos que Juan el Bautista; otros, que Elías; y otros, que uno de los profetas». [29]El siguió preguntándoles: «Y vosotros, ¿quién decís que soy yo?». Pedro le respondió: «Tú eres el Mesías». [30]Entonces Jesús les prohibió terminantemente que hablaran a nadie acerca de él.

◆ *Notas:* Marcos 8,27-30

8,27 A partir de aquí, y hasta 11,1, el escenario es un viaje a pie hacia Jerusalén. Fijémonos en los nombres de lugar y ver 8,27; 9,30.33.34; 10,17.32.46.52. La acción empieza con la pregunta de Jesús sobre su rol y su puesto en la escala del honor.

8,27-30 Visto con ojos occidentales, diríamos que este decisivo texto señala el momento en que Pedro reconoce por vez primera el mesianismo de Jesús. Damos por supuesto que Jesús sabe quién es y que está comprobando si también lo saben sus discípulos.

Sin embargo, si contemplamos este texto desde el punto de vista de las ideas mediterráneas sobre la personalidad, resulta que es Jesús el que no sabe quién es y sus discípulos quienes le proporcionan la información. ⇨ **Personalidad diádica,** 8,27-30 (cf. pág. 376).

Es también importante recordar que, en la Antigüedad, la cuestión debatida no tenía nada que ver con la preocupación moderna por la identidad de un individuo; se trataba de descubrir la posición y el poder de dicha persona en virtud de su estatus de honor adscrito o adquirido. La respuesta que se podía esperar a la pregunta sobre quién era alguien estaría en relación con la identidad de su familia o de su lugar de origen (Pablo de Tarso, Jesús de Nazaret). En esta identificación estaba codificada toda la información necesaria para situar adecuadamente a la persona en cuestión en la escala del honor. ⇨ **Sociedades con base en el honor-vergüenza,** 6,1-4 (cf. pág. 404).

Como Jesús rechazó su estatus de honor adscrito al abandonar a su familia y dedicarse a viajar de un lado a otro, y como su conducta se desviaba de la que se podía esperar por su nacimiento, había que proponer otros medios de identificar su poder y estatus. Había que hacer una evaluación. El asunto se había discutido públicamente en 6,14-16. Aquí es el propio Jesús quien pregunta a su grupo subrogado de parentesco por el estado de la cuestión entre la gente. Sus preguntas deberían ser tomadas en sentido literal, sin pensar que Jesús va con segundas. Jesús desea descubrir cuál es su estatus, tanto a los ojos de la gente cuanto entre sus nuevos parientes (subrogados). En las sociedades mediterráneas, descubrir la identidad no equivale a descubrirse a sí mismo. La identidad sólo es aclarada y confirmada por otras personas significativas dentro del grupo.

La designación final («Mesías») es una clara definición de estatus, que materializa inequívocamente la valoración de Jesús que ha ido madurando progresivamente: su autoridad para proclamar el reinado de Dios está divinamente confirmada. Al mismo tiempo identifica a Jesús con su familia subrogada, no con su familia biológica. ➪ **Familia subrogada**, 3,31-35 (cf. pág. 351). Así es como Pedro ve ahora a Jesús. Y, como las personas mediterráneas siempre se perciben a sí mismas a través de los ojos de los demás, podemos presumir que es así como Jesús se ve ahora a sí mismo. Sin embargo, para que tan audaz pretensión (superior a las propuestas de 6,14-16) no llegue a oídos de la gente, Jesús pide silencio. ➪ **Secretos**, 4,10-20 (cf. pág. 398).

El camino de la cruz 8,31-9,1

³¹Jesús empezó a enseñarles que el Hijo del hombre debía padecer mucho, que sería rechazado por los ancianos, los jefes de los sacerdotes y los maestros de la ley; que lo matarían, y a los tres días resucitaría. ³²Les hablaba con toda claridad. Entonces Pedro lo tomó aparte y se puso a increparlo. ³³Pero Jesús se volvió y, mirando a sus discípulos, reprendió a Pedro, diciéndole: «¡Ponte detrás de mí, Satanás!», porque tus pensamientos no son los de Dios, sino los de los hombres».

³⁴Después Jesús reunió a la gente y a sus discípulos, y les dijo: «Si alguno quiere venir detrás de mí, que renuncie a sí mismo, que cargue con su cruz y que me siga. ³⁵Porque el que quiera salvar su vida, la perderá, pero el que pierda su vida por mí y por la buena noticia, la salvará. ³⁶Pues ¿de qué le sirve a uno ganar todo el mundo, si pierde su vida? ³⁷¿Qué puede dar uno a cambio de su vida? ³⁸Pues si uno se avergüenza de mí y de mi mensaje en medio de esta generación infiel y pecadora, también el Hijo del hombre se avergonzará de él cuando venga en la gloria de su Padre con los santos ángeles».

9 ¹Y añadió: «Os aseguro que algunos de los aquí presentes no morirán sin haber visto antes que el reino de Dios ha llegado ya con fuerza».

◆ *Notas:* Marcos 8,31-9,1

8,31-33 Consideremos, o no, las predicciones de la pasión como una profecía *ex eventu* (sobre todo algunos detalles), lo cierto es que resulta plausible que el recién adquirido estatus de Jesús provocase una reacción violenta entre las autoridades. En una sociedad en la que todos los bienes eran limitados, incluido el honor, y en la que eran sospechosos los intentos de situarse por encima del nivel que otorgaba el propio nacimiento, el estatus concedido a Jesús por la gente y por su familia subrogada era una bomba de relojería. ➪ **Secretos**, 4,10-20 (cf. pág. 398). Pedro, quizás ingenuamente, piensa que la pretensión de estatus por parte de Jesús puede afianzarse públicamente sin problemas. La reprimenda de Pedro es interpretada como una prueba de la lealtad de Jesús para con Dios;

por eso Pedro es un «Satanás», un comprobador de lealtades. ⇨ Desafío-Respuesta, 2,1-12 (cf. pág. 336).

8,34-38 La lealtad es la virtud fundamental de las relaciones consanguíneas; lo mismo ocurre en la familia subrogada de Jesús. ⇨ **Familia subrogada**, 3,31-35 (cf. pág. 351). Los miembros de la familia permanecen unidos incluso con riesgo de la vida. Pero cada cual debe decidir a qué familia presta su lealtad. Del mismo modo que la lealtad a Jesús será recompensada, quien se niegue a reconocer en público que es miembro del grupo de Jesús recibirá su merecido cuando se haga definitivamente presente el reino de Dios.

La descripción que hace Jesús de sus contemporáneos como «generación infiel y pecadora» (v. 38) indica que la pureza de su linaje es cuestionable, que carecen totalmente de honor. Al impugnar con decisión este honor, Jesús sugiere igualmente lo que podía esperarse de ellos: una permanente conducta deshonorable, una conducta indigna de un ser humano (y no digamos del pueblo de Dios). Tal designación subraya perfectamente el elemento central de la frase: ¡avergonzarse de Jesús y de sus palabras! Avergonzarse de una persona es disociarse de ella, no reconocer su reclamación del honor, distanciarse de su posición en la escala del honor. Cuando el Hijo del hombre llegue con poder, se avergonzará igualmente de «esta generación».

9,1 Por regla general, las sociedades agrícolas están orientadas hacia el presente. Existe poco interés por el futuro, al menos que se vislumbre en algo ya presente. Por ejemplo, se vislumbra la existencia de un niño en una mujer embarazada, la cosecha en un campo sembrado. De manera análoga, la llegada del Dios benefactor está cercana, en la generación de quienes siguen a Jesús, antes incluso de que algunos de los presentes mueran. De aquí se deduce la urgencia de seguir a Jesús a la manera descrita en 8,34-36.

Anticipo de la justificación de Jesús como Hijo de Dios 9,2-13

²Seis días después, Jesús tomó consigo a Pedro, a Santiago y a Juan, los llevó a solas a un monte alto y se transfiguró ante ellos. ³Sus vestidos se volvieron de un blanco deslumbrador, como ningún batanero del mundo podría blanquearlos. ⁴Se les aparecieron también Elías y Moisés, que conversaban con Jesús. ⁵Pedro tomó la palabra y dijo a Jesús: «Maestro, ¡qué bien estamos aquí! Vamos a hacer tres tiendas: una para ti, otra para Moisés y otra para Elías». ⁶Estaban tan asustados que no sabía lo que decía. ⁷Vino entonces una

nube que los cubrió y se oyó una voz desde la nube: «Éste es mi Hijo amado; escuchadle». ⁸De pronto, cuando miraron alrededor, vieron sólo a Jesús con ellos.

⁹Al bajar del monte, les ordenó que no contaran a nadie lo que habían visto hasta que el Hijo del hombre hubiera resucitado de entre los muertos. ¹⁰Ellos guardaron el secreto, pero discutían entre sí sobre lo que significaría aquello de resucitar de entre los muertos. Y le preguntaron: «¿Cómo es que dicen los maestros de la ley que primero tiene que venir Elías?». ¹²Jesús les respondió: «Es cierto que Elías ha de venir primero y ha de restaurarlo todo, pero ¿no dicen las Escrituras que el Hijo del hombre tiene que padecer mucho y ser despreciado? ¹³Os digo que Elías ha venido ya y han hecho con él lo que han querido, como estaba escrito de él».

◆ *Notas:* Marcos 9,2-13

9,2-10 El tema de la filiación de Jesús, adelantado programáticamente al comienzo del evangelio de Marcos (1,1) y confirmado por la voz del cielo en 1,11 («Tú eres mi Hijo amado»), queda aquí (v. 7) recapitulado en una visión adelantada del Señor resucitado. Éste es el decisivo estatus de honor de Jesús, confirmado por seres espirituales (3,11; 5,7) y por los gentiles (15,39), pero cuestionado y negado por la propia gente de Jesús (14,61). El título aparece al principio (por obra del autor) y al final (en boca del centurión) del relato evangélico. Su aparición en la escena del bautismo, al comienzo del ministerio de Jesús, queda aquí recapitulada cuando la actividad de Jesús se acerca a su fin. Esta retroproyección de la resurrección trata de anticipar al lector el triunfo final de la pretensión filial de Jesús.

9,11-13 Los discípulos preguntan por la llegada de Elías (Mal 4,5), que debía preparar el camino del Mesías «restaurando todas las cosas». Jesús responde que, «como dicen las Escrituras», el Hijo del hombre ha de ser vilmente deshonrado, del mismo modo que Elías, «como estaba escrito de él», ha sido dolorosamente humillado por Israel. (Mt 17,13 identifica claramente a Juan el Bautista con Elías).

Jesús salva a un hombre con un hijo epiléptico 9,14-29

¹⁴Cuando llegaron adonde estaban los otros discípulos, vieron mucha gente alrededor y a unos maestros de la ley discutiendo con ellos. ¹⁵Toda la gente, al verlo, quedó sorprendida y corrió a saludarlo. ¹⁶Jesús les preguntó: «¿De qué estáis discutiendo con ellos?». ¹⁷Uno de entre la gente le contestó: «Maestro, te he traído a mi hijo, pues tiene un espíritu que lo ha dejado mudo. ¹⁸Cada vez que se apodera de él, lo tira por tierra, y le hace echar espumarajos y rechinar los dientes hasta quedar rígido. He pedido a tus discípulos que lo expulsaran, pero no han podido». ¹⁹Jesús les replicó: «¡Generación incrédula! ¿Hasta

cuándo tendré que estar entre vosotros? ¿Hasta cuándo tendré que soportaros? Traédmelo». [20]Se lo llevaron y, en cuanto el espíritu vio a Jesús, sacudió violentamente al muchacho, que cayó por tierra y se revolcaba echando espumarajos. [21]Entonces Jesús preguntó al padre: «¿Cuánto tiempo hace que le sucede esto?». El padre contestó: «Desde pequeño. [22]Y muchas veces lo ha tirado al fuego y al agua para acabar con él. Si algo puedes, compadécete de nosotros y ayúdanos». [23]Jesús le dijo: «Dices que si puedo. Todo es posible para el que tiene fe». [24]El padre del niño gritó al instante: «¡Creo, pero ayúdame a tener más fe!». [25]Jesús, viendo que se aglomeraba la gente, increpó al espíritu inmundo, diciéndole: «Espíritu mudo y sordo, te ordeno que salgas y no vuelvas a entrar en él». [26]Y el espíritu salió entre gritos y violentas convulsiones. El niño quedó como muerto, de forma que muchos decían que había muerto. [27]Pero Jesús, cogiéndolo de la mano, lo levantó, y él se puso en pie.

[28]Al entrar en casa, sus discípulos le preguntaron a solas: «¿Por qué nosotros no pudimos expulsarlo?». [29]Les contestó: «Esta clase de demonios no puede ser expulsada sino con la oración».

◆ *Notas:* Marcos 9,14-29

9,14-29 Un hombre cuyo hijo había caído en poder de un demonio estaba en peligro de ser marginado por toda la comunidad, con el resultado de que toda su familia debería sufrir las consecuencias. La curación de su hijo le beneficiaba directamente a él. ⇨ **Demonios/Posesión demoníaca**, 1,23-27 (cf. pág. 333). El que los discípulos fueran incapaces de expulsar al demonio repercutía negativamente en Jesús y en su movimiento. «Jesús, viendo que se aglomeraba la gente, increpó» finalmente al espíritu inmundo (v. 25). Como eran necesarios testigos para que se reconociese el honor de una persona, la muchedumbre que se acerca podrá reconfirmar el honor de Jesús y de su movimiento, que estaba amenazado por la incapacidad de los discípulos de sanar al muchacho.

La explicación privada de que sólo la oración puede expulsar a ciertos demonios (v. 29) queda ilustrada por la súplica que el padre del muchacho dirige a Jesús en vv. 21-24. ⇨ **Oración**, 11,25 (cf. pág. 367) y **El sistema de patronazgo en la Palestina romana**, 9,14-18 (cf. pág. 399).

Inversión de las expectativas y de las reglas relativas al estatus en la facción de Jesús 9,30-37

[30]Se fueron de allí y atravesaron Galilea. Jesús no quería que nadie lo supiera, [31]porque estaba dedicado a instruir a sus discípulos. Les decía: «El Hijo del hombre va a ser entregado en manos de los hombres, le darán muerte y, después de morir, a los tres días, resucitará». [32]Ellos no entendían lo que

quería decir, pero les daba miedo preguntarle. ³³Llegaron a Cafarnaún y, una vez en casa, les preguntó: «¿De qué discutíais por el camino?». ³⁴Ellos callaban, pues por el camino habían discutido sobre quién era el más importante. ³⁵Jesús se sentó, llamó a los doce y les dijo: «El que quiera ser el primero, que sea el último de todos y el servidor de todos». ³⁶Luego tomó a un niño, lo puso en medio de ellos y, abrazándolo, les dijo: ³⁷«El que acoge a un niño como éste en mi nombre, a mí me acoge; y el que me acoge a mí, no es a mí a quien acoge, sino al que me ha enviado».

◆ *Notas:* Marcos 9,30-37

9,33-37 En cualquier agrupación del antiguo mundo mediterráneo serían típicas las discusiones sobre el honor. Sin embargo, una vez solucionado el problema de la jerarquía social, el conflicto quedaría reducido a la mínima expresión. La expresión «ser humilde» quería decir permanecer en el estatus social heredado, no tratar de auparse a sí mismo y a la familia a expensas de otros. Más aún, «humillarse» puede significar dar la precedencia a otro, ceder a otro el propio estatus social heredado y permitir que se dé un tratamiento inapropiado a este estatus. «Acoger» significa mostrar hospitalidad. La inversión que hace Jesús del orden de preferencia que se podía esperar socialmente supone un reto radical a las ideas que se cultivaban en su sociedad sobre los valores. Los niños eran los miembros más vulnerables de la sociedad. ⇨ **Niños,** 9,33-37 (cf. pág. 367).

Normas para los miembros de la facción 9,38-50

³⁸Juan le dijo: «Maestro, hemos visto a uno que expulsaba demonios en tu nombre y se lo hemos prohibido, porque no es de nuestro grupo». ³⁹Jesús replicó: «No se lo prohibáis, porque nadie que haga un milagro en mi nombre puede luego hablar mal de mí. ⁴⁰Pues el que no está contra nosotros está a favor nuestro. ⁴¹Os aseguro que el que os dé a beber un vaso de agua porque sois del Mesías no quedará sin recompensa.

⁴²Al que sea ocasión de pecado para uno de estos pequeños que creen en mí, más les valdría que le colgaran del cuello una piedra de molino y lo echaran al mar. ⁴³Y si tu mano es ocasión de pecado para ti, córtatela. Más te vale entrar manco en la vida que ir con las dos manos al fuego eterno que no se extingue. ⁴⁵Y si tu pie es ocasión de pecado para ti, córtatelo. Más te vale entrar cojo en la vida que ser arrojado con los dos pies al fuego eterno. ⁴⁷Y si tu ojo es ocasión de pecado para ti, sácatelo. Más te vale entrar tuerto en el reino de Dios que ser arrojado con los dos ojos al fuego eterno, ⁴⁸donde el gusano que roe no muere y el fuego no se extingue.

⁴⁹Todos van a ser salados con fuego. ⁵⁰Buena es la sal. Pero si la sal se vuelve insípida, ¿con qué le daréis sabor? Tened sal entre vosotros y convivid en paz».

◆ *Notas:* Marcos 9,38-50

9,38-41 En este texto se concibe el mundo como formado por quienes están de nuestra parte y por quienes están contra nosotros; además, quienes no están contra nosotros están a nuestro favor. ⇨ **Intragrupo y extragrupo, 2,16** (cf. pág. 358). El pasaje sugiere el poder del nombre de Jesús (su personaje) incluso entre los no-seguidores. Recordemos que quienes siguen a Jesús llevan el «nombre» de Cristo.

9,42 «Pequeños» son las personas de extracción humilde que se dedican a seguir a Jesús. ⇨ **Perdón de los pecados, 2,9** (cf. pág. 375). Con este versículo concluye el tema de los pequeños/humildes, que había empezado con la insistencia de Jesús en la necesidad de cambiar las ideas sobre el estatus (vv. 34-37). Atar una piedra de molino a un hombre maniatado y arrojarlo después al mar era una forma de pena capital.

9,43-47 Estos versículos son una parábola sobre la recompensa de la conducta moral. Si la actividad de una persona (manos y pies) o su forma predilecta de pensar y juzgar (ojo) le ponen en peligro de ser desleal a Dios (tentación), deberá poner fin inmediatamente a tal conducta. Es mejor soportar las dificultades que supone poner fin a ella ahora que sufrir más tarde el castigo correspondiente. El castigo es descrito mediante un uso proverbial de Is 66,24. ⇨ **Las tres zonas de la personalidad, 8,17-19** (cf. pág. 406).

Enseñanza sobre el divorcio y explicación aparte para los del grupo 10,1-12

10 ¹Jesús partió de aquel lugar y se fue a la región de Judea, a la otra orilla del Jordán. De nuevo la gente se fue congregando a su alrededor, y él, como tenía por costumbre, se puso también entonces a enseñarles.

²Se acercaron unos fariseos y, para ponerlo a prueba, le preguntaron si era lícito al marido separarse de su mujer. ³Jesús les respondió: «¿Qué os mandó Moisés?». ⁴Ellos contestaron: «Moisés permitió escribir *un certificado de divorcio y separarse de ella*». ⁵Jesús les dijo: «Moisés os dejó escrito ese precepto por vuestra incapacidad para entender.

⁶Pero desde el principio Dios *los creó varón y hembra.* ⁷*Por eso dejará el hombre a su padre y a su madre, se unirá a su mujer* ⁸*y serán los dos una carne.* De manera que ya no son dos, sino una sola carne. ⁹Por tanto, lo que Dios unió, que no lo separe el hombre».

¹⁰Cuando regresaron a la casa, los discípulos le preguntaron sobre esto. ¹¹Él les dijo: «Si uno se separa de su mujer y se casa con otra, comete adulterio contra la primera; ¹²y si ella se separa de su marido y se casa con otro, comete adulterio».

◆ *Notas:* Marcos 10,1-12

10,2-3 ⇨ **Divorcio/Esposa**, 10,2-3 (cf. págs. 342, 347). Los fariseos se muestran aquí hostiles al formular una pregunta relacionada con la legislación expuesta en la Torá: «¿Es lícito...?». Observemos que Jesús, siempre que sus adversarios se le acercan con una pregunta hostil, responde con una contrapregunta, generalmente insultante. Tal procedimiento está plenamente en consonancia con los cánones del desafío-respuesta en una sociedad basada en el honor-vergüenza. La persona honorable, cuando es desafiada, esquiva el desafío y neutraliza así cualquier ventaja que los adversarios creían tener. El insulto de la contrapregunta es subrayado por el énfasis dado al pronombre «os». Jesús se distancia de sus interlocutores y de la interpretación que hacen de Moisés. ⇨ **Desafío-Respuesta**, 2,1-12 (cf. pág. 336).

10,4 ⇨ **Divorcio/Esposa**, 10,2-3 (cf. págs. 342, 347). Para entender el divorcio hay que entender el significado del matrimonio en una cultura específica. Bajo circunstancias normales en el mundo de Jesús, los individuos no se casaban en realidad. Lo hacían las familias. Una familia ofrecía un varón, la otra una hembra. Su boda representaba la boda de las familias extensas y simbolizaba la fusión del honor de las familias implicadas. Se celebraba con la mirada puesta en intereses políticos y/o económicos, incluso cuando podía quedar confinada a gente de la misma etnia, como era el caso en Israel durante el siglo I (ver nota a 10,8 sobre el matrimonio como relación de sangre). En consecuencia, el divorcio llevaba consigo la disolución de los vínculos de las dos familias extensas. Representaba un desafío a la familia de la primera esposa y acabaría seguramente en perpetuos enfrentamientos.

10,8 Jesús considera a la pareja casada como «ya no dos, sino una sola carne». Tal expresión indica que el matrimonio es una relación «de sangre» más que un contrato legal. Y al tratarse de una relación de sangre, como la relación con la madre y el padre (en v. 7) o con los hermanos, el matrimonio no puede ser legalmente disuelto. Más aún, del mismo modo que sólo Dios determina quiénes son nuestros padres, también es Dios quien «une» en matrimonio. Todo esto no es difícil de imaginar en un mundo donde se apañaban los matrimonios, donde la elección de la pareja estaba supeditada a la obediencia a los padres y a las necesidades de la familia. La elección de los padres y de la familia estaba determinada por Dios.

10,10 Se repite un escenario ya conocido: Jesús está a solas con sus discípulos «en la casa», apartado de las miradas de la gente. El modelo de la enseñanza pública y de la explicación en privado parece tener el propósito de articular las posiciones distintivas del seguidor de Jesús (en Marcos) frente a la ética tradicional israelita (ver Mc 4,2-20; 7,14-23; 13,3-23; 15,10-20). ⇨ **Intragrupo y extragrupo**, 2,16 (cf. pág. 358).

10,11 Es importante leer este texto con cuidado. En la comunidad de Marcos, lo que está prohibido no es el divorcio, sino divorciarse y volverse a casar, o divorciarse para poder casarse de nuevo. Esta comunidad conoce también el caso de mujeres (o de la familia de una mujer) que pueden incoar el divorcio. Sería tal divorcio lo que desembocaría inevitablemente en la enemistad familiar, un desafío negativo al honor de la otra familia. Sin embargo (por lo que respecta a comunidad de Marcos), nada se dice de casos de divorcio en los que no se haya previsto casarse con otra persona.

Del v. 12 se deduce claramente que si una mujer casada tiene relaciones sexuales con otro distinto de su marido, comete adulterio. Dada la idea del adulterio en el siglo I, la afirmación tiene sentido: la mujer deshonra al marido. Pero, teniendo en cuenta esa misma idea, si un hombre se casa con otra después de divorciarse (v. 11), simplemente no puede cometer adulterio. ¿Adulterio contra quién?

Adulterio significa deshonrar a un varón teniendo relaciones sexuales con su esposa. Tomemos esta definición literalmente. Puesto que son los varones quienes encarnan el honor (que les confiere el género), y puesto que sólo varones de igual rango pueden cuestionarse el honor, una hembra no puede deshonrar, y de hecho no deshonra, a una esposa por tener relaciones sexuales con el esposo de ésta. Ni puede un hombre casado deshonrar a su esposa teniendo relaciones sexuales con otra mujer. Las relaciones de un esposo con una prostituta no deshonran a la honorable esposa.

Si un hombre se divorciaba de su esposa para volver a casarse, ¿qué varón podía quedar deshonrado? Cualquier lectura obvia nos dice que sería el padre (u otros varones) de la familia de la esposa divorciada. En otras palabras, es la familia de la mujer divorciada quien queda deshonrada al divorciarse el esposo y casarse con otra, que es lo que precisamente desembocaba en una enemistad enconada. Esto es lo que se prohíbe aquí.

Inversión de las normas para tener acceso al intermediario de Dios 10,13-16

¹³Llevaron unos niños a Jesús para que los tocara, pero los discípulos los regañaban. ¹⁴Jesús, al verlo, se indignó y les dijo: «Dejad que los niños vengan a mí; no se lo impidáis, porque de los que son como ellos es el reino de Dios. ¹⁵Os aseguro que el que no recibe el reino de Dios como un niño, no entrará en él». ¹⁶Y tomándolos en brazos, los bendecía, imponiéndoles las manos.

◆ *Notas:* Marcos 10,13-16

10,13-16 Podemos observar aquí la proverbial vulnerabilidad e indefensión de los niños. El cuadro está en relación con las mujeres campesinas (muchos de cuyos niños morirían en su primer año de vida), que llevaban temerosas sus hijos ante Jesús para que los tocara. Jesús pone sus manos sobre los niños para prevenirlos del mal de ojo (principal malignidad de la que los padres deben proteger a sus hijos en el Mediterráneo); la escena sirve de modelo para explicar cómo se puede gozar del patronazgo de Dios (= entrar en el reino de los cielos). Consiguen este patronazgo quienes aceptan ser clientes de Dios espontáneamente y de buen grado. ⇨ **El sistema de patronazgo en la Palestina romana**, 9,14-28 (cf. pág. 309); **Edad**, 5,42 (cf. pág. 344); **Niños**, 9,33-37 (cf. pág. 367).

Advertencia sobre las riquezas en previsión de la lealtad a la nueva familia subrogada de Jesús 10,17-31

¹⁷Cuando iba a ponerse en camino, se le acercó uno corriendo, se arrodilló ante él y le preguntó: «Maestro bueno, ¿qué debo hacer para heredar la vida eterna?». ¹⁸Jesús le contestó: «¿Por qué me llamas bueno? Sólo Dios es bueno. ¹⁹Ya conoces los mandamientos: *No matarás, no cometerás adulterio, no robarás, no darás falso testimonio, no estafarás, honra a tu padre y a tu madre*». ²⁰Él replicó: «Maestro, todo eso lo he cumplido desde joven». ²¹Jesús lo miró fijamente con amor y le dijo: «Una cosa te falta; vete, vende todo lo que tienes y dáselo a los pobres; así tendrás un tesoro en el cielo. Luego ven y sígueme». ²²Ante estas palabras, él frunció el ceño y se marchó todo triste, porque poseía muchos bienes.

²³Jesús, mirando alrededor, dijo a sus discípulos: «¡Qué difícilmente entrarán en el reino de Dios los que tienen riquezas!». ²⁴Los discípulos se quedaron asombrados ante estas palabras. Pero Jesús insistió: «Hijos míos, ¡qué difícil es entrar en el reino de Dios! ²⁵Le es más fácil a un camello pasar por el ojo de una aguja que a un rico entrar en el reino de Dios». ²⁶Ellos se asombraron todavía más y decían entre sí: «Entonces, ¿quién podrá salvarse?». ²⁷Jesús los miró y les dijo: «Para los hombres es imposible, pero no para Dios, porque para Dios todo es posible».

²⁸Pedro le dijo entonces: «Mira, nosotros lo hemos dejado todo y te he-

mos seguido». ²⁹Jesús respondió: «Os aseguro que todo aquel que haya dejado casa o hermanos o hermanas o madre o padre o hijos o tierras por mí y por la buena noticia, ³⁰recibirá en el tiempo presente cien veces más en casas, hermanos, hermanas, madres, hijos y tierras, aunque junto con persecuciones, y en el mundo futuro la vida eterna. ³¹Hay muchos primeros que serán últimos y muchos últimos que serán primeros».

◆ *Notas:* Marcos 10,17-31

10,17-22 Este hombre no viene preguntando en plan hostil, como los fariseos de 10,2. El tipo de pregunta que formula está en relación con las dimensiones de un estilo de vida moralmente íntegro: cómo ser una persona completa desde el punto de vista moral, que agrade a Dios y a los humanos. El hombre empieza con un cumplido, llamando a Jesús «maestro bueno». En una sociedad de bienes limitados, los cumplidos son una agresión; implícitamente acusan a la persona de elevarse por encima de los demás a sus expensas. Los cumplidos ocultan la envidia, de forma parecida al mal de ojo. Jesús se ve obligado a defenderse de una acusación tan agresiva negando tener una cualidad especial que pudiese ofender a los demás. Tal procedimiento está totalmente en consonancia con los cánones del honor. La persona honorable, cuando es desafiada, esquiva el desafío y neutraliza así cualquier acusación que pudiese fortalecer la posición de sus adversarios. La contrapregunta sirve aquí para desviar el inconsciente desafío, mientras que el proverbio «Sólo Dios es bueno» (v. 18) desvía la envidia. ⇨ **Desafío-Respuesta**, 2,1-12 (cf. pág. 336).

10,21 Sólo Marcos menciona que Jesús «amó» a aquel hombre, que había llevado una vida moralmente cabal «desde joven». «Amor» significa apego activo y práctico. El aspecto activo y práctico es subrayado por la segunda exigencia de Jesús. Pues Jesús pide dos cosas al joven «codicioso»: vender lo que tiene y seguir a Jesús. La exigencia de vender lo que se posee, si se entiende literalmente, significa romper con la más querida de todas las posesiones posibles para un mediterráneo: el hogar familiar y el terruño. El giro de la conversación en vv. 23-31 indica con claridad que se trata precisamente de eso. Así, seguir a Jesús significa abandonar o romper con la unidad de parentesco (v. 29), un sacrificio excesivo. Tal abandono de la familia era algo moralmente imposible en una sociedad donde la unidad de parentesco era la institución social clave. Tener un tesoro en el cielo significa que Dios, Patrón celestial, ocupa el lugar de lo que uno posee, al tiempo que la compañía de Jesús y de su grupo sustituye a los vínculos familiares. El joven, comprensible pero lamentablemente, rechaza ambas cosas, «porque poseía muchos bienes» (v. 22). Insistió en conservar sus posesiones, es decir, se manifestó «codicioso». ⇨ **Ricos, pobres y bienes limitados**, 11,17 (cf. pág. 393).

10,23 ⇨ **Ricos, pobres y bienes limitados**, 11,17 (cf. pág. 393). Para poder entender bien el diálogo, conviene saber que las personas «ricas» eran automáticamente consideradas ladrones o herederos de ladrones, pues, según aquella gente, todos los bienes de la vida eran limitados. La única forma de abrirse camino era aprovecharse de los demás. Por definición, ser rico significa ser codicioso. El camello es el animal más voluminoso del Próximo Oriente, y el ojo de la aguja la abertura más diminuta. La elocuencia, una virtud masculina en la Antigüedad, implicaba habilidad en la hipérbole verbal, que Jesús utiliza aquí con un efecto sorprendente.

10,26-30 Los discípulos se quedan asombrados al oír que los ricos «codiciosos» no tienen ventaja alguna cuando se trata de acceder al patronazgo divino. Ver notas a los dos pasajes anteriores. A la pregunta retórica «Entonces, ¿quién podrá salvarse?» Jesús responde con un proverbio popular: «Para Dios todo es posible». Pedro aborda entonces el problema planteado por la petición de Jesús al joven codicioso (10,17-22), a saber, la cuestión del premio o recompensa de quienes siguen a Jesús. Dando su palabra de honor (v. 29), Jesús insiste en que quienes dejen familia y tierras por seguirle, o «por la buena noticia», serán aceptados como miembros de la familia del patrón-padre Dios. Recibirán cien veces más «en el tiempo presente», además de la plena participación «en el mundo futuro», es decir, la participación en la nueva sociedad, en la nueva familia del Patrón Dios. ⇨ **El sistema de patronazgo en la Palestina romana**, 9,14-28 (cf. pág. 399).

10,31 Comparado con el estatus actual del rico codicioso, el estatus de los seguidores de Jesús señala una inversión en el rango, como indica el proverbio de v. 31. La acción de poner a los primeros los últimos y a los últimos los primeros describe la situación de honor y de vergüenza de las personas cuyos puestos han sido cambiados. Tal conducta abría un camino a la violencia, pues era realmente ultrajante. En una cultura definida por el honor-vergüenza, los primeros en la escala social estaban donde tenían que estar, y además por voluntad de Dios. Lo mismo ocurría con quienes eran los últimos. ⇨ **Sociedades con base en el honor-vergüenza**, 6,1-4 (cf. pág. 404).

Advertencia sobre la angustia que se avecina 10,32-34

³²Subían camino de Jerusalén y Jesús iba por delante de sus discípulos, que lo seguían admirados y asustados. Entonces tomó consigo una vez más a los doce y comenzó a decirles lo que le iba a pasar: ³³«Mirad, estamos subiendo a Jerusalén y el Hijo del hombre va a ser entregado a los jefes de los sacerdotes y a los maestros de la ley; lo condenarán a muerte y lo entregarán a los paganos; ³⁴se burlarán de él, le escupirán, lo azotarán y lo matarán, pero a los tres días resucitará».

◆ *Notas:* Marcos 10,32-34

10,32-34 No sólo anticipa Jesús su muerte; también habla con detalle del ritual de degradación que tendrá que soportar. ⇨ **Rituales de degradación de estatus**, 14,53-65 (cf. pág. 396). Observemos que se dan aquí más detalles de los que aparecen después en el relato.

Competencia por el honor en la facción de Jesús 10,35-45

³⁵Santiago y Juan, los hijos de Zebedeo, se le acercaron y le dijeron: «Maestro, queremos que nos concedas lo que vamos a pedirte». ³⁶Jesús les preguntó: «¿Qué queréis que haga por vosotros?». ³⁷Ellos le contestaron: «Concédenos sentarnos uno a tu derecha y otro a tu izquierda en tu gloria». ³⁸Jesús les replicó: «No sabéis lo que pedís. ¿Podéis beber la copa de amargura que yo he de beber, o ser bautizados con el bautismo con que yo voy a ser bautizado?». ³⁹Ellos le respondieron: «Sí, podemos». Jesús entonces les dijo: «Beberéis la copa que yo he de beber y seréis bautizados con el bautismo con que yo voy a ser bautizado. ⁴⁰Pero el sentarse a mi derecha o a mi izquierda no me toca a mí concederlo, sino que es para quienes está reservado».

⁴¹Los otros diez, al oír aquello, se indignaron contra Santiago y Juan. ⁴²Jesús los llamó y les dijo: «Sabéis que los que figuran como jefes de las naciones las gobiernan tiránicamente, y que sus magnates las oprimen. ⁴³No ha de ser así entre vosotros. El que quiera ser grande entre vosotros, que sea vuestro servidor, ⁴⁴y el que quiera ser el primero entre vosotros, que sea esclavo de todos. ⁴⁵Pues tampoco el Hijo del hombre ha venido a ser servido, sino a servir y a dar su vida en rescate por todos».

◆ *Notas:* Marcos 10,35-45

10,35-45 Se debate sobre el honor y el estatus que deriva de él (⇨ **Sociedades con base en el honor-vergüenza**, 6,1-4; cf. pág. 404). Santiago y Juan se acercan a Jesús y le piden que les conceda más honor que al resto del grupo. La conducta está en consonancia con la naturaleza de una facción: los miembros están vinculados al personaje central, Jesús, y no tanto entre ellos. Los dos hermanos, unidos por vínculos familiares, se acercan al personaje central por su cuenta, prescindiendo de los demás. Por supuesto, tal actitud provoca la envidia de los otros, como lo indica su indignación (v. 41). Así funcionaban las facciones en el Mediterráneo. ⇨ **Coaliciones/Facciones**, 3,13-19 (cf. pág. 329). La respuesta de Jesús tiene dos facetas. En primer lugar, pregunta si serán capaces de compartir su destino, es decir, beber la «copa». En la Biblia, «copa» se refiere con frecuencia al lote fijo y limitado que Dios ofrece a una persona durante su vida, bien de una vez o en partes. Después afirma Jesús que sólo Dios es capaz de ejercer tal patronazgo. Jesús es el intermediario del reino, no su patrón. ⇨ **El sistema de patronazgo en la Palestina romana**, 9,14-28 (cf. pág. 399).

10,42-44 El tema de la inversión del estatus empieza con un contraste entre el mundo exterior a la casa de Israel (gobernantes y magnates gentiles) y el modo en que deberían funcionar las cosas en el Israel renovado (seguidores de Jesús). En el Israel renovado, grandes son quienes actúan como siervos en las comidas ceremoniales (diáconos), y primeros, quienes tienen estatus de esclavo. Estas inversiones de valores sustituyen la reciprocidad generalizada típica de las relaciones familiares por la reciprocidad equilibrada habitual en los asuntos públicos. ⇨ **Relaciones (intercambios) sociales**, 10,42-44 (cf. pág. 388).

10,45 En este versículo se ofrece la razón de la inversión de estatus necesaria en el movimiento de Jesús. Se basa en la conducta del «Hijo del hombre», que sirvió a otros (diácono) y «dio su vida en rescate por todos», para hacer libres a otros. ¿Por qué alguien tomaría a una persona como rescate de otros? Esto sería posible sólo si la persona que iba a ser aceptada como rescate gozase de un estatus de honor más alto que quienes iban a ser liberados. De ese modo los raptores obtendrían mayor reconocimiento y prestigio deteniendo y ejecutando a un personaje con un alto grado de honor. Por ejemplo, hablando desde el punto de vista del valor del rescate, un rey, aun siendo un ser individual, vale todo un reino con millones de personas (lo mismo que en el ajedrez: cuando matas al rey se acaba el juego, aunque todas las piezas del contrario estén intactas), y podría fácilmente sustituir a otros.

Jesús salva a un ciego 10,46-52

[46]Llegaron a Jericó. Más tarde, cuando Jesús salía de allí acompañado por sus discípulos y por mucha gente, el hijo de Timeo, Bartimeo, un mendigo ciego, estaba sentado junto al camino. [47]Cuando se enteró de que era Jesús el Nazareno quien pasaba, se puso a gritar: «¡Hijo de David, Jesús, ten compasión de mí!». [48]Muchos lo reprendían para que callara. Pero él gritaba todavía

más fuerte: «¡Hijo de David, ten compasión de mí!». [49]Jesús se detuvo y dijo: «Llamadlo». Llamaron entonces al ciego, diciéndole: «Ánimo, levántate, que te llama». [50]Él, arrojando su manto, dio un salto y se acercó a Jesús. [51]Jesús, dirigiéndose a él, le dijo: «¿Qué quieres que haga por ti?». El ciego le contestó: «Maestro, que recobre la vista». [52]Jesús le dijo: «Vete, tu fe te ha salvado». Y al momento recobró la vista y le siguió por el camino.

◆ *Notas:* Marcos 10,46-52

10,46-52 Marcos, al yuxtaponer este relato al precedente, donde los discípulos se disputan entre sí la precedencia y el honor, trata claramente de llamar la atención sobre la relación entre las condiciones físicas y las sociales. ⇨ **Preocupación por la salud,** 5,21-24a (cf. pág. 381).

10,47 «Compasión» se refiere a la buena disposición a pagar las deudas de la obligación interpersonal. Pedir que alguien tenga compasión significa que el peticionario cree que la otra persona se lo «debe». El ciego pide a Jesús, famoso sanador («mucha gente», v. 46), que pague su deuda de la obligación interpersonal, pues es «hijo de David» (título que sin duda significa Mesías en Marco, pero que también hace referencia a Salomón, persona sapientísima). Como «hijo de David» que es, Jesús está en deuda con la gente de la casa de Israel que le reconoce y le honra. El ciego le manifiesta insistentemente su reconocimiento y consigue ver. Tras la curación, Marcos nos dice intencionadamente que la persona curada sigue a Jesús. ⇨ **El sistema de patronazgo en la Palestina romana,** 9,14-28 (cf. pág. 399).

VI. 11,1-13,37: Con Jesús y sus discípulos en Jerusalén

Entrada de Jesús en Jerusalén 11,1-11

11 [1]Cuando se acercaban a Jerusalén, a la altura de Betfagé y Betania, junto al monte de los Olivos, Jesús envió a dos de sus discípulos [2]con este encargo: «Id a la aldea de enfrente. Al entrar en ella, encontraréis en seguida un borrico atado, sobre el que nadie ha montado todavía. Soltadlo y traedlo. [3]Y si alguien os pregunta por qué lo hacéis, le decís que el Señor lo necesita y que en seguida lo devolverá». [4]Los discípulos fueron, encontraron un borrico' atado junto a la puerta, fuera, en la calle, y lo soltaron. [5]Algunos de los que estaban allí les preguntaron: «¿Por qué desatáis el borrico?». [6]Los discípulos les contestaron como les había dicho Jesús, y ellos se lo permitieron. [7]Llevaron el borrico, echaron encima sus mantos, y Jesús montó sobre él. [8]Muchos tendieron sus mantos por el camino y otros hacían lo mismo con ramas que cortaban en el campo. [9]Los que iban delante y detrás gritaban: «¡Ho-

sanna! ¡Bendito el que viene en nombre del Señor! [10]¡Bendito el reino que viene, el de nuestro padre David! *¡Hosanna en las alturas!».*

[11]Cuando Jesús entró en Jerusalén, fue al templo y observó todo a su alrededor, pero como ya era tarde, se fue a Betania con los doce.

◆ *Notas:* **Marcos 11,1-11**

11,1-2 El primer episodio de esta sección final del evangelio de Marcos, primer día de Jesús en Jerusalén y sus alrededores (vv. 1-11), describe el movimiento de Jesús (y de los Doce): de Betania a Jerusalén y su templo, y regreso a Betania. A diferencia de Mateo (21,2), Marcos no dice si la montura era un potro o un asno. Se fija en que ningún ser humano ha cabalgado sobre él. Jesús se monta sobre un animal «sagrado», indomado y ajeno al mundo del uso humano, consagrado con la especial y extraordinaria tarea de llevar sobre sí al «que viene en nombre del Señor» hasta el lugar central consagrado a ese Señor.

11,8 Los mantos y ramas esparcidos por el suelo forman una alfombra, de modo que los pies de la cabalgadura no toquen el suelo o las piedras que tocan la gente común. El extraordinario personaje a quien se concede tal bienvenida queda así apartado de la condición y los asuntos humanos, y situado a un nivel superior.

11,9-10 La aclamación de la muchedumbre va dirigida a Jesús. En la mayoría de las versiones no se traduce al castellano la palabra aramea *Hosanna* porque también está en arameo en el Nuevo Testamento griego (lo mismo que *Amen* o *Alleluia* quedan también en hebreo). La palabra significa «Sálvanos» o «Rescátanos». Se trata de salvar o rescatar de alguna situación que amenaza la vida. La palabra aparece sola (v. 9) o seguida de un vocativo, dirigido a la persona por la que desean ser salvados quienes lo pronuncian (v. 10). Así, la frase «en las alturas» significa «¡Oh Altísimo!» (la preposición semita *bet, b,* es usada como indicador de vocativo). «El que viene en nombre del Señor» es otra forma de «Hijo de David», que es el sustituto o representante de Dios; de ahí la expresión «reino de nuestro padre David».

Para apreciar este escenario, observemos cómo Jesús monta un animal consagrado y entra en la ciudad consagrada que constituye el centro de la casa de Israel, al tiempo que la muchedumbre grita solicitando el rescate divino y reconoce a Jesús como Hijo de David (Mesías) y le da la bienvenida como apoderado de Dios. Marcos presenta, pues, a Jesús como intermediario divino en quien la muchedumbre de Jerusalén busca el patronazgo de Dios. ⇨ **El sistema de patronazgo en la Palestina romana,** 9,14-28 (cf. pág. 399).

11,11 Todos estos detalles marcan el final del episodio: Jesús, que se ha demorado a causa de la gente, entra en el templo, echa un vistazo «a todo» y vuelve con los Doce a Betania. Los nombre de Jerusalén y Betania marcan una inclusión para delinear este episodio inicial.

Serie de acciones simbólicas proféticas 11,12-26

[12]Al día siguiente, cuando salieron de Betania, Jesús sintió hambre. [13]Al ver de lejos una higuera con hojas, se acercó a ver si encontraba algo en ella. Pero no encontró más que hojas, pues no era tiempo de higos. [14]Entonces le dijo: «Que nunca jamás coma nadie fruto de ti». Sus discípulos lo oyeron.

[15]Cuando llegaron a Jerusalén, Jesús entró en el templo y comenzó a echar a los que vendían y compraban en el templo. Volcó las mesas de los cambistas y los puestos de los que vendían las palomas, [16]y no consentía que nadie pasase por el templo llevando cosas. [17]Luego se puso a enseñar diciéndoles: «¿No está escrito: *Mi casa será casa de oración para todos los pueblos?* Vosotros, sin embargo, la habéis convertido en *una cueva de ladrones»*.

[18]Los jefes de los sacerdotes y los maestros de la ley se enteraron y buscaban el modo de acabar con Jesús, porque lo temían, ya que toda la gente estaba asombrada de su enseñanza. [19]Cuando se hizo de noche, salieron de la ciudad.

[20]Cuando a la mañana siguiente pasaron por allí, vieron que la higuera se había secado de raíz. [21]Pedro se acordó y dijo a Jesús: «Maestro, mira, la higuera que maldijiste se ha secado». [22]Jesús les dijo: «Tened fe en Dios. [23]Os aseguro que si uno le dice a este monte: 'Quítate de ahí y arrójate al mar', si lo hace sin titubeos en su interior y creyendo que va a suceder lo que dice, lo obtendrá. [24]Por eso os digo: Todo lo que pidáis en vuestra oración, tened fe en que lo habéis recibido y será vuestro. [25]Y cuando oréis, perdonad si tenéis algo contra alguien, para que también vuestro Padre celestial os perdone vuestras culpas».

◆ *Notas:* Marcos 11,12-26

11,12-26 Marcos describe con una inclusión literaria los acontecimientos del segundo día y de la mañana siguiente:

A   Maldición de la higuera, 11,12-14
   B   Conmoción en el templo y consecuencias, 11,15-19
A'   La higuera maldecida, 11,20-26

La inclusión está formada por dos acciones simbólicas proféticas: maldición de la higuera y resultado; conmoción en el templo y resultado. Vamos con el primer incidente. Una maldición es un conjunto significativo de palabras que producen eficazmente un resultado negativo sobre una persona u objeto. En nuestra sociedad, lo que más se puede parecer a las maldiciones del Mediterráneo son las maldiciones sociales de los jueces en los tribunales, cuando dictan sentencia. Cuando en un contexto propiamente legal dice un juez «Te condeno a treinta años de prisión», inevitablemente, y como por arte de magia, la persona sentenciada es conducida a prisión. Aunque tales maldiciones sociales (o proclamaciones de sentencias) son simples palabras, resultan eficaces debido a una creencia social compartida. De manera análoga, una persona puede ser «declarada» enferma mental por un médico y ser confinada en una institución sanitaria durante un periodo indefinido. Se trata de palabras, pero pronunciadas utilizando una forma determinada y en un contexto social pertinente. Las maldiciones operan de manera parecida. En Israel, la forma y el contexto sociales adecuados para las maldiciones son los oráculos proféticos.

Los dos episodios que sirven de marco (11,12-14 y 11,20-26), así como el episodio central (11,15-19), presentan la forma de acciones simbólicas proféticas. Desde el punto de vista literario, tales acciones consisten en la descripción de cierta actividad simbólica (generalmente ordenada por Dios) ejecutada por el profeta, seguida de unas palabras que aclaran el significado de la acción. Tales acciones simbólicas van cargadas de significado y sentimiento, e invariablemente realizan lo que simbolizan. Por ejemplo, en Ezequiel 5 Dios ordena al profeta que se afeite la cabeza y la barba y divida en tres partes el pelo cortado. El destino de este pelo será el destino de los jerosolimitanos. «Así dice el Señor: Todo esto se refiere a Jerusalén» (Ez 5,5). A continuación se describe el cumplimiento de la acción profética.

En el episodio central (11,15-19) la conducta de Jesús repercute en la gente que llevaba a cabo una función legítima en el templo, no permitiéndoles preparar las ofrendas de sacrificios legítimos ordenados por Dios en la Torá. La acción de expulsarlos equivale a poner fin a los sacrificios requeridos por Dios. Al mismo tiempo, se trata de un serio desafío al honor de las autoridades del templo.

11,17 Estas palabras pretenden explicar el significado de la acción. Una «cueva de ladrones» es el lugar donde los salteadores almacenaban sus ganancias ilegítimamente adquiridas. La frase está tomada de Jr 7,11. Llamar al templo cueva de ladrones es considerarlo una institución en busca del lucro, y en el mundo mediterráneo, el lucro siempre está en relación con la extorsión y la codicia. ⇨ **Ricos, pobres y bienes limitados**, 11,17 (cf. pág. 393). Sólo Marcos hace la observación de que el templo de Jerusalén estaba abierto a «todos los pueblos».

11,18 Los resultados de la acción simbólica central no se dejan esperar: «los jefes de los sacerdotes y los maestros de la ley» toman la resolución de destruir a Jesús porque le temen, pues contaba con el apoyo de la multitud debido a «su enseñanza». Ver nota superior a 11,12-26.

11,20-26 En Marcos, la maldición de la higuera sirve de acción simbólica profética para subrayar el lugar central de la lealtad a Dios. ⇨ **Fe**, 11,22-26, y la nota de arriba a 11,12-26 (cf. pág. 353). La conducta profética se pone de manifiesto en la maldición de la higuera y en su marchitamiento. La palabra que explica tal conducta es la respuesta de Jesús en v. 22. Jesús fundamenta su respuesta en una palabra de honor («Os aseguro») y explica por qué se ha secado la higuera: por la absoluta lealtad de Jesús a Dios y por no haber dudado lo más mínimo («sin titubeos en su interior») de lo que Dios le pedía. Esto es lo que significa «tener fe». Su absoluta falta de dudas explica lo que va a tener lugar en Jerusalén: su actividad profética y el destino unido a ella, es decir, su sufrimiento y su muerte.

11,24-25 Quienes son totalmente leales a Dios tienen garantizadas sus peticiones. ⇨ **Oración**, 11,25 (cf. pág. 367); y **Fe**, 11,22-26 (cf. pág. 353). Pero la plegaria implica también el perdón. En una sociedad movida por el esquema honor-vergüenza, el pecado constituye una brecha en las relaciones interpersonales. En los evangelios, la analogía más próxima al perdón de los pecados es el perdón de las deudas (Mt 6,12; ver Lc 11,4), una analogía basada en la experiencia generalizada de los campesinos. Las deudas constituían una amenaza para la tierra, el sustento y la familia. Empobrecían a una persona (⇨ **Ricos, pobres y bienes limitados**, 11,17; cf. pág. 393), es decir, la incapacitaban para defender su posición social. El perdón tendría, pues, un carácter de restauración: de autosuficiencia económica y de reintegración en la comunidad. Como entonces no existía el punto de vista introspectivo y orientado hacia la culpa de las sociedades industrializadas, el perdón de parte de Dios significaba ser divinamente restaurado en la propia posición y, por tanto, quedar liberado del miedo a sufrir alguna pérdida a manos de Dios. La «conciencia» no era tanto una voz interior que nos acusa cuanto una voz exterior: lo que decían los demás, sentirse acusado por amigos, vecinos o autoridades. Observemos al respecto el interés de Jesús por saber lo que la gente pensaba de él (Mc 8,27 y par.). También Pablo se preocupaba de eso (1 Cor 4,4) y de lo que pensaban los de fuera de los grupos cristianos (1 Tes 4,12; ver Col 4,5; 1 Tim 3,7). Una acusación tenía el poder de destruir; y el perdón, el de restaurar.

Desafío a la autoridad de Jesús y respuesta insultante de éste 11,27-33

²⁷Llegaron de nuevo a Jerusalén y, mientras Jesús paseaba por el templo, se le acercaron los jefes de los sacerdotes, los maestros de la ley y los ancianos, ²⁸y le dijeron: «¿Con qué autoridad haces estas cosas? ¿Quién te ha dado autoridad para actuar así?». ²⁹Jesús les respondió: «También yo os voy a hacer una pregunta. Si me contestáis, os diré con qué autoridad hago esto. ³⁰¿De dónde procedía el bautismo de Juan: de Dios o de los hombres? Contestadme». ³¹Ellos discurrían entre sí y comentaban: «Si decimos de Dios, dirá: 'Entonces, ¿por qué no le creisteis?'. ³²Pero, ¿cómo vamos a responder que era de los hombres?». Tenían miedo a la gente, porque todos consideraban a Juan como profeta. ³³Así que respondieron a Jesús: «No sabemos». Jesús les contestó: «Pues tampoco yo os digo con qué autoridad hago esto».

◆ *Notas:* Marcos 11,27-33

11,27-33 Durante su segundo día en Jerusalén, y mientras paseaba por el templo, Jesús es desafiado en público por los jefes de los sacerdotes, los maestros de la ley y los ancianos. ⇨ **Desafío-Respuesta**, 2,1-12 (cf. pág. 336). Esta vez se trata de una pregunta burlona, y, como es habitual en los relatos de Marcos, Jesús responde a la pregunta con una contrapregunta que sirve de respuesta eficaz.

Autoridad significa capacidad para influir en la conducta de los demás. En la Antigüedad, lo que confería autoridad a la gente para actuar en público era la posición social, es decir, el grado de honor que les reconocía la comunidad. ⇨ **Sociedades con base en el honor-vergüenza**, 6,1-4 (cf. pág. 404). La posición social derivaba normalmente del nacimiento (honor adscrito), pero también se podía conseguir (honor adquirido). Cualquiera que fuese su origen, la posición social, para tener credibilidad pública, tenía que ir en consonancia con lo que se hacía y se decía en público. Las acciones que no respondían a la posición social necesitaban una forma alternativa de legitimación, de lo contrario se pensaría que estaban inspiradas por el diablo. El rechazo de Jesús en este texto a proporcionar a la élite una legitimación adicional de sus acciones parece basarse en el hecho de que, lo mismo que ocurrió con Juan el profeta, ya gozaba de credibilidad a los ojos del pueblo.

Historia para insultar a los adversarios de Jesús 12,1-12

12 ¹Entonces Jesús les contó esta parábola: «Un hombre plantó una viña, la rodeó con una cerca, cavó un lagar y edificó una torre. Después la arrendó a unos labradores y se ausentó. ²A su debido tiempo envió un siervo a los labradores para que le dieran la parte correspondiente de los frutos de la viña.

³Pero ellos lo agarraron, lo golpearon y lo despidieron con las manos vacías. ⁴Volvió a enviarles otro siervo. A éste lo descalabraron y lo ultrajaron. ⁵Todavía les envió otro, y lo mataron. Y otros muchos, a los que golpearon o mataron. ⁶Finalmente, cuando ya sólo le quedaba su hijo querido, se lo envió pensando: «A mi hijo lo respetarán». ⁷Pero aquellos labradores se dijeron: «Éste es el heredero. Matémoslo y será nuestra la herencia». ⁸Y echándole mano, lo mataron y lo arrojaron fuera de la viña. ⁹¿Qué hará, pues, el dueño de la viña? Vendrá, acabará con los labradores y dará la viña a otros. ¹⁰¿No habéis leído este texto de la Escritura:

> La piedra que rechazaron los constructores
> se ha convertido en piedra angular;
> ¹¹esto es obra del Señor,
> y es admirable a nuestros ojos?

¹²Sus adversarios estaban deseando echarle mano, porque se dieron cuenta de que Jesús había dicho la parábola por ellos. Sin embargo, lo dejaron y se marcharon, porque tenían miedo de la gente.

◆ *Notas:* Marcos 12,1-12

12,1-12 Jesús propone directamente una parábola a los jefes de los sacerdotes, los maestros de la ley y los ancianos del templo que habían desafiado su autoridad. Describe una situación muy conocida a quienes vivían en Galilea: un propietario que vive fuera de la región. Si, tras enviar repetidas veces a sus siervos, se decide el propietario a enviar a su hijo, es posible que los labradores pensasen que el dueño había muerto y que el hijo era el único obstáculo que quedaba para hacerse con la tierra. Pero el propietario está vivo. A la pregunta formulada en v. 9 por Jesús: el propietario volverá, matará a los arrendatarios y les dará a otros la tierra en renta.

Dadas las continuas y agudas réplicas que se han ido sucediendo (ver nota a 11,27-33), esta historia es un retrodesafío a las élites que se oponen a Jesús. Al preguntar a estos expertos en la Torá «¿No habéis leído este texto de la Escritura...» (citando Sal 118,22-23), Jesús añade un insulto a la ofensa. Los adversarios se dieron cuenta de inmediato que «había dicho la parábola por ellos». Está claro que los adversarios son «los constructores» que rechazan a Jesús, que «se ha convertido en piedra angular», y que «todo esto es obra del Señor». Las consecuencias son asimismo claras: tratan de arrestar a Jesús, pero se frenan porque tienen miedo a la gente.

La reacción de los adversarios se explica por el modo en que ha sido utilizada la parábola por Marcos. Si en una primera etapa de la tradición evangélica la parábola incrustada ahora aquí no fuese una respuesta a los enemigos de Jerusalén, pudo muy bien haber sido una prevención ante los terratenientes que expropiaban las tierras y exportaban los productos del país. Tal situación era normal en tiempos de Jesús, como se deduce de algunos relatos evangélicos.

Desafío sobre los impuestos al emperador 12,13-17

¹³Ellos le enviaron entonces unos fariseos y unos herodianos con el fin de cazarlo en alguna palabra. ¹⁴Llegaron éstos y le dijeron: «Maestro, sabemos que eres sincero y que no te dejas influir por nadie, pues no miras la condición de las personas, sino que enseñas con verdad el camino de Dios. ¿Es lícito pagar tributo al emperador o no? ¿Lo pagamos o no lo pagamos?». ¹⁵Jesús, dándose cuenta de su mala intención, les contestó: «¿Por qué me ponéis a prueba? Traedme una moneda para que la vea». ¹⁶Se la llevaron, y les preguntó: «¿De quién es esta imagen y esta inscripción?». Le contestaron: «Del emperador». ¹⁷Jesús les dijo: «Pues dad al emperador lo que es del emperador y a Dios lo que es de Dios». Esta respuesta los dejó asombrados.

◆ *Notas:* Marcos 12,13-17

12,13-17 Instigados por la élite («ellos», es decir, los jefes de los sacerdotes, los maestros de la ley y los ancianos), una nueva serie de adversarios trata de atrapar a Jesús. Esta vez se trata de fariseos y de herodianos (o monárquicos). ⇨ **Desafío-Respuesta**, 2,1-12, y notas a los dos pasajes precedentes (cf. pág. 336). Como en 10,2-3, le hacen a Jesús una pregunta de tema legal con intención hostil: «¿Es lícito...?». Nuevamente Jesús responde con una contrapregunta insultante, en línea con los cánones del honor. La persona honorable, cuando es desafiada, elude el desafío y neutraliza así cualquier ventaja que los adversarios pudiesen creer tener. El insulto está en el hecho de que sus hipócritas adversarios no tienen más remedio que enseñar monedas acuñadas y responden a una obvia contrapregunta en la que quedan atrapados.

La moneda que Jesús les pide que le enseñen es el «dinero para el tributo»: un denario romano, en el que se podía ver la imagen del César y la inscripción «Tiberio César, Augusto, hijo del divino Augusto» (ver v. 16). La moneda era una seria afrenta a la ley, y los adversarios de Jesús quedan públicamente avergonzados al hacer ver que la poseían. Tras preguntarles por la imagen y la inscripción, incrementando así la vergüenza de sus adversarios, Jesús responde positivamente a la pregunta que le habían hecho: dad al emperador lo que es del emperador. Pero Jesús quiere concluir, y por tanto poner de relieve: «Dad a Dios lo que es de Dios». Así acusa a sus adversarios, fariseos y herodianos, de no pagar a Dios lo que es debido a Dios. Ellos se asombran de su respuesta, demostrando que la dan por buena (v. 17). ⇨ **Religión, economía y política**, 12,13-17 (cf. pág. 390).

Desafío-Respuesta sobre la resurrección 12,18-27

18Se le acercaron unos saduceos, que niegan la resurrección, y le preguntaron: 19«Maestro, Moisés nos dejó escrito: *Si el hermano de uno muere y deja mujer, pero sin ningún hijo, que su hermano se case con la mujer para dar descendencia al hermano difunto.* 20Pues bien, había siete hermanos. El primero se casó y al morir no dejó descendencia. 21El segundo se casó con la mujer y murió también sin descendencia. El tercero, lo mismo, 22y así los siete, sin que ninguno dejara descendencia. Después de todos, murió la mujer. 23Cuando resuciten los muertos, ¿de quién de ellos será mujer? Porque los siete estuvieron casados con ella».

24Jesús les dijo: «Estáis muy equivocados, porque no comprendéis las Escrituras ni el poder de Dios. 25Cuando resuciten de entre los muertos, ni ellos ni ellas se casarán, sino que serán como ángeles en los cielos. 26Y en cuanto a que los muertos resucitan, ¿no habéis leído en el libro de Moisés, en el episodio de la zarza, lo que le dijo Dios: *Yo soy el Dios de Abrahán y el Dios de Isaac y el Dios de Jacob?* 27No es un Dios de muertos, sino de vivos. Estáis muy equivocados».

◆ *Notas:* Marcos 12,18-27

12,18-27 Aparece ahora un nuevo grupo de adversarios con intención de desafiar a Jesús. Se trata de saduceos, «que niegan la resurrección». Una vez más nos hallamos ante una situación de desafío y respuesta. ➩ **Desafío-Respuesta,** 2,1-12 (cf. pág. 336). Los saduceos eran el grupo aristocrático y sacerdotal que controlaban el templo y sus tierras. Su desafío adopta la forma de una burla sarcástica, con resonancias de Dt 25,5ss, que establece un sistema de conservación de los derechos de propiedad mediante un procedimiento llamado levirato o matrimonio de cuñados. La respuesta de Jesús es igualmente sarcástica y mordaz, pues acusa de ignorancia a los maestros oficiales de Israel, ignorancia de las Escrituras y del poder de Dios. En v. 26 encontramos la consabida frase despectiva: «¿No habéis leído...?». Como se verá en el v. 28, un jerosolimitano (uno de los continuos adversarios de Jesús en Galilea), vio «lo bien que les había respondido».

Desafío sobre el mandamiento principal 12,28-34

28Un maestro de la ley que había oído la discusión y había observado lo bien que les había respondido, se acercó y le preguntó: «¿Cuál es el mandamiento más importante?». 29Jesús contestó: «El más importante es éste: *Escucha, Israel, el Señor nuestro Dios es el único Señor.* 30Amarás al Señor tu Dios con todo tu corazón, con toda tu alma,* con toda tu mente y con todas tus fuerzas.* 31El segundo es éste: *Amarás a tu prójimo como a ti mismo.* No hay otro mandamiento más importante que éstos». 32El maestro de la ley le dijo: «Muy bien, Maestro. Tienes razón al afirmar que

Dios es único y que no hay otro fuera de él; ³³*y que amarlo con todo el corazón, con todo el entendimiento y con todas las fuerzas, y amar al prójimo como a uno mismo vale más que todos* los holocaustos y sacrificios». ³⁴Jesús, viendo que había hablado con sensatez, le dijo: «No estás lejos del reino de Dios». Y nadie se atrevía ya a seguir preguntándole.

◆ *Notas:* Marcos 12,28-34

12,28-34 Ahora es un escriba de Jerusalén quien le formula una pregunta a Jesús. Como el hombre de 10,17, pero a diferencia de los jefes de los sacerdotes, ancianos, escribas, fariseos, herodianos y saduceos, que formaban un frente contra Jesús (11,27-12,27), este escriba no es un encuestador hostil. El tipo de pregunta que le hace trata de las dimensiones de un estilo de vida moralmente íntegro, de cómo ser una persona moralmente cabal, que agrade a Dios y a los hombres. Sorprendentemente, Jesús le da una respuesta rápida con citas de Dt 6,5 y Lv 19,18 sobre el «amor» a Dios y al prójimo. ⇨ **Amor y odio,** 12,28-34 (cf. pág. 321). El escriba no sólo coincide con Jesús, sino que llega a afirmar que el apego práctico al prójimo «vale más» que los sacrificios en el templo. Jesús considera «sensata» su respuesta y reconoce públicamente el honor del escriba con una alabanza: al escriba le falta muy poco para gozar del favor de Dios.

12,34 Los resultados de esta serie de desafíos lanzados contra Jesús en el templo (11,27-12,34; ver las distintas notas y escenarios de lectura citados en esa sección del relato evangélico) redundan en un grado tal de honor que sus adversarios ya no se atreven a preguntarle nada más. De ahí que Jesús prepare su ofensiva, como haría cualquier hombre de honor.

Contradesafíos a los adversarios de Jesús 12,35-40

³⁵Entonces Jesús tomó la palabra y enseñaba en el templo diciendo: «¿Cómo dicen los maestros de la ley que el Mesías es el hijo de David? ³⁶David mismo dijo, inspirado por el Espíritu Santo:

*Dijo el Señor a mi Señor:
siéntate a mi derecha
hasta que ponga a tus enemigos
debajo de tus pies.*

³⁷Si el mismo David lo llama Señor, ¿cómo es posible que el Mesías sea hijo suyo?». La multitud lo escuchaba con agrado.

³⁸En su enseñanza decía también: «Tened cuidado con los maestros de la ley, que gustan de pasearse lujosamente vestidos y de ser saludados por la calle. ³⁹Buscan los puestos de honor en las sinagogas y los primeros lugares en los banquetes. ⁴⁰Estos, que devoran los bienes de las viudas con el pretexto de largas oraciones, tendrán un juicio muy riguroso».

◆ *Notas:* Marcos 12,35-40

12,35-37 Jesús desafía ahora a toda la élite cuestionando públicamente la interpretación de la Torá que hacen los escribas de Jerusalén. Su desafío está en relación con la identidad del Mesías. Según la enseñanza de los escribas, el Mesías es «hijo de David» (título habitual de Jesús en Marcos); Jesús responde: el Mesías no puede ser hijo de David (pues un hijo no puede ser más grande que el padre). Tiene que ser más grande que David, puesto que éste le llama Señor (¡luego David no puede ser su padre!). Como resultado de este intercambio de réplicas constatado por Marcos (12,37), Jesús, maestro del templo, es recibido magníficamente por las gentes de Jerusalén.

12,38-40 Mientras enseña en el templo, Jesús lanza un desafío serio y público a los escribas de Jerusalén, al pedir a la muchedumbre que estén precavidos contra ellos. ⇨ **Sociedades con base en el honor-vergüenza**, 6,1-4 (cf. pág. 404). El desafío de Jesús empieza con una serie de acusaciones: (1) los escribas actúan como actúan para ser vistos por los demás (la ropa que llevan, el modo en que son saludados, los lugares en que se sientan y la deferencia con que se les trata); y (2) defraudan a los socialmente más vulnerables, especialmente a las viudas. Los escribas (maestros de la ley) mencionados aquí estaban a la cabeza de una tradición del yavismo israelita que emergió a comienzos del siglo III como «rabinismo» (el precursor del Judaísmo actual). Según una antigua costumbre rabínica, cuando dos personas se saludaban, el saludo era iniciado por quien menos conocimiento tenía de la ley (*y. Berakot* 2.4b). En un tribunal, los sitios eran ocupados teniendo en cuenta la fama de sabiduría de los presentes. En una sinagoga, donde los mejores puestos se encontraban en el estrado que había frente a la asamblea (la espalda se apoyaba en la pared donde se encontraba el arca con los rollos de la Torá), tenían preferencia los maestros de la ley (*t. Megillah* 4.21). En la mesa se tenía en cuenta la edad (*b. Baba Batra* 120a) o la importancia (*t. Berakot* 5.5).

Observaciones sobre una víctima (viuda) 12,41-44

[41]Jesús estaba sentado frente al lugar de las ofrendas, y observaba cómo la gente iba echando dinero en el cofre. Muchos ricos depositaban en cantidad. [42]Pero llegó una viuda pobre, que echó dos monedas de muy poco valor. [43]Jesús llamó entonces a sus discípulos y les dijo: «Os aseguro que esa viuda pobre ha echado en el cofre más que todos los demás. [44]Pues todos han echado de lo que les sobraba; ella, en cambio, ha echado de lo que necesitaba, todo lo que tenía para vivir».

◆ *Notas:* **Marcos 12,41-44**

12,41-44 La escena es irónica: lo que se criticaba de los escribas en v. 40 quizás esté ocurriendo ahora *de facto* en esta práctica religiosa. Por eso resulta significativo que no se alabe aquí la acción de la viuda. Las dos monedas son *lepta* griegos, las más pequeñas utilizadas en Palestina durante el siglo I.

El término hebreo traducido por «viuda» connota a una persona silenciosa, que no puede hablar. En una sociedad en la que los varones desempeñaban los roles públicos y en la que las mujeres no hablaban por cuenta propia, la posición de una viuda (especialmente si tenía un hijo mayor soltero) era de extremada vulnerabilidad. Si no tenía hijos, una viuda podía reintegrarse en la familia paterna (Lv 22,13; Rut 1,8) siempre que fuera posible. Las viudas jóvenes eran consideradas con frecuencia un peligro potencial para la comunidad y se las urgía a casarse de nuevo (cf. 1 Tim 5,3-15).

Excluidas por la legislación hebrea de la perspectiva de heredar, las viudas acabaron convirtiéndose en el símbolo estereotipado de los explotados y los oprimidos. En el Antiguo Testamento es constante la crítica del duro tratamiento que solía infligirse a estas mujeres (Dt 22,22-23; Job 22,9; 24,3; 31,16; Sal 94,6; Is 1,23; 10,2; Mal 3,5). Ver también los textos en los que se dice que cuentan con una especial protección por parte de Dios (Dt 10,18; Sal 68,5; Jr 49,11; también Dt 14,29; 24,17.19-21; 26,12; Lc 20,47; Sant 1,27).

Signos de la llegada del Mesías 13,1-32

13 ¹Al salir del templo, uno de sus discípulos le dijo: «Maestro, mira qué piedras y qué construcciones». ²Jesús le replicó: «¿Ves esas grandiosas construcciones? Pues no quedará aquí piedra sobre piedra. Todo será destruido».

³Estaba sentado en el monte de los Olivos, enfrente del templo. Y Pedro, Santiago, Juan y Andrés le preguntaron en privado: ⁴«Dinos cuándo ocurrirá eso y cuál será la señal de que todo eso está a punto de cumplirse». ⁵Jesús comenzó a decirles: «Cuidad de que nadie os engañe. ⁶Muchos vendrán usurpando mi nombre y diciendo: 'Yo soy', y engañarán a muchos. ⁷Cuando oigáis hablar de guerras y de rumores de guerra, no os alarméis. Eso tiene que suce-

der, pero no es todavía el fin. ⁸Pues se levantará pueblo contra pueblo y reino contra reino. Habrá terremotos en diversos lugares. Habrá hambre. Ese será el comienzo de la tribulación.

⁹Cuidad de vosotros mismos. Os entregarán a los tribunales, seréis azotados en las sinagogas y compareceréis ante gobernadores y reyes por mi causa para dar testimonio ante ellos. ¹⁰Es preciso que primero se anuncie la buena noticia a todos los pueblos. ¹¹Pero cuando os lleven para entregaros, no os preocupéis de lo que vais a decir. Decid lo que Dios os sugiera en aquel momento, pues no seréis vosotros los que habléis, sino el Espíritu Santo. ¹²Entonces el hermano entregará a su hermano

y el padre a su hijo. Se levantarán hijos contra padres para matarlos. ¹³Todos os odiarán por mi causa; pero el que persevere hasta el fin, ése se salvará.

¹⁴Cuando veáis que el ídolo abominable y devastador está donde no debe (procure entenderlo el que lee), entonces los que estén en Judea que huyan a los montes; ¹⁵el que esté en la azotea, que no baje ni entre a tomar nada de su casa; ¹⁶el que esté en el campo, que no regrese en busca de su manto. ¹⁷¡Ay de las que estén encinta o criando en aquellos días! ¹⁸Orad para que no ocurra en invierno. ¹⁹Porque aquellos días serán de una tribulación como no la ha habido igual hasta ahora desde el principio de este mundo creado por Dios, ni la volverá a haber. ²⁰Si el Señor no acortase aquellos días, nadie se salvaría. Pero, en atención a los elegidos que él escogió, ha acortado los días. ²¹Si alguno os dice entonces: '¡Mira, aquí está el mesías! ¡Mira, está allí!', no le creáis. ²²Porque surgirán falsos mesías y falsos profetas, y harán señales y prodigios con el propósito de engañar, si fuera posible, a los mismos elegidos. ²³¡Tened cuidado! Os lo he advertido de antemano.

²⁴Pasada la tribulación de aquellos días, el sol se oscurecerá y la luna no dará resplandor; ²⁵las estrellas caerán del cielo y las fuerzas celestes se tambalearán. ²⁶Entonces verán venir al Hijo del hombre entre nubes con gran poder y gloria. ²⁷El enviará a los ángeles y reunirá de los cuatro vientos a sus elegidos, desde el extremo de la tierra al extremo del cielo.

²⁸Fijaos en lo que sucede con la higuera. Cuando sus ramas se ponen tiernas y brotan las hojas, conocéis que se acerca el verano. ²⁹Pues lo mismo vosotros, cuando veáis que suceden estas cosas, sabed que ya está cerca, a las puertas. ³⁰Os aseguro que no pasará esta generación sin que todo esto suceda. ³¹El cielo y la tierra pasarán, pero mis palabras no pasarán.

³²En cuanto al día y la hora, nadie sabe nada, ni los ángeles del cielo ni el Hijo, sino sólo el Padre».

◆ *Notas:* Marcos 13,1-32

13,1-2 Todavía en el área del templo, Jesús responde a la admiración de un discípulo ante la magnitud del templo con una observación fría (es decir, sin una palabra de honor, sin un juramento) sobre el final de la religión política de Israel y de la institución política en que aquella se inscribía. ⇨ **Religión, economía y política,** 12,13-17 (cf. pág. 390).

13,3-32 La observación previa (13,1-2) hace que el grupo principal de los discípulos pregunte a Jesús en privado (algo de sobras conocido ahora por la comunidad de Marcos; ⇨ **Intragrupo y extragrupo,** 2,16 (cf. pág. 358) por las señales del final del Israel político. Jesús responde con una descripción de los signos que acompañarán a su llegada como Mesías con poder. Pero, antes de esta llegada, los discípulos tendrán que hacer frente al engaño (vv. 5-8) y la oposición (vv. 9-13). Los habitantes de Jerusalén sufrirán especialmente las consecuencias (vv. 14-20). El engaño continuará (vv. 21-23). El evento, que contará con la participación de Dios (vv. 24-25), se parecerá a la visita oficial de un emperador (en griego *parousia*) ante la gente congregada y desplegando poder y gloria (vv. 26-27).

Es importante tener en cuenta que todo esto tendrá lugar en vida del auditorio de Jesús, tal como dice él poniendo en juego su palabra de honor: «Os aseguro que no pasará esta generación sin que todo esto suceda» (v. 30).

Jesús añade un juramento a esta palabra de honor: «El cielo y la tierra pasarán, pero mis palabras no pasarán» (v. 31). El propósito de estos juramentos, que cumplían la función de una palabra de honor, era poner de manifiesto con la mayor claridad posible la sinceridad de las intenciones de una persona de honor. Los juramentos eran necesarios cuando las personas con las que tenía tratos la persona de honor consideraban sus pretensiones ambiguas o increíbles. Para entender el juramento en cuestión, habremos de completar por nuestra cuenta la primera parte, una expresión semítica que sonaría así: «Aun en el caso de que el cielo y la tierra pasasen...». Una cosa es cierta en la tradición israelita: Dios creó el mundo y durará por siempre, pues es bueno y obra de Dios (ver Gn 1,1-2,4). La forma hiperbólica de hacer este juramento equivale a decir que, aunque pudiera suceder lo imposible, lo que yo digo es todavía más imposible que no suceda. El juramento se podría explicar así: es más concebible que suceda lo imposible (que pasen el cielo y la tierra) que pensar que mis palabras puedan pasar.

Aviso sobre la necesidad de estar preparados para la venida 13,33-37

[33]«¡Cuidado! Estad alerta, porque no sabéis cuándo llegará el momento. [34]Sucederá lo mismo que con aquel hombre que se ausentó de su casa, encomendó a cada uno de los siervos su tarea y encargó al portero que velase. [35]Así que velad, porque no sabéis cuándo llegará el dueño de la casa, si al atardecer, a media noche, al canto del gallo o al amanecer. [36]No sea que llegue de improviso y os encuentre dormidos. [37]Lo que a vosotros os digo, lo digo a todos: ¡Velad!».

◆ *Notas:* Marcos 13,33-37

13,33-37 Parábola que trata de subrayar el tema de esta perícopa. La orden «Velad» señala las actitudes que hay que adoptar mientras se espera la pronta y repentina llegada del Mesías: trabajar y estar alerta.

VII. 14,1-16,8: Muerte y resurrección de Jesús

14,1-16,8 Esta sección de Marcos está dedicada a la muerte y resurrección de Jesús. Observemos que aquí no hay sorpresas. El lector advierte que se van cumpliendo las predicciones de Jesús, que se confirma lo dicho en 13,31 (las palabras de Jesús no pasarán) y en 13,23 (lo había advertido). En consecuencia, el lector puede esperar confiado en que se cumplirá lo prometido en el evangelio, aunque no se haya descrito en sus particulares. Ver 14,28, donde los discípulos presumiblemente entenderán todas las cosas que se esforzaron por situar en el tiempo. Al lector que quiera leer o estudiar algún pasaje concreto del relato de la pasión le conviene leer todas las notas de la sección.

En previsión de la muerte de Jesús 14,1-11

14 ¹Faltaban dos días para la fiesta de la pascua y los panes sin levadura. Los jefes de los sacerdotes y los maestros de la ley andaban buscando el modo de prender a Jesús en secreto y darle muerte, ²pero decían: «Durante la fiesta no; no sea que el pueblo se alborote».

³Estaba Jesús en Betania, en casa de Simón el leproso, sentado a la mesa, cuando llegó una mujer con un frasco de alabastro lleno de un perfume de nardo puro, que era muy caro. Rompió el frasco y se lo derramó sobre su cabeza. ⁴Algunos estaban indignados y comentaban entre sí: «¿A qué viene este despilfarro de perfume? ⁵Se podía haber vendido por más de trescientos denarios y habérselos dado a los pobres».

Y la criticaban. ⁶Jesús, sin embargo, replicó: «Dejadla. ¿Por qué la molestáis? Ha hecho conmigo una obra buena. ⁷A los pobres los tenéis siempre con vosotros y podéis socorrerlos cuando queráis, pero a mí no me tendréis siempre. ⁸Ha hecho lo que ha podido. Se ha anticipado a ungir mi cuerpo para la sepultura. ⁹Os aseguro que, en cualquier parte del mundo donde se anuncie la buena noticia, será recordada esta mujer y lo que ha hecho».

¹⁰Judas Iscariote, uno de los doce, fue a hablar con los jefes de los sacerdotes para entregarles a Jesús. ¹¹Ellos se alegraron al oírle, y prometieron darle dinero. Así que andaba buscando una oportunidad para entregarlo.

◆ *Notas:* Marcos 14,1-11

14,1 Finalmente se nos informa de la época del año en que estamos, que quizás coincida con el propósito de Jesús de estar en Jerusalén por ese tiempo: era la Pascua. Tanto el tiempo como el lugar evocaban seguramente la historia de Israel y la finalidad de la celebración de la Pascua: recordar la liberación de Israel para que pudiera servir a Dios.

En este contexto temporal, y tras el intenso conflicto con las élites de Jerusalén, el autor nos dice que «los jefes de los sacerdotes y los maestros de la ley» están hartos y pretenden arrestar a Jesús «en secreto y darle muerte». Quieren conseguir su empeño con cualquier medio necesario, incluidos los que normalmente aplicaban las élites en el Mediterráneo: sigilo (como aquí), soborno de Judas (14,10-11), testigos falsos (14,56-58), acusaciones clamorosas ante el gobernador romano (15,3), incitación de la muchedumbre contra Jesús (15,11) y la satisfacción final: burlarse de él mientras cuelga de la cruz, públicamente avergonzado (15,31-32). Todo este proceso desencadenado por la élite contra un hombre de estatus inferior que había conseguido desafiar con éxito su honor estuvo motivado por la «envidia», como observa Pilato (15,10).

La nota de que las autoridades estaban preocupadas por el alboroto que pudiese producirse es otro modo de decir que, a estas alturas del relato, era muy alta la percepción pública del estatus de honor de Jesús. Y es precisamente esta percepción lo que tratará de tirar por tierra el proceso tradicionalmente llamado «pasión y muerte de Jesús». La actuación «en secreto» empieza con el soborno de Judas (14,10-11). Para entender el modo en que se desarrollará esta actuación para desprestigiar a Jesús, ➪ **Rituales de degradación de estatus,** 14,53-65 (cf. pág. 396).

14,3-9 Jesús vuelve a Betania, donde lo vemos «recostado a la mesa» (= sentado a la mesa), una postura típica de un banquete. El banquete tradicional se componía de dos fases. En la primera, durante la cual se servían aperitivos, los siervos lavaban las manos y los pies de los invitados y ungían a éstos con perfumes para neutralizar el olor del cuerpo. Durante la segunda fase se servían el resto de los platos. ➪ **Comidas,** 2,15-17 (cf. pág. 331).

La indignación de los discípulos pudo ser motivada por algunos detalles de la escena. En primer lugar, resulta anómalo el libre acceso de una mujer a un banquete de hombres; la reputación de esa mujer se podría cuestionar. En segundo lugar, en una sociedad de bienes limitados, una unción «muy cara» es una forma de robo social si sirve simplemente para perfumar la cabeza de un invitado; lo normal habría sido dar su valor a los pobres, como una forma de restitución social. Jesús aborda con su respuesta esas preocupaciones. La mujer está haciendo algo moralmente bueno (*kalos*); por eso no debe temer nada. El proverbio «a los pobres los tenéis siempre con vosotros» resta fuerza a la preocupación social por la restitución. También aborda Jesús esa preocupación explicando que el perfume no es un elemento de autocomplacencia en el banquete, sino la preparación de su funeral; por eso es una acción cargada de mérito religioso.

14,10-11 El primer paso del plan sigiloso para vengarse de Jesús consistió en la aceptación de un soborno por parte de Judas para traicionar al maestro del estilo de vida que él mismo había llevado con anterioridad. Si el éxito del soborno de uno de los seguidores íntimos de Jesús era algo honorable para los jefes de los sacerdotes, para Judas sería sin duda algo vergonzoso. Como miembro íntimo de la facción de Jesús, Judas habría dado seguramente su palabra de honor de comprometerse personalmente con Jesús y con su proyecto.

Traición a Jesús y Última Cena 14,12-25

[12]El primer día de la fiesta de los panes sin levadura, cuando se sacrificaba el cordero pascual, sus discípulos preguntaron a Jesús: «¿Dónde quieres que vayamos a prepararte la cena de pascua?». [13]Jesús envió a dos de sus discípulos diciéndoles: «Id a la ciudad y os saldrá al encuentro un hombre que lleva un cántaro de agua. Seguidlo, [14]y allí donde entre decid al dueño: 'El Maestro dice: ¿Dónde está la sala en la que he de celebrar la cena de pascua con mis discípulos?'. [15]El os mostrará en el piso de arriba una sala grande, alfombrada y dispuesta. Preparadlo todo allí para nosotros». [16]Los discípulos salieron, llegaron a la ciudad, encontraron todo tal como Jesús les había dicho y prepararon la cena de pascua.

[17]Al atardecer llegó Jesús con los doce [18]y se sentaron a la mesa. Luego, mientras estaban cenando, dijo Jesús:

«Os aseguro que uno de vosotros me va a entregar, uno que está cenando conmigo». [19]Ellos comenzaron a entristecerse y a preguntarle uno tras otro: «¿Acaso soy yo?». [20]El les contestó: «Uno de los doce, uno que come en el mismo plato que yo. [21]El Hijo del hombre se va, tal como está escrito de él, pero ¡ay de aquél que entrega al Hijo del hombre! ¡Más le valiera a ese hombre no haber nacido!

[22]Durante la cena, Jesús tomó pan, pronunció la bendición, lo partió, se lo dio y dijo: «Tomad, esto es mi cuerpo». [23]Tomó luego una copa, pronunció la acción de gracias, se la dio y bebieron todos de ella. [24]Y les dijo: «Esta es mi sangre, la sangre de la alianza, que se derrama por todos. [25]Os aseguro que ya no beberé más del fruto de la vid hasta el día en que lo beba nuevo en el reino de Dios».

◆ Notas: Marcos 14,12-25

14,12-17 Se nos informa aquí que Jesús celebró la ceremonia de la Pascua. Fue preparada por sus discípulos, es decir, por hombres, pues era un rito significativo que implicaba una comida. También se nos informa de que Jesús tenía en Jerusalén discípulos con propiedades, pues en una de ellas celebra la Pascua Jesús con los Doce. El hombre con el cántaro de agua (v. 13) resultaría llamativo, pues se trataba de una tarea encomendada normalmente a las mujeres. Las mujeres se reunían generalmente junto a la fuente; la presencia de un hombre allí supondría un reto a los varones con los que aquellas mujeres estaban socialmente implicadas. Lo mismo puede decirse por lo que respecta al horno comunitario.

14,18-21 Jesús afirma públicamente, poniendo en juego su palabra («Os aseguro...»), que sabe lo que se está tramando. Se ha ido dando cuenta de los detalles del plan secreto urdido contra él, incluida la traición de uno de los miembros del grupo de íntimos. El pesar que experimentan sus seguidores nace del sentimiento de deshonor ante la idea de semejante traición. La exclamación «¡ay de aquél...!» del v. 21 quedaría mejor traducida: «¡Qué poca vergüenza/dignidad tiene el que...!». Es un indicio de total desinterés por la reputación, de ausencia total de honor, de situarse fuera de la escala de los seres humanos.

14,22-25 No podemos sobrestimar en este texto la importancia crítica de la comensalidad, como realidad y símbolo, al mismo tiempo, de cohesión social y de valores compartidos. ⇨ **Comidas**, 2,15-17 (cf. pág. 331). Más aún, como la Pascua, más que ninguna otra comida, era una comida familiar, comerla con sus discípulos era reconocer que el grupo es una familia subrogada en el sentido más profundo del término. ⇨ **Familia subrogada**, 3,31-35 (cf. pág. 351).

Mientras comen, Jesús lleva a cabo una acción profética simbólica; ver nota a 11,20-26. Una acción simbólica profética, cargada siempre de significado y sentimiento, es llevada a cabo por un profeta y realiza indefectiblemente lo que simboliza. La acción simbólica (normalmente ordenada por Dios) va seguida de las palabras que aclaran su significado. La acción consiste aquí en comer pan y beber vino. La primera acción está en relación con el cuerpo de Jesús, con su yo (personal y/o comunitario). La copa, que de por sí ya es un símbolo del destino previsto por Dios (ver nota a 10,35-45), es la sangre de la alianza para el perdón de los pecados, es decir, para la reconciliación y la confirmación de las disposiciones de la alianza. La separación de la sangre (elemento donde reside la vida) y del yo es una forma de definir la muerte. De hecho, esta acción simbólica profética proclama el sentido de la cercana muerte de Jesús.

Pero la muerte no es el fin. Para expresar esto, Jesús pronuncia un juramento («Os digo»), al que añade la promesa de abstenerse del «fruto de la vid» (ver Nm 6,1-21 y el voto de nazireato; ⇨ **Ayuno**, 2,18; cf. pág. 323). El propósito de tales juramentos, que desempeñan la función de una palabra de honor, es expresar lo más claramente posible la sinceridad de intención de la persona de honor. Los juramentos son necesarios cuando las personas con quienes tiene tratos la persona de honor encuentran ambiguas o increíbles su conducta o pretensiones. Al añadir al juramento el dato de la abstinencia de vino, la comunicación resulta redundante; no hace sino volver a subrayar el punto en cuestión: todos volveremos pronto a beber en el reino del Dios.

Anuncio de la deslealtad de Pedro 14,26-31

²⁶Después de cantar los himnos, salieron hacia el monte de los Olivos. ²⁷Jesús les dijo: «Todos vais a fallar, porque está escrito: *Heriré al pastor y se dispersarán las ovejas.* ²⁸Pero después de resucitar, iré delante de vosotros a Galilea». ²⁹Pedro le replicó: «Aunque todos fallen, yo no». ³⁰Jesús le contestó: «Te aseguro que hoy, esta misma noche, antes de que el gallo cante dos veces, tú me habrás negado tres». ³¹Pedro insistió: «Aunque tenga que morir contigo, jamás te negaré». Y todos decían lo mismo.

◆ *Notas:* Marcos 14,26-31

14,26-31 Una vez más vemos que Jesús está enterado de todos los acontecimientos que se van a desarrollar en breve; y tendrán lugar tal como estaba previsto (14,49). También se nos informa de que, después de que Dios resucite a Jesús, la localización geográfica de su facción será de nuevo Galilea. Se trata de otro detalle que queda pendiente de confirmación en el texto (ver 16,7).

14,29-31 Una vez más, Jesús es plenamente consciente del sigilo y el secreto que rodean el compló para acabar con él públicamente.

Arresto de Jesús en Getsemaní 14,32-52

³²Cuando llegaron a un lugar llamado Getsemaní, dijo Jesús a sus discípulos: «Sentaos aquí, mientras yo voy a orar». ³³Tomó consigo a Pedro, a Santiago y a Juan. Comenzó a sentir pavor y angustia, ³⁴y les dijo: «Siento una tristeza mortal. Quedaos aquí y velad». ³⁵Y avanzando un poco más, se postró en tierra y suplicaba que, a ser posible, no tuviera que pasar por aquel trance. ³⁶Decía: «¡Abba, Padre! Todo te es posible. Aparta de mí esta copa de amargura. Pero no se haga como yo quiero, sino como quieres tú». ³⁷Volvió y los encontró dormidos. Y dijo a Pedro: «Simón, ¿duermes? ¿No has podido velar ni siquiera una hora? ³⁸Velad y horad para que podáis hacer frente a la prueba; que el espíritu está bien dispuesto, pero la carne es débil». ³⁹Se alejó de nuevo y oró repitiendo lo mismo. ⁴⁰Regresó y volvió a encontrarlos dormidos, pues sus ojos estaban cargados. Ellos no sabían qué responderle. ⁴¹Volvió por tercera vez y les dijo: «¿Todavía estáis durmiendo y descansando? ¡Basta ya! Ha llegado la hora. Mirad, el Hijo del hombre va a ser entregado en manos de los pecadores. ⁴²¡Levantaos! ¡Vamos! Ya está aquí el que me va a entregar».

⁴³Aún estaba hablando Jesús, cuando se presentó Judas, uno de los doce, y con él un tropel de gente con espadas y palos, enviados por los jefes de los sacerdotes, los maestros de la ley y los ancianos. ⁴⁴El traidor les había dado una contraseña, diciendo: «Al que yo bese, ése es; prendedlo y llevadlo bien seguro». ⁴⁵Nada más llegar, se acercó a Jesús y le dijo: «Rabbí». Y lo besó. ⁴⁶Ellos le echaron mano y lo prendieron. ⁴⁷Uno de los presentes desenvainó la espada y, de un tajo, le cortó la oreja al criado del sumo sacerdote. ⁴⁸Jesús to-

mó la palabra y les dijo: «Habéis salido con espadas y palos a prenderme, como si fuera un bandido. ⁴⁹A diario estaba con vosotros enseñando en el templo, y no me apresasteis. Pero es preciso que se cumplan las Escrituras». ⁵⁰Entonces todos sus discípulos lo abandonaron y huyeron.

⁵¹Un joven lo iba siguiendo, cubierto tan solo con una sábana. Le echaron mano, ⁵²pero él, soltando la sábana, se escapó desnudo.

◆ *Notas:* Marcos 14,32-52

14,32-42 Pedro y los hijos de Zebedeo forman el núcleo íntimo de la facción de Jesús. Están con Jesús mientras éste espera ser arrestado, pero no son conscientes del compló. La «hora» (aquí la hora de Jesús) es el periodo durante el cual tiene lugar algo esencialmente importante para la existencia de una persona. Sobre la copa, ver nota a 10,35-45; sobre la oración, ⇨ **Oración**, 11,25 (cf. pág. 367).

14,43 Ha llegado la hora de los jefes de los sacerdotes, los maestros de la ley (escribas) y los ancianos del pueblo, que envían un nutrido grupo guiado por Judas y armado de espadas y palos. El escenario indica que esperaban que los seguidores de Jesús luchasen. Como sugiere el v. 47, Jesús había armado a sus seguidores. Un lugar y tiempo más apropiados para su captura habría sido el templo, donde había estado Jesús enseñando los días anteriores y donde naturalmente iría desarmado y sin guardia de corps. Pero sus enemigos van en su busca como si se tratase de un bandido. Sus discípulos no tienen valor para luchar; por eso le abandonan todos.

14,48-49 Aunque el término griego usado aquí (*lestes*) puede significar «ladrón» en sentido general, las circunstancias descritas en el relato sugieren el significado alternativo que le da Josefo: «bandido social». Como los bandidos sociales se ocultaban normalmente en cuevas y wadis remotos, Jesús explica que él nunca se ha ocultado, sino que ha estado a diario en el templo, donde podía haber sido arrestado sin la mínima dificultad. ⇨ **Ladrones/Bandidos sociales**, 14,48-49 (cf. pág. 361).

14,51-52 El episodio del joven vestido con una sábana, que tiene que huir desnudo cuando «ellos» tratan de sujetarle, parece ser un vestigio de algún incidente recogido por la tradición. Lo importante de la escena parece ser la escasez de ropa por parte del joven. Los únicos «jóvenes» vestidos con ropa tan ligera eran los seres angélicos, que en realidad no tenían necesidad de ropa alguna (ver 16,5). ¿Sería el ángel de la guarda de Jesús? El autor quiere poner de relieve que, en este momento, Jesús se encuentra totalmente solo (un estado realmente penoso para una persona diádica).

Ritual inicial de degradación de estatus para acabar con Jesús 14,53-65

[53]Condujeron a Jesús ante el sumo sacerdote y se reunieron todos los jefes de los sacerdotes, los ancianos y los maestros de la ley. [54]Pedro lo siguió de lejos hasta el interior del patio del sumo sacerdote y se quedó sentado con los guardias, calentándose junto al fuego. [55]Los jefes de los sacerdotes y todo el sanedrín buscaban una acusación contra Jesús para darle muerte, pero no la encontraban. [56]Pues, aunque muchos testimoniaban en falso contra él, los testimonios no coincidían. [57]Algunos se levantaron y dieron contra él este falso testimonio: [58]»Nosotros le hemos oído decir: 'Yo derribaré este templo hecho por hombres y en tres días construiré otro no edificado por hombres'. [59]Pero ni siquiera en esto concordaba su testimonio. [60]Entonces se levantó el sumo sacerdote en medio de todos y preguntó a Jesús: «¿No respondes nada? ¿Qué significan estas acusaciones?». [61]Jesús callaba y no respondía nada. El sumo sacerdote siguió preguntándole: «¿Eres tú el Mesías, el Hijo del Bendito?». [62]Jesús contestó: «Yo soy, y *veréis al Hijo del hombre sentado a la diestra del Todopoderoso y que viene entre las nubes del cielo*». [63]El sumo sacerdote se rasgó las vestiduras y dijo: «¿Qué necesidad tenemos ya de testigos? [64]Acabáis de oír la blasfemia. ¿Qué os parece?». Todos lo juzgaron reo de muerte. [65]Algunos comenzaron a escupirle y, tapándole la cara, le daban bofetadas y le decían: «¡Adivina!». Y también los guardias lo golpeaban.

◆ *Notas:* Marcos 14,53-65

14,53-65 Este episodio se conoce generalmente como «juicio» de Jesús. Se ha intentado con frecuencia examinar la base legal de las acciones descritas aquí como si se tratase de un procedimiento judicial. Sin embargo, la escena se entiende mucho mejor como un acto que los antropólogos denominan «ritual de degradación de estatus», en el que se destruyen fatal e irreversiblemente el honor y la posición pública de una persona. ⇨ **Rituales de degradación de estatus,** 14,53-65 (cf. pág. 396).

14,61-64 A lo largo del evangelio de Marcos hemos encontrado la designación «Hijo de Dios»; es el modo que tiene el evangelista de reivindicar la autenticidad de la palabra y los hechos de Jesús. Tal designación aparece ya al comienzo (1,1) y se insiste en ella a lo largo de la obra: la voz que se dirige a Jesús en el bautismo (1,11, «mi Hijo amado»); el reconocimiento de los espíritus inmundos, desafiados con éxito por Jesús (3,11, «Hijo de Dios»; 5,7, «Hijo del Dios Altísimo»); y el reconocimiento del propio Dios dirigido al núcleo de discípulos de Jesús (9,7, «mi Hijo amado»).

Esta designación se convierte ahora en el principal cargo contra Jesús: su pretensión de ser el Mesías, «el Hijo del Bendito». Interesa observar que este cargo es el título adscrito a Jesús por Pedro en

8,29 sin cualificación: «Tú eres el Mesías». Jesús responde a la pregunta acusatoria del sumo sacerdote con un inequívoco «Yo soy». Pero Jesús no se detiene ahí, pues insiste en que pronto será revestido de fuerza, sentado a «la diestra del Todopoderoso» (v. 62). La respuesta es considerada una «blasfemia», un ultraje verbal. Se supone que el objeto del ultraje es Dios; de ahí que el sumo sacerdote rasgue sus vestiduras, acto con el que simboliza la ruptura de las fronteras que rodean el honor de Jesús. Es también un signo de separación del cuerpo social, un signo de «duelo» o protesta por la presencia flagrante del mal, merecedor de la muerte. Sobre el duelo, ⇨ **Ayuno**, 2,18 (cf. pág. 323).

14,65 Jesús es tratado con enorme desprecio, con acciones deshonrosas, que pretendían contrarrestar socialmente la blasfemia (cuanto más se humillase al blasfemo mayor honor se adjudicaba a Dios). Como Mesías confeso, se esperaba que Jesús «profetizase». Esta humillación pública ante las autoridades del templo es el resultado del primer «juicio» de Jesús ante el consejo. Según nos cuenta Marcos, se trata del primer intento de la élite de satisfacer su honor destruyendo el estatus de honor de Jesús, conforme el relato avanza hacia su condena a muerte. ⇨ **Sociedades con base en el honor-vergüenza**, 6,1-4 (cf. pág. 404). Este «juicio» ante el consejo (14,53-65) revela un propósito parecido al que tiene lugar ante Pilato (15,2-5). ⇨ **Rituales de degradación de estatus**, 14,53-65 (cf. pág. 396).

Deslealtad de Pedro 14,66-72

⁶⁶Mientras Pedro estaba abajo, en el patio, llegó una de las criadas del sumo sacerdote. ⁶⁷Al ver a Pedro calentándose junto a la lumbre, se le quedó mirando y dijo: «También tú andabas con Jesús, el de Nazaret». ⁶⁸Pedro lo negó diciendo: «No sé ni entiendo de qué hablas». Salió afuera, al portal, y cantó un gallo. ⁶⁹Lo vio de nuevo la criada y otra vez se puso a decir a los que estaban allí: «Éste es uno de ellos». ⁷⁰Pedro lo volvió a negar. Poco después también los presentes decían a Pedro: «No hay duda. Tú eres uno de ellos, pues eres galileo». ⁷¹El comenzó entonces a echar imprecaciones y a jurar: «Yo no conozco a ese hombre del que me habláis». ⁷²En seguida cantó el gallo por segunda vez. Pedro se acordó de lo que le había dicho Jesús: «Antes de que el gallo cante dos veces, tú me habrás negado tres», y rompió a llorar.

◆ *Notas:* Marcos 14,66-72

14,66-72 Muy en consonancia con los valores mediterráneos, Pedro practica el engaño para conservar su honor e independencia frente a los desafíos. Mentir a otros sobre su relación con Jesús no sería considerado una mala acción. El problema es que Jesús le había anunciado a Pedro que se comportaría de ese modo, aunque el apóstol había insistido en lo contrario. Lo que resulta vergonzoso para Pedro (14,31) es el hecho de no haber cumplido la palabra de honor dada a Jesús en presencia de los demás.

Degradación de Jesús ante Pilato y los soldados 15,1-20

15 ¹Muy de madrugada, se reunieron a deliberar los jefes de los sacerdotes, junto con los ancianos, los maestros de la ley y todo el sanedrín; luego llevaron a Jesús atado y se lo entregaron a Pilato. ²Pilato le preguntó: «¿Eres tú el rey de los judíos?». Jesús le contestó: «Tú lo dices». ³Los jefes de los sacerdotes lo acusaban de muchas cosas. ⁴Pilato lo interrogó de nuevo diciendo: «¿No respondes nada? Mira de cuántas cosas te acusan». ⁵Pero Jesús no respondió nada más, de modo que Pilato se quedó extrañado.

⁶Por la fiesta les concedía la libertad de un preso, el que pidieran. ⁷Tenía encarcelado a un tal Barrabás con los sediciosos que habían cometido un asesinato en un motín. ⁸Cuando llegó la gente, comenzó a pedir lo que les solía conceder. ⁹Pilato les dijo: «¿Queréis que os suelte al rey de los judíos?». ¹⁰Pues sabía que los jefes de los sacerdotes habían entregado a Jesús por envidia. ¹¹Los jefes de los sacerdotes azuzaron a la gente para que les soltase a Barrabás. ¹²Pilato les preguntó otra vez: «¿Y qué queréis que haga con el que llamáis rey de los judíos?». ¹³Ellos gritaron: «¡Crucifícalo!». ¹⁴Pilato les replicó: «Pues, ¿qué ha hecho de malo?». Pero ellos gritaron todavía más fuerte: «¡Crucifícalo!». ¹⁵Pilato, entonces, queriendo complacer a la gente, les soltó a Barrabás y entregó a Jesús para que lo azotaran y, después, lo crucificaran.

¹⁶Los soldados lo llevaron al interior del palacio, o sea, al pretorio, y llamaron a toda la tropa. ¹⁷Lo vistieron con un manto de púrpura y, trenzando una corona de espinas, se la ciñeron. ¹⁸Después comenzaron a saludarlo, diciendo: «¡Salve, rey de los judíos!». ¹⁹Le golpeaban en la cabeza con una caña, le escupían y, poniéndose de rodillas, le rendían homenaje. ²⁰Tras burlarse de él, le quitaron el manto de púrpura, lo vistieron con sus ropas y lo sacaron para crucificarlo.

◆ *Notas:* Marcos 15,1-20

15,1 Los principales agentes del drama de la satisfacción del honor, los jefes de los sacerdotes, los maestros de la ley y los ancianos del pueblo, prolongan su compló conduciendo a Jesús ante Pilato, añadiendo un elemento más a su degradación. ⇨ **Rituales de degradación de estatus**, 14,53-65 (cf. pág. 396).

15,2-5 Una parte importante de la degradación del estatus consiste en la interpretación revisionista del pasado de una persona para hacer ver que ya actuaba mal con anterioridad. A pesar de ser acusado de «muchas cosas» por los jefes de los sacerdotes (cf. v. 3), Marcos no menciona ninguno de los cargos aparte de la pregunta inicial de Pilato, que implicaba que Jesús se había proclamado Mesías real (15,2).

15,6-14 Una vez más la muchedumbre está presente (vv. 6.8.11) en el acto final del ritual de degradación. A lo largo del evangelio hemos podido ver a Jesús honrado como Hijo de Dios. Ahora, con una nota de suprema ironía, los dirigentes y la muchedumbre gritan a favor de Barrabás (literalmente «hijo del padre», una forma helenizada del arameo Bar *'Abba'*). Intercambian los papeles un criminal y Jesús. La degradación de Jesús, confirmada por todos los presentes (v. 13), está ya completa. ⇨ **Rituales de degradación de estatus,** 14,53-65 (cf. pág. 396).

En v. 10 se nos informa de que Pilato sabe que Jesús está siendo acusado para satisfacer el honor de los acusadores, los jefes de los sacerdotes. Está allí sólo por envidia.

15,17-20 Los soldados romanos se burlan de Jesús llamándolo «rey de los judeos» (mejor que «judíos», pues se trataba de los habitantes de Judea), insultando así a la gente que pedía su humillación y muerte. De ese modo, Jesús es utilizado para deshonrar a los habitantes de Jerusalén.

Degradación definitiva de Jesús (crucifixión) 15,21-41

[21]Por el camino encontraron a un tal Simón, natural de Cirene, el padre de Alejandro y de Rufo, que venía del campo y le obligaron a llevar la cruz de Jesús. [22]Condujeron a Jesús hasta el Gólgota, que quiere decir lugar de la calavera. [23]Le daban vino mezclado con mirra, pero él no lo aceptó. [24]Después lo crucificaron y se repartieron sus vestidos, echándolos a suertes, para ver qué se llevaba cada uno.

[25]Eran las nueve de la mañana cuando lo crucificaron. [26]Había un letrero en el que estaba escrita la causa de su condena: «El rey de los judíos». [27]Con Jesús crucificaron a dos ladrones, uno a su derecha y otro a su izquierda. [29]Los que pasaban por allí lo insultaban meneando la cabeza y diciendo: «¡Eh, tú que destruías el templo y lo reedificabas en tres días! [30]¡Sálvate a ti mismo bajando de la cruz!» [31]Y lo mismo hacían los jefes de los sacerdotes y los maestros de la ley, que se burlaban de él diciendo: «¡A otros salvó y a sí mismo no puede salvarse! [32]¡El Mesías! ¡El rey de Israel! ¡Que baje ahora de la cruz, para que lo veamos y creamos!». Hasta los que habían sido crucificados junto con él lo injuriaban.

[33]Al llegar el mediodía, toda la región quedó sumida en tinieblas hasta las tres. [34]Y a eso de las tres gritó Jesús con fuerte voz: «*Eloí, Eloí, ¿lemá sabaktaní?*», (que quiere decir: *Dios mío, Dios mío, ¿por qué me has abandonado?*). [35]Algunos de los presentes decían al oírle: «Mira, llama a Elías». [36]Uno fue corriendo a empapar una esponja en vinagre y, sujetándola a una caña, le ofrecía de beber, diciendo: «Vamos a ver si viene Elías a descolgarlo». [37]Pero Jesús, lanzando un fuerte grito, expiró. [38]La cortina del templo se rasgó en dos de arriba abajo. [39]Y el centurión que estaba frente a Jesús, al ver que había expirado de aquella manera, dijo: «Verdaderamente este hombre era Hijo de Dios».

[40]Algunas mujeres contemplaban la escena desde lejos. Entre ellas María

Magdalena, María, la madre de Santiago el menor y de José, y Salomé, ⁴¹que habían seguido a Jesús y lo habían asistido cuando estaba en Galilea. Había además otras muchas que habían subido con él a Jerusalén.

◆ *Notas:* Marcos 15,21-41

15,22-26 La degradación del estatus de Jesús continúa cuando dirigentes y soldados se mofan en público de Jesús. ⇨ **Rituales de degradación de estatus,** 14,53-65 (cf. pág. 396). Los dos criminales crucificados con Jesús son llamados aquí *lestai*, término que hace referencia a bandoleros o bandidos sociales. ⇨ **Ladrones/Bandidos sociales,** 14,48-49 (cf. pág. 361). El cargo contra Jesús, «rey de los judeos» (v. 26, mejor que «judíos»; ver notas a paralelos en Mateo), muestra el modo en que los romanos trataban a cualquiera que intentase gobernar en su lugar. Tal como está, sirve para insultar a los judeos, al presentar a su rey como un esclavo desnudo expuesto a burlas.

15,31-32 Éste es el punto álgido de la revancha y la satisfacción que buscaban los enemigos jerosolimitanos de Jesús, los que urdieron todo el asunto desde el principio (14,1). En realidad, no hay mayor satisfacción del propio deshonor que lo descrito aquí: Jesús es clavado, desnudo, a una cruz y expuesto a todo el mundo, la degradación y humillación públicas supremas. Entre tanto, sus enemigos, «los jefes de los sacerdotes y los maestros de la ley», se recrean contemplándolo y haciendo observaciones despectivas.

15,33-39 En la muerte de Jesús concurren ciertos signos cósmicos, que aluden a la presencia de Dios: la oscuridad que cubre el país (v. 33), la rasgadura de la cortina del templo (dejando a la vista de todos el Santo de los Santos, v. 38). El centurión y su tropa son testigos de los signos y aclaman a Jesús como «Hijo de Dios» (v. 39).

15,40-41 Es mencionada la presencia de algunas mujeres galileas, que «contemplaban la escena desde lejos»; pronto serán testigos ante la tumba (15,47; 16,1).

Entierro de Jesús con la élite 15,42-47

⁴²Al caer la tarde, como era la preparación de la pascua, es decir, la víspera del sábado, ⁴³llegó José de Arimatea, que era miembro distinguido del sanedrín y esperaba el reino de Dios, y tuvo el valor de presentarse ante Pilato para pedirle el cuerpo de Jesús. ⁴⁴Pilato se extrañó de que hubiera muerto tan pronto y, llamando al centurión, otorgó el cadáver a José. ⁴⁶Este compró una sábana, lo bajó, lo envolvió en la sábana, lo puso en un sepulcro excavado en roca e hizo rodar una piedra sobre la entrada del sepulcro. ⁴⁷María Magdalena y María la madre de José observaban dónde lo ponían.

◆ *Notas:* Marcos 15,42-47

15,42-47 Los criminales ejecutados eran generalmente deshonrados incluso después de muertos. Los romanos negaban con frecuencia el permiso para enterrar a los criminales. La tradición israelita es testigo de la costumbre de un enterramiento «vergonzoso» (es decir, en un cementerio para criminales). Este texto nos habla del honroso entierro de Jesús, a pesar de la forma deshonrosa de su muerte y de los incidentes que desembocaron en ella.

Descubrimiento de la tumba vacía 16,1-8

16 ¹Pasado el sábado, María Magdalena, María la de Santiago y Salomé compraron perfumes para ir a embalsamar a Jesús. ²El primer día de la semana, muy de madrugada, a la salida del sol, fueron al sepulcro. ³Iban comentando: «¿Quién nos correrá la piedra de la entrada del sepulcro?». ⁴Pero, al mirar, observaron que la piedra había sido ya corrida, y eso que era muy grande. ⁵Cuando entraron en el sepulcro, vieron a un joven sentado a la derecha, que iba vestido con una túnica blanca. Ellas se asustaron. ⁶Pero él les dijo: «No os asustéis. Buscáis a Jesús de Nazaret, el crucificado. Ha resucitado; no está aquí. Mirad el lugar donde lo pusieron. ⁷Ahora id a decir a sus discípulos y a Pedro: El va delante de vosotros a Galilea; allí lo veréis, tal como os dijo. ⁸Ellas salieron huyendo del sepulcro, llenas de temor y asombro, y no dijeron nada a nadie por el miedo que tenían.

◆ *Notas:* Marcos 16,1-8

16,1-8 Las mujeres galileas van a la tumba y se encuentran con que alguien se ha adelantado a sus preocupaciones (v .3), pues se encuentran con la piedra descorrida. Entran en la tumba y descubren la presencia de un joven vestido de blanco (con anterioridad un joven vestido sólo con una sábana había seguido a Jesús y tuvo que huir desnudo para no ser atrapado, 14,51). El joven empieza dando testimonio de la resurrección de Jesús y dice a las mujeres que recuerden a los discípulos que Jesús iría delante de ellos a Galilea (ver 14,28). Jesús ya se ha ido, pero no está lejos.

Las mujeres huyen corriendo (como había hecho antes el joven de la sábana, 14,52); la experiencia las ha dejado temblorosas, atónitas, mudas. ¿Por qué motivo? «Por el miedo que tenían».

LUCAS

I. 1,1-4: Prólogo

Introducción dedicada al patrón de Lucas 1,1-4

1 ¹Ya que muchos se han propuesto componer un relato de los acontecimientos que se han cumplido entre nosotros, ²según nos lo transmitieron quienes desde el principio fueron testigos oculares y ministros de la palabra, ³me ha parecido también a mí, después de haber investigado cuidadosamente todo lo sucedido desde el principio, escribirte una exposición ordenada, ilustre Teófilo, ⁴para que llegues a comprender la autenticidad de la enseñanza que has recibido.

◆ *Notas:* Lucas 1,1-4

1,3 Este lenguaje honorífico («ilustre...») es el lenguaje del patronazgo (cf. Josefo, *Vida* 430; Loeb, 159; *Contra Apión* 1.1; Loeb, 163). Lucas escribe a un bienhechor a quien considera socialmente superior, y puede que le esté desafiando así a que continúe apoyando a la comunidad de la que Lucas es miembro. ⇨ **El sistema de patronazgo en la Palestina romana, 7,1-10 (cf. pág. 399).**

II. 1,5-2,52: En Jerusalén y sus alrededores: Nacimiento de los «profetas» Juan y Jesús

Dios favorece a Zacarías e Isabel 1,5-25

⁵En tiempos de Herodes, rey de Judea, hubo un sacerdote, llamado Zacarías, del turno de Abías, casado con una mujer de la descendencia de Aarón, llamada Isabel. ⁶Ambos eran justos ante Dios y seguían escrupulosamente todos los mandamientos y preceptos del Señor. ⁷Pero no tenían hijos, porque Isabel era estéril, y los dos eran ya de edad avanzada. ⁸Estaba un día Zacarías

ejerciendo el servicio sacerdotal tal como le correspondía por turno a su grupo. [9]Según el rito sacerdotal, le tocó en suerte entrar en el santuario del Señor a ofrecer el incienso. [10]Todo el pueblo estaba orando fuera mientras se ofrecía el incienso. [11]Y el ángel del Señor se le apareció, de pie, a la derecha del altar del incienso. [12]Al verlo, Zacarías se sobresaltó y se llenó de miedo. [13]Pero el ángel le dijo: «No temas, Zacarías, tu petición ha sido escuchada. Isabel, tu mujer, te dará un hijo al que pondrás por nombre Juan. [14]Te llenarás de gozo y alegría, y muchos se alegrarán de su nacimiento, [15]porque será grande ante el Señor. No beberá vino ni licor, quedará lleno del Espíritu Santo desde el seno de su madre [16]y convertirá a muchos hijos de Israel al Señor, su Dios. [17]Irá delante del Señor, con el espíritu y poder de Elías, para reconciliar a los padres con los hijos, para inculcar a los rebeldes la sabiduría de los justos, y *para preparar al Señor un pueblo bien dispuesto.* [18]Zacarías dijo al ángel: «¿Cómo sabré que va a suceder así? Porque yo soy viejo y mi mujer avanzada en años». [19]El ángel le contestó: «Yo soy Gabriel, que estoy en la presencia de Dios, y he sido enviado para hablarte y darte esta buena noticia. [20]Pero tú te quedarás mudo y no podrás hablar hasta que se verifiquen estas cosas, por no haber creído en mis palabras, que se cumplirán a su tiempo».

[21]El pueblo, entre tanto, estaba esperando a Zacarías y se extrañaba de que tardase tanto en salir del santuario. [22]Cuando salió, no podía hablarles; y comprendieron que había tenido una visión en el santuario. El les hacía señas, porque se había quedado mudo. [23]Cumplidos los días de su ministerio, marchó a su casa.

[24]Algún tiempo después, su mujer Isabel concibió, y no salió de casa durante cinco meses. Y decía: [25]«Al hacer esto conmigo, el Señor ha borrado mi vergüenza ante los hombres».

◆ *Notas:* Lucas 1,5-25

1,5 Las genealogías (⇨ **Hijo de Dios/Genealogías**, 3,23-38; cf. págs. 357 y 355) codificaban la información que otros necesitaban para poder situar a la gente adecuadamente en el orden social. Constituyen, pues, una guía de interacción social. Esta genealogía, aunque es breve, indica que Zacarías e Isabel provienen de familias sacerdotales. Sin embargo, como Zacarías era sacerdote rural (1,39), no pertenecería a la élite o las familias principales de Jerusalén. Aquí se le menciona sólo por lo que Lucas tiene que decir del nacimiento de Juan y de Jesús. ⇨ **Relatos de infancia en la Antigüedad**, 1,5 (cf. pág. 388).

1,6-7 La «justicia» de Isabel y Zacarías indica que el hecho de que no tuvieran hijos (sin duda una desgracia social) no se debía a un castigo divino por el pecado; cf. Gn 16,2.11; 29,32; 30,1; Lv 20,20-21; 1 Sm 1,5-6; 2 Sm 6,23. Notemos cómo, según 1,36, la esterilidad de Isabel había sido objeto de comentarios públicos. ⇨ **Esterilidad**, 1,5-7 (cf. pág. 349).

1,8-10 Había 800 sacerdotes en la sección de Abías; de ahí que el ser elegido por suerte para ofrecer incienso podía ser una experiencia única en la vida. El incienso se quemaba por la mañana y por la tarde, si bien la expresión «todo el pueblo» (v. 10) sugiere que la mayoría de la gente asistía al rito verpertino.

1,13 Dados los beneficios domésticos, económicos y religiosos que reportaba a la familia un hijo varón, los chicos eran frecuentemente considerados un don de Dios. ⇨ **Niños**, 18,15-17 (cf. pág. 367).

1,13-17 El honor queda aquí adscrito tanto por la designación divina del nombre como por la intervención del ángel anunciando el nacimiento. El reconocimiento del hecho por parte de los presentes (necesario en una sociedad basada en el honor-vergüenza para que el pretendiente no sea considerado un loco) se anticipa en 1,14; se verá después en 1,59-66. ⇨ **Sociedades con base en el honor-vergüenza**, 4,16-30 (cf. pág. 404).

1,18 ⇨ **Esposa**, 1,18 (cf. pág. 347).

1,20 En las sociedades movidas por el eje honor-vergüenza hablar en público es un rol masculino. La elocuencia es una virtud masculina. Quedarse mudo haría de un hombre un ser pasivo y, por tanto, sin honor. Tampoco podría Zacarías pronunciar la bendición sacerdotal al salir del templo.

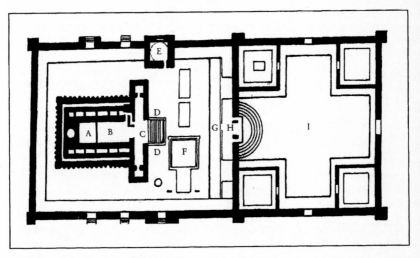

Plano conjetural del edificio central del templo de Jerusalén en los tiempos de Herodes (Según M. Avi-Yonah). Se trata del santuario propiamente dicho (B), delante del Santo de los Santos (A), y precedido del porche (C), del Patio de los Sacerdotes (D), del altar de los holocaustos (F), del Patio de los Israelitas (G), de la puerta de Nicanor (H) y del Patio de las Mujeres (I) (J. González Echegaray, *Arqueología y evangelios,* Verbo Divino, Estella, 1994, p. 171).

1,24 En el área del Mediterráneo no existen informes de una costumbre que obligase a las mujeres a recluirse durante el embarazo. Es probable que Isabel, al ser anciana y por tanto estéril, tuviese miedo de que la gente del pueblo no creyese la buena noticia y esperase encerrada a que su embarazo fuese visible.

1,25 La desgracia sería tanto para la familia del esposo (donde una mujer estéril habría sido considerada una extraña) como entre la gente del pueblo, donde la esterilidad habría deshonrado a la familia y «oscurecido» su rostro. ⇨ **Esterilidad**, 1,5-7 (cf. pág. 349).

Anunciación a María 1,26-38

²⁶Al sexto mes, envió Dios al ángel Gabriel a un pueblo de Galilea llamada Nazaret, ²⁷a una joven prometida a un hombre llamado José, de la estirpe de David; el nombre de la joven era María. ²⁸El ángel entró adonde estaba María y le dijo: «Dios te salve, llena de gracia, el Señor está contigo». ²⁹Al oír estas palabras, ella se turbó y se preguntaba qué significaba tal saludo. ³⁰El ángel le dijo: «No temas, María, pues Dios te ha concedido su favor. ³¹Concebirás y darás a luz un hijo, al que pondrás por nombre Jesús. ³²Él será grande, será llamado Hijo del Altísimo; el Señor Dios le dará el trono de David, su padre, ³³reinará sobre la estirpe de Jacob por siempre y su reino no tendrá fin». ³⁴María dijo al ángel: «¿Cómo será esto, si yo no tengo relaciones con ningún hombre?». ³⁵El ángel le contestó: «El Espíritu Santo vendrá sobre ti y el poder del Altísimo te cubrirá con su sombra; por eso, el que va a nacer será santo y se llamará Hijo de Dios. ³⁶Mira, tu parienta Isabel también ha concebido un hijo en su vejez, y ya está de seis meses la que todos tenían por estéril; ³⁷porque *para Dios nada hay imposible*». ³⁸María dijo: «Aquí está la esclava del Señor, que me suceda según dices». Y el ángel la dejó.

◆ *Notas:* Lucas 1,26-38

1,26 El término griego traducido aquí por «pueblo» (*polis*) es un término helenista que se refiere generalmente a una «ciudad». Sin embargo, en tiempos de Jesús, Nazaret no podría ser definida de ese modo. Era una aldea de poco más de cien habitantes, que pertenecía quizás a la cercana ciudad de Séforis. Ver nota a 2,4.

1,27 La traducción «prometida» no es del todo correcta, pues sugiere al lector nuestra costumbre moderna del compromiso prematrimonial, que no se parece en nada a la costumbre de los esponsales en la Antigüedad. ⇨ **Esponsales**, 1,27 (cf. pág. 345). La virginidad era la *conditio sine qua non* de un matrimonio honorable. Una mujer que la hubiese perdido hundía en la vergüenza a ella y a toda su familia. Podemos ver las pruebas de la virginidad exigidas en Dt 22,13-21. Cf. Mc 6,3, donde Jesús es llamado «hijo de María», un modo muy inusual de hablar, al menos que la paternidad estuviese en duda.

1,31-35 Cuando Dios pone nombre a un niño le adscribe de inmediato honor. Idéntica función tienen las palabras de vv. 32-33 y la indicación de la implicación divina en el nacimiento. Como el honor debe adquirirse públicamente para que sea eficaz, tal adscripción será eventualmente reconocida por los pastores, que la darán a conocer (2,17-18) a otros.

En el mundo mediterráneo tradicional la gente se preocupaba por mantener a las mujeres debidamente protegidas. Por regla general era tarea del esposo. Pero en este texto hay dos rasgos que sugieren que Dios asumirá el rol tradicional del esposo. Aquí es el Espíritu de Dios quien viene sobre María; en Hch 1,8 tal venida del Espíritu de Dios confiere fuerza a la gente. Por otra parte, el verbo griego traducido por «te cubrirá con su sombra» es usado en la versión griega de la Biblia hebrea para describir la defensa y protección de Dios (Sal 90,4; 139,7; Prov 18,11). María queda así fortalecida y protegida por Dios (rol tradicional del esposo).

1,36 ⇨ **Esterilidad**, 1,5-7 (cf. pág. 349). El término griego traducido por «estéril» define a una mujer incapaz de tener hijos. Desde el punto de vista social, se trataba de una condición que acarreaba amargos reproches a una mujer y a su familia. La esterilidad de Isabel formaba parte de los comentarios públicos. ⇨ **Parentesco**, 1,36 (cf. pág. 374).

1,37 Este versículo recuerda las palabras pronunciadas a Sara en Gn 18,14. Un hijo sería un maravilloso don de Dios para una mujer avergonzada por su esterilidad, especialmente si era anciana. Ver más arriba notas a 1,6-7.36.

1,38 En las sociedades mediterráneas todo el mundo pensaba que un hombre y una mujer tendrían inevitablemente relaciones sexuales al menos que lo impidiesen las circunstancias. Así, si un hombre se las ingeniaba para acorralar a una mujer estando sola, basta con que la tocase una sola vez (aunque ella ofreciese al principio una resistencia violenta) para que la mujer tuviese que ceder y pasar a ser suya. Notemos lo rápidamente que cede María cuando es «acorralada» por el ángel. Aunque en este caso no existe deseo, el escenario reproduce la necesidad que se sentía en el antiguo Mediterráneo de mantener a las mujeres debidamente protegidas. En esta difícil situación, la respuesta de María es: «Que me suceda según dices» (v. 38). Según un estilo típico del Mediterráneo, esto equivale a: «Como tú quieras».

Visita de María a su parienta Isabel 1,39-56

[39]Por aquellos días, María se puso en camino y se fue de prisa a la montaña, a un pueblo de Judá. [40]Entró en casa de Zacarías y saludó a Isabel. [41]Y cuando Isabel oyó el saludo de María, el niño empezó a dar saltos en su seno. Entonces Isabel, llena del Espíritu Santo, [42]exclamó a grandes voces: «Bendita tú entre las mujeres y bendito el fruto de tu vientre. [43]Pero ¿cómo es posible que la madre de mi Señor venga a visitarme? [44]Porque en cuanto oí tu saludo, el niño empezó a dar saltos de alegría en mi seno. [45]¡Dichosa tú que has creído! Porque lo que te ha dicho el Señor se cumplirá. [46]Entonces María dijo:

[47]Mi alma glorifica al Señor,
y mi espíritu se regocija
en Dios mi salvador,
[48]porque ha mirado
la humildad de su sierva.
Desde ahora me llamarán dichosa
todas las generaciones,
[49]porque ha hecho en mí
cosas grandes el Poderoso.
Su nombre es santo,
[50]y es misericordioso siempre
con aquellos que le honran.
[51]Desplegó la fuerza de su brazo
y dispersó a los de corazón soberbio.
[52]Derribó de sus tronos a los poderosos
y ensalzó a los humildes.
[53]Colmó de bienes a los hambrientos
y a los ricos despidió sin nada.
[54]Tomó de la mano a Israel, su siervo,
acordándose de su misericordia,
[55]como lo había prometido
a nuestros antepasados,
en favor de Abrahán
y de sus descendientes para siempre».

[56]María estuvo con Isabel unos tres meses; después volvió a su casa.

◆ *Notas:* Lucas 1,39-56

1,39-45 Sólo aquí nos enteramos de que la casa de Zacarías no estaba en Jerusalén. El término griego *polis* («ciudad»; aquí mejor «pueblo») indica que Lucas no conocía bien la región. Como sacerdote oriundo de lo que no sería más que un villorrio, Zacarías no formaría parte del organismo religioso central.

Viajar por motivos distintos de los habituales era considerado una conducta desviada en la Antigüedad. Si bien viajar para visitar a la familia era considerado legítimo, el viaje de María, sola, «a la montaña» era algo inhabitual e impropio. Parece que María piensa que el hijo que ha concebido tiene naturaleza apotropaica, claramente capaz de proteger del mal. Lo indica el hecho de que, siendo aún un feto, Jesús es reconocido por otro feto, el futuro hijo de Zacarías (v. 41). Los acontecimientos que preceden a la concepción de estos fetos y su conducta en el seno materno ponen de manifiesto un rasgo típicamente israelita: Dios conoce a sus profetas incluso antes de que nazcan, y los consagra y los llama desde el seno materno (ver Jr 1,5; Is 49,1; Gál 1,15-16).

Normalmente no se habla en público de los asuntos relacionados con la concepción. Se trata de una conversación entre mujeres, mantenida discretamente en un círculo privado. Como cabía esperar, tras quedar llena del Espíritu Santo, Isabel declara a María bendita (honrada) por su rol reproductivo: «Bendita tú entre las mujeres y (= porque) bendito el fruto de tu vientre» (v. 42). El hecho de que Lucas reproduzca esta conversación femenina sugiere que considera a los lectores miembros de la familia. ⇨ **Mundo privado/Mundo público**, 10,38-42 (cf. pág. 365).

1,46-56 ⇨ **Poesía oral**, 1,67-80 (cf. pág. 379); y **Mundo privado/Mundo público**, 10,38-42 (cf. pág. 365). La inversión descrita aquí entre los soberbios y poderosos, por una parte, y los humildes, por otra, puede ser interpretada en términos de honor-vergüenza. Ha habido un vuelco de las categorías relativas al valor. El tema del cambio de fortuna es común en la literatura del Próximo Oriente antiguo y en el Antiguo Testamento (especialmente en las secciones de las que provienen estos versículos). Tengamos también en cuenta el uso del término «ricos» en el versículo siguiente. En las sociedades agrícolas, los términos «rico» y «pobre» apuntan más allá de la economía y la política, aunque dichas realidades están incluidas. En el Nuevo Testamento, ser rico es ser capaz de defender el propio honor, la propia posición. Ser pobre equivale a ser vulnerable, a estar expuesto a los ataques y a la expoliación. ⇨ **Ricos, pobres y bienes limitados**, 6,20-26 (cf. pág. 393).

Nacimiento de Juan y canto en su honor 1,57-80

[57]Se le cumplió a Isabel el tiempo y dio a luz un hijo. [58]Sus vecinos y parientes oyeron que el Señor le había mostrado su gran misericordia y se alegraron con ella.

[59]Al octavo día fueron a circuncidar al niño y querían llamarlo Zacarías, como su padre. [60]Pero su madre dijo: «No, se llamará Juan». [61]Le dijeron: «No hay nadie en tu familia que lleve ese nombre». [62]Se dirigieron entonces al padre y le preguntaron por señas cómo quería que se llamase. [63]El pidió una tablilla y escribió: «Juan es su nombre». Entonces, todos se llevaron una sorpresa. [64]De pronto recuperó el habla y comenzó a bendecir a Dios. [65]Todos sus vecinos se llenaron de temor, y en toda la montaña de Judea se comentaba lo sucedido. [66]Cuantos lo oían pensaban en su interior: «¿Qué va a ser este niño?». Porque efectivamente el Señor estaba con él. [67]Zacarías, su padre, se llenó del Espíritu Santo y profetizó:

[68]«Bendito el Señor, Dios de Israel,
porque ha visitado y redimido a su pueblo.
[69]Nos ha suscitado una fuerza salvadora
en la familia de David, su siervo,
[70]como lo había prometido desde antiguo
por medio de sus santos profetas,
[71]para salvarnos de nuestros enemigos
y del poder de todos los que nos odian.
[72]Así mostró el Señor su misericordia

a nuestros antepasados, y se acordó de su santa alianza,
[73]del juramento que hizo a nuestro padre Abrahán
para concedernos
[74]que, libres de nuestros enemigos, podamos servirle sin temor,
[75]con santidad y justicia
en su presencia toda nuestra vida.
[76]Y tú, niño, serás llamado profeta del Altísimo,
pues irás delante del Señor para preparar sus caminos,

[77]para anunciar a su pueblo la salvación,
por medio del perdón de sus pecados.
[78]Por la misericordia entrañable de nuestro Dios, nos visitará un sol que nace de lo alto,
[79]para iluminar a los que están en tinieblas y en sombras de muerte,
y para dirigir nuestros pasos hacia el camino de la paz».

[80]El niño iba creciendo y se fortalecía en su interior. Y vivió en el desierto hasta el día de su manifestación a Israel.

◆ *Notas:* Lucas 1,57-80

1,58-66 Dar a un niño el nombre del padre no era una costumbre israelita. Nombre y circuncisión aparecen juntos aquí como en 2,21 respecto a Jesús. ⇨ **Circuncisión,** 1,58-66 (cf. pág. 327).

Observemos también el rol desempeñado por los presentes: dar validez a los acontecimientos, tal como se requería en las sociedades basadas en el honor-vergüenza. Tras divulgarse la noticia (v. 65) de que Dios había levantado la maldición que caía sobre la familia, la gente de la montaña sabía ya cómo relacionarse con Zacarías y su mujer, al tiempo que aumentaban las opiniones favorables a ellos. ⇨ **Cadenas de comentarios,** 4,14-15 (cf. pág. 324).

1,68-79 ⇨ **Poesía oral,** 1,67-79 (cf. pág. 379). El cántico de Zacarías, el «Benedictus», constituye un buen ejemplo de poesía oral del mundo de los hombres. La capacidad de componer frases a partir de diferentes partes de la tradición, creando así un nuevo poema para una ocasión especial, era tenida en alta estima y constituía una fuente de gran honor. El poema alaba a Dios como Patrón bienhechor de Zacarías y de Israel. ⇨ **El sistema de patronazgo en la Palestina romana,** 7,1-10 (cf. pág. 399).

1,71 El término «enemigos» ha de ser entendido en el estricto sentido político de la opresión romana. Para un campesino, enemigos son todos aquellos que tratan de desposeerle de lo que es legalmente suyo. Son los que destruyen su honor, les quitan las tierras, minan la estabilidad de su familia y amenazan a sus mujeres. Poca diferencia habría si los opresores fueran los romanos, la administración de Jerusalén o sus depredadores vecinos.

Nacimiento de Jesús y reconocimiento de su honor 2,1-20

2 ¹En aquellos días apareció un decreto del emperador Augusto ordenando que se empadronasen los habitantes del imperio. ²Este censo fue el primero que se hizo durante el mandato de Quirino, gobernador de Siria. ³Todos iban a inscribirse a su ciudad. ⁴También José, por ser de la estirpe y la familia de David, subió desde Galilea, desde la ciudad de Nazaret, a Judea, a la ciudad de David que se llamaba Belén, ⁵para inscribirse con María, su esposa, que estaba encinta. ⁶Mientras estaban en Belén le llegó a María el tiempo del parto, ⁷y dio a luz a su hijo primogénito, lo envolvió en pañales y lo acostó en un pesebre, porque no había sitio para ellos en la posada.

⁸Había en aquellos campos unos pastores que pasaban la noche al raso velando sus rebaños. ⁹Un ángel del Señor se les apareció, y la gloria del Señor los envolvió con su luz. Entonces les entró un gran miedo, ¹⁰pero el ángel les dijo: «No temáis, pues os anuncio una gran alegría, que lo será también para todo el pueblo: ¹¹Os ha nacido hoy, en la ciudad de David, un Salvador, que es el Mesías, el Señor. ¹²Esto os servirá de señal: encontraréis un niño envuelto en pañales y acostado en un pesebre». ¹³Y de repente se juntó al ángel una multitud del ejército celestial, que alababa a Dios diciendo: ¹⁴»¡Gloria a Dios en las alturas y en la tierra paz a los hombres que gozan de su amor!».

¹⁵Cuando los ángeles se marcharon al cielo, los pastores se decían unos a otros: «Vamos a Belén a ver eso que ha sucedido y que el Señor nos ha anunciado». ¹⁶Fueron de prisa y encontraron a María, a José y al niño acostado en el pesebre. ¹⁷Al verlo, contaron lo que el ángel les había dicho de este niño. ¹⁸Y cuantos escuchaban lo que decían los pastores, se quedaban admirados. ¹⁹María, por su parte, guardaba todos estos recuerdos y los meditaba en su corazón. ²⁰Los pastores se volvieron glorificando y alabando a Dios porque todo lo que habían visto y oído correspondía a cuanto les habían dicho.

◆ *Notas:* Lucas 2,1-10

2,4 Aunque Lucas llama a Nazaret *polis* (normalmente traducido por «ciudad»), se trataba de una aldea de no más de cien habitantes. Belén no era mucho más grande. Lo que se conoce en el Antiguo Testamento como «ciudad de David» no es Belén, sino Jerusalén (ver 1 Cro 11,7). Sin embargo, no era inhabitual que los pueblos fueran localmente conocidos con el nombre de alguno de sus hijos famosos.

2,5 El término de «prometida» usado aquí por algunas traducciones es inapropiado. Evoca nuestra costumbre del compromiso prematrimonial, que no se parece en nada a la antigua práctica de los esponsales. ⇨ **Esponsales**, 1,27 (cf. pág. 345).

2,6-7 El término traducido aquí por «pañales» es más familiar a los lectores de lengua española que «enfajar». La práctica de enfajar a los niños sigue siendo importante en muchos países del mundo. ⇨ **Pañales**, 2,6-7 (cf. pág. 371).

No hay razón para pensar que la llegada a Belén tuvo lugar inmediatamente antes del nacimiento. Es más probable que la visita durase unas semanas; de ahí que no urgiese buscar una habitación para la familia. ⇨ **Lugar de nacimiento/Pesebre**, 2,6-7 (cf. pág. 364); y **Posada**, 2,6-7 (cf. pág. 381).

2,8 Aunque podía haber cierta tendencia a considerar románticamente a los pastores (como en el caso del rey David), la verdad es que eran equiparados a conductores de asnos y camellos, curtidores, pescadores, carniceros y otras ocupaciones despreciadas. Estar fuera de casa durante la noche les impedía proteger a sus mujeres; de ahí que se pensase que carecían de honor. Por otra parte, con frecuencia eran considerados ladrones, pues apacentaban sus rebaños en la propiedad de otras personas. Sin embargo, el rol que desempeñan aquí es importantísimo: dar por buenos los acontecimientos que requieren reconocimiento público para que el honor pueda ser adscrito. Por eso Lucas informa cuidadosamente al lector de cómo los pastores cuentan a otros lo que han visto y oído (v. 17).

2,13-14 Del mismo modo que los pastores ratifican terrenalmente el honor adscrito a Jesús en su nacimiento, también lo hacen los servidores celestes de Dios, sus ángeles. De este modo, toda la creación habitada, tierra y cielo, reconoce públicamente el honor concedido a Jesús. ⇨ **Sociedades con base en el honor-vergüenza**, 4,16-30 (cf. pág. 404).

2,19 María desempeña su rol femenino correspondiente: observar y supervisar el estatus de honor de su familia. ⇨ **Sociedades con base en el honor-vergüenza**, 4,16-30, y nota a 2,51 (cf. pág. 404).

Circuncisión de Jesús y presentación en el templo 2,21-40

[21]A los ocho días, cuando lo circuncidaron, le pusieron el nombre de Jesús, como lo había llamado el ángel ya antes de la concepción.

[22]Cuando se cumplieron los días de la purificación prescrita por la ley de Moisés, llevaron al niño a Jerusalén para presentarlo al Señor, [23]como prescribe la ley del Señor: *Todo primogénito varón será consagrado el Señor.* [24]Ofrecieron también en sacrificio, como dice la ley del Señor, *un par de tórtolas o dos pichones.*

[25]Había en Jerusalén un hombre llamado Simeón, hombre justo y piadoso, que esperaba el consuelo de Israel. El Espíritu Santo estaba en él [26]y le había revelado que no moriría antes de ver al Mesías enviado por el Señor. [27]Vino, pues, al templo, movido por el Espíritu y, cuando sus padres entraban con el niño Jesús para cumplir lo que mandaba la ley, [28]Simeón lo tomó en sus brazos y bendijo a Dios diciendo:

[29]«Ahora, Señor, según tu promesa, puedes dejar que tu siervo muera en paz.
[30]Mis ojos han visto a tu salvador,

[31]a quien has presentado ante todos los pueblos, [32]como luz para iluminar a las naciones y gloria de tu pueblo Israel».

[33]Su padre y su madre estaban admirados de las cosas que se decían de él. [34]Simeón los bendijo y dijo a María, su madre: «Mira, este niño va a ser motivo de que muchos caigan o se levanten en Israel. Será signo de contradicción, [35]y a ti misma una espada te atravesará el corazón; así quedarán al descubierto las intenciones de todos».

[36]Había también una profetisa, Ana, hija de Fanuel, de la tribu de Aser, que era ya muy anciana. Había estado casada siete años, siendo aún muy joven; [37]después había permanecido viuda hasta los ochenta y cuatro años. No se apartaba del templo, dando culto al Señor día y noche con ayunos y oraciones. [38]Se presentó en aquel momento y se puso a dar gloria a Dios y a hablar del niño a todos los que esperaban la liberación de Israel.

[39]Cuando cumplieron todas las cosas prescritas por la ley del Señor, regresaron a Galilea, a su ciudad de Nazaret. [40]El niño crecía y se fortalecía; estaba lleno de sabiduría, y gozaba del favor de Dios.

◆ *Notas:* Lucas 2,21-40

2,21 Vemos aquí una vez más la asociación de nombre y circuncisión. Sobre la importancia del hecho, ➪ **Circuncisión,** 1,58-66 y notas (cf. pág. 327).

2,22-24 ➪ **Pureza/Contaminación,** 6,1-5 (cf. pág. 383). María y José siguen siendo fieles cumplidores de la Torá (ver Éx 13,2.12; Lv 5,11; 12,6-8; Nm 3,13; 8,17). La ofrenda de dos pichones indica que la familia no puede ofrecer un cordero ni tiene tierra donde criarlo.

2,25-40 Un anciano y una anciana dan testimonio del honor del niño (divinamente reconocido también en v. 40). Ambos son observantes de la Torá. Notemos que Ana cumple con lo que se puede esperar de una viuda honorable (cf. 1 Tim 5,5). La sabiduría era una virtud típica de las ancianas. En la literatura del Próximo Oriente antiguo existe una frecuente asociación de sabiduría y ancianidad, quizás como resultado del importante rol que desempeñaron como vigías del estatus de honor de la familia. ➪ **Edad,** 3,23 (cf. pág. 344); y **Viuda,** 21,1-4 (cf. pág. 408).

Jesús se acerca al mundo (público) de los adultos 2,41-52

[41]Sus padres iban cada año a Jerusalén, por la fiesta de pascua. [42]Cuando el niño cumplió doce años, subieron a celebrar la fiesta, según la costumbre. [43]Terminada la fiesta, cuando regresaban, el niño Jesús se quedó en Jerusalén, sin saberlo sus padres. [44]Éstos creían que iba en la comitiva, y al terminar la primera jornada lo buscaron entre los parientes y conocidos. [45]Al no hallarlo, volvieron a Jerusalén en su busca. [46]Al cabo de tres días, lo encontraron en el templo sentado en medio de los doctores, escuchándolos y haciéndoles preguntas. [47]Todos los que le oían estaban sorprendidos de su inteligencia y

de sus respuestas. ⁴⁸Al verlo, se quedaron perplejos, y su madre le dijo: «Hijo, ¿por qué nos has hecho esto? Tu padre y yo te hemos buscado angustiados». ⁴⁹Él les contestó: «¿Por qué me buscabáis? ¿No sabíais que yo debo ocuparme de los asuntos de mi Padre?». ⁵⁰Pero ellos no comprendieron lo que les decía. ⁵¹Bajó con ellos a Nazaret, y vivió bajo su tutela. Su madre guardaba todos estos recuerdos en su corazón.

⁵²Y Jesús iba creciendo en sabiduría, en años y en aprecio ante Dios y ante los hombres.

◆ *Notas:* Lucas 2,41-52

2,41-51 En las sociedades agrarias de la Antigüedad, un varón pasaba sus primeros años casi exclusivamente en el mundo de las mujeres. El lazo entre madre e hijo seguía siendo el vínculo emocional más fuerte a lo largo de la vida. Quiere decir esto que el paso al mundo público de los adultos era a menudo penoso, difícil y lento. Tal como aparece aquí Jesús, habría que dar por supuesto que ya había dado ese paso con éxito, que era capaz de moverse con eficacia en el mundo público masculino. ⇨ **Padres,** 2,41-52 (cf. pág. 369).

2,44 En la Antigüedad los viajes constituían una empresa peligrosa; por otra parte, la conducta de los viajeros era considerada desviada, a no ser que viajasen por razones entonces justificadas. El viajar en grupo era más seguro, especialmente con parientes o vecinos de confianza; ver nota a 2,48.

2,47 Lucas observa esta reacción ante Jesús en diversas ocasiones (4,32; 5,9; 8,56), lo mismo que los otros sinópticos. La reacción de los presentes indica que su honor va en aumento. En cada caso Jesús se muestra muy por encima de las expectativas de la gente, dado el estatus de honor que de manera estereotipada se le adscribía en virtud del medio social del que provenía y en el que vivía.

2,48 La pregunta de María implica algo más que preocupación por un niño perdido. Al tener que volver a Jerusalén, la familia tiene que abandonar su viaje con parientes y vecinos. Tendrán que volver a Nazaret con cinco días de retraso respecto al grupo, en una posición, por tanto, más peligrosa (ver nota a 2,44). También José quedaba en evidencia al mostrarse incapaz de controlar a su familia.

2,49 Con su respuesta, Jesús deja a su madre en una situación desairada (ver Jn 2,1-4). Se trata del primer indicio de una ruptura con la familia biológica y de la aparición de un nuevo grupo de parentesco «ficticio» para Jesús. Posteriormente se distancia de María y de las reivindicaciones típicamente mediterráneas que la maternidad podía tener sobre él (Lc 11,28). Se trata de un tema especialmente importante en Lucas; ⇨ **Familia subrogada**, 8,18-21, y notas (cf. pág. 351).

2,51 Una vez más, María ejerce el rol de vigía de lo que está sucediendo en la familia.

2,52 El término traducido aquí por «años» sugiere algo más que un simple crecimiento en edad. Implica reputación, madurez y estatura (todo ello importantísimo para un varón desde el punto de vista social). Esta descripción, tomada de 1 Sm 2,26, representa una declaración casi programática en la valoración lucana de Jesús.

III. 3,1-4,13: En el Desierto: Jesús «Hijo de Dios»
Juan anuncia el reino de Dios 3,1-20

3 ¹El año quince del reinado del emperador Tiberio, siendo Poncio Pilato gobernador de Judea, Herodes tetrarca de Galilea, su hermano Filipo tetrarca de Iturea y de la región de Traconítida, y Lisanias tetrarca de Abilene, ²en tiempos de los jefes de los sacerdotes Anás y Caifás, la palabra de Dios vino sobre Juan, el hijo de Zacarías, en el desierto. ³Y fue por toda la región del Jordán predicando que se convirtieran y se bautizaran para que se les perdonaran los pecados, ⁴como está escrito en el libro de los oráculos del profeta Isaías:

Voz del que grita en el desierto:
preparad el camino del Señor, allanad sus senderos;
⁵todo valle será rellenado,
y toda montaña o colina rebajada;
los caminos tortuosos se enderezarán,
y los ásperos se nivelarán.
⁶Y todos verán la salvación de Dios.

⁷Decía a la gente que venía a ser bautizada por él: «Raza de víboras, ¿quién os ha enseñado a escapar del juicio inminente? ⁸Dad frutos que prueben vuestra conversión, y no andéis diciendo: 'Somos descendientes de Abrahán'. Porque os digo que Dios puede sacar de estas piedras descendientes de Abrahán. ⁹Ya está el hacha puesta a la raíz de los árboles, y todo árbol que no dé buen fruto va a ser cortado y echado al fuego». ¹⁰La gente le preguntaba: «¿Qué tenemos que hacer?». ¹¹Y les contestaba: «El que tenga dos túnicas, que le dé una al que no tiene ninguna, y el que tenga comida que haga lo mismo». ¹²Vinieron también unos publicanos a bautizarse y le dijeron: «Maestro, ¿qué tenemos que hacer?». ¹³El les respondió: «No exijáis nada fuera de lo fijado». ¹⁴También los soldados le preguntaban: «¿Y nosotros qué tenemos que hacer?». Juan les contestó: «No uséis la violencia, no hagáis extorsión a nadie, y contentaos con vuestra paga».

¹⁵El pueblo estaba a la expectativa y todos se preguntaban si no sería Juan el Mesías. ¹⁶Entonces Juan les dijo: «Yo os bautizo con agua; pero viene el que es más fuerte que yo, a quien no soy digno de desatar la correa de las sandalias. El os bautizará con Espíritu Santo y fuego. ¹⁷En su mano tiene el bieldo para aventar su parva y recoger el trigo en su granero; pero la paja la quemará en un fuego que no se apaga».

¹⁸Con estas y otras muchas exhortaciones anunciaba al pueblo la buena noticia. ¹⁹Pero Herodes, el tetrarca, debido a sus relaciones con Herodías, la mujer de su hermano, y a todos los crímenes que había cometido, era severamente censurado por Juan. ²⁰Así que a todas sus tropelías añadió Herodes la de encerrar a Juan en la cárcel.

Herodianos y Prefectos

63 a.C.	Pompeyo entra en el templo de Jerusalén
63-40	Hircano sumo sacerdote, posteriormente etnarca
40-38	Antígono sumo sacerdote y rey
38-4	Herodes el Grande

	Judea		*Galilea*
4 a.C.-6 d.C.	Arquelao	4 a.C.-39 d.C.	Antipas, tetrarca
6-41 d.C.	Prefectos:		
6-9	Coponio		
9-12	Ambíbulo		
12-15	Annio Rufo		
15-26	Valerio Grato		
26-36	Poncio Pilato		
36-37	Marcelo	39-41	Agripa I

	Palestina
41-44	Agripa I, rey
44-66	Procuradores:
44-46	Fado
46-48	Tiberio Alejandro
48-52	Cumano
53-58	Félix
58-62	Festo
62-64	Albino
64-66	Gessio Floro
66-70(73)	Guerra judía

Lista de gobernadores herodianos y romanos en Judea y Galilea
en tiempo de Cristo

◆ *Notas:* **Lucas 3,1-20**

3,1-5 ⇨ **Perdón de los pecados,** 3,1-20 (cf. pág. 375). Lucas dice
que la predicación de Juan tiene lugar en el «desierto». Al estar fuera de la sociedad estructurada, el desierto era considerado un lugar
de caos y desorden. También era la morada de los demonios; si alguien viajaba a esa región o permanecía innecesariamente en ella, su
conducta era tachada de desviada. Sin embargo, la cita de los vv. 4-5
indica que lo caótico y desviado será divinamente reordenado, y
que esto será la «salvación de Dios».

3,7-8 Poner nombre a una persona (acusaciones de desvío), si
se hacía con ánimo de catalogarla, minaba su lugar en el grupo y
podía precipitar su expulsión. «Raza de víboras» (literalmente
«prole de serpientes», «bastardos de serpientes») sería un insulto

de gravedad imaginable en una sociedad en la que el honor dependía fundamentalmente del nacimiento. Juan prevé que la gente le preguntará por su ascendencia, y se anticipa ofreciendo una alternativa: el linaje tiene una base más moral que biológica. El bautismo sería capaz de introducir al bautizado en el linaje de esta nueva familia (que Jesús congregará, 3,17), que se convertiría en la nueva base del honor adscrito. ⇨ **Familia subrogada**, 8,19-21, y notas (cf. pág. 351).

3,10-14 Lucas especifica aquí los «frutos que prueban la conversión» (v. 8). En la Antigüedad la gente daba por supuesto que todas las cosas eran limitadas. ⇨ **Ricos, pobres y bienes limitados**, 6,20-26 (cf. pág. 393). Si una persona se hacía con más cosas, alguien automáticamente perdía algo. La tendencia a la adquisición era considerada siempre codicia. Para los campesinos era fundamental el consejo de contentarse con la parte que se le había asignado. Compartir las túnicas era una forma de reciprocidad generalizada. ⇨ **Relaciones (intercambios) sociales**, 6,27-36 (cf. pág. 388); y **Recaudadores de impuestos (de aduanas)**, 19,1-10 (cf. pág. 386).

Adopción de Jesús como Hijo de Dios 3,21-22

[21]Un día en que se bautizó mucha gente, también Jesús se bautizó. Y mientras Jesús oraba se abrió el cielo, [22]y el Espíritu Santo bajó sobre él en forma corporal, como una paloma, y se oyó una voz del cielo: «Tú eres mi Hijo amado, en ti me complazco».

◆ *Notas:* Lucas 3,21-22

3,22 Designar a Jesús como «Hijo de Dios» es una declaración de honor altísimo, un estatus repetidamente subrayado en el relato de la infancia y programáticamente expresado en el sumario de 2,52. Como desde el punto de vista cultural se esperaba que la gente actuase de acuerdo con el estatus que le correspondía por su nacimiento, poco se esperaría de Jesús como hijo de José. Ni hubiera gozado de legitimidad (autoridad) para hablar y actuar en público. Pero, si su verdadero estatus es el de Hijo de Dios, entonces sus declaraciones y acciones públicas estaban plenamente legitimadas. Notemos también que las declaraciones públicas en las que un padre reconocía su paternidad eran importantísimas en las sociedades basadas en el esquema honor-vergüenza. Aquí hay mucha gente presente para dar testimonio del acontecimiento. ⇨ **Hijo de Dios/Genealogías**, 3,23-38 (cf. págs. 357, 355).

Legitimación del honor adscrito a Jesús (genealogía) 3,23-38

[23]Cuando Jesús empezó su ministerio tenía unos treinta años. En opinión de la gente, era hijo de José, hijo de Helí, [24]hijo de Matat, hijo de Leví, hijo de Melquí, hijo de Janay, hijo de José, [25]hijo de Matatías, hijo de Amós, hijo de Naún, hijo de Eslí, hijo de Nagay, [26]hijo de Maat, hijo de Matatías, hijo de Semeín, hijo de Josec, hijo de Yodá, [27]hijo de Joanán, hijo de Resá, hijo de Zorobabel, hijo de Salatiel, hijo de Nerí, [28]hijo de Meljí, hijo de Addí, hijo de Kosán, hijo de Elmadán, hijo de Er, [29]hijo de Jesús, hijo de Eliezer, hijo de Jorín, hijo de Matat, hijo de Leví, [30]hijo de Simeón, hijo de Judá, hijo de José, hijo de Jonán, hijo de Eliakín, [31]hijo de Meleá, hijo de Menná, hijo de Matazá, hijo de Natán, hijo de David, [32]hijo de Jesé, hijo de Obed, hijo de Booz, hijo de Salá, hijo de Naasón, [33]hijo de Aminadab, hijo de Admín, hijo de Arní, hijo de Esrón, hijo de Fares, hijo de Judá, [34]hijo de Jacob, hijo de Isaac, hijo de Abrahán, hijo de Tara, hijo de Nacor, [35]hijo de Seruc, hijo de Ragaú, hijo de Fálec, hijo de Eber, hijo de Salá, [36]hijo de Cainán, hijo de Arfaxad, hijo de Sem, hijo de Noé, hijo de Lámec, [37]hijo de Matusalén, hijo de Enoc, hijo de Járet, hijo de Maleleel, hijo de Cainán, [38]hijo de Enós, hijo de Set, hijo de Adán, hijo de Dios.

◆ Notas: Lucas 3,23-38

3,23 Con treinta años, la salud de mucha gente estaba deteriorada: dientes careados, falta de visión, efectos de la deficiencia de vitaminas, parásitos internos y dieta pobre. Poca gente pasaba de los treinta años. ⇨ **Edad,** 3,23 (cf. pág. 344). Sería incorrecto suponer que, cuando empezó su ministerio público, Jesús era un hombre «joven».

3,23-38 ⇨ **Hijo de Dios/Genealogías,** 3,23-38 (cf. págs. 357, 355). Al remontar la genealogía hasta Dios, Lucas vuelve a subrayar la posición honorífica de Jesús como Hijo de Dios. ⇨ **Sociedades con base en el honor-vergüenza,** 4,16-30, y nota a 3,22 (cf. pág. 404).

Desafío cósmico al estatus de Jesús como Hijo de Dios 4,1-13

4 [1]Jesús regresó del Jordán lleno del Espíritu Santo. El Espíritu lo condujo al desierto, [2]donde el diablo lo puso a prueba durante cuarenta días. En todos esos días no comió nada, y al final sintió hambre. [3]El diablo le dijo entonces: «Si eres Hijo de Dios, di a esta piedra que se convierta en pan». [4]Jesús le respondió: «Está escrito: *No sólo de pan vive el hombre*».

[5]Lo llevó después el diablo a un lugar alto y le mostró en un instante todos los reinos de la tierra. [6]El diablo le dijo: «Te daré todo el poder de estos reinos y su gloria, porque a mí me lo han dado y yo puedo dárselo a quien quiera. [7]Si te postras ante mí, todo será tuyo». [8]Jesús respondió: «Está escrito: *Adorarás al Señor tu Dios, y sólo a él le darás culto*».

⁹Entonces lo llevó a Jerusalén, lo puso en el pináculo del templo y le dijo: «Si eres Hijo de Dios, tírate desde aquí; ¹⁰porque está escrito: *Dará órdenes a sus ángeles para que te guarden;* ¹¹*te llevarán en brazos y tu pie no tropezará en piedra*

alguna». ¹²Jesús le respondió: «Está dicho: *No tentarás al Señor tu Dios*».

¹³Cuando terminó de poner a prueba a Jesús, el diablo se alejó de él hasta el momento oportuno.

◆ *Notas:* Lucas 4,1-13

4,1-13 ⇨ **Desafío-Respuesta,** 4,1-13 (cf. pág. 336); y **Sociedades con base en el honor-vergüenza,** 4,16-30 (cf. pág. 404). Observemos que aquí se lanza un desafío al estatus de Jesús como Hijo de Dios (4,3.9). El diablo está atacando el estatus honorífico de Jesús que Lucas le ha ido otorgando (contrario al estatus correspondiente al nacimiento). Una persona sin honor podía responder afirmando su honor torpemente, pero Jesús, al apelar a las palabras de su Padre, defiende con éxito su reclamación de la filiación divina, y el diablo se ve forzado a esperar una nueva oportunidad. Como un juego desafío-respuesta en privado no servía para nada, Lucas deja que sean los lectores el público requerido por tal acontecimiento.

IV. 4,14-9,50: En Galilea: Jesús el «Profeta»: su facción y la función de ésta

La cadena de comentarios funciona 4,14-15

¹⁴Jesús, lleno de la fuerza del Espíritu, regresó a Galilea, y su fama se extendió por toda la comarca. ¹⁵Enseñaba en las sinagogas y todo el mundo hablaba bien de él.

◆ *Notas:* Lucas 4,14-15

4,14-15 Típico sumario lucano en el que se evidencia de nuevo su interés por la reputación de Jesús. La reivindicación del honor está empezando a cuajar. ⇨ **Cadenas de comentarios,** 4,14-15, y notas a 2,47.52 (cf. pág. 324).

El honor de Jesús desafiado por sus paisanos 4,16-30

¹⁶Llegó a Nazaret, donde se había criado. Según su costumbre, entró en la sinagoga un sábado y se levantó para hacer la lectura. ¹⁷Le entregaron el libro del profeta Isaías y, al desenrollarlo, encontró el pasaje donde está escrito:

¹⁸*El Espíritu del Señor está sobre mí, porque me ha ungido para anunciar la buena noticia a los pobres;*

me ha enviado a proclamar
la liberación a los cautivos
y dar vista a los ciegos,
a libertar a los oprimidos
[19]*y a proclamar un año de gracia del*
Señor.

[20]Después enrolló el libro, se lo dio al ayudante y se sentó. Todos los que estaban en la sinagoga tenían los ojos clavados en él. [21]Y comenzó a decirles: «Hoy se ha cumplido el pasaje de la Escritura que acabáis de escuchar». [22]Todos asentían y se admiraban de las palabras que acababa de pronunciar. Comentaban: «¿No es éste el hijo de José?». [23]Él les dijo: «Seguramente me recordaréis el proverbio: 'Médico, cúrate a ti mismo. Lo que hemos oído que has hecho en Cafarnaún, hazlo también aquí, en tu pueblo'». [24]Y aña-dió: «La verdad es que ningún profeta es bien acogido en su tierra. [25]Os ase-guro que muchas viudas había en Israel en tiempo de Elías, cuando se cerró el cielo por tres años y seis meses, y hubo gran hambre en todo el país; [26]sin em-bargo, a ninguna de ellas fue enviado Elías, sino a una viuda de Sarepta, en la región de Sidón. [27]Y muchos leprosos había en Israel cuando el profeta Eli-seo, pero ninguno de ellos fue curado, sino únicamente Naamán el sirio». [28]Al oír esto, todos los que estaban en la si-nagoga se llenaron de indignación; [29]se levantaron, lo echaron fuera de la ciu-dad y lo llevaron hasta un precipicio del monte sobre el que se asentaba su ciudad, con ánimo de despeñarlo. [30]Pe-ro él, abriéndose paso entre ellos, se marchó.

◆ *Notas:* Lucas 4,16-30

4,16-30 Como cualquier otra cosa en la Antigüedad, el honor era un bien limitado. Si alguien ganaba, algún otro perdía; ver notas a 3,10-14. Reclamar más honor del que a uno le correspondía por su nacimiento, amenazaba a otros y al final provocaba intentos de meter en vereda al reclamante. En este pasaje aparece tal dinámica. ⇨ **Sociedades con base en el honor-vergüenza,** 4,16-30 (cf. pág. 404).

4,18-19 ⇨ **Ricos, pobres y bienes limitados,** 6,20-26 (cf. pág. 393). Los cautivos mencionados aquí son probablemente deudores encarcelados por no pagar sus deudas. La libertad proclamada sería entonces la del Año Jubilar, en el que se cancelaban todas las deu-das. El «año de gracia del Señor» (v. 19) sería un Año Jubilar, ¡un larguísimo shabbat! ⇨ **Deudas,** 7,36-50 (cf. pág. 337).

4,22-27 Al principio la gente parece estar predispuesta a reco-nocer el honor que se desprende de las palabras de Jesús. Pero sur-ge un problema. Al preguntar si Jesús no es el hijo de José, la gente de la sinagoga se pregunta en realidad cómo es posible que tan ho-norable enseñanza provenga del hijo de un artesano de poca monta. Jesús prevé que seguirán insistiendo en el asunto (v. 23) y adelanta una respuesta (v. 24), que ilustra a partir de la Escritura (vv. 25-27). Pero su respuesta es terriblemente insultante, pues plantea la posi-bilidad de que la gente de fuera (otras «naciones» no israelitas) sean más capaces de juzgar el honor de un profeta que quienes mejor lo conocen. ⇨ **Desafío-Respuesta**, 4,1-13 (cf. pág. 336). El v. 23 es una de las tres referencias lucanas a sanadores profesionales (ver notas a 5,29-32; 8,42-48).

4,28-29 El desafío negativo de Jesús no puede quedar sin respuesta. La reacción de la muchedumbre es un claro indicio, no sólo de que no estaban preparados para reconocer el valor de Jesús, sino de que se sienten totalmente deshonrados por sus palabras. Prueba de ello es su determinación de acabar con él allí mismo. La muerte del retador es una respuesta válida al deshonor público, por supuesto, pero un recurso tan rápido a la violencia equivale a admitir inconscientemente la incapacidad de jugar al continuo juego del ingenio (desafío-respuesta).

Jesús, sanador y predicador 4,31-44

³¹Desde allí se dirigió a Cafarnaún, ciudad de Galilea, y los sábados enseñaba a la gente, ³²que estaba admirada de su enseñanza, porque hablaba con autoridad. ³³Había en la sinagoga un hombre poseído por un demonio inmundo, que se puso a gritar con voz potente: ³⁴«¿Qué tenemos nosotros que ver contigo, Jesús de Nazaret? ¿Has venido a destruirnos? Yo sé quién eres: el Santo de Dios». ³⁵Jesús lo increpó, diciéndole: «¡Cállate y sal de ese hombre!». Y el demonio, después de tirarlo por tierra en medio de todos, salió de él sin hacerle daño. ³⁶Todos se llenaron de asombro y se decían unos a otros: «¡Qué palabra la de este hombre! Manda con autoridad y poder a los espíritus inmundos y éstos salen». Y su fama se extendía por todos los lugares de la comarca.

³⁸Salió de la sinagoga y entró en casa de Simón. La suegra de Simón tenía mucha fiebre, y le rogaron que la curase. ³⁹Entonces Jesús, inclinándose sobre ella, increpó a la fiebre, y la calentura desapareció. La mujer se levantó inmediatamente y se puso a servirles.

⁴⁰Al ponerse el sol llevaron ante Jesús enfermos de todo tipo; y él, poniendo las manos sobre cada uno de ellos, los curaba. ⁴¹Salían también de muchos los demonios gritando: «Tú eres el Hijo de Dios». Pero él los increpaba y no les dejaba hablar, porque sabían que él era el Mesías.

⁴²Al hacerse de día, salió hacia un lugar solitario. La gente lo buscaba; y cuando lo encontraron, trataban de retenerlo para que no se alejara de ellos. ⁴³El les dijo: «También en las demás ciudades debo anunciar la buena noticia de Dios, porque para esto he sido enviado». ⁴⁴E iba predicando por las sinagogas de Judea.

◆ *Notas:* Lucas 4,31-44

4,31-37 ⇨ **Demonios/Posesión demoníaca**, 4,31-37 (cf. pág. 333). El poder de Jesús sobre el demonio demuestra que ocupa un lugar más alto en la jerarquía cósmica. Esto es precisamente lo que reconoce la gente de Cafarnaún (v. 36). La cadena de comentarios (v. 37) tiene aquí dos finalidades: (1) informar a la comunidad del nuevo estatus de Jesús, y (2) restituar al poseso en el lugar que le corresponde en la comunidad. ⇨ **Cadenas de comentarios,** 4,14-15 (cf. pág. 324).

4,38-39 ⇨ **Preocupación por la salud,** 5,17-26 (cf. pág. 381). Es raro que la suegra de Simón viva con él; en tal caso sería viuda sin hijos. Servir a los que están en casa después de ser curada indica que la suegra de Simón ha recuperado el puesto que le correspondía en la familia.

4,41 Ver notas a 1,31-35 y 3,22. Todos los ámbitos (divino, humano y sobrehumano) han dado ya testimonio del título honorífico de Jesús más querido por Lucas.

Jesús empieza a reclutar su facción 5,1-11

5 ¹Estaba Jesús en cierta ocasión junto al lago de Genesaret, y la gente se agolpaba para oír la palabra de Dios. ²Vio entonces dos barcas a la orilla del lago; los pescadores habían desembarcado y estaban lavando las redes. ³Subió a una de las barcas, que era de Simón, y le pidió que la separase un poco de tierra. Se sentó y estuvo enseñando a la gente desde la barca. ⁴Cuando terminó de hablar, dijo a Simón: «Rema lago adentro y echad vuestras redes para pescar». ⁵Simón respondió: «Maestro, hemos estado toda la noche faenando sin pescar nada, pero puesto que tú lo dices, echaré las redes». ⁶Lo hicieron y capturaron una gran cantidad de peces. Como las redes se rompían, ⁷hicieron señas a sus compañeros de la otra barca para que vinieran a ayudarles. Vinieron y llenaron las dos barcas, hasta el punto de que casi se hundían. ⁸Al verlo, Simón Pedro cayó a los pies de Jesús diciendo: «Apártate de mí, Señor, que soy un pecador». ⁹Pues tanto él como sus hombres estaban sobrecogidos de estupor ante la cantidad de peces que habían capturado; ¹⁰e igualmente Santiago y Juan, hijos de Zebedeo, que eran compañeros de Simón. Entonces Jesús dijo a Simón: «No temas, desde ahora serás pescador de hombres». ¹¹Y después de llevar las barcas a tierra, dejaron todo y lo siguieron.

◆ *Notas:* Lucas 5,1-11

5,1-11 Normalmente se pescaba durante la noche o a primeras horas de la mañana. Después se solían lavar y remendar las redes, tarea que podía llevar varias horas. La gente concedía muy poco honor a los pescadores, pues su hogar y su familia carecían de protección durante la noche. ⇨ **Pesca,** 5,1-11 (cf. pág. 378).

5,8 Caer a los pies de otro era el típico gesto de humildad ante el patrón u otra persona de rango superior. Jesús recibe aquí el reconocimiento de Pedro, que está en deuda con Jesús por la inesperada captura de peces. ⇨ **El sistema de patronazgo en la Palestina romana,** 7,1-10 (cf. pág. 399).

5,11 Ésta es la primera vez que Lucas usa el término «seguir».

En los evangelios sinópticos esta palabra se aplica casi exclusivamente al seguimiento de Jesús. En los escritos filosóficos de entonces, «seguir» describía la relación de maestro y discípulos. Observemos que Lucas destaca el abandono de «todo» por parte de quienes siguen a Jesús. Pero aquí hay algo más que el simple abandono de cosas materiales. La movilidad geográfica y la consiguiente ruptura con el propio entramado social (familia biológica, patronos, amigos, vecinos) eran fruto de una conducta desviada, y por tanto más traumático que el simple abandono de la riqueza material; ver notas a 5,27-28; 14,25-35.

Jesús cura y se extiende su fama 5,12-26

¹²Estaba Jesús en un pueblo donde había un hombre cubierto de lepra. Éste, al ver a Jesús, cayó rostro en tierra y le suplicaba: «Señor, si quieres, puedes limpiarme». ¹³Jesús extendió la mano y lo tocó, diciendo: «Quiero; queda limpio». Y en el acto desapareció de él la lepra. ¹⁴Jesús ordenó que no se lo dijera a nadie. Le dijo: «Anda, muéstrate al sacerdote y presenta la ofrenda de tu purificación, como mandó Moisés, como testimonio para ellos». ¹⁵Su fama se extendía cada vez más, y se congregaban grandes muchedumbres para oírle y para que los curase de sus enfermedades. ¹⁶Pero él se retiraba a lugares solitarios para orar.

¹⁷Un día, mientras Jesús enseñaba, estaban allí sentados algunos fariseos y maestros de la ley que habían venido de todas las aldeas de Galilea, de Judea y de Jerusalén. Y el poder del Señor lo impulsaba a realizar curaciones. ¹⁸En esto aparecieron unos hombres que traían en una camilla a un paralítico y querían introducirlo para ponerlo delante de Jesús; ¹⁹pero, como no veían la manera de hacerlo a causa del gentío, subieron a la terraza, lo bajaron por el techo en la camilla y lo pusieron en medio, delante de Jesús. ²⁰Viendo la fe que tenían, Jesús dijo: «Hombre, tus pecados quedan perdonados». ²¹Los maestros de la ley y los fariseos empezaron a pensar: «¿Quién es éste que dice blasfemias? ¿Quién puede perdonar los pecados sino sólo Dios?». ²²Pero Jesús, dándose cuenta de lo que pensaban, les dijo: «¿Qué es lo que estáis pensando? ²³¿Qué es más fácil, decir: 'Tus pecados quedan perdonados'; o decir: 'Levántate y anda'? ²⁴Pues vais a ver que el Hijo del hombre tiene en la tierra poder para perdonar los pecados». Entonces se volvió hacia el paralítico y le dijo: «Levántate, toma tu camilla y vete a tu casa». ²⁵El se levantó en el acto delante de todos, tomó la camilla en la que yacía y se fue a su casa, alabando a Dios. ²⁶Todos quedaron atónitos y alababan a Dios, llenos de temor, diciendo: «Hoy hemos visto cosas extraordinarias».

◆ *Notas:* Lucas 5,12-26

5,12-16 Levítico 13,45 especifica que los leprosos tienen que llevar ropa rasgada y el pelo lacio y descuidado, y gritar cuando alguien se acerca: «Impuro, impuro». Tienen que vivir solos, «fuera del campamento». Los leprosos solían mendigar en la puerta de la ciudad durante las horas diurnas (ver 2 Re 7,3-9), pero tenían que abandonar la ciudad durante la noche. Al caer rostro en tierra ante Jesús, el leproso adopta el gesto de quien se acerca al patrón o a un intermediario en busca de ayuda. Al tocar a un enfermo, Jesús violaba las normas de pureza y quedaba también él impuro. La verdadera lepra, la enfermedad de Hansen, era muy rara en la Palestina del siglo I; de ahí que el término utilizado aquí se refiera probablemente a diversas enfermedades de la piel (ver Lv 13). Lv 14 prescribe las ofrendas requeridas para que la persona curada pueda reintegrarse en la comunidad. Aquí se dice que el «testimonio» es «para ellos», es decir, para la comunidad en la que debe reintegrarse el leproso curado. ⇨ **Preocupación por la salud**, 5,17-26 (cf. pág. 381).

5,15 ⇨ **Cadenas de comentarios**, 4,14-15 (cf. pág. 324). Lucas omite el dato de Marcos (1,45) de que Jesús ya no podía entrar abiertamente en ninguna ciudad, quizás porque el interés de Lucas se centra precisamente en la misión a las ciudades. ⇨ **La ciudad preindustrial**, 14,15-24 (cf. pág. 328).

5,17-26 ⇨ **Preocupación por la salud**, 5,17-26 (cf. pág. 381). Jesús se comporta aquí como un sanador tradicional, pues aborda antes la causa de la dolencia que la causa de la enfermedad. Jesús y sus antagonistas se enzarzan en un intercambio desafío-respuesta en el que vence Jesús al conseguir curar al hombre. Lucas se preocupa por decir que la persona curada honra a Dios, como era de esperar, pues Jesús actúa aquí como intermediario de Dios; ver notas a 13,10-17; 17,15-19; 18,35-43. La reacción de la muchedumbre es similar, dando el visto bueno a Jesús como agente de Dios.

Controversias sobre la observancia de las reglas de pureza por parte de Jesús y de su facción 5,27-6,11

[27]Después de esto, salió y vio a un recaudador de impuestos, llamado Leví, que estaba sentado en su oficina de impuestos, y le dijo: «Sígueme». [28]Él, dejándolo todo, le siguió.

[29]Leví le obsequió después con un gran banquete en su casa, al que también había invitado a muchos recaudadores de impuestos y a otras personas. [30]Los fariseos y sus maestros de la ley murmuraban contra los discípulos de Jesús y decían: «¿Por qué coméis y bebéis con recaudadores de impuestos y pecadores?». [31]Jesús les contestó: «No necesitan médico los sanos, sino los enfermos. [32]Yo no he venido a llamar a los justos, sino a los pecadores, para que se conviertan».

[33]Entonces ellos le preguntaron a Jesús: «Los discípulos de Juan ayunan con frecuencia y hacen oraciones, e igualmente los de los fariseos; en cambio tus discípulos comen y beben». [34]Jesús les contestó: «¿Podéis hacer ayunar a los amigos del novio mientras el novio está con ellos? [35]Llegará un día en que el novio les será arrebatado; entonces ayunarán». [36]Les puso también

este ejemplo: «Nadie corta un trozo de tela de un traje nuevo y lo pone en un vestido viejo, porque estropeará el nuevo, y al viejo no le caerá bien la pieza del nuevo. ³⁷Y nadie echa vino nuevo en odres viejos; porque el vino nuevo reventará los odres, se derramará el vino y los odres se perderán. ³⁸El vino nuevo se echa en odres nuevos. ³⁹Y nadie habituado a beber vino añejo quiere el nuevo; porque dice: 'El añejo es mejor'».

6 ¹Un sábado atravesaba Jesús por unos sembrados. Sus discípulos cortaban espigas y las comían, desgranándolas con las manos. ²Y unos fariseos dijeron: «¿Por qué hacéis lo que no está permitido en sábado?». ³Jesús les respondió: «¿No habéis leído lo que hizo David cuando tuvo hambre él y sus compañeros? ⁴Entró en el templo de Dios, tomó los panes de la ofrenda, comió y dio a los que lo acompañaban, siendo así que sólo a los sacerdotes les estaba permitido comerlos». ⁵Y añadió: «El Hijo del hombre es señor del sábado».

⁶Otro sábado entró en la sinagoga y se puso a enseñar. Había allí un hombre que tenía atrofiada su mano derecha. ⁷Los maestros de la ley y los fariseos lo espiaban a ver si curaba en sábado, y tener así un motivo para acusarlo. ⁸Jesús, que conocía sus pensamientos, dijo al hombre de la mano atrofiada: «Levántate y ponte ahí en medio». El hombre se puso de pie. ⁹Jesús les dijo: «Os voy a hacer una pregunta: ¿Qué está permitido en sábado, hacer el bien o el mal? ¿Salvar una vida o destruirla?». ¹⁰Y, mirándolos a todos, dijo al hombre: «Extiende tu mano». El lo hizo, y su mano quedó restablecida. ¹¹Pero ellos, llenos de rabia, discutían qué podrían hacer contra Jesús.

◆ *Notas:* Lucas 5,27-6,11

5,27-28 El término griego traducido por «recaudador de impuestos» se refiere a los recaudadores de aduanas empleados por quienes contrataban directamente con los romanos el cobro de derechos de movimiento de mercancías. ⇨ **Recaudadores de impuestos (de aduanas)**, 19,1-10 (cf. pág. 386). Observemos el énfasis lucano en el abandono de todo. Ver notas a 5,11 y 14,25-35.

5,29-32 Muchos de los recaudadores de impuestos, si no la mayoría, eran pobres. Quienes no lo eran, tenían fama universal de deshonestos. Leví se puede permitir el lujo de dar una gran fiesta en su casa, de ahí que formase parte del grupo rico despreciado por la gente. Como la vida privada era inexistente en la vida de los pueblos, cabía esperar que los fariseos y los maestros de la ley se enterasen de la comida y la comentasen entre ellos.

Preguntarse cómo es posible que Leví diera un banquete después de haberlo dejado todo (v. 28) es perder de vista lo dicho más arriba en 5,11. ⇨ **Pureza/Contaminación**, 6,1-5, especialmente los comentarios al mapa de los alimentos (cf. pág. 383). Varios siglos después, éste fue considerado el mapa esencial del judaísmo.

La pregunta del v. 30 es un reto lanzado claramente a Jesús. Éste responde con un proverbio, en el que la enfermedad es una analogía de la posición de los recaudadores de impuestos y los pecadores, y el arrepentimiento, la cura necesaria. Obviamente, aquí no se trata de una enfermedad, sino de una dolencia, es decir, de la pérdida de significado y de lugar en la comunidad. ⇨ **Preocupación por la salud**, 5,17-26 (cf. pág. 381).

5,33-39 ⇨ **Ayuno**, 5,33-35 (cf. pág. 323). El v. 33 es un desafío negativo que permite aclarar las prácticas de los seguidores de Jesús a Teófilo, patrón de Lucas. El v. 34 indica que el ayuno formaba parte de un modelo más amplio de «duelo», practicado para quejarse de la presencia del mal. Ayunar (hacer duelo) en una boda sería un insulto gravísimo para los contrayentes y sus familias. Ayunar equivaldría a no tomar parte de corazón en la celebración y a proclamar que tal matrimonio es malo.

6,1-5 ⇨ **Pureza/Contaminación**, 6,1-5, y observad con detenimiento el mapa de los tiempos (cf. pág. 383). Aquí está siendo violado el elemento prioritario del mapa de los tiempos, tal como lo entienden los adversarios de Jesús.

6,6-11 ⇨ **Pureza/Contaminación**, 6,1-5 (cf. pág. 383). De nuevo está en el candelero el mapa de los tiempos, que se ha convertido en la cuestión central del relato (en lugar de serlo la curación). La tensión creada al prever Jesús el desafío y el modo dramático en que responde le muestran una vez más como un maestro en el juego desafío-respuesta. ⇨ **Desafío-Respuesta**, 4,1-13 (cf. pág. 336). Al ser superados en el juego, es normal que los adversarios acaben irritados.

Consolidación del núcleo de la facción de Jesús 6,12-16

[12]Por aquellos días, Jesús se retiró al monte para orar y pasó la noche orando a Dios. [13]Al hacerse de día, reunió a sus discípulos y eligió de entre ellos a doce, a quienes dio el nombre de apóstoles: [14]Simón, a quien llamó Pedro, y su hermano Andrés, Santiago y Juan, Felipe y Bartolomé, [15]Mateo, Tomás y Santiago, el hijo de Alfeo, Simón llamado Zelota, [16]Judas el hijo de Santiago y Judas Iscariote, que fue el traidor.

◆ *Notas:* Lucas 6,12-16

6,12-16 ⇨ **Coaliciones/Facciones**, 6,12-16 (cf. pág. 329). Sobre Pedro, Andrés, Santiago y Juan, ⇨ **Pesca**, 5,1-11, y notas (cf. pág. 379). Sobre Simón el Zelota, ⇨ **Ladrones/Bandidos sociales**, 22,52-53 (cf. pág. 361).

Resumen de las curaciones de Jesús 6,17-19

¹⁷Bajando después con ellos, se detuvo en un llano donde estaban muchos de sus discípulos y un gran gentío, de toda Judea y Jerusalén, y de la región costera de Tiro y Sidón, ¹⁸que habían venido para escucharle y para que los curara de sus enfermedades. Los que eran atormentados por espíritus inmundos quedaban curados; ¹⁹y toda la gente quería tocarlo, porque salía de él una fuerza que los curaba a todos.

Enseñanza de Jesús en la llanura 6,20-49

²⁰Entonces Jesús, mirando a sus discípulos, se puso a decir:
«Dichosos los pobres,
porque vuestro es el reino de Dios.
²¹Dichosos los que ahora tenéis hambre,
porque Dios os saciará.
Dichosos los que ahora lloráis,
porque reiréis.

²²Dichosos seréis cuando los hombres os odien, y cuando os excluyan, os injurien y maldigan vuestro nombre a causa del Hijo del hombre. ²³Alegraos ese día y saltad de gozo, porque vuestra recompensa será grande en el cielo; que lo mismo hacían sus antepasados con los profetas. ²⁴En cambio,
¡Ay de vosotros, los ricos,
porque ya habéis recibido vuestro consuelo!
²⁵¡Ay de los que ahora estáis satisfechos,
porque tendréis hambre!
¡Ay de los que ahora reís,
porque gemiréis y lloraréis!

²⁶¡Ay, cuando todos los hombres hablen bien de vosotros, que lo mismo hacían sus antepasados con los falsos profetas!

²⁷Pero a vosotros que me escucháis os digo: amad a vuestros enemigos, haced el bien a los que os odian, ²⁸bendecid a los que os maldicen, orad por los que os calumnian. ²⁹Al que te hiera en una mejilla, ofrécele también la otra; y a quien te quite el manto, no le niegues la camisa. ³⁰Da a quien te pida, y a quien te quita lo tuyo no se lo reclames.

³¹Tratad a los demás como queréis que ellos os traten a vosotros.

³²Si amáis a los que os aman, ¿qué mérito tenéis? También los pecadores aman a quienes los aman. ³³Si hacéis el bien a quien os lo hace a vosotros, ¿qué mérito tenéis? También los pecadores hacen lo mismo. ³⁴Y si prestáis a aquellos de quienes esperáis recibir, ¿qué mérito tenéis? También los pecadores se prestan entre ellos para recibir lo equivalente. ³⁵Vosotros amad a vuestros enemigos, haced bien y prestad sin esperar nada a cambio; así vuestra recompensa será grande, y seréis hijos del Altísimo. Porque él es bueno para los ingratos y malos. ³⁶Sed misericordiosos como vuestro Padre es misericordioso.

³⁷No juzguéis y Dios no os juzgará; no condenéis, y Dios no os condenará; perdonad, y Dios os perdonará. ³⁸Dad, y Dios os dará. Os verterán una buena medida, apretada, rellena, rebosante; porque con la medida con que midáis, Dios os medirá a vosotros».

³⁹Les puso también este ejemplo: «¿Puede un ciego guiar a otro ciego? ¿No caerán ambos en el hoyo? ⁴⁰El discípulo no es más que su maestro, pero el discípulo bien formado será como su maestro. ⁴¹¿Cómo es que ves la mota en el ojo de tu hermano y no adviertes la viga que hay en el tuyo? ⁴²¿Y cómo puedes decir a tu hermano: 'Hermano, deja que te saque la mota que tienes en el ojo', cuando no ves la viga que hay en el tuyo? Hipócrita, saca primero la viga de tu ojo, y entonces verás bien para sacar la mota del ojo de tu hermano.

⁴³No hay árbol bueno que dé fruto malo, ni árbol malo que dé fruto bueno. ⁴⁴Cada árbol se conoce por sus frutos. Porque de los espinos no se recogen higos, ni de las zarzas se vendimian racimos. ⁴⁵El hombre bueno saca el bien del buen tesoro de su corazón, y el malo de su mal corazón saca lo malo. Porque de la abundancia del corazón habla su boca.

⁴⁶¿Por qué me llamáis: 'Señor, Señor', y no hacéis lo que os digo? ⁴⁷Os diré a quién es semejante todo el que viene a mí, escucha mis palabras y las pone en práctica. ⁴⁸Es semejante a un hombre que, al edificar su casa, cavó hondo y la cimentó sobre roca. Vino una inundación, y el río se desbordó contra esa casa; pero no pudo derruirla, porque estaba bien construida. ⁴⁹Pero el que las oye y no las pone en práctica, es como el que edificó su casa a ras de tierra, sin cimientos; cuando el río se desbordó y las aguas dieron contra ella, se derrumbó en seguida, convirtiéndose en un montón de ruinas».

◆ *Notas:* Lucas 6,20-49

6,20-26 ⇨ **Ricos, pobres y bienes limitados**, 6,20-26 (cf. pág. 393). En este contexto cultural, «Dichosos...» significaría: «Qué honorables...». Por otra parte, «¡Ay de...» connota: «Qué falta de vergüenza...». Las dos mitades del pasaje, las bendiciones y los ayes, establecen el contraste entre débiles y fuertes. El ostracismo social del que habla el v. 22 constituye siempre el destino de la gente pobre en las sociedades agrícolas, pero se convertirá asimismo en el destino de los ricos que se incorporen a las comunidades cristianas, integradas también por pobres. Lucas conoce bien los enormes problemas que tenían que superar los cristianos ricos, pero se mantiene firme en sus exigencias hacia ellos; ver notas a 8,18 y 14,15-24.

6,27-36 Estos versículos son claramente dirigidos a la élite: los que tienen un manto de más, que pueden prestar dinero y a quienes otros pueden pedir. Los términos traducidos aquí por «manto» y «camisa» se refieren respectivamente a la ropa exterior e interior. Las acciones recomendadas («sin esperar nada a cambio») son las de la típica reciprocidad de la interacción familiar. ⇨ **Relaciones (intercambios) sociales**, 6,27-36 (cf. pág. 388).

6,37-42 En las sociedades que se mueven según el esquema honor-vergüenza, «juzgar» está ampliamente en relación con los estereotipos. Las etiquetas endosadas a la gente (pecador, recaudador de impuestos, mujer de la calle, hijo de artesano) son designaciones directas que la encasillan, describiendo y determinando a la vez su estatus y su honor. Al mismo tiempo proporcionan a los demás un guión que les permite la interacción.

6,46-49 Designar a Jesús como «Señor» equivalía a reclamar su patronazgo (o su mediación). ⇨ **El sistema de patronazgo en la Palestina romana**, 7,1-10 (cf. pág. 399). Los clientes que no hacen lo que les pide el patrón están provocando la ruptura de las relaciones.

Jesús hace de intermediario de Dios en favor de un centurión 7,1-10

7 ¹Cuando Jesús terminó de hablar al pueblo, entró en Cafarnaún. ²Había allí un centurión que tenía un criado a quien quería mucho, y que estaba muy enfermo, a punto de morir. ³Oyó hablar de Jesús, y le envió unos ancianos de los judíos para rogarle que viniese a curar a su criado. ⁴Los enviados, acercándose a Jesús, le suplicaban con insistencia: «Merece que se lo concedas, ⁵porque ama a nuestro pueblo y ha sido él quien nos ha edificado la sinagoga». ⁶Jesús los acompañó. Estaban ya cerca de la casa cuando el centurión envió unos amigos a que le dijeran: «Señor, no te molestes. Yo no soy digno de que entres en mi casa, ⁷por eso no me he atrevido a presentarme personalmente a ti; pero basta una palabra tuya, para que mi criado quede curado. ⁸Porque yo, que no soy más que un subalterno, tengo soldados a mis órdenes, y digo a uno: 'Ven', y viene; y a mi criado: 'Haz esto', y lo hace». ⁹Al oír esto Jesús, quedó admirado y, volviéndose a la gente que lo seguía, dijo: «Os digo que ni en Israel he encontrado una fe tan grande». ¹⁰Y al volver a la casa, los enviados encontraron sano al criado.

◆ *Notas:* Lucas 7,1-10

7,1-10 ⇨ El sistema de patronazgo en la Palestina romana, 7,1-10 (cf. pág. 399). Como oficial representante de Roma, un centurión hacía con frecuencia de intermediario de los recursos imperiales en favor de la población local. En este caso, había actuado como tal construyendo una sinagoga y, en consecuencia, era reconocido como patrón por los ancianos del pueblo. El centurión envía estos ancianos a Jesús, dando por supuesto que eran capaces de servir de mediadores de lo que Jesús podía ofrecer. Aunque el centurión está habituado a dar órdenes a sus clientes, hace saber a Jesús a través de unos «amigos» que no pretende hacer de él un cliente («no soy digno de que entres en mi casa», v. 6). Al contrario, lo considera superior. Sorprendido, Jesús reconoce que el centurión ha puesto su fe en él como patrón (o intermediario); de ahí que cure al siervo.

Jesús salva a una viuda cuyo hijo único había muerto 7,11-17

¹¹Algún tiempo después, Jesús se marchó a un pueblo llamado Naín, acompañado de sus discípulos y de mucha gente. ¹²Cerca ya de la entrada del pueblo, se encontraron con que llevaban a enterrar al hijo único de una viuda. La acompañaba mucha gente del pueblo. ¹³El Señor, al verla, se compadeció de ella y le dijo: «No llores». ¹⁴Y acercándose, tocó el féretro. Los que lo llevaban se pararon. Entonces dijo: «Muchacho, a ti te digo: levántate». ¹⁵El muerto se incorporó y se puso a hablar; y Jesús se lo entregó a su madre. ¹⁶El temor se apoderó de todos, y alababan a Dios diciendo: «Un gran profeta ha surgido entre nosotros; Dios ha visitado a su pueblo». ¹⁷La noticia se propagó por toda Judea y por toda aquella comarca.

◆ *Notas:* Lucas 7,11-17

7,11-17 ⇨ **Viuda,** 21,1-4 (cf. pág. 408). Estamos ante un antiguo estereotipo de la extrema vulnerabilidad: una viuda cuyo único hijo muere. Al quedarse sin conexiones familiares, la esperanza de vida de una mujer de esas características era extremadamente breve. Antiguamente el vínculo emocional más íntimo era con frecuencia el que mantenían madre e hijo, no esposo y esposa. El hijo protegía a su madre de por vida; era su más firme seguridad social. El hecho de tocar las angarillas que transportaban a un difunto (como hace aquí Jesús) era un acto que contaminaba. Observemos en especial que la «curación» (⇨ **Preocupación por la salud,** 5,17-26; cf. pág. 381) de este relato se centra no tanto en la resurrección de un hijo difunto cuanto en la restauración de la madre, que vuelve a renacer en la comunidad una vez que el hijo revive. El momento crítico del pasaje es cuando Jesús devuelve al joven «a su madre». Éste es el momento de la resurrección *de ella*.

7,16-17 El honor se debe en realidad al patrón, a Dios. Jesús, identificado aquí como profeta, ha actuado de intermediario del patrón. La cadena de comentarios (ver 4,14-15) informa a la comunidad de que puede contar con un intermediario.

Aclaración del nuevo estatus de honor de Jesús en relación con Juan 7,18-35

[18]Los discípulos de Juan le contaron todo esto, y él, llamando a dos de ellos, [19]los envió a preguntar al Señor: «¿Eres tú el que tenía que venir o hemos de esperar a otro?». [20]Ellos se presentaron a Jesús y le dijeron: «Juan el Bautista nos envía a preguntarte: ¿Eres tú el que tenía que venir o hemos de esperar a otro?». [21]En aquel momento, Jesús curó a muchos de sus enfermedades, dolencias y malos espíritus, y devolvió la vista a muchos ciegos. [22]Después les respondió: «Id y contad a Juan lo que habéis visto y oído: los ciegos ven, los cojos andan, los leprosos quedan limpios, los sordos oyen, los muertos resucitan y a los pobres se les anuncia la buena noticia; [23]y dichoso el que no encuentre en mí motivo de tropiezo».

[24]Cuando los mensajeros se fueron, Jesús se puso a hablar de Juan a la gente: «¿Qué salisteis a ver en el desierto? ¿Una caña agitada por el viento? [25]¿Qué salisteis a ver? ¿Un hombre lujosamente vestido? Los que visten con lujo y se dan buena vida están en los palacios de los reyes. [26]¿Qué salisteis entonces a ver? ¿Un profeta? Sí, incluso más que un profeta. [27]Éste es de quien está escrito: *Yo envío mi mensajero delante de ti; él te preparará el camino.* [28]Os digo que entre los nacidos de mujer no hay otro mayor que Juan; sin embargo, el más pequeño en el reino de Dios es mayor que él». ([29]Todos los que escucharon a Juan, incluidos los publicanos, acogieron la oferta de Dios y recibieron su bautismo, [30]pero los fariseos y los doctores de la ley frustraron el plan de Dios para con ellos y rechazaron el bautismo de Juan).

[31]Y añadió: «¿Con qué compararé a

los hombres de esta generación? ¿A quién se parecen? [32]Se parecen a esos niños que se sientan en la plaza y, unos a otros, cantan esta copla: 'Os hemos tocado la flauta y no habéis danzado; os hemos entonado lamentaciones y no habéis llorado'. [33]Porque vino Juan el Bautista, que no comía ni bebía, y dijisteis: 'Está endemoniado'. [34]Viene el Hijo del hombre, que come y bebe, y decís: 'Ahí tenéis a un comilón y a un borracho', amigo de los publicanos y pecadores'. [35]Pero la sabiduría ha quedado acreditada por todos los que son sabios».

◆ *Notas:* Lucas 7,18-35

7,18-23 La pregunta de los discípulos de Juan tiene lugar después de que éste ha oído hablar de curaciones. La cadena de comentarios (ver 4,14-15) está lanzando a los cuatro vientos el nuevo estatus de Jesús, y Juan trata de confirmarlo. Los discípulos que visitan a Jesús ven confirmado lo que la cadena de comentarios había divulgado, y pueden sacar sus propias conclusiones sobre el estatus de honor de Jesús. Como el honor es un bien limitado, siempre se adquiere a expensas de otro. Jesús se preocupa (v. 23) porque su auditorio pueda considerar que se hace con lo no es propiamente suyo.

7,31-35 Llamar «niños» a los adultos es un insulto muy grave. Los niños carecen de sabiduría y con frecuencia actúan de manera inapropiada. No saben cuándo tienen que danzar (en una boda) y cuándo tienen que llorar (en un funeral), pero suelen ser enseñados (socializados) por otros niños, que les dicen cuándo tienen que hacer cada cosa. Pero los adversarios de Jesús no han aprendido nada. El proverbio «La sabiduría ha quedado acreditada por todos los que son sabios» apunta a la orientación práctica de la sociedad agrícola. A pesar de sus críticos, las personas sabias e inteligentes demuestran su capacidad social con los resultados de su conducta. El ayuno de Juan y el comer y beber de Jesús provocaron críticas en cada caso, pero también cada uno suscitó sus seguidores. Sin embargo, cuando los seguidores de Juan y de Jesús invitaron a «los hombres de esta generación» a seguir su ejemplo, éstos no consiguieron entender qué había que hacer a la sazón.

Reglas de pureza, perdón, y una mujer de la calle 7,36-50

[36]Un fariseo invitó a Jesús a comer. Entró, pues, Jesús en casa del fariseo y se sentó a la mesa. [37]En esto, una mujer, una pecadora pública, al saber que Jesús estaba comiendo en casa del fariseo, se presentó con un frasco de alabastro lleno de perfume, [38]se puso detrás de Jesús, junto a sus pies, y llorando comenzó a bañar con sus lágrimas los pies de Jesús y a enjugarlos con los cabellos de la cabeza, mientras se los besaba y se los ungía con el perfume. [39]Al ver esto

el fariseo que lo había invitado, pensó para sus adentros: «Si éste fuera profeta, sabría qué clase de mujer es la que lo está tocando, pues en realidad es una pecadora». ⁴⁰Entonces Jesús tomó la palabra y le dijo: «Simón, tengo que decirte una cosa». Él replicó: «Di, Maestro». ⁴¹Jesús prosiguió: «Un prestamista tenía dos deudores: uno le debía quinientos denarios y el otro cincuenta. ⁴²Pero, como no tenían para pagarle, les perdonó la deuda a los dos. ¿Quién de ellos lo amará más?». ⁴³Simón respondió: «Supongo que aquél a quien le perdonó más». Jesús le dijo: «Así es». ⁴⁴Y, volviéndose a la mujer, dijo a Simón: «¿Ves a esta mujer? Cuando entré en tu casa no me diste agua para lavarme los pies,

pero ella ha bañado mis pies con sus lágrimas y los ha enjugado con sus cabellos. ⁴⁵No me diste el beso de la paz, pero ésta, desde que entré, no ha cesado de besar mis pies. ⁴⁶No ungiste con aceite mi cabeza, pero ésta ha ungido mis pies con perfume. ⁴⁷Te aseguro que si da tales muestras de amor es que se le han perdonado sus muchos pecados; en cambio, al que se le perdona poco, mostrará poco amor». ⁴⁸Entonces dijo a la mujer: «Tus pecados quedan perdonados». ⁴⁹Los comensales se pusieron a pensar en sus adentros: «¿Quién es éste que hasta perdona los pecados?». ⁵⁰Pero Jesús dijo a la mujer: «Tu fe te ha salvado; vete en paz».

◆ *Notas:* **Lucas 7,36-50**

7,36-50 ⇨ **Deudas,** 7,36-50 (cf. pág. 337). El banquete tradicional tenía dos etapas. Durante la primera, en la que se servían los primeros platos, los siervos lavaban las manos y los pies de los invitados y los ungían con perfume para contrarrestar el olor corporal. Durante la segunda se servían los platos fuertes. ⇨ **Comidas,** 14,7-11 (cf. pág. 331).

Al invitar a Jesús a comer, es señal que el fariseo lo veía inicialmente como un igual. Pero tal juicio es puesto seriamente en duda por lo que viene a continuación. Jesús, al permitir un contacto directo con la mujer, especialmente con aquella clase de mujer, queda impuro a los ojos de su anfitrión. Pero Simón sigue siendo respetuoso tanto durante el diálogo que se entabla como en su reacción a la historia que le cuenta Jesús. Sin embargo, el resto de los invitados quedan desconcertados ante el trato que Jesús depara a la mujer, debido a las amplias repercusiones que entrañaba. ⇨ **Perdón de los pecados,** 3,1-20 (cf. pág. 370).

Resumen del mensaje de Jesús y descripción de su facción 8,1-3

8 ¹Después de esto, Jesús caminaba por pueblos y aldeas predicando y anunciando el reino de Dios. Iban con él los doce ²y algunas mujeres que había liberado de malos espíritus y curado de

enfermedades: María, llamada Magdalena, de la que había expulsado siete demonios, ³Juana, mujer de Cusa, administrador de Herodes, Susana, y otras muchas que lo asistían con sus bienes.

◆ *Notas:* Lucas 8,1-3

8,1-3 Los viajes, cuando se realizaban por otras razones que no fueran las convencionales (fiestas, visitas a la familia, negocios fuera del pueblo), eran considerados fruto de una conducta desviada. Las mujeres que abandonaban las responsabilidades familiares tendrían que cargar con la acusación de desvío, pues despertaban sospechas de conducta sexual ilícita. Como aquí se dice que todas las mujeres habían sido curadas por Jesús, podían haber regresado a sus comunidades de origen. Pero el hecho de que viajen con Jesús y le presten ayuda implica reciprocidad: devolver la deuda en la que se incurría al haber sido curadas. Puede también implicar que eran viudas, capaces de ver ahora que la familia subrogada tiene mayor importancia que la familia biológica. ⇨ **Familia subrogada**, 8,19-21 (cf. pág. 351).

Parábola sobre la siembra y comentario sobre la actitud en la escucha 8,4-18

⁴En una ocasión se reunió mucha gente venida de todas las ciudades, y Jesús les dijo esta parábola: ⁵«Salió el sembrador a sembrar su semilla. Mientras iba sembrando, parte de la semilla cayó al borde del camino; fue pisoteada y las aves del cielo se la comieron. ⁶Otra parte cayó en terreno pedregoso y nada más brotar se secó, porque no tenía humedad. ⁷Otra cayó entre cardos y, al crecer junto con los cardos, éstos la sofocaron. ⁸Otra parte cayó en tierra buena, brotó y dio como fruto el ciento por uno». Y concluyó: «Quien tenga oídos para oír, que oiga».

⁹Sus discípulos le preguntaron qué significaba esa parábola. ¹⁰El les dijo: «A vosotros se os ha concedido comprender los secretos del reino de Dios; a los demás todo les resulta enigmático, de manera que miran pero no ven, y oyen pero no entienden.

¹¹La parábola significa lo siguiente: La semilla es el mensaje de Dios. ¹²La semilla que cayó al borde del camino se refiere a los que oyen el mensaje, pero luego viene el diablo y se lo arrebata de sus corazones, para que no crean ni se salven. ¹³La semilla que cayó en terreno pedregoso se refiere a los que, al oír el mensaje, lo aceptan con alegría, pero no tienen raíz; creen por algún tiempo, pero cuando llega la hora de la prueba se echan atrás. ¹⁴La semilla que cayó entre cardos se refiere a los que escuchan el mensaje, pero luego se ven atrapados por las preocupaciones, las riquezas y los placeres de la vida, y no llegan a la madurez. ¹⁵La semilla que cayó en tierra buena se refiere a los que, después de escuchar el mensaje con corazón noble y generoso, lo retienen y dan fruto por su constancia.

¹⁶Nadie enciende una lámpara y la tapa con una vasija o la oculta debajo de la cama, sino que la pone en un candelero para que los que entran vean la luz. ¹⁷Porque nada hay oculto que no haya de descubrirse, ni secreto que no haya de saberse y ponerse al descubierto. ¹⁸Prestad atención a cómo escucháis: al que tiene se le dará, y al que no tiene se le quitará incluso lo que cree tener».

◆ Notas: Lucas 8,4-18

8,4-8 En el contexto en que habla Jesús, esta parábola es una historia sobre agricultores. Los campesinos que la oyesen pensarían que un sembrador tan poco cuidadoso sería un modesto terrateniente; es decir, la percibirían negativamente. Pero, si esto fuera así, la parábola perdería su sentido. Si, por el contrario, la gente se imaginase a un aparcero o un agricultor arrendatario luchando contra condiciones hostiles, es decir, si lo percibieran con benevolencia, entonces la conexión con Dios como proveedor generoso tendría el carácter de buena nueva. Lucas, que escribe quizá en una ciudad para una audiencia urbana, trata de hacer de los oyentes gente de ciudad en lugar de campesinos.

8,11-15 Según la antropología del Mediterráneo del siglo I, el corazón y los ojos constituían el centro del pensamiento emotivo. La boca, los oídos, la lengua y los labios eran el lugar de la expresión. Los brazos, piernas, manos y pies simbolizaban la acción. Cuando estaban implicadas las tres zonas, como aquí (v. 15), hemos de entender que estaba involucrada la persona total. ⇨ **Las tres zonas de la personalidad**, 11,33-36 (cf. pág. 406).

8,16 La casa de los campesinos palestinos del siglo I tenía generalmente una sola habitación. La familia vivía en una parte generalmente elevada; la otra era usada por la noche para el ganado. Aquí se nos habla de una casa de este tipo, pues todos los que entran en ella pueden ver el candelero. Ver Mt 5,15, donde todo esto es más explícito.

8,17 En la Antigüedad, los campesinos carecían casi por completo de vida privada. De hecho, si alguien intentaba hacer las cosas en privado levantaba sospechas en todo el pueblo. Hacer las cosas al aire libre ahorraba muchas inquietudes. Por eso, el poder revelatorio de la buena nueva es un bien positivo para la forma de pensar de los campesinos.

8,18 La idea de que quienes tienen conseguirán más y de que quienes tienen poco perderán lo que tienen es un tópico de la vida campesina. El ejemplo definitivo para los campesinos era la pérdida de la tierra, debida a las deudas contraídas con los ricos. ⇨ **Deudas**, 7,36-50 (cf. pág. 337).

Bases de la nueva familia subrogada de Jesús 8,19-21

[19]Entonces se presentaron su madre y sus hermanos, pero no pudieron llegar hasta Jesús a causa del gentío. [20]Entonces le pasaron aviso: «Tu madre y tus hermanos están ahí fuera y quieren verte». [21]Jesús les respondió: «Mi madre y mis hermanos son los que escuchan la palabra de Dios y la ponen en práctica».

◆ *Notas:* Lucas 8,19-21

8,19-21 ⇨ **Familia subrogada,** 8,19-21 (cf. pág. 351). Este pasaje explica un tema básico de Lucas, que ve la buena nueva centrada en la «familia» de los creyentes más que en el templo o en la familia biológica. Más aún, esta tendencia a formar grupos «familiares» más allá de los límites normales que separan a la gente juega un papel clave en la expansión de la Iglesia en el libro lucano de los Hechos. ⇨ **Parentesco,** 1,36 (cf. pág. 374).

Poder de Jesús sobre la naturaleza 8,22-25

²²Cierto día subió Jesús con sus discípulos a una barca y les dijo: «Pasemos a la otra orilla del lago». Y comenzaron la travesía. ²³Mientras navegaban, Jesús se durmió. Una borrasca se desencadenó entonces sobre el lago, y la barca empezó a hacer agua, con el consiguiente peligro de naufragio. ²⁴Los discípulos se le acercaron y lo despertaron, diciendo: «¡Maestro, maestro, que perecemos!». Jesús se levantó e increpó al viento y al oleaje; éstos amainaron y el lago quedó en calma. ²⁵Entonces dijo a sus discípulos: «¿Dónde está vuestra fe?». Y llenos de miedo y estupor se decían unos a otros: «¿Quién es éste que manda incluso a los vientos y al agua, y le obedecen?».

◆ *Notas:* Lucas 8,22-25

8,22-25 La pregunta que se hacen los discípulos en v. 25 no se refiere a la «identidad», como podría pensar un lector moderno. Se trata del estatus de honor. Los discípulos se preguntan por la posición que ocupa Jesús en la jerarquía de los poderes. ⇨ **Demonios/Posesión demoníaca,** 4,31-37 (cf. pág. 333).

Poder de Jesús sobre una legión de demonios 8,26-39

²⁶Arribaron a la región de los gerasenos, que está en frente de Galilea. ²⁷Al saltar a tierra, le salió al encuentro un hombre de la ciudad, un endemoniado, que desde hacía mucho tiempo andaba semidesnudo y no vivía en una casa, sino entre los sepulcros. ²⁸Al ver a Jesús, se puso a gritar, se echó a sus pies y dijo a grandes voces: «¿Qué tengo yo que ver contigo, Hijo del Dios Altísimo? Te pido que no me atormentes». ²⁹Y es que Jesús estaba mandando al espíritu impuro que saliera de aquel hombre. Pues muchas veces el demonio se apoderaba de él, y a pesar de que lo ataban con cadenas y lo sujetaban con grilletes, él rompía las ataduras y, empujado por el demonio, marchaba a lugares desiertos. ³⁰Jesús le preguntó: «¿Cuál es tu nombre?». Respondió: «Legión». Porque habían entrado en él muchos demonios. ³¹Y le pedían que no les ordenara volver al abismo.

³²Había allí una piara numerosa de cerdos hozando por el monte; los demonios le rogaron que les permitiera entrar en ellos. Jesús se lo permitió. ³³Los demonios salieron del hombre, entraron en los cerdos y entonces toda

la piara se lanzó por el precipicio al lago y se ahogó.

³⁴Los porquerizos, al ver lo ocurrido, huyeron y lo fueron contando por la ciudad y por los caseríos. ³⁵Salieron, pues, a ver lo ocurrido y, al presentarse donde estaba Jesús, encontraron al hombre del que habían salido los demonios sentado a los pies de Jesús, vestido y en su sano juicio; y se llenaron de miedo. ³⁶Los que lo habían presenciado les contaron cómo había salvado al endemoniado. ³⁷Entonces toda la gente de la comarca de los gerasenos le rogó que se alejara de ellos, porque les había entrado mucho miedo. Jesús subió a la barca y emprendió el regreso. ³⁸El hombre de quien habían salido los demonios le pedía ir con él, pero Jesús lo despidió diciendo: ³⁹»Vuelve a tu casa y cuenta lo que Dios ha hecho contigo». El hombre se marchó publicando por toda la ciudad lo que Jesús había hecho con él.

◆ **Notas: Lucas 8,26-39**

8,26-34 Las personas de conducta desviada eran consideradas peligrosas, motivo por el que frecuentemente eran obligadas a vivir al margen de la comunidad. ⇨ **Demonios/Posesión demoníaca,** **4,31-37** (cf. pág. 333). Los detalles ofrecidos aquí encajan en dicha práctica.

8,30 Como el poder para usar un nombre equivale al poder de controlar, la rapidez con que el demonio dice el suyo indica quién controla la situación.

8,31-35 Los propietarios de la piara serían seguramente gente no-israelita de la región. Esto, unido a la mención de las legiones romanas (que a nadie de la Judea dominada por los romanos pasaría desapercibida), puede implicar el punto de vista local sobre la intrusión de la cultura no-israelita en la región, así como la influencia demoníaca de Roma. También esto puede explicar la reacción de la gente de la ciudad. La acción de Jesús les asustó, es decir, pensaron que era una amenaza disruptiva del orden establecido por Roma (y temido) en la región.

8,39 Al tener una deuda de honor con Jesús, el hombre curado desea quedarse con Jesús como cliente. Pero Jesús le hace ver a quién hay que honrar en realidad (a Dios, el patrón) y le envía a su casa. Sin embargo, el hombre no sigue sus instrucciones, pues da honor a Jesús en lugar de darlo a Dios.

Jesús salva a una niña de doce años y a una mujer con hemorragias 8,40-56

⁴⁰Cuando regresó Jesús, lo recibió la gente, porque todos lo estaban esperando. ⁴¹En esto, llegó un hombre llamado Jairo, que era jefe de la sinagoga, y se echó a los pies de Jesús, rogándole que fuera a su casa, ⁴²porque tenía una hija única de unos doce años, que se estaba muriendo. Mientras iba de cami-

no, la gente le apretujaba por todas partes. [43]Entonces, una mujer que padecía hemorragias desde hacía doce años y que había gastado en médicos todo lo que tenía sin haber podido ser curada por ninguno, [44]se acercó por detrás, tocó la orla de su manto, y en el acto cesó la hemorragia. [45]Jesús preguntó: «¿Quién me ha tocado?». Como todos decían que ellos no habían sido, Pedro le dijo: «Maestro, es la gente que te aprieta y te estruja». [46]Pero Jesús dijo: «Alguien me ha tocado, porque he sentido que una fuerza ha salido de mí». [47]La mujer, al verse descubierta, se acercó toda temblorosa y, echándose a sus pies, contó delante de todos por qué lo había tocado y cómo había quedado curada en el acto. [48]Él le dijo: «Hija, tu fe te ha salvado, vete en paz».

[49]Todavía estaba hablando, cuando llegó uno de la casa del jefe de la sinagoga a decirle: «Tu hija ha muerto, no molestes más al Maestro». [50]Pero Jesús, que lo oyó, le dijo: «No temas, basta con que tengas fe, y ella se salvará». [51]Al llegar a la casa, no permitió entrar con él a nadie más que a Pedro, a Juan y a Santiago, y al padre y la madre de la niña. [52]Todos lloraban y gemían por ella. Jesús dijo: «No lloréis, porque no ha muerto; está dormida». [53]Pero ellos se burlaban de él, pues sabían bien que había muerto. [54]Pero Jesús, tomándola de la mano, dijo en voz alta: «Muchacha, levántate». [55]Su espíritu volvió, y se levantó al instante. Entonces Jesús mandó que le dieran de comer. [56]Los padres quedaron atónitos, pero Jesús les encargó que no dijeran a nadie lo que había pasado.

◆ *Notas:* Lucas 8,40-56

8,41 Caer a los pies de alguien es un gesto con el que se reconoce la inferioridad social, algo llamativo en un jefe de la sinagoga, de quien podía esperarse que recurriese a médicos profesionales en lugar de buscar un sanador tradicional. Es también un gesto normal en un cliente que busca el favor de un patrón. La muerte de una niña de doce años era algo muy normal en la Antigüedad. Durante casi todo el siglo I, el 60 por ciento de las personas nacidas vivas morían hacia los quince años. ⇨ **Edad**, 3,23 (cf. pág. 344).

8,42-48 Una mujer con un flujo de sangre era considerada impura, y por regla general se veía obligada a vivir aislada de la comunidad. ⇨ **Preocupación por la salud**, 5,17-26 (cf. pág. 381); y **Pureza/Contaminación**, 6,1-5, junto con el mapa de impurezas (cf. pág. 383). Marcos (5,26) cuenta que la mujer había gastado todo su dinero con médicos profesionales y que sólo había empeorado. Como tales médicos eran usados sobre todo por las élites, podemos pensar que la mujer había formado parte de esos grupos.

8,47 Como tocar a alguien violaba las fronteras del cuerpo, tal acción estaba cuidadosamente regulada por normas de pureza y por la costumbre. Resultaba a todas luces impropio que una mujer tocase públicamente a un hombre, por eso la mujer de nuestra historia se ve obligada a dar explicaciones. Al admitir el contacto físico, pero aduciendo que ha sido curada, la mujer se aventura al rechazo de Jesús y/o demuestra su fe. Jesús reacciona bien y se dirige a ella como si fuese un miembro de la familia («hija»), indicando así que quedaba reincorporada a la comunidad. Su enfermedad ha sido curada; también su dolencia ha sido superada. ⇨ **Preocupación por la salud**, 5,17-26 (cf. pág. 381).

8,49-56 Sobre los relatos de curación en Lucas, ⇨ **Preocupación por la salud**, 5,17-26 (cf. pág. 381). Observemos también el título honorífico «Maestro». Las risas de la gente ante las palabras de Jesús implican que el estatus de éste está en entredicho. El lector sabe que el honor de Jesús ha sido ya divinamente reconocido, pero la orden de que la familia no diga nada deja a la muchedumbre desconcertada.

Misión de la facción de Jesús e interés de Herodes 9,1-11

9 [1]Jesús convocó a los doce y les dio poder para expulsar toda clase de demonios y para curar las enfermedades. [2]Luego los envió a predicar el reino de Dios y a curar los enfermos. 3Y les dijo: «No llevéis para el camino ni bastón ni alforjas, ni pan ni dinero, ni tengáis dos túnicas. [4]Cuando entréis en una casa, quedaos en ella hasta que os marchéis de aquel lugar. [5]Y donde no os reciban, marchaos y sacudid el polvo de vuestros pies, como testimonio contra ellos». [6]Ellos se marcharon y fueron recorriendo las aldeas, anunciando el evangelio y curando por todas partes.

[7]El tetrarca Herodes oyó todo lo que estaba sucediendo y no sabía qué pensar, porque unos decían que Juan había resucitado de entre los muertos, [8]otros que Elías había aparecido, otros que uno de los antiguos profetas había resucitado. [9]Herodes dijo: «Yo mandé decapitar a Juan. ¿Quién es, pues, éste de quien oigo decir tales cosas?». Y buscaba una ocasión para conocerlo.

[10]De regreso, los apóstoles refirieron a Jesús todo lo que habían hecho. Él los tomó consigo y se retiró a un lugar solitario, hacia una ciudad llamada Betsaida. [11]Pero la gente, al enterarse, lo siguió. Jesús los acogió y estuvo hablándoles del reino de Dios, y curando a los que lo necesitaban.

◆ *Notas:* Lucas 9,1-11

9,1-6 Al darles poder sobre los demonios y las enfermedades, Jesús asciende a los Doce en la jerarquía de los poderes. También les ofrece el rol de intermediarios de los favores de Dios ante el pueblo. ⇨ **Demonios/Posesión demoníaca**, 4,31-37 (cf. pág. 333); y **El sistema de patronazgo en la Palestina romana**, 7,1-10 (cf. pág. 399).

9,7-9 Aquí está en el candelero el problema del estatus (honor, eminencia), no la noción moderna de identidad (ver notas a 9,18-22). Cuando Herodes se informa del lugar que puede ocupar Jesús en la jerarquía de los poderes, teme que pueda ser una amenaza potencial para él.

9,10-11 Betsaida, que había sido un simple pueblo (cf. Mc 8,26), fue elevada oficialmente a la categoría de ciudad por Herodes Filipo, que le dio el nombre de Julia en honor de la hija de Augusto, probablemente antes del destierro de ésta (2 a.C.). Al poner a la ciudad el nombre de un miembro de la familia imperial, Herodes Filipo esperaba ganar el favor tanto de la honrada como de su padre.

Comida de pan y peces al aire libre 9,12-17

[12]Cuando el día comenzó a declinar, se acercaron los doce y le dijeron: «Despide a la gente para que se vayan a las aldeas y caseríos del contorno a buscar albergue y comida, porque aquí estamos en despoblado». [13]Jesús les dijo: «Dadles vosotros de comer». Ellos le replicaron: «No tenemos más que cinco panes y dos peces, a no ser que vayamos nosotros a comprar alimentos para toda la gente». [14]Eran unos cinco mil hombres. Dijo entonces Jesús a sus discípulos: «Mandadles que se sienten por grupos de cincuenta». [15]Así lo hicieron y acomodaron a todos. [16]Luego Jesús tomó los cinco panes y los dos peces, levantó los ojos al cielo, pronunció la bendición, los partió y se los iba dando a los discípulos para que los distribuyeran entre la gente. [17]Comieron todos hasta quedar saciados, y de los trozos sobrantes recogieron doce canastos.

◆ *Notas:* Lucas 9,12-17

9,12-17 Las comidas no tenían lugar generalmente fuera del área de los pueblos y ciudades, pues se pensaba que en tales lugares reinaba el caos. Tampoco eran lugares donde se pudiesen observar escrupulosamente las normas de pureza relativas a la manipulación y preparación de los alimentos. Una muchedumbre de cinco mil hombres era mayor que la población de casi todas las principales ciudades de la región. ⇨ **Dieta,** 9,12-17 (cf. pág. 339).

Aclaración del estatus de Jesús y el camino de la cruz 9,18-27

[18]Un día que estaba Jesús orando a solas, sus discípulos se le acercaron. Jesús les preguntó: «¿Quién dice la gente que soy yo?». [19]Respondieron: «Según unos, Juan el Bautista; según otros, Elías; según otros, uno de los antiguos profetas, que ha resucitado». [20]El les dijo: «Y vosotros, ¿quién decís que soy yo?». Pedro respondió: «El Mesías de Dios». [21]Pero Jesús les prohibió terminantemente que se lo dijeran a nadie.

[22]Luego añadió: «Es necesario que el Hijo del hombre sufra mucho, que sea rechazado por los ancianos, por los jefes de los sacerdotes y por los maestros de la ley, que lo maten y que resucite al tercer día».

[23]Entonces se puso a decir a todo el pueblo: «El que quiera venir en pos de mí, que renuncie a sí mismo, que cargue con su cruz de cada día y me siga.

²⁴Porque el que quiera salvar su vida, la perderá: pero el que pierda su vida por mí, ése la salvará. ²⁵Pues, ¿de qué le sirve al hombre ganar todo el mundo si se pierde o se arruina a sí mismo? ²⁶Porque si uno se avergüenza de mí o de mi mensaje, el Hijo del hombre se avergonzará de él cuando venga rodeado de su gloria, de la del Padre y de la de los santos ángeles. ²⁷Os aseguro que algunos de los presentes no morirán antes de haber visto el reino de Dios».

◆ *Notas:* Lucas 9,18-27

9,18-22 Visto con ojos occidentales acostumbrados al individualismo de las sociedades industrializadas, este importante pasaje es interpretado como el momento en que Pedro reconoce por vez primera el mesianismo de Jesús. Se supone que Jesús sabe quién es y que está probando a sus discípulos para ver si ellos también lo saben.

Sin embargo, si tratamos de entender este pasaje desde el ventajoso punto de vista de la comprensión mediterránea de la personalidad, descubriremos que Jesús no sabe en realidad quién es y que debe buscar información en sus discípulos. ⇨ **Personalidad diádica,** 9,18-22 (cf. pág. 376).

En la Antigüedad la gente no se planteaba la cuestión moderna de la identidad del individuo, sino la posición y el poder de éste derivados de un estatus de honor adscrito o adquirido. La respuesta que se podía esperar a la pregunta por la identidad de alguien consistía en identificar a su familia o su lugar de origen (Saulo de Tarso, Jesús de Nazaret). En esta identificación estaba codificada toda la información necesaria para saber cómo situar a una persona en la escala del honor. ⇨ **Sociedades con base en el honor-vergüenza,** 4,16-30 (cf. pág. 404). Como la conducta de Jesús se desviaba de lo que podía esperarse de su nacimiento y su lugar de origen, había que proponer otros medios de identificar su poder y estatus. Había que hacer una evaluación. Aquí el propio Jesús pregunta a sus discípulos sobre el estado de la discusión entre la gente. Deberíamos tomar esta pregunta en sentido literal. Jesús quiere descubrir cuál es su estatus tanto entre el público como entre sus nuevos parientes (ficticios). En las sociedades mediterráneas, descubrir la identidad no equivalía a descubrirse a sí mismo. La identidad es aclarada y confirmada sólo por otras personas significativas.

El título final, «Mesías de Dios», es una clara definición de estatus, que identifica a Jesús más con su familia subrogada que con su familia biológica. ⇨ **Familia subrogada,** 8,19-21 (cf. pág. 351). Al mismo tiempo confirma que su autoridad para proclamar el reino de Dios está divinamente ratificada. Así es como Pedro ve ahora a

Jesús, y, puesto que las personas mediterráneas se perciben siempre a sí mismas a través de los ojos de los demás, podemos presumir que es ahora cuando Jesús se descubre a sí mismo. La advertencia final (v. 22) adelanta información a los lectores de Lucas, asegurándoles que tal designación honorífica no quedará destruida con la muerte de Jesús.

9,26-27 La vergüenza puede ser una experiencia corporativa. Del mismo modo que cada miembro de una familia puede proporcionar honor al grupo, así ocurre con la vergüenza. Más aún, las personas o familias en estado de vergüenza pública están condenadas al ostracismo, quedan excluidas de la comunidad. En consecuencia, entre la élite de los lectores lucanos, la ruptura con las familias biológicas y la asociación con la nueva familia subrogada de Jesús habría avergonzado y deshonrado a dichas familias. Es normal que muchas personas no estuvieran del todo dispuestas a asociarse públicamente con el grupo de Jesús. ⇨ **Familia subrogada,** 8,19-21 (cf. pág. 351).

Visión anticipada de Jesús como Hijo de Dios 9,28-36

[28]Unos ocho días después, Jesús tomó consigo a Pedro, a Juan y a Santiago y subió al monte para orar. [29]Mientras oraba, cambió el aspecto de su rostro y sus vestidos se volvieron de una blancura resplandeciente. [30]En esto aparecieron conversando con él dos hombres. Eran Moisés y Elías, [31]que, resplandecientes de gloria, hablaban del éxodo que Jesús había de consumar en Jerusalén. [32]Pedro y sus compañeros, aunque estaban cargados de sueño, se mantuvieron despiertos y vieron la gloria de Jesús y a los dos que estaban con él. [33]Cuando éstos se retiraban, Pedro dijo a Jesús: «Maestro, ¡qué bien estamos aquí! Vamos a hacer tres tiendas: una para ti, otra para Moisés y otra para Elías». Pedro no sabía lo que decía. [34]Mientras estaba hablando, vino una nube y los cubrió; y se asustaron al entrar en la nube. [35]De la nube salió una voz que decía: «Éste es mi Hijo elegido; escuchadlo». [36]Mientras sonaba la voz, Jesús se quedó solo. Ellos guardaron silencio y no contaron a nadie por entonces nada de lo que habían visto.

◆ *Notas:* Lucas 9,28-36

9,28-36 La declaración de v. 35 es precisamente lo que Lucas viene afirmando en su evangelio (ver 3,22) y lo que otros cuestionan (ver 4,1-13.22.36; 5,21.30.33; 6,2; 6,10; 7,19; etc.): el estatus supremo del honor de Jesús. La declaración que hemos visto en el bautismo, al comienzo del ministerio de Jesús, es recapitulada aquí cuando dicho ministerio se acerca a su fin. Esta prefiguración de la resurrección trata de adelantar al lector la confirmación final de la pretensión de Jesús.

Jesús salva a un hombre (y a su familia) cuyo único hijo está poseído 9,37-45

[37]Al día siguiente, cuando bajaban del monte, vino a su encuentro mucha gente. [38]Y un hombre de entre la gente gritó: «Maestro, por favor, mira a este hijo mío, que es el único que tengo; [39]un espíritu se apodera de él y, de repente, le hace gritar y lo zarandea con violencia entre espumarajos, y a duras penas se marcha de él después de haberlo maltratado; [40]he suplicado a tus discípulos que lo expulsaran, pero no han podido». [41]Jesús respondió: ¡Generación incrédula y perversa! ¿Hasta cuándo tendré que estar con vosotros y soportaros? Trae aquí a tu hijo». [42]Cuando el niño se acercaba, el demonio lo tiró por tierra y lo sacudió violentamente. Pero Jesús increpó al espíritu inmundo, curó al niño y se lo entregó a su padre. [43]Y todos se llenaron de estupor al ver la grandeza de Dios.

Todos estaban admirados de las cosas que hacía. Entonces Jesús dijo a sus discípulos: [44]«Vosotros escuchad atentamente estas palabras: El Hijo del hombre va a ser entregado en manos de los hombres». [45]Pero ellos no entendían lo que quería decir; les resultaba tan oscuro que no llegaban a comprenderlo, y tenían miedo de hacerle preguntas sobre ello.

◆ *Notas:* Lucas 9,37-45

9,37-45 Un hombre con un solo hijo poseído por un espíritu corría el peligro de ser marginado por toda la comunidad. Lo mismo que la viuda con un solo hijo (7,11-17), este padre es una típica víctima campesina. Como su hijo ya no podía casarse, el padre veía truncada su línea familiar y corría el riesgo de perder sus tierras y, por tanto, su lugar social en el pueblo. Estaban en peligro todos los miembros de la familia extensa. ⇨ **Demonios/Posesión demoníaca**, 4,31-37 (cf. pág. 333).

Inversión de las reglas relativas al estatus esperadas en la facción de Jesús 9,46-50

[46]Surgió entre los discípulos una discusión sobre quién sería el más importante. [47]Jesús, al darse cuenta de la discusión, tomó a un niño, lo puso junto a sí [48]y les dijo: «El que acoge a este niño en mi nombre, a mí me acoge; y el que me acoge a mí, acoge al que me ha enviado, porque el más pequeño entre vosotros es el más importante».

[49]Juan tomó la palabra y le dijo: «Maestro, hemos visto a uno expulsar demonios en tu nombre y se lo hemos prohibido, porque no pertenece a nuestro grupo». [50]Jesús les dijo: «No se lo prohibáis, que el que no está contra vosotros está de vuestra parte».

◆ *Notas:* Lucas 9,46-50

9,46-50 En una antigua agrupación mediterránea sería típica una discusión sobre el estatus de honor. ⇨ **Sociedades con base en el honor-vergüenza**, 4,16-30 (cf. pág. 404). Sin embargo, una vez establecida la jerarquía, el conflicto quedaba reducido al mínimo.

Jesús, al invertir el orden que socialmente cabía esperar, desafía radicalmente los presupuestos normales sobre la naturaleza de la honorabilidad. ⇨ **Niños,** 18,15-17 (cf. pág. 367).

V. 9,51-19,27: De camino a Jerusalén con Jesús el «Profeta»: Crece la facción y sus funciones

Sigue sin entenderse la inversión de las reglas relativas al estatus 9,51-56

[51]Cuando llegó el tiempo de su partida de este mundo, Jesús tomó la decisión de ir a Jerusalén. [52]Entonces envió por delante a unos mensajeros, que fueron a una aldea de Samaría para prepararle alojamiento, [53]pero no quisieron recibirlo, porque se dirigía a Jerusalén. [54]Al ver esto, los discípulos Santiago y Juan dijeron: «Señor, ¿quieres que mandemos que baje fuego del cielo y los consuma?». [55]Pero Jesús, volviéndose hacia ellos, los reprendió severamente. [56]Y se marcharon a otra aldea.

◆ *Notas:* Lucas 9,51-56

9,51-56 Muchos intérpretes de Lucas consideran que nos hallamos ante un pasaje fundamental, que señala el comienzo del viaje de Jesús a Jerusalén. A partir de aquí, el evangelista suprime nombres de lugar conocidos en los otros sinópticos: se quiere centrar en Jerusalén. Los samaritanos no son hospitalarios con Jesús porque no pretende quedarse en Samaría, sino sólo pasar de largo: «su rostro miraba hacia Jerusalén». Por supuesto, los samaritanos no dan importancia al asunto, pero Santiago y Juan consideran insultante tal falta de hospitalidad; por eso quieren vengarse haciendo bajar fuego del cielo, como Elías (ver 2 Re 1,9-16). La reacción de los discípulos provoca la reprimenda de Jesús. Más aún, el rechazo de Jesús por parte de una aldea samaritana subraya la ruptura entre el grupo de Jesús y un estilo de vida normal sedentario.

Precedencia en Jesús de la familia subrogada sobre la familia biológica 9,57-62

[57]Mientras iban de camino, uno le dijo: «Te seguiré adondequiera que vayas». [58]Jesús le contestó: «Las zorras tienen madrigueras y los pájaros del cielo nidos, pero el Hijo del hombre no tiene donde reclinar su cabeza». [59]A otro le dijo: «Sígueme». El replicó: «Señor, déjame ir antes a enterrar a mi padre». [60]Jesús le respondió: «Deja que los muertos entierren a sus muertos; tú ve a anunciar el reino de Dios». [61]Otro le dijo: «Te seguiré, Señor, pero déjame despedirme primero de mi familia». [62]Jesús le contestó: «El que pone la mano en el arado y mira hacia atrás, no es apto para el reino de Dios».

◆ *Notas:* Lucas 9,57-62

9,57-62 En estos tres breves diálogos sobre el seguimiento de Jesús (ver nota a 5,11) destaca con fuerza el problema de la ruptura con el grupo biológico de parentesco y con la red social en la que el ser humano está subsumido. En el primer caso, Jesús aclara que sus seguidores tienen que adoptar un estilo de vida socialmente desviado, fuera del hogar. En el segundo se rechazan las obligaciones fundamentales para con la familia biológica. En el tercero se niega la oportunidad de suavizar la ruptura. No puede haber ya dudas sobre la radicalidad de la ruptura que exige el seguimiento a Jesús y sobre la idea que tiene Lucas de lo que cuesta. ⇨ **Familia subrogada,** 8,19-21 (cf. pág. 351).

Segunda misión de la facción de Jesús 10,1-24

10 ¹Después de esto, el Señor designó a otros setenta y los envió por delante, de dos en dos, a todos los pueblos y lugares que él pensaba visitar. ²Y les dio estas instrucciones: «La mies es abundante, pero los obreros pocos. Rogad, por tanto, al dueño de la mies que envíe obreros a su mies. ³¡En marcha! Mirad que os envío como corderos en medio de lobos. ⁴No llevéis bolsa, ni alforjas ni sandalias, ni saludéis a nadie por el camino. ⁵Cuando entréis en una casa, decid primero: 'Paz a esta casa'. ⁶Si hay allí gente de paz, vuestra paz recaerá sobre ellos; si no, se volverá a vosotros. ⁷Quedaos en esa casa, y comed y bebed de lo que tengan, porque el obrero tiene derecho a su salario. No andéis de casa en casa. ⁸Si al entrar en un pueblo, os reciben bien, comed lo que os pongan. ⁹Curad a los enfermos que haya en él, y decidles: 'Está llegando a vosotros el reino de Dios'. ¹⁰Pero si entráis en un pueblo y no os reciben bien, salid a la plaza y decid: ¹¹'Hasta el polvo de vuestro pueblo que se nos ha pegado a los pies lo sacudimos y os lo dejamos. Sabed de todas formas que está llegando el reino de Dios'. ¹²Os digo que el día del juicio será más tolerable para Sodoma que para este pueblo.

¹³¡Ay de ti, Corozaín! ¡Ay de ti, Betsaida! Porque si en Tiro y en Sidón se hubieran hecho los milagros realizados en vosotras, hace tiempo que, vestidas de saco y sentadas sobre ceniza, se habrían convertido. ¹⁴Por eso, será más tolerable el día del juicio para Tiro y Sidón que para vosotras. ¹⁵Y tú, Cafarnaún, ¿te elevarás hasta el cielo? ¡Hasta el abismo te hundirás!

¹⁶Quien os escucha a vosotros, a mí me escucha; quien os rechaza, a mí me rechaza; y el que me rechaza a mí, rechaza al que me ha enviado».

¹⁷Los setenta volvieron llenos de alegría, diciendo: «Señor, hasta los demonios se nos someten en tu nombre». ¹⁸Jesús les dijo: «He visto a Satanás cayendo del cielo como un rayo. ¹⁹Os he dado poder para pisotear serpientes y escorpiones, y para dominar toda potencia enemiga, y nada os podrá dañar. ²⁰Sin embargo, no os alegréis de que los espíritus se os sometan; alegraos más bien de que vuestros nombres están escritos en el cielo».

²¹En aquel momento, el Espíritu Santo llenó de alegría a Jesús, que dijo: «Yo te alabo, Padre, Señor del cielo y de la tierra, porque has ocultado estas cosas a los sabios y prudentes y se las has dado a conocer a los sencillos. Sí, Padre, así te ha parecido bien. ²²Todo me lo ha entregado mi Padre, y nadie conoce quién es el Hijo, sino el Padre; y quién es el Padre, sino el Hijo y aquél a quien el Hijo se lo quiera revelar».

²³Volviéndose después a los discípulos, les dijo en privado: «Dichosos los ojos que ven lo que vosotros veis. ²⁴Por-que os digo que muchos profetas y reyes quisieron ver lo que vosotros veis y no lo vieron, y oír lo que oís y no lo oyeron».

◆ *Notas:* Lucas 10,1-24

10,1-10 El encargo dado a los setenta coincide en su contenido con la actividad de Jesús. Tienen que proclamar la cercanía del reino y curar a los enfermos. Han de convertirse en intermediarios del poder de Dios, lo mismo que Jesús, ascendiendo de ese modo en la jerarquía de los poderes. ⇨ **El sistema de patronazgo en la Palestina romana,** 7,1-10 (cf. pág. 399).

10,10 Aunque hay Biblias que traducen aquí «calles», es más correcta la traducción de «plaza». Estas plazas, situadas por regla general en la intersección de los muros interiores de la ciudad, eran usadas para celebrar ceremonias públicas y como lugar de encuentro de la gente no-elitista de la ciudad. ⇨ **La ciudad preindustrial,** 14,15-24 (cf. pág. 328). La afrenta descrita aquí es, pues, un acto público. Cuando los israelitas regresaban de sus viajes por el extranjero, al llegar a la tierra santa sacudían el polvo de sus pies. No desear entrar en contacto con lo que ha tocado a otros era ciertamente una seria afrenta.

10,16 Las antiguas sociedades mediterráneas no eran individualistas. Tenían lo que se llama una visión «diádica» de la personalidad: cada persona estaba subsumida en otras personas (especialmente la familia) y deducía su identidad del grupo al que pertenecía. La gente podía, por tanto, ser estereotipada (ver Mc 6,3; 14,70; Jn 1,46; 7,52; Tito 1,12), pues se daba por supuesto que la familia o el lugar de origen u ocupación codificaba lo necesario para saber quién era una persona. También se daba por supuesto que la identidad, el carácter y los modelos de comportamiento existían en (y eran modelados por) esta red de relaciones interconexas. Aquí precisamente se asume este tipo de relación diádica. ⇨ **Personalidad diádica,** 9,18-22 (cf. pág. 376).

10,17-20 Ver nota a 9,1-6, donde Jesús dio a sus discípulos autoridad sobre los demonios.

Desafío-Respuesta con un maestro de la ley e historia sobre un comerciante samaritano 10,25-37

²⁵Se levantó entonces un maestro de la ley y le dijo para tenderle una trampa: «Maestro, ¿qué debo hacer para alcanzar la vida eterna?». ²⁶Jesús le contestó: «¿Qué está escrito en la ley? ¿Qué lees en ella?». ²⁷El maestro de la

ley respondió: «*Amarás al Señor tu Dios con todo tu corazón, con toda tu alma, con todas tus fuerzas* y con toda tu mente; *y a tu prójimo como a ti mismo*». [28]Jesús le dijo: «Has respondido correctamente. Haz eso y vivirás».

[29]Pero él, queriendo justificarse, preguntó a Jesús: «¿Y quién es mi prójimo?». [30]Jesús le respondió: «Un hombre bajaba de Jerusalén a Jericó y cayó en manos de unos salteadores que, después de desnudarlo y golpearlo sin piedad, se alejaron dejándolo medio muerto. [31]Un sacerdote bajaba casualmente por aquel camino y, al verlo, se desvió y pasó de largo. [32]Igualmente un levita que pasaba por aquel lugar, al verlo, se desvió y pasó de largo. [33]Pero un samaritano que iba de viaje, al llegar junto a él y verlo, sintió lástima. [34]Se acercó y le vendó las heridas, después de habérselas curado con aceite y vino; luego lo montó en su cabalgadura, lo llevó al mesón y cuidó de él. [35]Al día siguiente, sacando dos denarios, se los dio al mesonero, diciendo: «Cuida de él, y lo que gastes de más te lo pagaré a mi vuelta». [36]¿Quién de los tres te parece que fue prójimo del que cayó en manos de los salteadores?». [37]El otro contestó: «El que tuvo compasión de él».

◆ *Notas:* Lucas 10,25-37

10,25-29 Éste es un ejemplo de desafío-respuesta en el que el centro de atención no es el tema de la vida eterna, sino el desafío. ⇨ **Desafío-Respuesta,** 4,1-13 (cf. pág. 336). Un «maestro de la ley» era un profesor de Torá, un experto en las leyes de la Torá. Tales maestros eran llamados también escribas. El desafío del maestro de la ley tiene forma de pregunta. Jesús le responde de inmediato con la misma moneda, desafiando con otra pregunta al maestro de la ley. Cuando éste es capaz de responder, Jesús aumenta la apuesta con un desafío a actuar. Puesto de nuevo a la defensiva, el maestro de la ley responde con otra pregunta.

10,30-35 En el «mapa» de las personas que encontramos en la Torá (⇨ **Pureza/Contaminación,** 6,1-5; cf. pág. 383) los sacerdotes y los levitas encabezaban la lista de pureza. Los samaritanos ni siquiera estaban incluidos. El sacerdote y el levita debían evitar todo contacto con un cuerpo desnudo y, por tanto, probablemente muerto. Un sacerdote sólo podía tocar el cadáver de un familiar próximo para enterrarlo (ver Ez 44,25). Un samaritano que viajaba por tierras de Judea bien podía ser un comerciante, una ocupación despreciada. La hipótesis se apoya en que tenía aceite, vino y dinero. Muchos comerciantes eran ricos, casi siempre a expensas de los demás. Era normal que fuesen considerados ladrones. Frecuentaban mesones, que tenían fama de sucios y peligrosos, donde se juntaba gente cuyo estatus público era todavía inferior al de los comerciantes. Sólo gente sin familia o sin contactos sociales se arriesgaban a albergarse en un mesón público. Tanto la víctima como el samaritano eran, por tanto, personas despreciadas, que no habrían despertado al principio la simpatía de los campesinos que escuchaban a Jesús. La simpatía iría a parar a los bandidos. Se trataba con frecuencia de campesinos que habían perdido sus tierras a manos de prestamistas, a quienes todos temían. El giro sorprendente de la historia es la acción compasiva de un hombre que cargaba con el estereotipo de grosero y ladrón. ⇨ **Ladrones/Bandidos sociales,** 22,52-53 (cf. pág. 361); y **Dos denarios,** 10,30-35 (cf. pág. 342).

10,36-37 Tras contar su historia para definir a un «prójimo», Jesús retoma el desafío al maestro de la ley con una pregunta. La respuesta es obvia, aunque la cuestión se aborde de mala gana. La última palabra de Jesús consigue dejar directamente en su terreno de juego el desafío que el maestro había querido lanzar al principio a Jesús.

Legitimación de una mujer con rol masculino entre los seguidores de Jesús 10,38-42

[38]Según iban de camino, Jesús entró en una aldea, y una mujer, llamada Marta, lo recibió en su casa. [39]Tenía Marta una hermana llamada María que, sentada a los pies del Señor, escuchaba su palabra. [40]Marta, en cambio, estaba atareada con los muchos quehaceres del servicio. Entonces Marta se acercó a Jesús y le dijo: «Señor, ¿no te importa que mi hermana me deje sola en la tarea? Dile que me ayude». [41]Pero el Señor le contestó: «Marta, Marta, andas inquieta y preocupada por muchas cosas, [42]cuando en realidad una sola es necesaria. María ha escogido la mejor parte, y nadie se la quitará».

◆ *Notas:* Lucas 10,38-42

10,38-42 Por Juan sabemos que Lázaro era también miembro de esta familia. Estando presente un hombre, es extraña la frase «su (de ella) casa» (que puede explicar su omisión en importantes manuscritos). Igual de extraño es que sea recibido por una mujer. Aunque la casa es el espacio privado donde operan con libertad las mujeres, invitar a alguien a pasar a casa y presentarlo al resto de los miembros de la familia era una tarea encomendada al varón de mayor edad. ⇨ **Mundo privado/Mundo público,** 10,38-42 (cf. pág. 365). Como el honor y la reputación de una mujer dependían de su capacidad de gobernar una familia, la queja de Marta era culturalmente legítima. Más aún, al sentarse a escuchar al maestro, ¡María se comporta como un hombre!

Oración de Jesús y algunas aclaraciones 11,1-13

11 [1]Un día estaba Jesús orando en cierto lugar. Cuando acabó, uno de sus discípulos le dijo: «Señor, enséñanos a orar, como Juan enseñó a sus discípulos». [2]Jesús les dijo: «Cuando oréis, decid:

'Padre,
santificado sea tu nombre;
venga tu reino;
³danos cada día nuestro pan diario;
⁴perdónanos nuestros pecados,
pues también nosotros perdonamos
a nuestros deudores;
y no nos dejes caer en la tentación'».

⁵Y añadió: «Imaginaos que uno de vosotros tiene un amigo y acude a él a media noche, diciendo: 'Amigo, préstame tres panes, ⁶porque ha venido a mi casa un amigo que pasaba de camino y no tengo nada que ofrecerle'. ⁷Imaginaos también que el otro responde desde dentro: 'No molestes; la puerta está cerrada, y mis hijos y yo estamos ya acostados; no puedo levantarme a dártelos'. ⁸Os digo que si no se levanta a dárselos por ser su amigo, al menos para que no siga molestando se levantará y le dará cuanto necesite. ⁹Pues yo os digo: Pedid, y recibiréis; buscad, y encontraréis; llamad, y os abrirán. ¹⁰Porque todo el que pide recibe; el que busca encuentra, y al que llama le abren. ¹¹¿Qué padre, entre vosotros, si su hijo le pide un pez, le va a dar en vez de pescado una serpiente? ¹²¿O si le pide un huevo, le va a dar un escorpión? ¹³Pues si vosotros, aun siendo malos, sabéis dar a vuestros hijos cosas buenas, ¿cuánto más el Padre celestial dará el Espíritu Santo a los que se lo pidan?».

◆ *Notas:* Lucas 11,1-13

11,2 «Santificar» significa poner algo o a alguien aparte como exclusivo. Hablando en términos sociales, la gente aprende a trazar líneas en torno a las personas y a las cosas, y a considerarlas exclusivamente suyas, «sagradas». Casi todas las personas, por ejemplo, consideran exclusivamente suyos a los hijos, los padres o las propiedades. Ante los acontecimientos que afectan a tales personas o propiedades, reaccionan de forma muy distinta a como lo hacen cuando se trata de la gente en general o de propiedades ajenas. Aquí el verbo está en voz pasiva: se pide que Dios «santifique» su persona, su estatus de Dios, es decir, que actúe y se revele a sí mismo como el Dios que es, que dé a conocer su exclusiva personalidad.

11,3 El término griego traducido aquí por «diario» significa en realidad «para el día siguiente» o «venidero». La inserción de «diario» proviene del uso latino norteafricano del siglo II. El «pan venidero» es una imagen del banquete con Dios, una imagen semítica de la vida en el tiempo futuro, de la que será la nueva sociedad de Dios. Pero, aunque traduzcamos «danos hoy el pan de mañana» o «danos hoy nuestro pan diario» (como en el culto), la petición capta el punto de vista campesino del tiempo: no interesa ni el ayer ni el futuro lejano; sólo merecen atención las necesidades de «este día», de «hoy», del presente inmediato. ⇨ **Pan,** 11,3 (cf. pág. 370).

11,4 El uso que hace Lucas de «nuestros deudores» como contrapartida de «pecados» sugiere que cada término es una interpretación del otro. Si pensamos en deudas materiales, como seguramente es el caso en Mt 6,12 (el término *opheilema* se refiere a obligaciones económicas o legales), entonces «pecados» deberá tener un tratamiento análogo; es decir, le ponen a uno en deuda con Dios.

11,5-8 El término «amigo» se refiere a un igual social. ⇨ **El sistema de patronazgo en la Palestina romana**, 7,1-10 (cf. pág. 399). El anfitrión da por supuesto que puede contar con la contribución de su amigo para cumplir con la obligación de la hospitalidad, pero descubre que no es así. El pan que pide era la base principal de cada comida. ⇨ **Pan**, 11,3 (cf. pág. 370). A pesar de los comentarios occidentales, no hay pruebas de que el término griego traducido por «molestia» o «inoportunidad» tuviese esos significados en la Antigüedad. La palabra significa «falta de vergüenza», la cualidad negativa de la falta de sensibilidad (vergüenza) ante el propio estatus de honor. ⇨ **Sociedades con base en el honor-vergüenza**, 4,16-30 (cf. pág. 404). De ahí que quien va a pedir pan amenace indirectamente con poner en evidencia la falta de «vergüenza» del amigo que duerme. A la mañana siguiente todo el vecindario se enteraría de que había rehusado dar hospitalidad. Así, no tiene más remedio que ceder para no verse expuesto a la vergüenza pública.

11,9-13 En el contexto de 11,5-8, podemos estar seguros de que vamos a recibir lo que pidamos. Si hasta una persona mal dispuesta y presumiblemente sin vergüenza se muestra honorable en última instancia, con cuánta más razón podremos contar con el honor de Dios. Ver notas a 11,5-8.

Acusaciones de desvío por parte de los adversarios de Jesús y contraacusaciones de éste 11,14-36

¹⁴Un día estaba Jesús expulsando un demonio que había dejado mudo a un hombre. Cuando salió el demonio, el mudo recobró el habla, y la gente quedó maravillada. ¹⁵Pero algunos dijeron: «Expulsa a los demonios con el poder de Belzebú, príncipe de los demonios». ¹⁶Otros, para tenderle una trampa, le pedían una señal del cielo. ¹⁷Pero Jesús, sabiendo lo que pensaban, les dijo: «Todo reino dividido contra sí mismo queda devastado, y sus casas caen unas sobre otras. ¹⁸Por tanto, si Satanás está dividido contra sí mismo, ¿cómo podrá subsistir su reino? Pues eso es lo que vosotros decís: Que yo expulso los de-monios con el poder de Belzebú. ¹⁹Ahora bien, si yo expulso los demonios con el poder de Belzebú, vuestros hijos, ¿con qué poder los expulsan? Por eso, ellos mismos serán vuestros jueces. ²⁰Pero si yo expulso los demonios con el poder de Dios, entonces es que el reino de Dios ha llegado a vosotros. ²¹Cuando un hombre fuerte y bien armado guarda su palacio, sus bienes están seguros. ²²Pero si viene otro más fuerte que él y lo vence, le quita las armas en que confiaba y reparte sus despojos. ²³El que no está conmigo, está contra mí; y el que no recoge conmigo, desparrama.

²⁴Cuando el espíritu inmundo sale de un hombre, anda por lugares áridos buscando descanso y, al no encontrarlo, se dice: 'Volveré a mi casa de donde salí'. ²⁵Al llegar, la encuentra barrida y adornada. ²⁶Entonces va y toma consigo otros siete espíritus peores que él, entran y se instalan allí; de modo que la situación final de este hombre es peor que la del principio».

²⁷Cuando estaba diciendo esto, una mujer de entre la multitud dijo en voz alta: «Dichoso el seno que te llevó y los pechos que te amamantaron». ²⁸Pero Jesús dijo: «Más bien, dichosos los que escuchan la palabra de Dios y la ponen en práctica».

²⁹La gente se apiñaba en torno a Jesús y él se puso a decir: «Esta es una generación malvada; pide una señal, pero no se le dará una señal distinta de la de Jonás. ³⁰Pues así como Jonás fue una señal para los ninivitas, así el Hijo del hombre lo será para esta generación. ³¹La reina del sur se levantará en el jui-

cio junto con los hombres de esta generación y los condenará, porque ella vino desde el extremo de la tierra a escuchar la sabiduría de Salomón, y aquí hay uno que es más importante que Salomón. ³²Los habitantes de Nínive se levantarán el día del juicio contra esta generación y la condenarán, porque ellos hicieron penitencia por la predicación de Jonás, y aquí hay uno que es más importante que Jonás.

³³Nadie enciende una lámpara y la pone en un lugar oculto o debajo de una vasija de barro, sino sobre el candelero, para que los que entren vean la claridad. ³⁴Tu ojo es la lámpara del cuerpo; cuando tu ojo está sano, todo tu cuerpo está iluminado; pero cuando está enfermo, tu cuerpo está en tinieblas. ³⁵Ten cuidado de que la luz que hay en ti no se convierta en tinieblas. ³⁶Y si tu cuerpo entero está iluminado y no hay en él nada tenebroso, todo él brillará como cuando la lámpara te ilumina con su resplandor».

◆ *Notas:* Lucas 11,14-36

11,14-23 En la Antigüedad se pensaba que la gente debía actuar de acuerdo con el estatus de honor que públicamente se le reconocía. Quien no actuaba así, era considerado una persona de conducta desviada (p.e. Jesús, y quizá Pablo), al menos que pudiese alegar alguna justificación inhabitual. Por eso, en el relato evangélico encontramos preguntas como: «Dinos, ¿con qué autoridad haces estas cosas? ¿Quién te ha dado esa autoridad?» (Lc 20,2). En nuestro texto, algunos de los adversarios de Jesús le tildan de desviado, argumentando que la fuente de su poder es Belzebú. Otros desean someter el asunto a prueba: o dejar que Jesús rechace la acusación o dejar que sus adversarios la sostengan (un drama que discurre a lo largo de 11,14-54). ⇨ **Acusación de desvío**, 11,14-23 (cf. pág. 319).

11,23 Este dicho pone de relieve la falta de medias tintas o de neutralidad en los personajes mediterráneos y en los grupos que los rodeaban. Tal perspectiva cultural es una característica fundamental que distingue al intragrupo del extragrupo. ⇨ **Intragrupo y extragrupo**, 11,23 (cf. pág. 358).

11,24-26 En la escena descrita en 11,14-23, Jesús rechaza la etiqueta de desviado. ⇨ **Acusación de desvío**, 11,14-23, y notas (cf.

pág. 319). Ahora y en vv. 29-54 hace que tal acusación de desvío se vuelva contra sus acusadores. De este modo, Lucas describe a Jesús apurando a fondo el tema en sus contraacusaciones (ver cómo Mateo describe un escenario similar, pero usando tradiciones alternativas, Mt 12,22-30).

11,27-28 En medio de las acusaciones y contraacusaciones (11,14-26.29-54), Lucas introduce la voz de una mujer del grupo de oyentes para señalar que éstos asienten a su acción de rechazar la etiqueta que le quieren colgar sus adversarios. La respuesta de Jesús a la mujer anticipa las contraacusaciones lanzadas contra sus adversarios en vv. 29-54. ⇨ **Acusación de desvío**, 11,14-23, y notas a los dos pasajes anteriores (cf. pág. 319).

11,29-32 Conforme la gente se va aglomerando, crecen en importancia las reconvenciones de Jesús en respuesta a la etiqueta de desvío que quieren endosarle sus adversarios. ⇨ **Acusación de desvío**, 11,14-23 (cf. pág. 319), y notas a 11,14-23.24-26.27-28. La declaración de que ha llegado alguien más importante que Salomón y Jonás y de que tal hecho ha pasado desapercibido a los adversarios de Jesús hace que la acusación que éstos lanzaban contra Jesús se vuelva contra ellos.

11,33-36 Al usar el motivo de la luz y la oscuridad, Jesús pretende trazar las líneas de separación entre él y sus adversarios, advirtiendo de tal hecho a sus oyentes. De este modo continúa la serie de acusaciones que Lucas ha estructurado a lo largo de 11,14-54, preparando así a sus lectores a elegir el lado del que quieren estar y a evaluar las etiquetas a las que tendrán que hacer frente. Ver las distintas notas a vv. 14-54 (⇨ **Las tres zonas de la personalidad**, 11,33-36; cf. pág. 406).

Desafío-Respuesta en una comida con fariseos y maestros de la ley 11,37-54

[37]Al terminar de hablar, un fariseo le invitó a comer. Jesús entró y se puso a la mesa. [38]El fariseo se extrañó al ver que no se había lavado antes de comer. [39]Pero el Señor le dijo: «Vosotros, los fariseos, limpiáis por fuera la copa y el plato, mientras que vuestro interior está lleno de rapiña y de maldad. [40]¡Insensatos! El que hizo lo de fuera, ¿no hizo también lo de dentro? [41]Pues dad en limosnas las cosas de dentro, y todo lo tendréis limpio.

[42]Pero, ¡ay de vosotros, fariseos, que pagáis el diezmo de la menta, de la ruda y de todas las legumbres, y descuidáis la justicia y el amor de Dios! Esto es lo que hay que hacer, aunque sin omitir aquello. [43]¡Ay de vosotros, fariseos, que os gusta ocupar el primer puesto en las sinagogas y que os saluden en la plaza! [44]¡Ay de vosotros, que sois como sepulcros que no se ven, sobre los que se pisa sin saberlo!».

⁴⁵Entonces uno de los doctores de la ley tomó la palabra y le dijo: «Maestro, hablando así nos ofendes también a nosotros». ⁴⁶Jesús replicó: ¡Ay de vosotros también, doctores de la ley, que imponéis a los hombres cargas insoportables, y vosotros no las tocáis ni con un dedo! ⁴⁷¡Ay de vosotros que construís mausoleos a los profetas asesinados por vuestros propios antepasados! ⁴⁸De esta manera, vosotros mismos sois testigos de que estáis de acuerdo con lo que hicieron vuestros antepasados, porque ellos los asesinaron y vosotros les construís mausoleos. ⁴⁹Por eso dijo la sabiduría: 'Les enviaré profetas y apóstoles; a unos los matarán, y a otros los perseguirán'. ⁵⁰Pero Dios va a pedir cuentas a esta generación de la sangre de todos los profetas vertida desde la creación del mundo, ⁵¹desde la sangre de Abel hasta la de Zacarías, a quien mataron entre el altar y el santuario. Os aseguro que se le pedirán cuentas a esta generación. ⁵²¡Ay de vosotros, maestros de la ley, que os habéis apoderado de la llave de la ciencia! No habéis entrado vosotros, y a los que querían entrar se lo habéis impedido».

⁵³Cuando Jesús salió de allí, los maestros de la ley y los fariseos comenzaron a acosarlo terriblemente y a proponerle muchas cuestiones, ⁵⁴tendiéndole trampas con intención de sorprenderlo en alguna de sus palabras.

◆ *Notas:* Lucas 11,37-54

11,37-44 Condenar a los condenadores es una estrategia importante para rechazar las etiquetas que tratan de endosarle a uno. ⇨ **Acusación de desvío**, 11,14-23 (cf. pág. 319). Al conectar este pasaje con los anteriores («Al terminar de hablar...»), Lucas desvela su propósito de describir las acusaciones contra los fariseos desde aquella perspectiva. Al insultar tan gravemente al fariseo en su propia casa durante la comida a la que había sido invitado, Jesús hace que sus contraacusaciones suenen durísimas. ¡Insensatos!, dice. El término «insensato» describe a una persona que reivindica un honor que no le es reconocido por la comunidad. Las personas que carecen de vergüenza son «insensatos». Jesús casi se extralimita llamando desviada a la gente. Para ellos cuenta con una variedad de etiquetas bien elegidas: «insensatos», «descuidáis la justicia y el amor de Dios», «sepulcros que no se ven» (impuros).

11,41 El término griego usado aquí debe ser traducido con cautela. Puede significar bien «las cosas de dentro», es decir, los recursos «espirituales» del individuo, o bien «las cosas entre», apuntando a los recursos materiales y sociales existentes en la comunidad. Aunque la primera traducción es casi universal, la segunda responde mejor al ámbito sociocultural mediterráneo y puede ser interpretada a la luz de 12,33.

11,45-54 ⇨ **Acusación de desvío**, 11,14-23, y notas a los cinco pasajes anteriores (cf. pág. 319). Jesús lanza aquí acusaciones contra los maestros de la ley, que se dan cuenta de que también ellos son objeto de la condena pronunciada por Jesús contra los adversarios que tratan de etiquetarle y/o de ponerle a prueba. Resulta evidente por vv. 53-54 que Jesús ha conseguido desacreditar a sus acusadores, al menos tal como Lucas ha construido estas escenas.

Jesús habla aparte con sus discípulos sobre sus adversarios 12,1-12

12 ¹Entre tanto, la gente se aglomeraba por millares, hasta pisarse unos a otros. Entonces Jesús, dirigiéndose principalmente a sus discípulos, les dijo: «Guardaos de la levadura de los fariseos, que es la hipocresía. ²Pues nada hay oculto que no haya de manifestarse, nada secreto que no haya de saberse. ³Por eso, todo lo que digáis en la oscuridad será oído a la luz, y lo que habléis al oído en una habitación será proclamado desde las azoteas.

⁴A vosotros, amigos míos, os digo esto: No temáis a los que matan el cuerpo y no pueden hacer nada más. ⁵Yo diré a quién debéis temer: Temed a aquel que, después de matar, tiene poder para arrojar al fuego eterno. A ése es a quien debéis temer. ⁶¿No se venden cinco pájaros por muy poco dinero? Y, sin embargo, Dios no se olvida ni de uno solo de ellos. ⁷Más aún, hasta los cabellos de vuestra cabeza están todos contados. No temáis; vosotros valéis más que todos los pájaros.

⁸Os digo que si uno se declara a mi favor delante de los hombres, también el Hijo del hombre se declarará a favor suyo delante de los ángeles de Dios; ⁹pero si uno me niega delante de los hombres, también yo lo negaré delante de los ángeles de Dios. ¹⁰Quien hable mal del Hijo del hombre, podrá ser perdonado, pero el que blasfeme contra el Espíritu Santo, no será perdonado. ¹¹Si os llevan a las sinagogas, ante los magistrados y autoridades, no os preocupéis del modo de defenderos, ni de lo que vais a decir; ¹²el Espíritu Santo os enseñará en ese mismo momento lo que debéis decir».

◆ *Notas:* Lucas 12,1-12

12,1-3 En la Antigüedad era casi desconocida la vida privada en los pueblos. Cualquier intento de defenderla habría levantado sospechas entre los vecinos. Si alguien tenía las puertas cerradas durante el día, la gente pensaba que pretendía ocultar algo. La advertencia de nuestro texto sirve de comentario a la hipocresía de los fariseos. En los documentos israelitas de entonces, «hipocresía» significaba interpretación perversa de la Torá.

12,4-7 «Muy poco dinero» traduce el término griego *assarion* (el as romano), moneda que valía un dieciseisavo de denario. ⇨ **Dos denarios,** 10,30-35 (cf. pág. 342).

12,8-12 Estamos ante el lenguaje del patronazgo (ver nota a 9,26-27). En respuesta a los beneficios que reportan, los patronos y los intermediarios esperan lealtad y reconocimiento público. Aunque el intermediario Jesús pueda ser negado por la gente, Dios, Patrón último, no lo hará. ⇨ **El sistema de patronazgo en la Palestina romana**, 7,1-10 (cf. pág. 399).

Jesús condena a los ricos que se niegan a ser patronos generosos 12,13-34

¹³Uno de entre la gente le dijo: «Maestro, di a mi hermano que reparta conmigo la herencia». ¹⁴Jesús le dijo: «Amigo, ¿quién me ha hecho juez o árbitro entre vosotros?». ¹⁵Y añadió: «Tened mucho cuidado con toda clase de avaricia; que aunque se nade en la abundancia, la vida no depende de las riquezas». ¹⁶Les dijo esta parábola: «Había un hombre rico, cuyos campos dieron una gran cosecha. ¹⁷Entonces empezó a pensar: '¿Qué puedo hacer? Porque no tengo dónde almacenar mi cosecha'. ¹⁸Y se dijo: 'Ya sé lo que voy a hacer; derribaré mis graneros, construiré otros más grandes, almacenaré en ellos todas mis cosechas y mis bienes, ¹⁹y me diré: Ahora ya tienes bienes almacenados para muchos años; descansa, come, bebe y pásalo bien'. ²⁰Pero Dios le dijo: '¡Insensato! Esta misma noche vas a morir. ¿Para quién va a ser todo lo que has acaparado?'. ²¹Así le sucede a quien atesora para sí, en lugar de hacerse rico ante Dios».

²²Después dijo a sus discípulos: «Por eso os digo: No andéis preocupados pensando qué vais a comer para poder vivir, ni con qué vestido vais a cubrir vuestro cuerpo. ²³Porque la vida es más importante que el alimento, y el cuerpo más que el vestido. ²⁴Mirad a los cuervos; no siembran ni siegan, ni tienen despensas ni graneros, y Dios los alimenta. ¡Cuánto más valéis vosotros que los pájaros! ²⁵¿Y quién de vosotros, por más que se preocupe, puede alargar su vida una hora? ²⁶Por tanto, si no podéis hacer ni siquiera las cosas más pequeñas, ¿por qué preocuparos de lo demás? ²⁷Fijaos cómo crecen los lirios; no se afanan ni hilan, pero os digo que ni Salomón en todo su esplendor se vistió como uno de ellos. ²⁸Y si Dios viste así a la hierba, que hoy está en el campo y mañana se echa al horno, ¿cuánto más hará por vosotros, hombres de poca fe? ²⁹Así que vosotros no andéis buscando qué comeréis ni qué beberéis; no estéis ansiosos. ³⁰Por todo eso se afana la gente del mundo, pero vuestro Padre ya sabe lo que necesitáis. ³¹Buscad más bien su reino, y él os dará lo demás.

³²No temáis, pequeño rebaño, porque vuestro Padre ha querido daros el reino. ³³Vended vuestras posesiones y dad limosna. Acumulad aquello que no pierde valor, tesoros inagotables en el cielo, donde ni el ladrón se acerca ni la polilla roe. ³⁴Porque donde está vuestro tesoro, allí está vuestro corazón».

◆ *Notas: Lucas 12,13-34*

12,13-15 En las relaciones de parentesco de la antigua cultura mediterránea era endémica la rivalidad entre hermanos. (Según un dicho árabe: «Yo contra mi hermano, pero mi hermano y yo contra ti»). Sal 133,1 («¡Qué agradable y delicioso que vivan unidos los hermanos!») refleja esta situación de nuestro texto, donde un padre ha dejado la herencia a sus hijos sin especificar reparticiones. La ley romana exigía reparticiones de la herencia sólo si lo solicitaban ambas partes; sin embargo, la costumbre israelita garantizaba la repartición cuando la solicitaba uno sólo de los hijos. En Lc 12,15 descubrimos la idea tradicional entre los campesinos de que la codicia es siempre el motivo que subyace tras el deseo de alguien de conseguir más. La adquisición de bienes extras era considerada siempre un robo. ⇨ **Ricos, pobres y bienes limitados**, 6,20-26 (cf. pág. 393).

12,16-21 Estamos ante un motivo bien conocido por el auditorio de Jesús (cf. Ecl 2,1-11; Job 31,24-28). Podemos encontrar un texto casi idéntico en Eclo 11,19-20. El estereotipo del rico codicioso e insaciable refleja la antigua noción de los bienes limitados: el pastel es finito, ya ha sido repartido y es imposible hacerlo más grande. Por tanto, si la ración de alguien aumenta de tamaño, la de otro disminuye automáticamente. Cualquier persona que aumente su riqueza como resultado de su propio esfuerzo es considerada un estafador. ⇨ **Ricos, pobres y bienes limitados**, 6,20-26 (cf. pág. 393).

Un hombre honorable se interesaría sólo por lo que es propiamente suyo, por lo que ya tiene. No debería desear «más». Cualquier persona con superávit sentiría normalmente vergüenza, al menos que lo repartiese con generosidad entre sus clientes o en la comunidad. Guardando todo para sí y no queriendo hacer de patrón generoso, el rico de la parábola se revela como un insensato sin honor.

12,22-34 La preocupación por el futuro no entraba en las perspectivas de un campesino; sí en cambio la preocupación por el pan diario. Aunque esta serie de dichos (que formaban ya una unidad en la fuente usada por Lucas) puede no responder originalmente a una perspectiva campesina, su inmediata colocación tras las advertencias de Lucas a los ricos en 12,15.16-21 sugiere que van dirigidos al auditorio rico de Lucas más que a los campesinos (o incluso a los pobres de la ciudad). La instrucción relativa a vender las posesiones y dar el dinero en limosnas refleja igualmente el ámbito de la gente rica. Lo que se critica en la parábola de 12,16-21 es precisamente la negativa a repartir el superávit.

Advertencias a los que no están preparados para el reino de Dios 12,35-13,9

[35]«Tened ceñida la cintura, y las lámparas encendidas. [36]Sed como los criados que están esperando a que su amo vuelva de la boda, para abrirle en cuanto llegue y llame. [37]Dichosos los criados a quienes el amo encuentre vigilantes cuando llegue. Os aseguro que se ceñirá, los hará sentarse a la mesa y se pondrá a servirles. [38]Si viene a medianoche o de madrugada y los encuentra así, dichosos ellos.

[39]Tened presente que, si el amo de la casa supiera a qué hora iba a venir el la-

drón, no le dejaría asaltar su casa. ⁴⁰Pues vosotros estad preparados, porque a la hora en que menos penséis vendrá el Hijo del hombre».

⁴¹Pedro dijo entonces: «Señor, esta parábola ¿se refiere a nosotros o a todos?». ⁴²Pero el Señor continuó: «Vosotros sed como el administrador fiel y prudente a quien el dueño puso al frente de su servidumbre para distribuir a su debido tiempo la ración de trigo. ⁴³¡Dichoso este criado si, al llegar el amo, lo encuentra haciendo lo que debe! ⁴⁴Os aseguro que lo pondrá al frente de todos sus bienes. ⁴⁵Pero, si ese criado empieza a pensar: 'Mi señor tarda en venir', y se pone a golpear a los criados y a las criadas, a comer, a beber y a emborracharse, ⁴⁶su señor llegará el día en que menos lo espere y a la hora en que menos piense, lo castigará con todo rigor y lo tratará como merecen los que no son fieles. ⁴⁷El criado que conoce la voluntad de su dueño, pero no está preparado o no hace lo que él quiere, recibirá un castigo muy severo. ⁴⁸En cambio, el que sin conocer esa voluntad hace cosas reprobables, recibirá un castigo menor. A quien se le dio mucho, se le podrá exigir mucho; y a quien se le confió mucho, se le podrá pedir más.

⁴⁹He venido a prender fuego a la tierra; y ¡cómo desearía que ya estuviese ardiendo! ⁵⁰Tengo que pasar por la prueba de un bautismo, y estoy angustiado hasta que se cumpla. ⁵¹¿Creéis que he venido a traer paz a la tierra? Pues no, sino división. ⁵²Porque de ahora en adelante estarán divididos los cinco miembros de una familia, tres contra dos, y dos contra tres. ⁵³El padre contra el hijo, y el hijo contra el padre; la madre contra la hija, y la hija contra la madre; la suegra contra la nuera, y la nuera contra la suegra». ⁵⁴Y a la gente se puso a decirle: «Cuando veis levantarse una nube sobre el poniente decís en seguida: 'Va a llover', y así es. ⁵⁵Y cuando sentís soplar el viento del sur, decís: 'Va a hacer calor', y así sucede. ⁵⁶¡Hipócritas! Si sabéis discernir el aspecto de la tierra y del cielo, ¿cómo es que no sabéis discernir el tiempo presente? ⁵⁷¿Por qué no juzgáis por vosotros mismos lo que es justo? ⁵⁸Cuando vayas con tu adversario para comparecer ante el magistrado, procura arreglarte con él por el camino, no sea que te arrastre hasta el juez, el juez te entregue al alguacil y el alguacil te meta en la cárcel. ⁵⁹Te digo que no saldrás de allí hasta que hayas pagado el último céntimo».

13 ¹En aquel momento llegaron unos a contarle lo de aquellos galileos, a quienes Pilato había hecho matar, mezclando su sangre con la de los sacrificios que ofrecían. ²Jesús les dijo: «¿Creéis que aquellos galileos murieron así por ser más pecadores que los demás? ³Os digo que no; más aún, si no os convertís, también vosotros pereceréis del mismo modo. ⁴Y aquellos dieciocho que murieron al desplomarse sobre ellos la torre de Siloé, ¿creéis que eran más culpables que los demás habitantes de Jerusalén? ⁵Os digo que no; y si no os convertís, todos pereceréis igualmente».

⁶Jesús les propuso esta parábola: «Un hombre tenía plantada una higuera en su viña, pero cuando fue a buscar fruto en la higuera, no lo encontró. ⁷Entonces dijo al viñador: 'Hace ya tres años que vengo a buscar fruto en esta higuera y no lo encuentro. ¡Córtala! ¿Por qué ha de ocupar terreno inútilmente?' ⁸El viñador le respondió: 'Señor, déjala todavía este año; yo la cavaré y le echaré abono, ⁹a ver si da fruto en lo sucesivo; si no lo da, entonces la cortarás'».

◆ *Notas:* Lucas 12,35-13,9

12,49-53 Dado el agudo sentido de la estratificación social prevalente en la Antigüedad, las personas metidas en relaciones sociales inapropiadas corrían el riesgo de ser excluidas de las redes sociales de las que dependía su posición. Esto era tomado muy en serio en las sociedades tradicionales. Verse excluido de la familia o del clan se convertía literalmente en asunto de vida o muerte. Principalmente los miembros de las élites ponían en peligro su situación si se asociaban con un tipo de gente inadecuada. Como la naturaleza inclusiva de las primeras comunidades cristianas exigía precisamente este tipo de asociación interclasista, la situación descrita en este texto es ciertamente muy realista. La exclusión del grupo de parentesco podía ir más allá de la familia biológica, hasta alcanzar incluso la red de relaciones formada por la unión matrimonial. ⇨ **Parentesco,** 1,36 (cf. pág. 374); y **Familia subrogada,** 8,19-21 (cf. pág. 351).

12,54-56 Las figuras de lenguaje usadas aquí sólo podían provenir de un contexto palestino, pues reproducen con precisión las condiciones meteorológicas de la región. El viento del oeste transporta la brisa del Mediterráneo y expande la humedad tierra adentro hasta las colinas de Judea. El viento sur provenía del desierto del Négueb. En la actualidad este viento es llamado *hamsin* en árabe y *sharav* en hebreo. Es como una bocanada de horno (común al final de la primavera) capaz de elevar la temperatura diez o doce grados en una hora.

12,57-59 Contamos con pruebas suficientes de que la causa de la pérdida de las tierras entre los campesinos del siglo I eran las deudas. Una de las primeras cosas que hicieron los zelotas cuando se hicieron con el control de Jerusalén durante la gran revuelta (66 d.C.) fue quemar los archivos de deudas de la ciudad. El contexto legal de este pasaje es probablemente más romano que israelita. Según la ley romana, un magistrado podía ofrecer al acreedor dos posibilidades: forzar a su deudor a trabajar hasta saldar la deuda o meterlo en prisión en espera de que alguien le rescatase, es decir, pagase la deuda por él. En este caso, lo normal era que los parientes vendiesen las tierras del condenado para pagar la deuda o pagasen ellos mismos la fianza. El «céntimo» (en griego *lepton*) era la moneda más pequeña en uso en la Palestina del siglo I. ⇨ **Deudas,** 7,36-50 (cf. pág. 337).

13,6-9 El hecho de que el hombre de esta historia «tenía» plantada una higuera sugiere que él no era el viñador, sino un propietario urbano que alquilaba sus tierras a labradores sin propiedades. Si era un israelita practicante, tenía que permitir que el árbol estuviera plantado al menos durante nueve años: tres para que creciese hasta que pudiera dar fruto; otros tres durante los cuales no se podía recoger el fruto (Lv 19,23); tres más para cosechar el producto. Normalmente los árboles se quitaban excavando la raíz, no talándolos (cf. Lc 3,9, donde el hacha es colocada en la «raíz» del árbol, no en el tronco).

Jesús avergüenza a sus adversarios 13,10-17

[10]Un sábado estaba Jesús enseñando en una sinagoga, [11]y había allí una mujer que desde hacía dieciocho años estaba poseída por un espíritu que le producía una enfermedad; estaba encorvada y no podía enderezarse del todo. [12]Jesús, al verla, la llamó y le dijo: «Mujer, quedas libre de tu enfermedad». [13]Le impuso las manos, y en el acto se enderezó y se puso a alabar a Dios. [14]El jefe de la sinagoga, indignado porque Jesús curaba en sábado, empezó a decir a la gente: «Hay seis días en que se puede trabajar. Venid a curaros en esos días y no en sábado». [15]El Señor le respondió: «¡Hipócritas! ¿No suelta cada uno de vosotros su buey o su asno del pesebre en sábado para llevarlo a beber? [16]Y a ésta, que es una hija de Abrahán, a la que Satanás tenía atada hace dieciocho años, ¿no se la podía soltar de su atadura en sábado?». [17]Al hablar así, quedaban confusos todos sus adversarios, pero toda la gente se alegraba por los milagros que hacía.

◆ *Notas:* Lucas 13,10-17

13,10-17 En la Antigüedad, una dolencia era un fenómeno tanto social como físico. Una persona enferma o con un defecto era un ser anormal, tanto social como físicamente. La curación exigía, por tanto, en restablecimiento de las relaciones sociales y de la salud física. Observemos que aquí, al ser desafiado en una controversia sobre el sábado, Jesús reconoce que la mujer es una «hija de Abrahán», es decir, un miembro legítimo de la comunidad. De esa forma le devuelve el lugar que le correspondía en el grupo. ⇨ **Preocupación por la salud**, 5,17-26 (cf. pág. 381).

13,14-17 El jefe de la sinagoga desafía directamente el honor de Jesús en una asamblea pública. Jesús debe responder al desafío o sufrir una seria pérdida de prestigio. Y responde con un insulto (desafío negativo); los oyentes reconocen que ha vencido. ⇨ **Desafío-Respuesta**, 4,1-13 (cf. pág. 336); y **Sociedades con base en el honor-vergüenza**, 4,16-30 (cf. pág. 404).

Algunas presentaciones del reino de Dios 13,18-30

[18]Jesús añadió: «¿A qué se parece el reino de Dios? ¿A qué lo compararé? [19]Es como un grano de mostaza que un hombre sembró en su huerto; creció, se convirtió en árbol y las aves del cielo anidaron en sus ramas».

[20]De nuevo les dijo: «¿A qué compararé el reino de Dios? [21]Es como la leva-

dura que una mujer toma y mete en tres medidas de harina, hasta que todo fermenta».

²²Mientras iba de camino hacia Jerusalén, Jesús enseñaba en los pueblos y aldeas por los que pasaba. ²³Uno le preguntó: «Señor, ¿son pocos los que se salvan?». Jesús le respondió: ²⁴»Esforzaos por entrar por la puerta estrecha, porque os digo que muchos intentarán entrar y no podrán. ²⁵Cuando el amo de casa se levante y cierre la puerta, vosotros os quedaréis fuera y, aunque empecéis a aporrear la puerta gritando: '¡Señor, ábrenos!', os responderá: '¡No sé de dónde sois!'. ²⁶Entonces os pondréis a decir: 'Hemos comido y bebido contigo, y tú has enseñado en nuestras plazas'. ²⁷Pero él os dirá: '¡No sé de dónde sois! ¡Apartaos de mí, malvados!'. ²⁸Entonces lloraréis y os rechinarán los dientes, cuando veáis a Abrahán, a Isaac, a Jacob y a todos los profetas en el reino de Dios, mientras vosotros sois arrojados afuera. ²⁹Pues vendrán muchos de oriente y occidente, del norte y del sur, a sentarse a la mesa en el reino de Dios. ³⁰Hay últimos que serán primeros y primeros que serán últimos».

◆ *Notas:* Lucas 13,18-30

13,18-21 Al hablar del reino de Dios, Jesús suele usar metáforas extraídas de las experiencias diarias de los campesinos, no de la experiencia de la nobleza o la milicia. Las palabras de este texto sorprenderían a sus oyentes, pues la noción de «reino» iba normalmente asociada a las clases superiores, no a los campesinos.

13,22-30 En la antigua Palestina, la identidad intragrupo-extragrupo era social más que individual. La gente era normalmente identificada (también estereotipada) a partir de los grupos a los que pertenecía. Así, saber que una persona era «de» (Jesús de Nazaret) proporcionaba la información necesaria para su identificación. ⇨ **Acusación de desvío**, 11,14-23 (cf. pág. 319). Como en este caso falta el dato, las personas que llaman a la puerta recurren a una alternativa importante: la comensalidad. La comensalidad era la prueba de fuego de la unidad social en el mundo antiguo; de ahí que quienes no son reconocidos por el dueño de la casa digan que han comido y bebido con él: reclaman la solidaridad social. La nueva comunidad cristiana se caracterizará por la comensalidad de todas las naciones, no sólo de Israel. ⇨ **Comidas**, 14,7-11 (cf. pág. 331).

Aviso sobre las angustias que se avecinan 13,31-35

³¹Entonces se acercaron unos fariseos y le dijeron: «Sal, márchate de aquí, porque Herodes quiere matarte». ³²Jesús les dijo: «Id a decir a ese zorro: 'Sábete que expulso demonios y realizo curaciones hoy y mañana, y al tercer día acabaré. ³³Por lo demás, hoy, mañana y pasado tengo que continuar mi viaje, porque es impensable que un profeta pueda morir fuera de Jerusalén'. ³⁴¡Jerusalén, Jerusalén, que matas a los profetas y apedreas a los que Dios te envía! Cuántas veces he querido reunir a tus hijos como la gallina reúne a

sus polluelos debajo de las alas, y no habéis querido. ³⁵Pues bien, vuestra casa se os quedará desierta. Y os digo que ya no me veréis hasta que llegue el día en que digáis: Bendito el que viene en nombre del Señor».

◆ *Notas:* **Lucas 13,31-35**

13,31-35 La conducta de los fariseos es un buen indicio de cómo funcionan las fronteras entre el intragrupo y el extragrupo. A lo largo del relato evangélico, Jesús y sus seguidores forman un intragrupo opuesto a los fariseos, un extragrupo hostil. Pero ahora los fariseos advierten a Jesús del plan de Herodes para matarlo, haciéndole un favor. Según el punto de vista de los fariseos, cuando se trata de Herodes, Jesús forma parte de su intragrupo, pues Herodes y sus seguidores forman un extragrupo. ⇨ **Intragrupo/Extragrupo**, 11,23 (cf. pág. 358).

Controversias sobre las reglas de pureza y la comensalidad 14,1-24

14 ¹Un sábado entró Jesús a comer en casa de uno de los jefes de los fariseos. Ellos estaban al acecho. ²Había allí, frente a él, un hombre enfermo de hidropesía. ³Jesús preguntó a los maestros de la ley y a los fariseos: «¿Se puede curar en sábado, o no?». ⁴Ellos se quedaron callados. Entonces Jesús tomó de la mano al enfermo, lo curó y lo despidió. ⁵Después les dijo: «¿Quién de vosotros, si su hijo o su buey cae en un pozo, no lo saca inmediatamente, aunque sea en sábado?». ⁶Y a esto no pudieron replicar.

⁷Al observar cómo los invitados escogían los mejores puestos, les hizo esta recomendación: ⁸«Cuando alguien te invite a una boda, no te pongas en el lugar de preferencia, no sea que haya otro invitado más importante que tú, ⁹y venga el que te invitó a ti y al otro y te diga: 'Cédele a éste tu sitio', y entonces tengas que ir todo avergonzado a ocupar el último lugar. ¹⁰Más bien, cuando te inviten, ponte en el lugar menos importante; así, cuando venga quien te invitó, te dirá: 'Amigo, sube más arriba', lo cual será un honor para ti ante todos los demás invitados. ¹¹Porque el que se ensalza será humillado y el que se humilla será ensalzado».

¹²Y al que le había invitado le dijo: «Cuando des una comida o una cena, no invites a tus amigos, hermanos, parientes o vecinos ricos; no sea que ellos a su vez te inviten a ti, y con ello quedes ya pagado. ¹³Más bien, cuando des un banquete, invita a los pobres, a los lisiados y a los ciegos. ¹⁴¡Dichoso tú si no pueden pagarte! Recibirás tu recompensa cuando los justos resuciten».

¹⁵Uno de los convidados que oyó esto le dijo: «Dichoso el que pueda participar en el banquete del reino de Dios». ¹⁶Jesús le respondió: «Un hombre daba una gran cena e invitó a muchos. ¹⁷A la hora de la cena, envió a su criado a decir a los invitados: 'Venid, que ya está todo preparado'. ¹⁸Pero todos, uno tras otro, comenzaron a excusarse. El primero le dijo: 'He comprado un campo y necesito ir a verlo; te ruego que me excuses'. ¹⁹Otro dijo: 'He comprado cinco yuntas de bueyes y voy a probarlas; te ruego que me excuses'. ²⁰Y otro dijo: «Acabo de casarme y, por tanto, no puedo ir'. ²¹El criado regresó y refirió lo sucedido a su señor. Enton-

ces el señor se irritó y dijo a su criado: 'Sal de prisa a las plazas y calles de la ciudad y trae aquí a los pobres y a los lisiados, a los ciegos y a los cojos'. ²²El criado dijo: 'Señor, se ha hecho como mandaste y todavía hay sitio'. ²³El se-ñor le dijo entonces: 'Sal por los cami-nos y las veredas y obliga a la gente a que entre hasta que se llene mi casa. ²⁴Pues os digo que ninguno de aquellos que habían sido invitados probará mi cena'».

◆ *Notas:* Lucas 14,1-24

14,1-6 Al invitar a Jesús a cenar en su casa, el jefe de los fariseos aceptaba a Jesús como igual social. Sin embargo, Lucas nos dice que los comensales estaban al acecho de Jesús (una situación no im-probable, dada la codificación social que implicaban todas las ac-ciones en una comida. Las preguntas que hace Jesús a los otros in-vitados tras curar al hombre con hidropesía podían ser considera-das descorteses, dado el desafío que implicaban. ⇨ **Comidas,** 14,7-11 (cf. pág. 331).

14,7-11 Determinar quién se sentaba dónde era una decisión crítica en las relaciones sociales. La práctica discriminatoria a este respecto era bien conocida en el mundo helenista y criticada en nu-merosas tradiciones, incluidas la israelita, la griega y la romana. Los comentarios de Jesús discurren casi paralelos de Prov 25,6-7; cf. Eclo 3,17-20; ⇨ **Comidas,** 14,7-11 (cf. pág. 331). Ver en este esce-nario la crítica de Plinio el Joven a tales prácticas discriminatorias. Plinio no sólo pone de relieve globalmente el hecho de la discrimi-nación, sino que habla de algunos de los matices que tales prácticas implicaban.

14,12-14 Las cenas constituían importantes ocasiones para ci-mentar las relaciones sociales (pensemos en el infortunado Bar Ma'jan, cuyo intento de valerse de una cena para conseguir el reco-nocimiento público de sus aspiraciones sociales falló lamenta-blemente [*y. Sanhedrín* 6.23c]). Era muy importante saber quién era invitado. Más aún, la aceptación de una invitación a cenar obli-gaba normalmente al invitado a devolver el favor. A veces los invi-tados rechazaban la invitación, pues sabían que la obligación de co-rresponder iba más allá del trato que podían o deseaban mantener. ⇨ **Relaciones (intercambios) sociales,** 6,27-36, y nota a 14,18-20 (cf. pág. 388). ⇨ **Comidas,** 14,7-11 (cf. pág. 331).

14,15-24 La comensalidad interclasista era relativamente rara en las sociedades tradicionales. En las primeras comunidades cristia-nas, de naturaleza inclusiva, se convirtió en un ideal que causó agu-das fricciones en diversas ocasiones (cf. 1 Cor 11,17-34). Resultaba especialmente difícil para los grupos elitistas, cuyos miembros corrían el riesgo de ser excluidos de su familia y de su red de relaciones sociales si eran vistos comiendo en público con gente de clase inferior. Era bastante normal en la ciudad (ámbito que reproduce este pasaje), donde la estratificación de los estatus era muy nítida y donde se esperaba que los miembros de las élites respetasen el suyo. ⇨ **La ciudad preindustrial**, 14,15-24 (cf. pág. 328); y **Comidas**, 14,7-11, y notas a los dos pasajes anteriores (cf. pág. 331).

14,16-17 Por los antiguos papiros sabemos que las dobles invitaciones eran muy conocidas. Permitían que los potenciales invitados supiesen con quiénes iban a comer y si todo había sido dispuesto adecuadamente. Si la gente que iba era la correcta, todos irían. Si la gente apropiada se retraía, todos harían lo mismo.

14,18-20 Las excusas, la mayoría de las cuales no venían al caso, eran una forma indirecta, pero tradicional en el Próximo Oriente, de desaprobar los preparativos de la cena. La primera excusa de nuestro texto es la de un propietario que se halla ausente en la ciudad. El segundo se excusa porque ha comprado las suficientes yuntas de bueyes como para labrar unas 5.000 áreas. Aunque la mitad de la tierra quedase anualmente en barbecho, su riqueza sería extrema en aquella sociedad (la parcela de subsistencia equivalía a unas 100 áreas por adulto). Ningún campesino del Próximo Oriente habría comprado tierra o bueyes sin el tiempo suficiente para inspeccionarlo todo bien. Por tanto, las primeras dos excusas son claramente absurdas, pero cumplen con la función social indicada más arriba. La tercera, la del recién casado, implica que ya tenía las suficientes obligaciones de reciprocidad social y que no necesitaba más.

14,21 Al invitar a personas de clase baja a hacerse presentes en el sector elitista de la ciudad, el anfitrión (que dispone claramente de muchos medios) ha roto decididamente con la familia y con los amigos de las clases altas (ver nota a 14,25-35). Las cenas se celebraban al atardecer, pero se alargaban hasta después de haber sido cerradas las puertas interiores de la ciudad para mantener a la gente de clase baja fuera de los santuarios elitistas de la ciudad. Las plazas públicas eran el lugar de encuentro de la gente sencilla de la ciudad. En consecuencia, la invitación va dirigida a personas notablemente distintas de los invitados originales.

14,23 Fuera de las murallas de la ciudad, a lo largo de los caminos y las empalizadas, vivía una población marginada. No se trataba de campesinos, sino de personas sin tierra que vivían muy cerca, pero al margen, de la ciudad preindustrial. Tal población incluía mendigos, prostitutas, curtidores (que solían apestar) y comerciantes, personas todas ellas que necesitaban tener acceso a la ciudad durante el día, pero a quienes no se permitía vivir dentro. El imperativo griego usado aquí (¡obliga!) sugiere que había que utilizar la coacción para que aquella gente entrase en los recintos de la élite después de las horas de los negocios, cuando las puertas de la ciudad estaban normalmente cerradas.

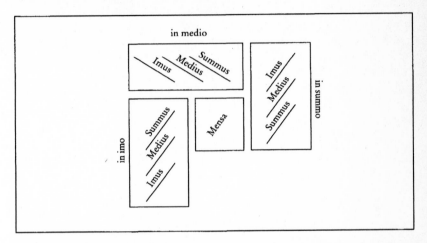

Lc 14,7. Para comer, la gente se reclinaba normalmente en colchonetas o esteras. El diagrama muestra la disposición de una mesa para nueve invitados. La mensa es la mesa. Los huéspedes se recuestan del lado izquierdo, apoyándose en el codo. De las tres colchonetas o esteras (ver diagrama), la que hay en el centro (in medio) era considerada la más honorable; de los tres lugares que hay en ella, el de la izquierda (el summus) se asignaba al huésped de más alto rango, y nadie se reclinaba a sus espaldas. La colchoneta situada a su izquierda (in summo) era la siguiente en dignidad; la de la derecha (in imo), al ser la de más baja estima, era ocupada por el anfitrión y su familia. Toda esta disposición explica la necesidad de evitar ocupar el lugar más alto, que quizás había sido reservado para un huésped «más distinguido» (14,8). (Gráficas Parrot).

Precedencia en Jesús de la familia subrogada sobre la familia biológica 14,25-35

[25]Como lo seguía mucha gente, Jesús se volvió a ellos y les dijo: [26]«Si alguno quiere venir conmigo y no está dispuesto a renunciar a su padre y a su madre, a su mujer y a sus hijos, hermanos y hermanas, e incluso a sí mismo, no puede ser discípulo mío. [27]El que no carga con su cruz y viene detrás de mí, no puede ser discípulo mío. [28]Si uno de vosotros piensa construir una torre, ¿no se sienta primero a calcular los gastos y ver si tiene para acabarla? [29]No sea que, si pone los cimientos y no puede acabar, todos los que lo vean se pongan a burlarse de él, [30]diciendo: 'Este comenzó a edificar y no pudo terminar'. [31]O si un rey está en guerra contra otro, ¿no se sienta antes a considerar si puede enfrentarse con diez mil hombres al que le va a atacar con veinte mil? [32]Y si

no puede, cuando el enemigo aún está lejos, enviará una embajada para negociar la paz. ³³Del mismo modo, aquel de vosotros que no renuncia a todo lo que tiene, no puede ser discípulo mío.

³⁴Buena es la sal, pero si se desvirtúa, ¿cómo podrá recobrar su sabor? ³⁵Ya no sirve ni para la tierra ni para el abono, sino que hay que tirarla. El que tenga oídos para oír, que oiga».

◆ *Notas:* Lucas 14,25-35

14,25-35 Se habla aquí claramente de la ruptura con la familia biológica y con la red de relaciones sociales que implicaba la llamada de Jesús a una comensalidad inclusiva (ver nota a 14,15-24). Se especifica el precio que hay que pagar por ello. El grupo de parentesco ficticio formado por el movimiento cristiano inclusivo ha de remplazar a la familia original. ⇨ **Familia subrogada**, 8,19-21 (cf. pág. 351). Se trata de algo más que de una simple renuncia a las «posesiones» materiales (como suponen algunas traducciones); hay que renunciar a «todo lo que uno tiene».

Salvación de los débiles y los perdidos 15,1-10

15 ¹Entre tanto, todos los publicanos y pecadores se acercaban a Jesús para oírlo. ²Los fariseos y los maestros de la ley murmuraban: «Éste recibe a los pecadores y come con ellos».

³Entonces Jesús les dijo esta parábola: ⁴»¿Quién de vosotros, si tiene cien ovejas y se le pierde una de ellas, no deja las noventa y nueve en el desierto y va a buscar a la descarriada hasta que la encuentra? ⁵Y cuando da con ella, echa a los hombros lleno de alegría, ⁶y al llegar a casa, reúne a los amigos y vecinos y les dice: '¡Alegraos conmigo, porque he encontrado la oveja que se me había perdido!'. ⁷Pues os aseguro

que también en el cielo habrá más alegría por un pecador que se convierta que por noventa y nueve justos que no necesitan convertirse.

⁸O ¿qué mujer, si tiene diez monedas de plata y se le pierde una, no enciende una lámpara, barre la casa y la busca con todo cuidado hasta encontrarla? ⁹Y cuando la encuentra, reúne a sus amigas y vecinas, y les dice: '¡Alegraos conmigo porque he encontrado la moneda que se me había extraviado!'. ¹⁰Os aseguro que del mismo modo se llenarán de alegría los ángeles de Dios por un pecador que se convierta.

◆ *Notas:* Lucas 15,1-10

15,1-2 «Recibir» a los pecadores implica mostrarse hospitalario, hacerles de anfitrión en una comida (cf. Mc 2,15ss; Lc 10,8). Invitar a comer a una persona era un honor que implicaba aceptación, confianza, paz. Los escritos rabínicos del siglo III enseñan que hacer de anfitrión de personas dudosas es menos peligroso que ser invitado por ellas, pues el anfitrión podía en cierta medida controlar lo que se hacía en la mesa y revisar la pureza de los alimentos que se comían (*m. Demai* 2,2-3). ⇨ **Comidas**, 14,7-11 (cf. pág. 331); y **Recaudadores de impuestos (de aduanas)**, 19,1-10 (cf. pág. 386).

15,3-7 Los pastores formaban un grupo ocupacional desprecia-do (ver nota a 2,8), pero Jesús pide a los fariseos que le escuchan que se imaginen en esa situación («¿Quién de vosotros, si tiene cien ovejas...»). Un rebaño de cien ovejas pertenecería a una familia ex-tensa, no a un solo pastor. Esto puede implicar que, junto con el pastor del relato, habría otras personas apacentando el rebaño. Más aún, la pérdida de una oveja haría al pastor responsable ante toda la familia. De ese modo se entendería que hubiese una fiesta comuni-taria para celebrar el encuentro de la oveja. Las ovejas perdidas, ais-ladas del rebaño, suelen tumbarse inmóviles, balando sin cesar. Los términos que traducen «amigos» y «vecinos» son ambos masculi-nos, lo cual sugiere que la celebración era masculina (ver 15,9 como contraste).

15,8-10 La moneda de plata mencionada, un dracma, era el equivalente griego del denario romano. ⇨ **Dos denarios**, 10,30-35 (cf. pág. 342). La mujer celebra el encuentro de la moneda con «amigas» y «vecinas»; la celebración es femenina (ver 15,6 como contraste). Puede que fuese necesario encender una lámpara, pues casi todas las casas de campesinos carecían de ventanas.

Advertencia sobre el juicio prematuro de la lealtad familiar 15,11-32

[11]También les dijo: «Un hombre te-nía dos hijos. [12]El menor dijo a su pa-dre: 'Padre, dame la parte de la herencia que me corresponde'. Y el padre les re-partió el patrimonio. [13]A los pocos días, el hijo menor recogió sus cosas, se mar-chó a un país lejano y allí despilfarró toda su fortuma viviendo como un li-bertino. [14]Cuando lo había gastado to-do, sobrevino una gran carestía en aquella comarca, y el muchacho co-menzó a padecer necesidad. [15]Entonces fue a servir a casa de un hombre de aquel país, quien lo mandó a sus cam-pos a cuidar cerdos. [16]Habría deseado llenar su estómago con las algarrobas que comían los cerdos, pero nadie se las daba. [17]Entonces recapacitó y se di-jo: '¡Cuántos jornaleros de mi padre tienen pan de sobra, mientras que yo aquí me muero de hambre! [18]Me pon-dré en camino, volveré a casa de mi pa-dre y le diré: Padre, he pecado contra el cielo y contra ti. [19]Ya no merezco lla-marme hijo tuyo; trátame como a uno de tus jornaleros'. [20]Se puso en camino y se fue a casa de su padre. Cuando aún estaba lejos, su padre lo vio y, profun-damente conmovido, salió corriendo a su encuentro, lo abrazó y lo cubrió de besos. [21]El hijo empezó a decirle: 'Pa-dre, he pecado contra el cielo y contra ti; ya no merezco llamarme hijo tuyo'. [22]Pero el padre dijo a sus criados: 'Traed, en seguida, el mejor vestido y ponédselo; ponedle también un anillo en la mano y sandalias en los pies. [23]To-mad el ternero cebado, matadlo y cele-bremos un banquete de fiesta, [24]porque este hijo mío había muerto y ha vuelto a la vida, se había perdido y lo hemos encontrado'. Y se pusieron a celebrar la fiesta.

[25]Su hijo mayor estaba en el campo. Cuando vino y se acercó a la casa, al oír la música y los cantos, [26]llamó a

uno de los criados y le preguntó qué era lo que pasaba. ²⁷El criado le dijo: 'Ha vuelto tu hermano, y tu padre ha matado el ternero cebado, porque lo ha recobrado sano'. ²⁸El se enfadó y no quería entrar. Su padre salió a persuadirlo, ²⁹pero el hijo le contestó: 'Hace ya muchos años que te sirvo sin desobedecer jamás tus órdenes, y nunca me diste un cabrito para celebrar una fies-ta con mis amigos. ³⁰Pero llega ese hijo tuyo, que se ha gastado tu patrimonio con prostitutas, y le matas el ternero cebado'. ³¹Pero el padre le respondió: 'Hijo, tú estás siempre conmigo, y todo lo mío es tuyo. ³²Pero tenemos que alegrarnos y hacer fiesta, porque este hermano tuyo estaba muerto y ha vuelto a la vida, estaba perdido y ha sido encontrado'».

◆ *Notas:* Lucas 15,11-32

15,11-15 Al solicitar no sólo su herencia, sino el derecho a disponer de ella en vida de su padre, el joven rompe violentamente con su padre, su hermano y la comunidad en la que viven. La hostilidad sería manifiesta tras su regreso, especialmente cuando supiese su familia que había disipado su parte de la propiedad familiar con no-israelitas. Las familias del pueblo tendrían miedo de que a sus hijos jóvenes se les ocurrieran semejantes ideas. En el país lejano donde se encuentra, el joven se pone a trabajar con un patrón local y accede a desempeñar un trabajo degradante para un hijo de Israel.

15,16 La algarroba es un fruto dulce y saludable, usado como alimento de los animales, aunque a veces lo comían también los pobres.

15,17 A diferencia de los criados fijos o los esclavos, los jornaleros no formaban parte de la familia extensa, ni su relación con la familia o la hacienda era continuada. Generalmente eran contratados para trabajar durante el día, siempre y cuando hubiese trabajo. Como frecuentemente no lo había, especialmente cuando ya se había sembrado o cosechado, su situación económica solía ser de extrema necesidad. Y el hijo del relato envidia precisamente la vida de uno de estos jornaleros.

15,20 La gente mayor del Próximo Oriente no solía correr, salvo en caso de emergencia. Arremangarse la túnica para poder correr era una falta de dignidad; además enseñar públicamente las piernas era causa de deshonor. Pero el padre corre porque el hijo está en peligro inmediato, pues la gente del pueblo puede reaccionar de manera hostil. No corre para dar la bienvenida al hijo, tal como han pensado siempre los comentaristas occidentales. Al salir corriendo hasta la entrada del pueblo, el padre se adelanta a la reacción hostil de la población; con sus besos y su abrazo hace ver que el hijo errante está otra vez bajo su protección.

15,22 El mejor vestido de la casa sería el que usaba el padre en las ceremonias. El vestido, el anillo (si llevaba un sello) y las sandalias eran una señal de que el joven era aceptado como miembro de la familia, no como criado o jornalero.

15,23 Como la carne guisada se perdía rápidamente si no era consumida de inmediato, una fiesta para la que se necesita un ternero implica una amplia concentración de gente, quizás todo el pueblo. Su presencia en la fiesta significaba que aceptaban el deseo del padre de reintegrar al hijo en la familia y en el pueblo.

15,25-32 El hijo mayor, que hasta ahora había sido un modelo para la gente del pueblo, insulta gravemente a su padre ante la gente reunida al no querer aceptar la decisión paterna. Ni siquiera usa el título «padre», presente a lo largo del relato. El padre explica que no hay nada que no le haya dado, pues de hecho le ha entregado toda la hacienda que quedaba. El primogénito lanza también su ataque contra su hermano, cuya reincorporación comunitaria ha sido aceptada tanto por el padre como por los convecinos (faltando al respeto también a éstos). El hermano menor ha sido reintegrado en la familia, pero, al carecer de propiedades, tendrá que vivir en el ámbito familiar del hermano mayor. Y esto es lo que recela el primogénito.

La inversión de valores en este relato, un tema común en Lucas, refleja un tópico de la vida campesina del Mediterráneo: las cosas no son siempre lo que parecen. ➪ **Secretos**, Mc 4,10-20 (cf. pág. 398). Los vecinos pueden ocultarse las cosas entre sí (incluso quizás los propios miembros de una familia), pero Dios conoce los corazones (1 Sm 16,7; Sal 44,21; Jn 7,24; Rom 8,27; 1 Cor 14,25; Ap 2,23). En nuestro relato, el hijo que parecía ser malo resulta ser bueno, y el que parecía ser bueno resulta ser malo (➪ **Herencia**, 15,11-32; cf. pág. 356).

Un siervo descubre que su señor es misericordioso 16,1-15

16 ¹Decía también a sus discípulos: «Había un hombre rico que tenía un administrador, a quien acusaron ante su amo de malversar sus bienes. ²El amo lo llamó y le dijo: '¿Qué es lo que oigo decir de ti? Dame cuenta de tu administración, porque no vas a poder seguir desempeñando ese cargo'. ³El administrador se puso a pensar: '¿Qué voy a hacer ahora que mi amo me quita la administración? Cavar ya no puedo; pedir limosna me da vergüenza. ⁴Ya sé lo que voy a hacer para que alguien me reciba en su casa, cuando me quiten la administración'. ⁵Entonces llamó a todos los deudores de su amo y dijo al primero: '¿Cuánto debes a mi amo?'. ⁶Le contestó: 'Cien barriles de aceite'.

Y él le dijo: 'Toma tu recibo, siéntate y escribe en seguida cincuenta'. ⁷A otro dijo: 'Y tú, ¿cuánto debes?'. Le contestó: 'Cien sacos de trigo'. El le dijo: 'Toma tu recibo y escribe ochenta'. ⁸Y el amo alabó a aquel administrador inicuo, porque había obrado sagazmente. Y es que los que pertenecen a este mundo son más sagaces que los que pertenecen a la luz. Así que os digo: Haceos amigos con los bienes de este mundo. Así, cuando tengáis que dejarlos, os recibirán en las moradas eternas.

¹⁰El que es de fiar en lo poco, lo es también en lo mucho. Y el que es injusto en lo poco, lo es también en lo mucho. ¹¹Pues si no fuisteis de fiar en los bienes de este mundo, ¿quién os confiará el verdadero bien? ¹²Y si no fuisteis de fiar administrando bienes ajenos, ¿quién os confiará lo que es vuestro? ¹³Ningún criado puede servir a dos amos, pues odiará a uno y amará a otro, o será fiel a uno y despreciará al otro. No podéis servir a Dios y al dinero».

¹⁴Estaban oyendo todo esto los fariseos, que eran amigos del dinero, y se burlaban de Jesús. ¹⁵El les dijo: «Vosotros queréis pasar por hombres de bien ante la gente, pero Dios conoce vuestros corazones; porque, en realidad, lo que parece valioso para los hombres es despreciable para Dios».

◆ *Notas:* Lucas 16,1-15

16,1 Los propietarios ricos solían contratar los servicios de un administrador (aunque con frecuencia recurrían a un esclavo nacido en la familia), que tenía autoridad para arrendar la propiedad, hacer préstamos y liquidar deudas en nombre del dueño. A estos agentes se les pagaba generalmente en forma de comisión o cuota por cada transacción que llevaban a cabo. Aunque en los contratos de préstamos eran normales las «señales de agradecimiento» bajo cuerda, el precio y el interés tenían que quedar reflejados en un contrato público y ser aprobados por ambas partes (*m. Baba Batra* 10,4). No hay nada que justifique la frecuente idea, basada en este texto, de que un agente podía exigir como comisión el 50 por ciento del valor del contrato. Si éste hubiera sido el caso, el propietario pronto se habría enterado del malestar de los campesinos y habría evitado cualquier ulterior relación entre agente y deudores en los términos que aquél pretendía. De otro modo, si el propietario lo consentía, se habría visto implicado en la extorsión. No es éste el caso de nuestra historia.

16,2 La ley tradicional israelita contemplaba que un agente debía responder de cualquier pérdida que padeciese su patrón si él era el responsable. Podía incluso ser encarcelado para que su familia respondiese de los fondos perdidos. Si la actitud deshonesta del administrador llegaba a oídos de la gente, le habrían acusado de ser el culpable de dañar la reputación del amo. Lo normal en estos casos era someterlo a un castigo ejemplar. En esta parábola, sin embargo, es sorprendente que sea despedido sin más. El despido era efectivo tan pronto como le era comunicado al agente; a partir de este momento, cualquier cosa que hiciera el agente no afectaba a la persona para quien había trabajado. El plan elaborado por el administrador tuvo que llevarse a cabo antes de que se enterase la gente del pueblo de que había sido despedido. En v. 6 vemos la prisa que tenía en poner por obra su plan.

16,4 El plan del administrador es buscarse nuevos patronos. ⇨ **El sistema de patronazgo en la Palestina romana**, 7,1-10 (cf. pág. 399). La frase «para que me reciba en su casa» hace referencia a la hospitalidad. Significa ser aceptado como huésped, en calidad de comensal y con todos los favores que tal hecho implicaba; ver notas a 15,1-2.

16,5-7 ⇨ **Economía familiar agrícola**, 16,1-8 (cf. pág. 343). La ley consuetudinaria israelita que regía los arriendos agrícolas presuponía tres tipos de arrendatarios: (1) el que pagaba un tanto por ciento del grano cosechado; (2) el que pagaba una suma fija por el producto; (3) el que pagaba el alquiler de las tierras con dinero. Los deudores de nuestro relato encajan en la segunda categoría. La cantidad a la que asciende la deuda es extraordinaria. Aunque resulta difícil concretar esas medidas, equivalen probablemente a 3.500 litros de aceite y 5.300 de trigo. Es posible que nos encontremos ante la afición a la hipérbole típica de los narradores; pero, dado el volumen de la deuda, también es posible, como han sugerido recientes investigadores, que represente los impuestos de todo un pueblo. La suma de la deuda perdonada, aunque diferente en términos porcentuales, asciende en ambos casos aproximadamente a 500 denarios. ⇨ **Deudas**, 7,36-50 (cf. pág. 337).

16,8 Tras descubrir la misericordia del propietario, que ni le manda a prisión ni le exige devolución, el administrador depende ahora de que el propietario responda de manera parecida al esquema que ha urdido. Es un esquema que pone al propietario en una situación difícil. Si se retracta de la decisión tomada, corre el riesgo de que la población le haga el vacío, pues la gente ya había alabado seguramente su generosidad. Si consiente las rebajas de las deudas que ha hecho el administrador, será alabado con más entusiasmo (como lo es el administrador por haberlas «amañado») por ser una persona noble y generosa. El administrador cuenta con esta última reacción.

16,10-13 Este final de la parábola del administrador infiel es casi con toda seguridad una adición posterior. En vv. 10-12 se nos dice que el carácter se corresponde con la forma, un tópico en las sociedades regidas por el honor-vergüenza. El tema del v. 13 es el de la lealtad dividida. ⇨ **Amor y odio**, 16,13 (cf. pág. 321).

16,14-15 La burla de los fariseos es un truco para defenderse del desafío público que les proponía indirectamente la parábola del rico y su administrador (16,1-8). Dándose cuenta de que ha sido desafiado con su reacción, Jesús les insulta a su vez sugiriendo que Dios se avergüenza de lo que ellos valoran.

Comentario sobre la ley y las segundas nupcias 16,16-18

[16]La ley y los profetas llegan hasta Juan; desde entonces se anuncia la buena noticia del reino de Dios, aunque todos se opongan violentamente. [17]Pero antes desaparecerán el cielo y la tierra que pierda valor una sola coma de la ley.

[18]Todo el que se separa de su mujer y se casa con otra, comete adulterio, y el que se casa con una mujer repudiada por su marido, comete adulterio.

Aviso a los ricos 16,19-31

[19]«Había un hombre rico que se vestía de púrpura y lino, y todos los días celebraba espléndidos banquetes. [20]Y había también un pobre, llamado Lázaro, tendido en el portal y cubierto de úlceras, [21]que deseaba saciar su hambre con lo que tiraban de la mesa del rico. Hasta los perros venían a lamer sus úlceras. [22]Un día el pobre murió y fue llevado por los ángeles al seno de Abrahán. También murió el rico y fue sepultado. [23]Y en el abismo, cuando se hallaba entre torturas, levantó los ojos el rico y vio a lo lejos a Abrahán y a Lázaro en su seno. [24]Y gritó: 'Padre Abrahán, ten piedad de mí y envía a Lázaro para que moje en agua la yema de su dedo y refresque mi lengua, porque no soporto estas llamas'. [25]Abrahán respondió: 'Recuerda, hijo, que ya recibiste tus bienes, durante la vida, y Lázaro, en cambio, males. Ahora él está aquí consolado mientras tú estás atormentado. [26]Pero, además, entre vosotros y nosotros se abre un gran abismo, de suerte que los que quieran pasar de aquí a vosotros, no puedan; ni tampoco puedan venir de ahí a nosotros'. [27]Replicó el rico: 'Entonces te ruego, padre, que lo envíes a mi casa paterna, [28]para que diga a mis cinco hermanos la verdad y no vengan también ellos a este lugar de tormento'. [29]Pero Abrahán le respondió: 'Ya tienen a Moisés y a los profetas, ¡que los escuchen!'. [30]El insistió: 'No, padre Abrahán, si se les presenta un muerto, se convertirán'. [31]Entonces Abrahán le dijo: 'Si no escuchan a Moisés y a los profetas, tampoco harán caso aunque resucite un muerto'».

◆ *Notas:* Lucas 16,19-31

16,19-31 Lucas describe el contraste entre los dos hombres de la forma más vigorosa posible. La ropa y las fiestas del rico son contrastadas con el hambre y la miserable condición del pobre. Tales contrastes habrían sido un lugar común intramuros de las ciudades preindustriales. ⇨ **La ciudad preindustrial**, 14,15-24 (cf. pág. 328). La casa del rico estaba vallada, como muchas de las casas de gente acomodada, de modo que el portal podía cerrarse durante la noche. Al parecer, Lázaro solía mendigar en esta sección de la gente de la élite durante el día, pues el rico sabe su nombre (v. 24).

16,24 Al llamar «padre» a Abrahán, el rico invoca la solidaridad familiar y reclama el derecho a ser tratado como un miembro de la familia. Abrahán reconoce la relación de parentesco («hijo»), pero justifica la situación en la que se halla el rico.

16,27-30 Al invocar de nuevo la relación de parentesco («padre»), el rico pretende que Abrahán reconozca la amplia red familiar a la que ambos pertenecen. ⇨ **Parentesco, 1,36** (cf. pág. 374). Su falta de arrepentimiento es evidente hasta el final, pues lo que le interesa sobre todo es su familia («cinco hermanos»), no la gente de la ciudad que compartía la situación del pobre Lázaro. Ni siquiera el proverbial visitante del mundo de los muertos sería capaz de convencer a las clases altas de que reconozcan las necesidades de los pobres.

Comentario sobre el perdón, la fe y el deber 17,1-10

17 ¹Jesús dijo a sus discípulos: «Es inevitable que haya ocasiones de pecado; pero ¡ay de quien las provoque! ²Más le valdría que le ataran al cuello una piedra de molino y lo tiraran al mar, antes que ser ocasión de pecado para uno de estos pequeños. ³¡Estad atentos! Si tu hermano llega a pecar, repréndelo, pero si se arrepiente, perdónalo. ⁴Y, si peca contra ti siete veces al día y otras siete viene a decirte: 'Me arrepiento', perdónalo».

⁵Los apóstoles dijeron al Señor: «Auméntanos la fe». ⁶Y el Señor dijo: «Si tuvierais fe, aunque sólo fuera como un grano de mostaza, diríais a esta morera: 'Arráncate y trasplántate al mar', y os obedecería. ⁷¿Quién de vosotros, que tenga un criado arando o pastoreando, le dice cuando llega del campo: 'Ven, siéntate a la mesa'? ⁸¿No le dirá más bien: 'Prepárame la cena y sírveme mientras como y bebo; y luego comerás y beberás tú'? ⁹¿Tendrá quizás que agradecer al siervo que haya hecho lo que se le había mandado? ¹⁰Así también vosotros, cuando hayáis hecho lo que se os mande, decid: 'Somos siervos inútiles; hemos hecho lo que teníamos que hacer'».

◆ *Notas:* **Lucas 17,1-10**

17,1-4 ⇨ **Perdón de los pecados, 3,1-20** (cf. pág. 375).

17,5-6 ⇨ **Fe, Mateo 21,21** (cf. pág. 353).

17,7 En la Palestina del siglo I era muy normal tener esclavos, incluso en familias relativamente pobres. Los más pobres alquilaban a sus hijos a terceros para que al menos tuvieran segura la comida. El dueño del que habla esta parábola sólo tenía al parecer un esclavo, que hacía al mismo tiempo las tareas del campo y las de la casa. El que un dueño sirviese a su esclavo era algo tan chocante, que la pregunta del v. 7 sólo podía ser respondida negativamente.

17,9-10 La forma griega de la pregunta del v. 9 presupone una respuesta negativa. La traducción «agradecer al esclavo» no es del todo correcta. El griego dice literalmente: «¿Favorecerá al esclavo...?». También la traducción «inútiles» en v. 10 es algo dudosa. El término griego significa literalmente «sin necesidad», un idiomatismo del Próximo Oriente que, en las versiones árabes medievales, es traducido por «(alguien al) que nada se debe». En consecuencia, la frase sería: «Somos esclavos a los que nada se debe». La idea es que los esclavos que cumplen con su deber no tienen por qué esperar ningún favor, pues nada especial se les debe por haber cumplido con su tarea.

Patronazgo de Dios para con diez leprosos 17,11-19

¹¹De camino hacía Jerusalén, Jesús pasaba entre Samaría y Galilea. ¹²Al entrar en una aldea, vinieron a su encuentro diez leprosos, que se detuvieron a distancia ¹³y comenzaron a gritar: «Jesús, Maestro, ten piedad de nosotros». ¹⁴Él, al verlos, les dijo: «Id a presentaros a los sacerdotes». Y, mientras iban de camino, quedaron limpios. ¹⁵Uno de ellos, al verse curado, volvió alabando a Dios en alta voz, ¹⁶y se postró a los pies de Jesús dándole gracias. Era un samaritano. ¹⁷Jesús preguntó: «¿No quedaron limpios los diez? ¿Dónde están los otros nueve? ¹⁸¿Tan sólo ha vuelto a alabar a Dios este extranjero?». ¹⁹Y le dijo: «Levántate, vete; tu fe te ha salvado».

◆ *Notas:* Lucas 17,11-19

17,11-14 Es improbable que la lepra (enfermedad de Hansen) existiese en la Palestina del siglo I. Aquí se trataría de otras enfermedades cutáneas. Las normas de Nm 5,2-3 especificaban que los leprosos vivieran fuera del campamento. Lv 13,45 repite la norma, pero añade que los leprosos debían llevar la ropa rasgada y el pelo desgreñado, y gritar «impuro, impuro» cuando alguien se les acercase. Lv 14,2ss exigía que un leproso curado se mostrase a un sacerdote, se sometiese a una serie de purificaciones y estuviese en observación durante siete días antes de reintegrarse al campamento; ver también Lv 13,49. ⇨ **Preocupación por la salud,** 5,17-26 (cf. pág. 381).

17,15-19 Como Jesús actúa de intermediario en la curación, el leproso curado se dirige naturalmente al Patrón (Dios), que es quien le ha sanado. ⇨ **El sistema de patronazgo en la Palestina romana,** 7,1-10 (cf. pág. 399). La alabanza es la respuesta adecuada de un cliente a los servicios de su patrón. El gesto de caer a los pies de otro es un signo con el que se reconoce la actitud de servicio y la inferioridad. En las sociedades agrícolas, decir «gracias» es una forma de reconocer que uno ya no necesita los servicios del intermediario. Por eso, el leproso que vuelve a Jesús indica con su acción que ya no tiene necesidad de ser curado; confía en que la enfermedad ya no volverá. Previamente había alabado a Dios, su Patrón. Observemos que la pregunta que formula Jesús no es «¿Tan sólo ha vuelto a dar 'gracias'...?». Los occidentales nos fijamos en este detalle del relato. Pero lo que Jesús pregunta es más bien: «¿Tan sólo ha vuelto a alabar a Dios...?». En las sociedades con base en el honor-vergüenza, una persona no da las gracias a los de su misma clase social. Dar las gracias a los superiores es un gesto honorable, pero significa que, dado que la persona inferior no puede responder al superior con una acción equivalente, termina la relación de obligación mutua. El samaritano, al dar las gracias a Jesús, deja entrever que no tiene nada con que pagar su generosidad.

Imágenes sobre la venida del reino de Dios 17,20-37

[20]A una pregunta de los fariseos sobre cuándo iba a llegar el reino de Dios, respondió Jesús: «El reino de Dios no vendrá de forma espectacular, [21]ni se podrá decir: 'Está aquí, o allí', porque el reino de Dios ya está entre vosotros».

[22]Después dijo a sus discípulos: «Llegará el día en que desearéis ver uno solo de los días del Hijo del hombre y no lo veréis. [23]Entonces os dirán: 'Está aquí, está allí'; pero no vayáis ni los sigáis. [24]Porque, como el relámpago brilla desde un punto a otro del cielo, así se manifestará el Hijo del hombre en su día. [25]Pero antes es preciso que sufra mucho y sea rechazado por esta generación. [26]Cuando venga el Hijo del hombre sucederá lo mismo que en tiempos de Noé. [27]Hasta que Noé entró en el arca, la gente comía, bebía y se casaba. Pero vino el diluvio y acabó con todos. [28]Lo mismo sucedió en los tiempos de Lot: comían, bebían, compraban, vendían, plantaban y edificaban. [29]Pero el día en que Lot salió de Sodoma, llovió del cielo fuego y azufre, y acabó con todos. [30]Así será el día en que se manifieste el Hijo del hombre. [31]Aquel día, el que esté en la azotea y tenga en casa sus enseres, que no baje a tomarlos; igualmente el que esté en el campo, que no vuelva atrás. [32]Acordaos de la mujer de Lot. [33]El que intente salvar su vida, la perderá; pero el que la pierda, la recobrará. [34]Os lo aseguro que aquella noche estarán dos juntos en la misma cama: a uno se lo llevarán y a otro lo dejarán. [35]Estarán dos moliendo juntas: a una se la llevarán y a otra la dejarán». [37]Ellos le preguntaron: «¿Dónde, Señor?». Y les contestó: «Donde está el cadáver, allí se reunirán los buitres».

◆ Notas: Lucas 17,20-37

17,20-37 La pregunta de los fariseos sobre la venida del reino de Dios recibe una primera respuesta por parte de Jesús, que después explica a sus discípulos. Jesús dice que la pregunta sobre el «cuándo» no puede ser respondida recurriendo al estudio del cielo, es decir, a la astrología/astronomía. La respuesta hay que buscarla en la sociedad humana, «entre vosotros». Jesús aclara este punto a sus discípulos al identificar la venida del reino con la «revelación del Hijo del hombre». Será algo tan obvio como el relámpago, tan repentino y aparente como los acontecimientos que tuvieron lugar en tiempos de Noé y de Lot. Ahora bien, fue precisamente la conducta de la gente de aquellos tiempos lo que indicaba que todo iba a ocurrir rápidamente. También ahora será necesaria una reacción rápida. Cuando los discípulos le preguntan «dónde», Jesús responde con un proverbio campesino.

Dios invierte el estatus de honor en el reino 18,1-17

18 ¹Para mostrarles la necesidad de orar siempre sin desanimarse, Jesús les contó esta parábola: ²«Había en una ciudad un juez que no temía a Dios ni respetaba a los hombres. ³Había también en aquella ciudad una viuda que no cesaba de suplicarle: 'Hazme justicia frente a mi enemigo'. ⁴El juez se negó durante algún tiempo, pero después se dijo: 'Aunque no temo a Dios ni respeto a nadie, ⁵es tanto lo que esta viuda me importuna, que le haré justicia para que deje de molestarme de una vez'». ⁶Y el Señor añadió: «Fijaos en lo que dice el juez inicuo. ⁷¿No hará, entonces, Dios justicia a sus elegidos que claman a él día y noche? ¿Les hará esperar? ⁸Yo os digo que les hará justicia inmediatamente. Pero, cuando venga el Hijo del hombre, ¿encontrará fe en la tierra?».

⁹También a unos, que presumían de ser hombres de bien y despreciaban a los demás, les dijo esta parábola: ¹⁰«Dos hombres subieron al templo a orar; uno era fariseo y el otro publicano. ¹¹El fariseo, erguido, hacía interiormente esta oración: 'Dios mío, te doy gracias porque no soy como el resto de los hombres: ladrones, injustos, adúlteros; ni como ese publicano. ¹²Ayuno dos veces por semana y pago los diezmos de todo lo que poseo'. ¹³Por su parte, el publicano, manteniéndose a distancia, no se atrevía ni siquiera a levantar los ojos al cielo, sino que se golpeaba el pecho, diciendo: 'Dios mío, ten compasión de mí, que soy un pecador'. ¹⁴Os digo que éste bajó a su casa reconciliado con Dios, y el otro no. Porque el que se ensalza será humillado, y el que se humilla será ensalzado».

¹⁵Le llevaron también unos niños pequeños para que los tocara. Los discípulos, al verlo, los regañaban. ¹⁶Pero Jesús llamó hacia sí a los niños y dijo: «Dejad a los pequeñitos que vengan a mí y no se lo impidáis, porque de los que son como ellos es el reino de Dios. ¹⁷Os aseguro que el que no recibe el reino de Dios como un niño, no entrará en él».

◆ *Notas:* Lucas 18,1-17

18,1-8 Para poder entender totalmente esta parábola, es necesario consultar los escenarios **Sociedades con base en el honor-vergüenza**, 4,16-30 (cf. pág. 404), y **Viuda**, 21,1-4 (cf. pág. 408). Es muy importante reconocer que el verbo griego *entrepō* significa «dejar en vergüenza». En su forma pasiva, tal como aparece aquí, significa que el juez no es un hombre que pueda «ser avergonzado». Es decir, carece de vergüenza; no tiene sensibilidad para pensar cómo percibirá sus acciones la comunidad o el alcance que puedan tener (cf. Jr 8,12). Una tradición conservada en la Misná nos cuenta que Hillel dijo: «Un patán no puede temer al pecado...» (*m. 'Abot* 2,5).

18,3 Las viudas eran personas extremadamente vulnerables en las antiguas sociedades. Como las mujeres no hacían acto de presencia normalmente en los tribunales públicos, hemos de deducir que esta viuda no tenía en su familia ningún miembro masculino que pudiese presentarse en su lugar. Está sola. ⇨ **Viuda**, 21,1-4 (cf. pág. 408).

18,5 El término griego traducido generalmente por «importunar» o «hartar» proviene del boxeo y significa literalmente «poner a alguien un ojo negro». Tiene también el significado figurado «ennegrecer a uno la cara», es decir, avergonzarlo en público. ⇨ **Sociedades con base en el honor-vergüenza**, 4,16-30 (cf. pág. 404). La escena está cargada de ironía: este juez, descrito en v. 2 como carente de vergüenza, incapaz de captar el significado que su conducta tiene para los demás, y que encima reconoce con orgullo que es así (v. 4), admite finalmente que su «cara» puede verse en peligro si no se quita de encima a la pesada viuda.

18,6-8 La aplicación dada a la parábola usa la forma de razonamiento «de la menor a la mayor»: de un caso de menor importancia a otro de mayor importancia. Si lo primero es cierto (que una viuda sea capaz finalmente de doblegar a un insensible patán), cuánto más cierto será lo segundo (que el orante será escuchado por un Dios sensible).

Contamos con un relato de H.B. Tristam, del siglo pasado, muy semejante al nuestro. Tristam nos habla de la Corte Judicial de Nisibis (Mesopotamia). Y nos cuenta lo siguiente:

Frente a la entrada se sentó el Cadi, casi enterrado entre cojines y rodeado de sus secretarios. El fondo del vestíbulo estaba lleno de gente; todos querían que su caso fuese atendido el primero. Los más avispados susurraban algo al oído de los secretarios y deslizaban el soborno en sus bolsillos; así, su caso era inmediatamente despachado. Mientras tanto, una pobre mujer rompió el orden establecido y empezó a reclamar a gritos justicia. Se le pidió severamente que se calmase, y se le reprochó que viniese a diario. «Y así seguiré haciendo», exclamó en voz alta, «hasta que el Cadi atienda mi caso». Finalmente, cuando terminó la sesión, el Cadi preguntó impaciente: «¿Qué quiere esa mujer?». Le contaron su historia. El recaudador de impuestos le exigía sus pagos, aun a sabiendas de que sólo tenía un hijo y de que estaba en el servicio militar. El caso fue ventilado en seguida; su paciencia se había visto recompensada. Si hubiese tenido dinero para pagar a un empleado, seguramente le habrían hecho justicia antes.

18,9-14 La plegaria pública tenía lugar dos veces al día: a tercia (9:00 horas) y a nona (15:00 horas). Lucas describe con detalle el contraste entre los dos hombres. El fariseo se pone aparte y confiesa su carencia de pecados y sus obras de supererogación (ayuno y diezmos). En ambas prácticas iba más allá de lo que exigía la ley. Para el significado de estas prácticas, ⇨ **Ayuno**, 5,33-35 (cf. pág. 323); y **Diezmos**, 18,12 (cf. pág. 340). Las fuentes rabínicas tardías nos hablan de las asociaciones dedicadas a esas buenas obras. Una persona dedicada especialmente al diezmo era llamada *ne'eman (m. Demai* 2,2-3). El contacto con la ropa de un compatriota no muy preocupado por las normas de pureza creaba una situación de impureza llamada *midras* («presión»; ver Lv 15,4.9.20.23) a un fariseo (*m. Hagigah* 2,7).

De ahí que el pasaje de Lucas hable de la distancia entre los dos hombres (v. 13), a la vez física y social. ⇨ **Pureza/Contaminación**, 6,1-5 (cf. pág. 385). A la luz de la caracterización del publicano que se nos ofrece aquí, ver ⇨ **Recaudadores de impuestos (de aduanas)**, 19,1-10 (cf. pág. 386).

18,13 Normalmente se rezaba de pie, con los brazos cruzados sobre el pecho y la mirada dirigida hacia abajo. Los golpes de pecho son un gesto tradicional del Próximo Oriente frecuente en las mujeres; los hombres sólo lo hacen en casos de extrema angustia. Aunque el Antiguo Testamento no proporciona tales detalles, Josefo habla de cómo David se mesó los cabellos, se golpeó el pecho y «se infligió todo tipo de lesiones» a la muerte de su hijo Absalón (*Antigüedades* 7,252; Loeb, 495).

18,14 En los escritos lucanos, especialmente en Hechos, el templo se convierte paulatinamente en lugar de conflicto, al tiempo que la casa (o familia) se transforma en el lugar de la salvación. Esta nueva casa cristiana (grupo de parentesco ficticio, familia subrogada) acabará sustituyendo al templo. ⇨ **Familia subrogada**, 8,19-21 (cf. pág. 351). Por eso, como presagio de lo que va a suceder, el publicano abandona el templo y vuelve a su «casa» justificado.

18,15-17 Nos encontramos ante los proverbiales desamparo y vulnerabilidad de los niños. Es importante observar que, en este pasaje, Lucas ha cambiado el término de Marcos «niños» por «infantes», «bebés». Podemos imaginarnos a una campesina (muchos de cuyos hijos morirían antes de cumplir el año) presentando tímidamente a sus hijos ante Jesús para que los tocase. ⇨ **Niños**, 18,15-17 (cf. pág. 367); y **Edad**, 3,23 (cf. pág. 344).

Advertencia sobre las riquezas que impiden la lealtad a la nueva familia subrogada 18,18-30

¹⁸Un hombre importante le preguntó: «Maestro bueno, ¿qué debo hacer para heredar la vida eterna?». ¹⁹Jesús le dijo: «¿Por qué me llamas bueno? Sólo Dios es bueno. ²⁰Ya conoces los mandamientos: *No cometerás adulterio, no matarás, no robarás, no darás falso testimonio, honra a tu padre y a tu madre*». ²¹Él respondió: «Todo eso lo he cumplido desde joven». ²²A estas palabras, Jesús replicó: «Aún te falta una cosa: vende todo lo que tienes, repártelo entre los pobres y tendrás un tesoro en el cielo. Luego ven y sígueme». ²³Pero él, al oír esto, se puso muy triste porque era muy rico. ²⁴Jesús, viendo que se ponía triste, le dijo: «¡Qué difícilmente entrarán en el reino de Dios los que tienen riquezas! ²⁵Es más fácil para un camello pasar por el ojo de una aguja que para un rico entrar en el reino de Dios».

²⁶Los que estaban escuchando preguntaron: «Entonces, ¿quién podrá salvarse?». ²⁷Pero Jesús replicó: «Lo que es imposible para los hombres es posible para Dios». ²⁸Entonces Pedro dijo: «Pues nosotros hemos dejado nuestras posesiones y te hemos seguido». ²⁹Y Jesús les dijo: «Os aseguro que todo aquel que haya dejado casa, mujer, hermanos, parientes o hijos por el reino de Dios, ³⁰recibirá mucho más en este mundo, y la vida eterna en el futuro».

◆ *Notas:* Lucas 18,18-30

18,18-19 El hombre importante llama a Jesús «maestro bueno», esperando quizá una respuesta cortés equivalente. Como un cumplido era un desafío positivo al honor en la cultura tradicional del Próximo Oriente, lo normal era responder con otro cumplido. Jesús no sólo rechaza el cumplido que se le hace; ni siquiera responde con otro.

18,22-24 Si la tomamos al pie de la letra, la exigencia de vender todo significa romper con la más preciada de todas las posesiones: el hogar familiar y el terruño. Y esto es precisamente lo que se pide aquí, como lo pone de manifiesto el diálogo de vv. 28-29. El camello era el animal más voluminoso del Próximo Oriente, y el ojo de la aguja la apertura más pequeña. La elocuencia, típica virtud masculina en la Antigüedad, implicaba, entre otras cosas, el dominio de la exageración verbal o hipérbole, que Jesús usa aquí con un efecto llamativo.

18,26-30 Ver notas a 18,22-24. Abandonar hogar y tierras, es decir, todos los vínculos con la familia extensa, constituye una renuncia inconmensurable para un campesino. Tras la alegación de Pedro de que ha dejado todo, Jesús habla a sus oyentes de un premio compensatorio, posiblemente la familia subrogada creada entre los seguidores de Jesús. ⇨ **Familia subrogada,** 8,19-21 (cf. pág. 351).

Se recuerda que la tribulación está cerca 18,31-34

³¹Tomando consigo a los doce, les dijo: «Mirad, estamos subiendo a Jerusalén, y todo lo que escribieron los profetas sobre el Hijo del hombre se va a cumplir. ³²Será entregado a los paganos, escarnecido, ultrajado y escupido; ³³después de azotarlo, lo matarán, pero al tercer día resucitará». ³⁴Ellos, sin embargo, no entendieron nada de esto; aquel lenguaje les resultaba totalmente oscuro. Y no podían comprender el sentido de las palabras.

◆ *Notas:* Lucas 18,31-34

18,31-34 No sólo se anticipa la muerte de Jesús; se especifica también el ritual de degradación (conocido erróneamente por «juicio» entre los intérpretes occidentales) que había de padecer. ⇨ **Rituales de degradación de estatus,** 22,63-65 (cf. pág. 396). Observemos que Lucas ofrece aquí más detalles de los que aparecen posteriormente en el relato.

Patronazgo de Dios para con un mendigo ciego 18,35-43

³⁵Cuando se acercaba a Jericó, un ciego, que estaba sentado junto al camino pidiendo limosna, ³⁶oyó pasar gente y preguntó qué era aquello. ³⁷Le dijeron que pasaba Jesús, el Nazareno. ³⁸Entonces él se puso a gritar: «Jesús, Hijo de David, ten compasión de mí». ³⁹Los que iban delante le reprendían, diciendo que se callara. Pero él gritaba todavía más fuerte: «Hijo de David, ten compasión de mí». ⁴⁰Jesús se detuvo y mandó que se lo trajesen. Cuando lo tuvo cerca, le preguntó: ⁴¹«¿Qué quieres que haga por ti?». Él respondió: «Señor, que recobre la vista». ⁴²Jesús le dijo: «Recóbrala, tu fe te ha salvado». ⁴³En el acto recobró la vista y lo siguió dando gloria a Dios. Y todo el pueblo, al verlo, se puso a alabar a Dios.

◆ *Notas:* Lucas 18,35-43

18,35-43 La yuxtaposición lucana de este relato con el precedente (la incapacidad de los discípulos para entender lo que dice Jesús) es un claro intento por parte de Lucas de establecer una asociación entre las condiciones físicas y las espirituales. ⇨ **Preocupación por la salud,** 5,17-26 (cf. pág. 381). Tras la curación, Lucas nos ofrece un detalle: la alabanza va dirigida a Dios, el Patrón, en lugar de a Jesús, el intermediario. ⇨ **El sistema de patronazgo en la Palestina romana**, 7,1-10 (cf. pág. 399).

Un rico que es verdadero hijo de Abrahán 19,1-10

19 ¹Jesús entró en Jericó y atravesaba la ciudad. ²Había en ella un hombre llamado Zaqueo, jefe de publicanos y rico, ³que quería conocer a Jesús. Pero, como era bajo de estatura, no podía verlo a causa del gentío. ⁴Así que echó a correr hacia adelante y se subió a un sicómoro para verlo, porque iba a pasar por allí. ⁵Cuando Jesús llegó a aquel lugar, levantó los ojos y le dijo: «Zaqueo, baja en seguida, porque hoy tengo que alojarme en tu casa». ⁶Él bajó a toda prisa y lo recibió muy contento. ⁷Al ver esto, todos murmuraban y decían: «Se ha alojado en casa de un pecador». ⁸Pero Zaqueo se puso en pie ante el Señor y le dijo: «Señor, la mitad de mis bienes se la doy a los pobres, y si engañé a alguno, le devuelvo cuatro veces más». ⁹Jesús le dijo: «Hoy ha llegado la salvación a esta casa, pues también éste es hijo de Abrahán. ¹⁰Pues el Hijo del hombre ha venido a buscar y salvar lo que estaba perdido».

◆ *Notas:* Lucas 19,1-10

19,1-10 A Zaqueo se le ponen dos etiquetas: «jefe de publicanos» *(architelōnēs)* y «rico» *(plousios)*. Cualquiera de las dos podía haberle proporcionado el estereotipo de deshonesto entre la gente; y su credibilidad (tema central del relato, según podemos ver más abajo) sería nula. Para comprender mejor las dos etiquetas, así como la naturaleza del sistema romano de impuestos, ⇨ **Recaudadores de impuestos (de aduanas)**, 19,1-10 (cf. pág. 386); y **Ricos, pobres y bienes limitados**, 6,20-26 (cf. pág. 393).

19,5-8 Al invitarse a casa de Zaqueo, acción que implicaba la comensalidad (⇨ **Comidas**, 14,7-11; cf. pág. 331), Jesús provoca en Zaqueo una reacción de alegría. Jesús lo acepta como a alguien con quien se comparten valores e ideas, como a alguien con quien es posible la convivencia. La muchedumbre reacciona con desencanto, pues daban por supuesto que todos los jefes de recaudadores de impuestos *(architelōnēs)* eran extorsionadores. Dada la antigua convicción de que todos los bienes son limitados, la riqueza, especialmente la adquirida, no sólo no consolidaba el estatus, sino que provocaba abierta hostilidad. ⇨ **Ricos, pobres y bienes limitados**, 6,20-26 (cf. pág. 393). Sin embargo, Zaqueo confirma el juicio de Jesús sobre él diciendo que ya está dispuesto a dar a los pobres la mitad de lo que posee y a pagar el cuádruple a las personas que haya extorsionado (cf. Éx 22,1; 2 Sm 12,6). Puesto que los dos verbos griegos están en presente («doy» y «devuelvo»), no en futuro, como normalmente lo entienden los lectores occidentales, y puesto que no se menciona ningún arrepentimiento especial en el momento del encuentro, habremos de dar por supuesto que Zaqueo ya estaba practicando este tipo de compensación. El problema está en que la gente no le cree. Zaqueo se siente una pizca molesto ante esa muchedumbre que reacciona mediante estereotipos y responde a Jesús haciendo una descripción de su conducta *habitual*.

19,9-10 Jesús cree al parecer lo que dice Zaqueo y lo reconoce como «hijo de Abrahán». La salvación (reincorporación de este jefe de publicanos al lugar que le corresponde en Israel) se realiza por la fe de Jesús en él. En otras palabras, se trata de un relato de curación: el poder de Jesús ha restaurado unas relaciones comunitarias anormales o rotas (causadas por los estereotipos aplicados a Zaqueo por la comunidad). No se trata, por tanto, del arrepentimiento de Zaqueo, sino de la curación de su mal. ⇨ **Preocupación por la salud**, 5,17-26 (cf. pág. 381). Observemos en este escenario la definición de «dolencia» o «mal» (en cuanto opuesto a «enfermedad») relativa a las relaciones sociales anormales o rotas.

Un rico cuya codicia demuestra que el reino no está aquí todavía 19,11-27

[11]Mientras la gente le escuchaba, les contó otra parábola, porque estaba cerca de Jerusalén, y ellos creían que el reino de Dios iba a manifestarse inmediatamente. [12]Les dijo, pues. «Un hombre noble marchó a un país lejano para ser coronado como rey y regresar después. [13]Llamó a diez criados suyos y a cada uno le dio una importante cantidad de dinero diciéndoles: 'Negociad con ello hasta que yo vuelva'. [14]Pero sus conciudadanos lo odiaban y enviaron tras él una embajada a decir que no lo querían. como rey. [15]Cuando regresó, investido del poder real, mandó venir a sus criados, a quienes había dado el dinero, para saber cómo había negociado cada uno. [16]El primero se presentó y dijo: 'Señor, tu dinero ha producido diez veces más'. [17]El dijo: 'Muy bien, has sido un buen criado; puesto que has sido fiel en lo poco, recibe el gobierno de diez ciudades'. [18]Vino el segundo y dijo: 'Tu dinero, señor, ha producido cinco veces más'. [19]Y también a éste le dijo: 'Tú recibirás el mando sobre cinco ciudades'. [20]Vino el otro y dijo: 'Señor, aquí tienes tu dinero; lo he tenido guardado en un pañuelo [21]por temor a ti, que eres un hombre severo, pues exiges lo que no diste y quieres cosechar lo que no sembraste'. [22]El señor le replicó: 'Eres un mal criado, y tus mismas palabras te condenan. ¿Sabías que soy severo, que exijo lo que no he dado y cosecho lo que no he sembrado? [23]Entonces, ¿por qué no pusiste mi dinero en el banco para que, al volver, lo recobrase con los intereses?'. [24]Y dijo a los que estaban presentes: 'Quitadle lo que le di y dádselo al que lo hizo producir diez veces más'. [25]Le dijeron: 'Señor, ¡pero si ya tiene diez veces más!'. [26]Pues yo os digo: 'Al que tiene se le dará, y al que no tiene se le quitará incluso lo que tiene. [27]En cuanto a mis enemigos, ésos que no me querían como rey, traedlos aquí y degolladlos en mi presencia'».

◆ *Notas:* Lucas 19,11-27

19,11 Como acaba de contar una historia sobre un rico que sorprendentemente compartía sus bienes con los pobres, Lucas teme que sus lectores pudieran pensar erróneamente que el reino de Dios había llegado. La cercanía de Jesús a Jerusalén y el final de la narración del viaje pueden sugerir lo mismo. Para evitar esa conclusión, Lucas ofrece ahora una parábola de Jesús sobre un rico que es cualquier cosa menos un modelo del reino. El buen ejemplo de Zaqueo tiene como paralelo el mal ejemplo del noble que confió su dinero a unos siervos para que nadie pensase prematuramente que la extorsión había sido erradicada con la llegada del reino.

19,11-27 La forma de entender esta difícil parábola depende del punto de vista adoptado. La gente occidental hace tiempo que percibe en ella una especie de capitalismo casero en boca de Jesús. Sin embargo, si tomamos la parábola como una descripción del modo en que funciona el reino de Dios, la noticia resulta amarga para los campesinos que la escuchan. Confirmaría sus peores temores: que Dios (y Jesús) opera de la misma manera exigente, explotadora y depredadora que los señores que diariamente les forzaban a una superproducción para llenar las arcas de las élites, recompensando a quienes obraban así (naturalmente explotando a sus prójimos) y retirando el sustento a quienes no lo hacían. ⇨ **Parábola del dinero escondido**, 19,11-27 (cf. pág. 372).

Esta parábola viene al final de una larga sección del evangelio en la que Lucas ha interpretado el discipulado como el estado en que se comparten las posesiones. Sin embargo, la parábola indica que nada fundamental ha cambiado y que todavía queda mucho camino por recorrer. En cuanto continúe el relato de Lucas, estallará un conflicto precisamente sobre estos problemas. De ahí que Lucas use este episodio para preparar a sus afanados lectores a las cosas que pronto acaecerán. Ver notas a 19,35-40.41-44.

VI. 19,28-21,38: El «Profeta» en Jerusalén: Jesús, el intermediario del reino

Entrada de Jesús en Jerusalén 19,28-44

²⁸Y dicho esto, Jesús siguió su camino, subiendo hacia Jerusalén.

²⁹Al llegar cerca de Betfagé y de Betania, junto al monte llamado de los Olivos, envió a dos de sus discípulos

³⁰con este encargo: «Id a la aldea de enfrente. Al entrar, encontraréis un borrico atado, sobre el que nadie ha montado aún; desatadlo y traedlo. ³¹Y si alguien os pregunta por qué lo desatáis,

le diréis que el Señor lo necesita». ³²Fueron los enviados y lo encontraron como Jesús les había dicho. ³³Cuando estaban desatando el borrico, sus dueños les dijeron: «¿Por qué lo desatáis?». ³⁴Ellos respondieron: «El Señor lo necesita». ³⁵Ellos se lo llevaron a Jesús. Pusieron sus mantos sobre el borrico e hicieron que Jesús montara en él. ³⁶Según iba avanzando, extendían sus mantos en el camino. ³⁷Cuando ya se iba acercando a la bajada del monte de los Olivos, los discípulos de Jesús, que eran muchos, llenos de alegría, estallaron en gritos de alabanza a Dios por todos los milagros que habían visto. ³⁸Decían: «*Bendito el rey que viene en nombre del Señor. ¡Paz en el cielo y gloria en las alturas!*». ³⁹Algunos fariseos de entre la gente le dijeron: «Maestro, reprende a tus discípulos». ⁴⁰Pero Jesús respondió: «Os digo que si éstos callaran, empezarían a gritar las piedras».

⁴¹Cuando se fue acercando, al ver la ciudad, lloró por ella, ⁴²y dijo: «¡Si en este día comprendieras tú también los caminos de la paz! Pero tus ojos siguen cerrados. ⁴³Llegará un día en que tus enemigos te rodearán con trincheras, te cercarán y te acosarán por todas partes; ⁴⁴te pisotearán a ti y a tus hijos dentro de tus murallas. No dejarán piedra sobre piedra en tu recinto, por no haber reconocido el momento en que Dios ha venido a salvarte».

◆ *Notas:* Lucas 19,28-44

19,28-34 El caballo era normalmente un animal de guerra, por eso era símbolo del poder y de la fuerza. El burro era animal de tiro, usado para transportar gente y mercancías. Zacarías 9,9 habla de la «humildad» de un rey cabalgando en un asno, una cabalgadura inadecuada para su estatus.

19,35-40 Como ocurre siempre en Lucas, la alabanza proclamada en respuesta a las obras realizadas por Jesús va dirigida en primer lugar a Dios, el Patrón, no a Jesús, el Intermediario. ⇨ **El sistema de patronazgo en la Palestina romana**, 7,1-10 (cf. pág. 399). Conforme cabalga sobre el burro camino de la ciudad, Jesús es identificado como rey que viene «en nombre del Señor», en agudo contraste con el rey descrito en el relato precedente del dinero escondido (ver nota a 19,11-27), que actúa sólo en provecho propio.

19,41-44 Como pone de manifiesto la parábola del dinero escondido, la ciudad no ha llegado todavía a conocer las cosas que contribuyen a la paz. ⇨ **Parábola del dinero escondido**, 19,11-27 y notas «in situ» y a 19,35-40 (cf. pág. 372). Por eso, el rey que viene en nombre del Señor no puede evitar llorar.

Oposición de Jesús al sistema del templo 19,45-48

⁴⁵Jesús entró en el templo, e inmediatamente se puso a expulsar a los vendedores, ⁴⁶diciéndoles: «Está escrito: *Mi casa ha de ser casa de oración, pero vosotros la habéis convertido en cueva de ladrones*».

⁴⁷Jesús enseñaba todos los días en el templo. Los jefes de los sacerdotes, los maestros de la ley y los principales del pueblo trataban de acabar con él. ⁴⁸Pero no encontraban el modo de hacerlo, porque el pueblo entero estaba escuchándolo, pendiente de su palabra.

◆ *Notas:* Lucas 19,45-48

19,45-48 Convertir el templo en una cueva de ladrones, es decir, en una institución orientada hacia el lucro (en función de la extorsión y la codicia; ⇨ **Ricos, pobres y bienes limitados**, 6,20-26; cf. pág. 393) es otra prueba más de que la ciudad no entiende todavía las cosas que contribuyen a la paz o al «rey» que viene en nombre del Señor. No sólo existe sin más la situación descrita en la parábola del dinero escondido; existe precisamente en el templo. ⇨ **Parábola del dinero escondido**, 19,11-27, y nota a 19,11-27 (cf. pág. 372). «Ladrones» sería el nombre que los campesinos que oyeron la parábola del dinero escondido habrían dado al rey y a los dos siervos «fieles». Ver notas a 19,11-27.35-40.41-44. No es de extrañarse que la élite (v. 47), desde cuyo punto de vista el rey era el héroe de la parábola, se opusiera a Jesús y tratara de acabar con él. Tampoco es de extrañarse que la gente, desde cuyo punto de vista el rey del relato era en realidad un ladrón, se adhiriese a las palabras de Jesús.

Desafío-Respuesta sobre la autoridad de Jesús 20,1-19

20 ¹Uno de aquellos días, cuando estaba enseñando al pueblo en el templo y les anunciaba la buena noticia, se presentaron los jefes de los sacerdotes y los maestros de la ley con los ancianos, ²y le dijeron: «Dinos, ¿con qué autoridad haces estas cosas? ¿Quién te ha dado esa autoridad?». ³Jesús les respondió: «También yo os voy a hacer una pregunta: Decidme, ⁴el bautismo de Juan ¿procedía de Dios o de los hombres?». ⁵Ellos discurrían entre sí y comentaban: «Si decimos que de Dios, dirá: entonces ¿por qué no le creísteis? ⁶Y si decimos que de los hombres, el pueblo entero nos apedreará, porque está convencido de que Juan era un profeta». ⁷Así que contestaron que no lo sabían. ⁸Y Jesús les dijo: «Pues tampoco yo os digo con qué autoridad hago estas cosas».

⁹Entonces comenzó a hablar al pueblo, y les propuso esta parábola: «Un hombre plantó una viña, la arrendó a unos labradores y se ausentó por mucho tiempo. ¹⁰Llegado el momento, envió un criado a los labradores para que le dieran la parte que le correspondía de la cosecha. Pero los labradores lo golpearon y lo despidieron con las manos vacías. ¹¹Volvió a enviarles otro criado; pero ellos, después de golpearlo y ultrajarlo, lo despidieron también con las manos vacías. ¹²Todavía les envió un tercero. Y también a éste, después de herirlo gravemente, lo echaron de allí. ¹³El dueño de la viña pensó entonces: '¿Qué haré ahora? Les enviaré a mi hijo querido. Quizás a él lo respeten'. ¹⁴Pero los labradores, al verlo, comenzaron a decirse unos a otros: 'Éste es el heredero; matémoslo y la herencia será nuestra'. ¹⁵Entonces lo echaron fuera de la viña y lo mataron. ¿Qué hará, pues, con ellos el dueño de la viña?

¹⁶Vendrá, acabará con esos labradores y dará la viña a otros». Entonces los que estaban escuchando dijeron: «¡Eso no puede ser!». ¹⁷Pero Jesús, mirándolos fijamente, les dijo: «Pues ¿qué significa eso que dice la Escritura:

La piedra que rechazaron los constructores
se ha convertido en piedra angular?

¹⁸El que caiga sobre esta piedra quedará deshecho, y a quien le caiga encima, quedará aplastado». ¹⁹Los maestros de la ley y los jefes de los sacerdotes quisieron echarle mano en aquel momento, pero temieron al pueblo. Y es que habían comprendido que la parábola iba por ellos.

◆ *Notas:* Lucas 20,1-19

20,1-8 En la Antigüedad, lo que confería autoridad a la gente para enseñar y actuar en público era su estatus, es decir, el grado de honor que le reconocía la comunidad. ⇨ **Sociedades con base en el honor-vergüenza**, 4,16-30 (cf. pág. 404). El estatus tenía su origen normalmente en el nacimiento (honor adscrito), pero también podía conquistarse (honor adquirido). Fuese cual fuese su fuente, un estatus, para que tuviese credibilidad pública, tenía que ir de acuerdo con lo que uno hacía o decía en público. Las acciones que, por exceso, no se ajustaban a la naturaleza de un determinado estatus, requerían una legitimación complementaria, de lo contrario la gente pensaría que estaban inspiradas por el diablo (ver nota a 11,14,23). La negativa de Jesús a proporcionar una legitimación adicional de sus acciones parece basarse en el hecho de que, como Juan, ya gozaba de credibilidad a los ojos del pueblo.

20,9-19 Aunque los rasgos alegóricos de la versión lucana de esta parábola son menos acusados que en la fuente que usan Mateo y Lucas (Marcos), siguen dando la impresión de que se trata de un cuadro retrospectivo de las relaciones de Dios con Israel. En la versión del *Evangelio de Tomás* (65), que investigadores recientes piensan que es más primitivo, faltan esos rasgos. En esta obra se describe una situación perfectamente conocida por quienes vivían en Galilea (si es que hemos de pensar que esta versión del evangelio se remonta al ambiente de Jesús), donde el latifundismo estaba muy extendido y donde había alcanzado cotas elevadas el resentimiento del campesinado ante la ausencia de los propietarios (que con frecuencia vivían fuera del país). Si, tras enviar dos siervos (como dice el *Evangelio de Tomás*), el propietario manda a su hijo, los arrendatarios podrían pensar que el propietario había muerto y que el hijo era el único obstáculo que quedaba para quedarse con las tierras. La costumbre israelita de la que nos hablan documentos más tardíos preveía que, si un prosélito con propiedades en Palestina moría sin testar, su tierra estaba a disposición del primero que la reclamase (b. *Qiddushin* 17b). Así, si en una primera etapa de la tradición evangélica esta parábola no era una alegoría de las relaciones de Dios con Israel, pudo muy bien haber sido una advertencia del peligro que suponían los propietarios que expropiaban las tierras y exportaban después su producción. En tal caso, como a veces se ha dicho, sería una «buena noticia para los pobres». En consecuencia, el contenido del v. 19, aunque tomado por Lucas de Marcos, pudo haber sido acoplado a la parábola en un estadio primitivo de la tradición.

Intentos de atrapar a Jesús y socavar su estatus 20,20-21,4

²⁰Entonces se pusieron a acecharlo y le enviaron espías, que simulaban ser hombres de bien. Querían ver si decía algo que les diera motivo para entregarlo al poder y autoridad del gobernador romano. ²¹Así que le hicieron esta pregunta: «Maestro, sabemos que hablas y enseñas con rectitud. No juzgas por apariencias y enseñas con verdad el camino de Dios. ²²¿Estamos obligados a pagar el tributo al César, o no?». ²³Jesús se dio cuenta de su mala intención y les dijo: «Mostradme un denario. ¿De quién es la imagen y la inscripción que lleva?». ²⁵Ellos le contestaron: «Del César». Entonces Jesús dijo: «Pues dad al César lo que es del César y a Dios lo que es de Dios». ²⁶No pudieron sorprenderlo en nada ante el pueblo y, asombrados de su respuesta, se callaron.

²⁷Se acercaron entonces unos saduceos, que niegan la resurrección, y le preguntaron: ²⁸«Maestro, Moisés nos dejó escrito: *Si el hermano de uno muere dejando mujer sin hijos, su hermano debe casarse con la mujer para dar descendencia a su hermano.* ²⁹Pues bien, había siete hermanos. El primero se casó y murió sin hijos. ³⁰El segundo ³¹y el tercero se casaron con la viuda, y así hasta los siete. Todos murieron sin dejar hijos. ³²Por fin murió también la mujer. ³³Así, pues, en la resurrección, ¿de quién de ellos será mujer? Porque los siete estuvieron casados con ella».

³⁴Jesús les dijo: «En la vida presente existe el matrimonio entre hombres y mujeres; ³⁵pero los que logren alcanzar la vida futura, cuando los muertos resuciten, no se casarán; ³⁶y es que ya no pueden morir, pues son como los ángeles; son hijos de Dios, porque han resucitado. ³⁷Y que los muertos resucitan, el mismo Moisés lo da a entender en el episodio de la zarza, cuando llama al Señor *el Dios de Abrahán, Dios de Isaac y Dios de Jacob.* ³⁸No es un Dios de muertos, sino de vivos, porque todos viven por él». ³⁹Entonces unos maestros de la ley intervinieron diciendo: «Maestro, has respondido muy bien». ⁴⁰Y ya nadie se atrevía a preguntarle nada.

⁴¹Jesús, por su parte, les preguntó: «¿Cómo dicen que el Mesías es Hijo de David? ⁴²Porque el mismo David dice en el libro de los Salmos:

El Señor dijo a mi Señor:
siéntate a mi derecha
⁴³*hasta que ponga a tus enemigos*
como estrado de tus pies.
⁴⁴Si David lo llama Señor, ¿cómo puede ser el Mesías hijo suyo?».

⁴⁵Mientras todo el pueblo estaba escuchándole, dijo a sus discípulos: ⁴⁶«Guardaos de los maestros de la ley, a quienes les gusta pasearse lujosamente vestidos y que todo el mundo les salude por la calle. Buscan los puestos de honor en las sinagogas y los primeros lugares en los banquetes. ⁴⁷Éstos, que

devoran los bienes de las viudas con el pretexto de largas oraciones, tendrán un juicio muy riguroso».

21 ¹Estaba Jesús en el templo y veían cómo los ricos iban echando dinero en el cofre de las ofrendas. ²Vio también a una viuda pobre que echa-ba dos monedas de cobre. ³Y dijo: «Os aseguro que esa viuda pobre ha echado más que todos los demás; ⁴porque ésos han echado de lo que les sobra, mientras que ésta ha echado de lo que necesitaba, todo lo que tenía para vivir».

◆ *Notas:* Lucas 20,20-21,4

20,20-26 Lucas añade por su cuenta la frase «para entregarlo al poder y autoridad del gobernador romano» (cf. Mc 12,13ss). De ese modo introduce decididamente el tema político en el toma y daca entre Jesús y los espías. ⇨ **Desafío-Respuesta**, 4,1-13 (cf. pág. 336). La moneda que Jesús pide que le enseñen sus adversarios, un denario, tenía grabada, no sólo la imagen del emperador, sino la inscripción «Tiberio César, Augusto, hijo del divino Augusto». Dado su interés por las leyes de la Torá («¿Estamos obligados...?»), los adversarios de Jesús quedan desconcertados ante la evidencia de que poseen una moneda romana «impura». Al pedirles Jesús que le enseñen la moneda, y tras leer la inscripción, el desconcierto es público y los espías se ponen a la defensiva. Aunque la respuesta de Jesús parezca implicar una postura positiva respecto al pago del tributo al César (sus adversarios dirán que su respuesta ha sido negativa; ver 23,2), si comparamos lo que lleva la imagen del emperador (la moneda) con lo que lleva la imagen de Dios (el ser humano; cf. Gn 1,27), podemos ver en la respuesta una llamada al discipulado, donde todo es de Dios. ⇨ **Religión, economía y política**, 20,20-26 (cf. pág. 390).

20,27-40 Una vez más, Jesús y sus adversarios se enzarzan en una sesión pública de desafío-respuesta. ⇨ **Desafío-Respuesta**, 4,1-13 (cf. pág. 336). Como se ve en vv. 39-40, Jesús supera nuevamente a sus adversarios.

20,41-44 Ver nota al pasaje anterior.

20,45-47 Jesús lanza este desafío negativo (⇨ **Sociedades con base en el honor-vergüenza**, 4,16-30; cf. pág. 404) en público, «mientras todo el pueblo estaba escuchándole». En círculos israelitas posteriores, la costumbre exigía que el saludo entre la gente fuese iniciado por quien era inferior en el conocimiento de la ley (*y. Berakot* 2,4b). En los tribunales, se ocupaban los puestos según la fama de sabiduría de cada uno de los presentes. En una sinagoga, donde los puestos de honor estaban en la plataforma situada en frente de la asamblea (donde las espaldas se apoyaban en el muro en el que se colocaba el arcón que contenía los rollos de la Torá), los mejores sitios estaban reservados a los maestros de la Torá (*t. Megillah* 4,21). En la mesa, los puestos dependían de la edad (*b. Baba Batra* 120a) o de la importancia (*t. Berakot* 5,5). La expresión «devorar los bienes de las viudas» (⇨ **Viuda,** 21,1-4; cf. pág. 408) puede referirse a la acción de extorsionar a las viudas aprovechando la tutoría legal ejercida por voluntad del esposo. La ley rabínica trataba específicamente de proteger a las viudas de tal opresión (*Éxodo Rabbah* 30,8).

21,1-4 Observemos la ironía de la escena: lo que se critica de los escribas en 20,47 es posible que esté ocurriendo aquí *de facto* en la práctica religiosa. Por eso, puede ser importante observar que Jesús no alaba la acción de la viuda. El interés se centra en los escribas rapaces más que en la viuda pobre. Lucas además sustituye el término más fuerte de Marcos («indigente») por «necesitada». Las dos monedas de cobre son dos *lepta* griegos, las monedas más pequeñas que circulaban en Palestina durante el siglo I. ⇨ **Viuda,** 21,1-4 (cf. pág. 408).

Signos del reino de Dios 21,5-38

⁵Al oír a algunos que hablaban sobre la belleza de las piedras y exvotos que adornaban el templo, dijo: ⁶«Vendrá un día en que todo eso que veis quedará totalmente destruido; no quedará piedra sobre piedra». ⁷Entonces le preguntaron: «Maestro, ¿cuándo será eso? ¿Cuál será la señal de que esas cosas están a punto de suceder?». ⁸El contestó: «Estad atentos, para que no os engañen. Porque muchos vendrán usurpando mi nombre y diciendo: 'Yo soy, ha llegado la hora'. No vayáis detrás de ellos. ⁹Y cuando oigáis hablar de guerras y de revueltas, no os asustéis, porque es preciso que eso suceda antes, pero el fin no vendrá inmediatamente».

¹⁰Les dijo además: «Se levantará nación contra nación y reino contra reino. ¹¹Habrá grandes terremotos y, en diversos lugares, hambres, pestes, apariciones terroríficas y grandes portentos en el cielo. ¹²Pero antes de todo eso, os echarán mano y os perseguirán, os arrastrarán a las sinagogas y a las cárceles, y os harán comparecer ante los reyes y gobernadores por causa de mi nombre. ¹³Esto os servirá para dar testimonio. ¹⁴Haceos el propósito de no preocuparos por vuestra defensa, ¹⁵porque yo os daré un lenguaje y una sabiduría a los que no podrá resistir ni contradecir ninguno de vuestros adversarios. ¹⁶Seréis entregados incluso por vuestros padres, hermanos, parientes y amigos; y a algunos de vosotros os matarán. ¹⁷Todos os odiarán por mi causa. ¹⁸Pero ni un cabello de vuestra cabeza se perderá. ¹⁹Si os mantenéis firmes, conseguiréis salvaros.

²⁰Cuando veáis a Jerusalén rodeada de ejércitos, sabed que se acerca su devastación. ²¹Entonces los que estén en Judea, que huyan a los montes; los que estén dentro de la ciudad, que se alejen; y los que estén en el campo, que no entren en la ciudad. ²²Porque son días de venganza en los que se cumplirá todo lo que está escrito. ²³¡Ay de las que estén encinta y criando en aquellos días!

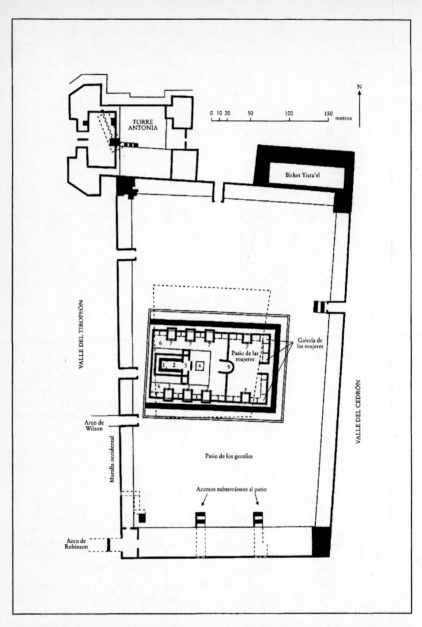

Lc 21,5. El templo es el pequeño espacio del centro señalado con los números 1, 2, 3. El lugar donde expulsó Jesús a los vendedores y compradores estaba situado en el área llamada Patio de los Gentiles, probablemente en la parte sur de la denominada basílica, un espacio cubierto que daba al patio. También fue en el Patio de los Gentiles donde tuvieron lugar los enfrentamientos entre Jesús y las autoridades judías (Mt 21,23-23,39; Mc 11,27-12,40; Lc 20,1-47). (Cartografía de Gráficas Parrot).

Porque habrá gran tribulación en la tierra y el castigo vendrá sobre este pueblo. ²⁴Caerán al filo de la espada e irán cautivos a todas las naciones, y Jerusalén será pisoteada por los paganos, hasta que llegue el tiempo señalado.

²⁵Habrá señales en el sol, en la luna y en las estrellas; y en la tierra la angustia se apoderará de los pueblos, asustados por el estruendo del mar y de sus olas. ²⁶Los hombres se morirán de miedo, al ver esa conmoción del universo; pues las potencias del cielo quedarán violentamente sacudidas. ²⁷Entonces verán al Hijo del hombre venir en una nube con gran poder y gloria. ²⁸Cuando empiecen a suceder estas cosas, cobrad ánimo y levantad la cabeza, porque se acerca vuestra liberación».

²⁹Les puso también esta comparación: «Mirad la higuera y los demás árboles. ³⁰Cuando veis que echan brotes, os dais cuenta de que está próximo el verano. ³¹Así también vosotros, cuando veáis realizarse estas cosas, sabed que el reino de Dios está cerca. ³²Os aseguro que no pasará esta generación antes de que todo esto suceda. ³³El cielo y la tierra pasarán, pero mis palabras no pasarán.

³⁴Procurad que vuestros corazones no se emboten por el exceso de comida, la embriaguez y las preocupaciones de la vida, porque entonces ese día caerá de improviso sobre vosotros. ³⁵Ese día será como una trampa en la que caerán atrapados todos los habitantes de la tierra. ³⁶Velad, pues, y orad en todo tiempo, para que os libréis de todo lo que ha de venir y podáis presentaros sin temor ante el Hijo del hombre».

³⁷Jesús enseñaba en el templo durante el día, y por la noche se retiraba al monte de los Olivos. ³⁸Y todo el pueblo madrugaba para venir al templo a escucharle.

◆ *Notas:* Lucas 21,5-38

21,5-8 Al anticipar las catástrofes y los signos, Lucas tranquiliza a sus lectores diciendo que las cosas no escapan al control de Dios, aunque pueda parecer que éste es el caso.

21,16-17 Quienes pongan su lealtad en la familia subrogada (⇨ **Familia subrogada**, 8,19-21, y notas; cf. pág. 351) por encima de la lealtad a la familia biológica, tal como se pide a los discípulos en el evangelio de Lucas, se darán cuenta que la familia biológica y la red de relaciones sociales unida a ella («amigos») se volverán contra ellos. La solidaridad social y el propio honor de la familia biológica les forzaría a obrar así.

21,21 Los propietarios no vivían en las granjas aisladas de sus propiedades. La gente que trabajaba la tierra vivía en las aldeas y los pueblos cercanos a las tierras de cultivo. «Los que estén en el campo» serían agricultores que vivían en la ciudad, pero que habían ido al campo a trabajar durante el día.

21,37 Las puertas de las murallas de la ciudad se cerraban durante la noche para mantener alejados a los no-residentes, que tenían acceso a la ciudad durante el día (⇨ **La ciudad preindustrial**, 14,15-24; cf. pág. 328). En Jerusalén había mesones, o los viajeros podían pasar la noche con familia que viviera en la ciudad. De otro modo, tenían que abandonar el recinto urbano.

VII. 22,1-24,53: El «Profeta» en Jerusalén: Muerte y resurrección de Jesús

Traición de Judas y Última Cena 22,1-38

22 ¹Se acercaba la fiesta de los panes sin levadura llamada pascua. ²Los jefes de los sacerdotes y los maestros de la ley buscaban el modo de acabar con Jesús, pero temían al pueblo.

³Entonces Satanás entró en Judas, llamado Iscariote, que era uno de los doce, ⁴y éste fue a tratar con los jefes de los sacerdotes y las autoridades del templo la manera de entregárselo. ⁵Ellos se alegraron y convinieron en darle dinero. ⁶Él aceptó la propuesta y andaba buscando una ocasión para entregárselo a espaldas de la gente.

⁷Llegó el día de la fiesta de los panes sin levadura, en que se debía inmolar el cordero pascual, ⁸y Jesús envió a Pedro y a Juan diciendo: «Encargaos de prepararnos la cena de pascua». ⁹Ellos le preguntaron: «¿Dónde quieres que la preparemos?». ¹⁰Les respondió: «Al entrar en la ciudad, encontraréis a un hombre que lleva un cántaro de agua; seguidlo hasta la casa donde entre, ¹¹y decid al dueño de la casa: 'El Maestro dice: ¿Dónde está la sala para celebrar la pascua con mis discípulos?'. ¹²Él os mostrará en el piso superior una habitación grande y con divanes; haced allí los preparativos». ¹³Ellos fueron y encontraron todo como Jesús les había dicho. Y prepararon la cena de la pascua.

¹⁴Llegada la hora, Jesús se puso a la mesa con sus discípulos. ¹⁵Y les dijo: «¡Cuánto he deseado celebrar esta pascua con vosotros antes de morir! ¹⁶Porque os digo que no la volveré a celebrar hasta que tenga su cumplimiento en el reino de Dios». ¹⁷Tomó entonces una copa, dio gracias y dijo: «Tomad esto y repartidlo entre vosotros; ¹⁸pues os digo que ya no beberé del fruto de la vid hasta que llegue el reino de Dios». ¹⁹Después tomó pan, dio gracias, lo partió y se lo dio diciendo: «Esto es mi cuerpo que se entrega por vosotros; haced esto en memoria mía». ²⁰Y después de la cena hizo lo mismo con la copa, diciendo: «Ésta es la copa de la nueva alianza sellada con mi sangre, que se derrama por vosotros. ²¹Pero mirad, la mano del que me entrega está junto a mí en esta mesa. ²²Porque el Hijo del hombre se va, según lo dispuesto por Dios; pero ¡ay del hombre que va a entregarlo!». ²³Entonces ellos se pusieron a preguntarse unos a otros quién de ellos era el que iba a hacer aquello.

²⁴También se produjo entre ellos una discusión sobre quién debía ser considerado el más importante. ²⁵Jesús les dijo: «Los reyes de las naciones ejercen su dominio sobre ellas, y los que tienen autoridad reciben el nombre de bienhechores. ²⁶Pero vosotros no debéis proceder de esa manera. Entre vosotros, el más importante ha de ser como el menor, y el que manda como el que sirve. ²⁷¿Quién es más importante, el que se sienta a la mesa o el que sirve? ¿No es el que se sienta a la mesa? Pues bien, yo estoy entre vosotros como el que sirve.

²⁸Vosotros sois los que habéis perseverado conmigo en mis pruebas. ²⁹Y yo os hago entrega de la dignidad real que mi Padre me entregó a mí, ³⁰para que comáis y bebáis a mi mesa cuando yo reine, y os sentéis en tronos para juzgar a las doce tribus de Israel.

³¹Simón, Simón, mira que Satanás os ha reclamado para zarandearos como al trigo. ³²Pero yo he rogado por ti, para que tu fe no decaiga; y tú, una vez convertido, confirma a tus hermanos». ³³Pedro le dijo: «Señor, estoy dispuesto a ir contigo a la cárcel y hasta la muerte». ³⁴Pero Jesús le contestó: «Te aseguro, Pedro, que hoy mismo, antes de que cante el gallo, habrás negado tres veces que me conoces».

³⁵A continuación les dijo: «Cuando os envié sin bolsa, sin alforja y sin sandalias, ¿os faltó algo?». Ellos contestaron: «Nada». ³⁶Jesús añadió: «Pues ahora, el que tenga bolsa, que la tome, y lo mismo el que tenga alforja; y el que no tenga espada, que venda su manto y se la compre. ³⁷Porque os digo que debe cumplirse en mí lo que está escrito: *Lo contaron entre los malhechores*. Porque cuanto a mí se refiere toca a su fin». ³⁸Ellos le dijeron: «Señor, aquí hay dos espadas». Jesús dijo: «¡Es suficiente!».

◆ *Notas:* **Lucas 22,1-38**

22,1 La noticia de que las autoridades «temían al pueblo» es otro modo de decir que, a estas alturas del relato, la percepción pública del estatus de honor de Jesús era francamente notoria. El «juicio» de Jesús tratará precisamente de socavar esa percepción. ⇨ **Rituales de degradación de estatus**, 22,63-65 (cf. pág. 396).

22,3 Una conducta anormal, que se saliera de los límites del propio estatus y de la identificación social, requería una explicación. Tal tipo de conducta era normalmente atribuida a fuerzas externas, que podían ser positivas (Dios, espíritus divinos, siervos celestiales de Dios o ángeles) o negativas (Satán, malos espíritus, demonios). Era imprescindible identificar la fuente real de tal influencia exterior, pues las personas que padecían la influencia de poderes malignos constituían una amenaza para la comunidad; el poder maligno había de ser expulsado de tales personas. ⇨ **Demonios/Posesión demoníaca**, 4,31-37 (cf. pág. 333). Como Judas empieza aquí a actuar completamente al margen de la naturaleza de su anterior asociación/identificación («que era uno de los Doce»), se le aplica la explicación adecuada de su extraña conducta.

22,14-20 La importancia crítica de la comensalidad, como realidad y símbolo de la cohesión social y de los valores compartidos, no puede ser supravalorada en este pasaje. ⇨ **Comidas**, 14,7-14 (cf. pág. 331). La afirmación de Jesús de su enorme deseo (v. 15) de comer con sus seguidores más allegados reconoce precisamente ese hecho. Más aún, como la pascua era la comida familiar por excelencia, comerla con sus discípulos es una forma de reconocer al grupo como familia subrogada, en el sentido más profundo del término. ⇨ **Familia subrogada**, 8,19-21 (cf. pág. 351).

22,21-23 En una rara transposición del orden de los acontecimientos ofrecido por Marcos, Lucas sitúa la predicción de la traición de Judas al final de la cena pascual, donde se recoge una serie de dichos de Jesús. De ese modo se intensifica la naturaleza trágica del momento: la traición proviene de alguien que ha participado en la cena pascual de la familia subrogada; ver nota a 22,14-20. Se trata del sentimiento trágico que despierta la lectura de Sal 41,10: «Hasta mi amigo íntimo, en quien yo confiaba, el que compartía mi pan, me levanta calumnias».

22,24-25 Los discípulos discuten sobre el honor y el estatus que deriva de él. ⇨ **Sociedades con base en el honor-vergüenza,** 4,16-30 (cf. pág. 404). El término «bienhechor» pertenece al lenguaje del patronazgo. ⇨ **El sistema de patronazgo en la Palestina romana,** 7,1-10 (cf. pág. 399). Los ciudadanos ricos que actuaban como patronos concedían beneficios a sus clientes a cambio de que éstos reconocieran públicamente su honor. De los oficiales públicos se esperaba que actuasen como bienhechores de la ciudad que los había elegido. El título «bienhechor» se concedía a menudo en el mundo helenista a los dioses y a los reyes. Tanto César Augusto como Nerón gozaban de dicho título, como podemos ver en las inscripciones que celebran su largueza.

22,26-27 Según el típico tema lucano de la inversión de valores, aquí se contrapone el miembro más joven (o más reciente) de la comunidad al más grande, el que sirve al que es servido. Ambas inversiones de valores sustituyen la reciprocidad equilibrada típica de los asuntos públicos por la reciprocidad generalizada típica de las relaciones familiares íntimas. ⇨ **Relaciones (intercambios) sociales,** 6,27-36 (cf. pág. 388).

22,28-30 La recompensa de comer con Jesús en la mesa del reino es la recompensa de la genuina solidaridad, de haber sido sinceramente aceptado en la familia de Dios. Ver nota a 22,14-20.

22,31-34 La deslealtad de Pedro anunciada aquí contrasta fuertemente con la lealtad mostrada por Jesús en 22,39-46. Ver las notas de este texto.

22,37 Lucas cita aquí la antigua versión griega de Is 53,12. Puede que el término griego por «malhechores» ofrezca la idea de «bandido social». ⇨ **Ladrones/Bandidos sociales,** 22,52-53 (cf. pág. 361).

Arresto de Jesús 22,39-54a

[39]Después salió y fue, como de costumbre, al monte de los Olivos. Sus discípulos lo siguieron. [40]Al llegar allí, les dijo: «Orad para que podáis hacer frente a la prueba». [41]Se alejó de ellos como un tiro de piedra, se arrodilló y estuvo orando así: [42]«Padre, si quieres aleja de mí esta copa de amargura; pero no se haga mi voluntad, sino la tuya». [43]Entonces se le apareció un ángel del cielo, que lo estaba confortando. [44]Preso de la angustia, oraba más intensamente, y le entró un sudor que chorreaba hasta el suelo, como si fueran gotas de sangre. [45]Después de orar, se levantó y fue adonde estaban sus discípulos.

Los encontró dormidos, pues estaban rendidos por la tristeza. ⁴⁶Entonces les dijo: «¿Cómo es que estáis durmiendo? Levantaos y orad, para que podáis hacer frente a la prueba».

⁴⁷Aún estaba hablando, cuando apareció un tropel, encabezado por uno de los doce, llamado Judas, que se acercó a Jesús para besarlo. ⁴⁸Jesús le dijo: «Judas, ¿con un beso entregas al Hijo del hombre?». ⁴⁹Viendo los suyos lo que se avecinaba, le dijeron: «Señor, ¿sacamos la espada?». ⁵⁰Y uno de ellos atacó al criado del sumo sacerdote y le cortó la oreja derecha. ⁵¹Pero Jesús dijo: «¡Dejadlos!». Y, tocando la oreja, lo curó. ⁵²Y a los que venían contra él: jefes de los sacerdotes, autoridades del templo y ancianos, les dijo: «Habéis venido a prenderme con espadas y palos, como si fuera un bandido. ⁵³Todos los días estaba con vosotros en el templo, y no me pusisteis las manos encima; pero ésta es vuestra hora: la hora del poder de las tinieblas». ⁵⁴Después de prenderlo, lo llevaron hasta la casa del sumo sacerdote.

◆ *Notas:* Lucas 22,39-54a

22,39-46 Tras haber predicho la deslealtad de Pedro, Jesús demuestra ahora su lealtad para con Dios. Como en otros puntos del relato, Jesús justifica aquí su pretensión de ser Hijo del Padre.

22,52-54a Aunque el término griego utilizado aquí puede significar «ladrón» en el sentido habitual del término, las circunstancias descritas en el relato sugieren el significado alternativo propuesto por Josefo: «bandido social». Como esta gente se ocultaba normalmente en cuevas o en wadis remotos, Jesús dice que nunca se ha ocultado, que ha estado a diario en el templo, donde podía haber sido arrestado sin grandes dificultades. ⇨ **Ladrones/Bandidos sociales**, 22,52-53 (cf. pág. 361).

Deslealtad de Pedro 22,54b-62

Pedro lo seguía de lejos. ⁵⁵Habían encendido fuego en medio del patio, y Pedro se sentó entre los que estaban alrededor de la lumbre. ⁵⁶Una sirvienta lo vio sentado junto al fuego, lo miró fijamente y dijo: «También éste andaba con él». ⁵⁷Pedro lo negó, diciendo: «No lo conozco, mujer». ⁵⁸Poco después otro, al verlo, dijo: «Tú también eres de ellos». Pedro dijo: «No lo soy». ⁵⁹Transcurrió como una hora, y otro afirmó rotundamente: «Es verdad, éste andaba con él, porque es galileo». ⁶⁰Entonces Pedro dijo: «No sé de qué me hablas». E inmediatamente, mientras estaba hablando, cantó un gallo. ⁶¹Entonces el Señor se volvió y miró a Pedro. Pedro se acordó de que el Señor le había dicho: «Hoy mismo, antes que el gallo cante, me habrás negado tres veces»; ⁶²y saliendo afuera, lloró amargamente.

◆ *Notas:* Lucas 22,54b-62

22,54b-62 La deslealtad de Pedro es completa y pública. Cuando se repudiaba en público a un patrón, intermediario o amigo, las relaciones quedaban irremediablemente rotas. Ver notas a 22,31-34.39-46.

Rituales de degradación de estatus para destruir a Jesús 22,63-23,25

⁶³Los que custodiaban a Jesús se burlaban de él y lo golpeaban. ⁶⁴Le habían tapado los ojos y le preguntaban: «¡Adivina quién te ha pegado!». ⁶⁵Y le decían otras muchas injurias.

⁶⁶Cuando se hizo de día, los ancianos del pueblo, los jefes de los sacerdotes y los maestros de la ley se reunieron, lo llevaron al sanedrín ⁶⁷y dijeron: «Si tú eres el Mesías, dínoslo». Jesús les dijo: «Si os lo digo, no me vais a creer; ⁶⁸y si os hago preguntas, no me vais a contestar. ⁶⁹Pero desde ahora *el Hijo del hombre estará sentado a la derecha de Dios Todopoderoso*». ⁷⁰Entonces todos le preguntaron: «Luego, ¿eres tú el Hijo de Dios?». Jesús les respondió: «Vosotros lo decís; yo soy». ⁷¹Ellos dijeron: «¿Qué necesidad tenemos ya de testigos? Nosotros mismos lo hemos oído de su boca».

23 ¹Entonces se levantaron todos, llevaron a Jesús ante Pilato ²y se pusieron a acusarle diciendo: «Hemos encontrado a éste alborotando a nuestra nación, impidiendo pagar tributos al César y diciendo que él es el Mesías, el Rey». ³Pilato le preguntó: «¿Eres tú el rey de los judíos?». Jesús le contestó: «Tú lo dices». ⁴Pilato dijo a los jefes de los sacerdotes y a la plebe: «No encuentro culpa alguna en este hombre». ⁵Pero ellos insistían con más fuerza: «Va solivantando al pueblo con su predicación por toda Judea, desde Galilea, donde empezó, hasta aquí». ⁶Al oír esto, Pilato preguntó si Jesús era galileo. ⁷Y al cerciorarse de que era de la jurisdicción de Herodes, se lo envió, aprovechando que también Herodes estaba en Jerusalén por aquellos días.

⁸Herodes se alegró mucho de ver a Jesús, porque hacía bastante tiempo que deseaba conocerlo, ya que había oído hablar mucho de él y esperaba verle hacer algún milagro. ⁹Le hizo muchas preguntas, pero Jesús no le respondió absolutamente nada. ¹⁰Estaban también allí los jefes de los sacerdotes y los maestros de la ley acusándole con vehemencia. ¹¹Herodes, secundado por sus soldados, lo despreció, se rió de él, le puso un vestido de color llamativo y se lo devolvió a Pilato. ¹²Aquel día, Herodes y Pilato se hicieron amigos, pues antes habían estado enemistados.

¹³Pilato convocó a los jefes de los sacerdotes, a los dirigentes y al pueblo, ¹⁴y les dijo: «Me habéis traído a un hombre acusándole de alborotar al pueblo; le he interrogado delante de vosotros y no lo he encontrado culpable de ninguna de las acusaciones que le hacéis; ¹⁵y tampoco Herodes, pues ha vuelto a mandarlo aquí. Es evidente que no ha hecho nada que merezca la muerte. ¹⁶Por tanto, después de castigarlo, lo soltaré. ¹⁸Entonces empezaron a gritar todos a una: «¡Mata a éste y suéltanos a Barrabás!». ¹⁹El tal Barrabás estaba en la cárcel por haber tomado parte en una sedición ocurrida en la ciudad y por un homicidio. ²⁰De nuevo Pilato intentó convencerlos de que había que soltar a Jesús. ²¹Pero ellos gritaron: «¡Crucifícalo! ¡Crucifícalo!». ²²Por tercera vez les dijo: «Pues, ¿qué mal ha hecho éste? No he encontrado nada en él que merezca la muerte. Por tanto, después de castigarlo, lo soltaré». ²³Pero ellos insistían a grandes voces pidiendo que lo crucificaran, y sus gritos se hacían cada vez más violentos. ²⁴Entonces Pilato decidió que se hiciera como pedían. ²⁵Soltó al que habían encarcelado por sedición y homicidio, es decir, al que habían pedido, y les entregó a Jesús para que hicieran con él lo que quisieran.

◆ *Notas:* Lucas 22,63-23,25

22,63-65 Éste es el primer intento público de destruir el estatus de honor (⇨ **Sociedades con base en el honor-vergüenza**, 4,16-30;

cf. pág. 404) de Jesús que nos cuenta Lucas conforme el relato se acerca a la crucifixión. Los «juicios» ante el consejo (22,66-71), Pilato (23,1-7.18-25) y Herodes (23,8-12) tienen idéntico propósito. ➪ **Rituales de degradación de estatus**, 22,63-65 (cf. pág. 396).

22,66-71 La respuesta de Jesús a la primera pregunta («Si tú eres el Mesías, dínoslo») conduce a un segundo y más importante asunto (para Lucas y para lo que vendrá a continuación): «Luego, ¿eres tú el Hijo de Dios?». Como la designación «Hijo de Dios» es la base en que se apoya Lucas para reclamar la autenticidad de las palabras y las acciones de Jesús (desafiada por Satán [4,1-13] y por los paisanos de Jesús [4,16-30] al comienzo de su carrera), tal título se convierte ahora en la pieza clave de los cargos contra Jesús. ➪ **Rituales de degradación de estatus**, 22,63-65, y nota (cf. pág. 396).

23,1-7 Una parte importante de la degradación del estatus de una persona era la interpretación revisionista de su pasado, para hacer ver que dicha persona hacía tiempo que llevaba mal camino. Por eso Jesús es acusado de enseñar sediciosamente y de haber prohibido pagar tributos al emperador (cf. 20,19-26). También le acusan de haberse proclamado Mesías real (cf. 9,20-21). Cuando Pilato pone reparos a las acusaciones, se le informa de que su perversa enseñanza se ha esparcido por todo el país. Esto implicaba que la acusación podía ser confirmada por testigos de cualquier parte del territorio. Como la acusación tiene lugar ante una «muchedumbre» que no la contradice, la interpretación revisionista ha cumplido con su propósito. ➪ **Rituales de degradación de estatus**, 22,63-65, y nota (cf. pág. 396).

23,8-12 ➪ **Rituales de degradación de estatus**, 22,63-65, y nota (cf. pág. 396). El término «amigos» implica una relación de ayuda mutua.

23,18-25 La muchedumbre está de nuevo presente (v. 13) en el acto final del ritual de degradación. A lo largo de su evangelio, Lucas ha presentado a Jesús como el Hijo de Dios lleno de honor (ver especialmente las notas a 3,22; 4,1-13; y 4,16-30). Ahora, con una nota de suprema ironía, los dirigentes y la multitud gritan a favor de Barrabás, forma helenizada del nombre arameo Bar 'Abba', que significa «hijo del padre». Intercambian los papeles un criminal común y Jesús. La degradación de Jesús, confirmada por todos los presentes (v. 18), ha llegado a su culmen. ➪ **Rituales de degradación de estatus**, 22,63-65, y nota (cf. pág. 396).

Degradación final de Jesús (crucifixión) 23,26-56

²⁶Cuando se lo llevaban para crucificarlo, echaron mano de un tal Simón de Cirene, que venía del campo, y le cargaron la cruz para que la llevara detrás de Jesús. ²⁷Lo seguía una gran multitud de pueblo y de mujeres, que se golpeaban el pecho y se lamentaban por él. ²⁸Jesús se volvió hacia ellas y les dijo: «Mujeres de Jerusalén, no lloréis por mí; llorad más bien por vosotras y por vuestros hijos. ²⁹Porque vendrán días en que se dirá: 'Dichosas las estériles, los vientres que no engendraron y los pechos que no amamantaron'. ³⁰Entonces se pondrán *a decir a las montañas: 'Caed sobre nosotras'; y a las colinas: '¡Aplastadnos!'.* ³¹Porque si esto hacen con el leño verde, ¿qué harán con el seco?».

³²Llevaban también con él a otros dos malhechores para ejecutarlos. ³³Cuando llegaron al lugar llamado La Calavera, crucificaron allí a Jesús y también a los malhechores, uno a la derecha y otro a la izquierda. ³⁴Jesús decía: «Padre, perdónalos, porque no saben lo que hacen». Después se repartieron sus vestiduras echándolas a suertes. ³⁵El pueblo estaba allí mirando. Las autoridades, por su parte, se burlaban de Jesús y comentaban: «A otros ha salvado, ¡que se salve a sí mismo, si es el Mesías de Dios, el elegido!». ³⁶También los soldados lo escarnecían. Se acercaban a él para darle vinagre ³⁷y decían: «Si tú eres el rey de los judíos, sálvate a ti mismo». ³⁸Habían puesto sobre su cabeza una inscripción, que decía: «Éste es el rey de los judíos».

³⁹Uno de los malhechores crucificados lo insultaba diciendo: «¿No eres tú el Mesías? Pues sálvate a ti mismo y a nosotros». ⁴⁰Pero el otro intervino para reprenderlo, diciendo: «¿Ni siquiera temes a Dios tú, que estás en el mismo suplicio? ⁴¹Lo nuestro es justo, pues estamos recibiendo lo que merecen nuestros actos, pero éste no ha hecho nada malo». ⁴²Y añadió: «Jesús, acuérdate de mí cuando vengas como rey». ⁴³Jesús le dijo: «Te aseguro que hoy estarás conmigo en el paraíso».

⁴⁴Hacia el mediodía las tinieblas cubrieron toda la región hasta las tres de la tarde. ⁴⁵El sol se oscureció, y el velo del templo se rasgó por medio. ⁴⁶Entonces Jesús lanzó un grito y dijo: «Padre, a tus manos encomiendo mi espíritu». Y, dicho esto, expiró. ⁴⁷El centurión, viendo lo sucedido, alababa a Dios diciendo: «Verdaderamente este hombre era justo». ⁴⁸Y toda la gente que había acudido al espectáculo, al ver lo sucedido, volvía golpeándose el pecho. ⁴⁹Todos los que conocían a Jesús, y también las mujeres que lo habían seguido desde Galilea, estaban allí presenciando todo esto desde lejos.

⁵⁰Había un hombre llamado José, que era bueno y justo. Era miembro del sanedrín, ⁵¹pero que no había dado su asentimiento a la actuación de los judíos. Era natural de Arimatea, ciudad de Judea, y esperaba el reino de Dios. ⁵²Este José se presentó a Pilato y le pidió el cuerpo de Jesús. ⁵³Después de bajarlo, lo envolvió en una sábana y lo puso en un sepulcro excavado en la roca, donde nadie había sido sepultado todavía. ⁵⁴Era el día de la preparación de la pascua y estaba comenzando el sábado. ⁵⁵Las mujeres que habían acompañado a Jesús desde Galilea, lo iban observando todo de cerca y se fijaron en el sepulcro y en el modo en que habían colocado el cadáver. ⁵⁶Después volvieron y prepararon aromas y ungüento.

Y el sábado descansaron, según el precepto.

◆ *Notas:* Lucas 23,26-56

23,26-31 Las manifestaciones de duelo eran tradicionales en las mujeres. Ver notas a 23,48. Las palabras que Jesús dirige a las mujeres contrastan sorprendentemente con la actitud condenatoria de las mujeres sin hijos.

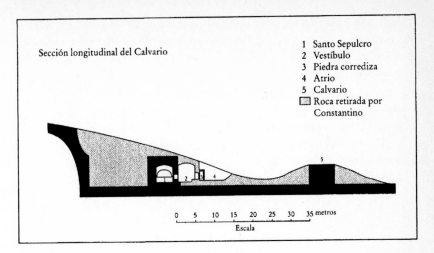

Sección longitudinal del Calvario

1 Santo Sepulcro
2 Vestíbulo
3 Piedra corrediza
4 Atrio
5 Calvario
▨ Roca retirada por Constantino

0 5 10 15 20 25 30 35 metros
Escala

Lc 23,53. Reconstrucción del lugar tradicional del Calvario y de la tumba de Jesús. Separan al uno de la otra entre 35 y 40 metros. La parte sombreada reproduce más o menos el aspecto que tendría el lugar en tiempo de la crucifixión de Jesús. La zona en negro indica lo que quedó después que los arquitectos y constructores de Constantino prepararon el lugar para construir una basílica sobre el Calvario y la tumba. A lo largo de los siglos ha habido otros muchos cambios. Por ejemplo, la propia tumba fue demolida por un califa fatimita en 1009, y la obra que la sustituyó fue destruida por el fuego en 1808. La estructura actual es un simple sepulcro de mármol erigido sobre el original. Pero la roca del Calvario, aunque recubierta con un abigarrado decorado que la devoción cristiana ha ido depositando durante veinte siglos, permanece esencialmente intacta. (Cartografía de Gráficas Parrot).

23,32 ⇨ **Ladrones/Bandidos sociales**, 22,52-53, y nota a 23,33-43 (cf. pág. 361).

23,33-43 Continúa el proceso de degradación del estatus de Jesús: autoridades y soldados se burlan de Jesús en público. ⇨ **Rituales de degradación de estatus**, 22,63-65, y notas (cf. pág. 396). Los dos criminales crucificados con Jesús son llamados «malhechores». Lucas ha cambiado el término «bandido» de la fuente de Marcos. Como este término alude probablemente a un bandolero o bandido social, puede que Lucas lo haya evitado a propósito. ⇨ **Ladrones/Bandidos sociales**, 22,52-53 (cf. pág. 361).

Éste es el punto culminante del plan de revancha y de la búsqueda de satisfacción por parte de los enemigos jerosolimitanos de Jesús, que planearon todo ello desde el principio (22,2). Realmente no se podía alcanzar mayor grado de satisfacción en la deshonra de alguien que el descrito aquí: Jesús es clavado en una cruz, desnudo y a la vista de todos, el grado más alto de degradación y humillación públicas. Mientras tanto sus enemigos contemplaban satisfechos el espectáculo y hacían observaciones humillantes.

23,48 El gesto de golpearse el pecho era más normal entre las mujeres que entre los hombres; al parecer, éstos lo usaban sólo en circunstancias especialmente calamitosas (ver Josefo, *Antigüedades* 7, 252; Loeb, 495).

23,50-56 En el mundo romano, una de las obligaciones más importantes de la amistad contractual era proporcionar un entierro digno. ⇨ **El sistema de patronazgo en la Palestina romana**, 7,1-10 (cf. pág. 399). En toda el área mediterránea constituía una de las mayores obligaciones de los miembros de una familia. El hecho de que José de Arimatea hiciese suya la obligación indica que se consideraba miembro de la familia subrogada de Jesús.

Jesús es reivindicado (resurrección) 24,1-12

24 ¹El primer día de la semana, al rayar el alba, las mujeres volvieron al sepulcro con los aromas que habían preparado, ²y encontraron la piedra del sepulcro corrida a un lado. ³Entraron, pero no encontraron el cuerpo del Señor Jesús. ⁴Estaban aún perplejas, cuando dos hombres se presentaron ante ellas con vestidos deslumbrantes. ⁵Llenas de miedo, hicieron una profunda reverencia. Ellos les dijeron: «¿Por qué buscáis entre los muertos al que está vivo? ⁶No está aquí, ha resucitado. Recordad lo que os dijo cuando estaba en Galilea. ⁷Que el Hijo del hombre debía ser entregado en manos de pecadores, que iban a crucificarlo y que resucitaría al tercer día». ⁸Ellas se acordaron de estas palabras y, ⁹al volver del sepulcro, anunciaron todo esto a los once y a todos los demás. ¹⁰Fueron María Magdalena, Juana, María la de Santiago y las demás mujeres que estaban con ellas las que comunicaron estas cosas a los apóstoles. ¹¹Pero ellos pensaron que se trataba de un delirio, y no las creyeron. ¹²Pedro, sin embargo, se levantó y fue corriendo al sepulcro. Al asomarse, sólo vio los lienzos, y regresó a casa admirado de lo sucedido.

◆ *Notas:* Lucas 24,1-12

24,1-11 La resurrección representa la justificación de la insistencia de Lucas a lo largo de todo el relato de que Jesús es el verdadero Hijo de Dios. La reivindicación no será del todo completa hasta que Jesús esté en presencia de su Padre (Hch 1,6-11), pero de todos modos ha sido superada la degradación acumulada sobre Jesús por sus enemigos, que habían identificado al falso hijo del padre (Barrabás; ver nota a 23,18-25). Se demuestra así que era correcta la pretensión lucana de que Jesús poseía el honor adscrito de Hijo de Dios, no el de un artesano de pueblo.

24,1 Llevar aromas a una tumba era un gesto típico de los miembros de la familia. ⇨ **Familia subrogada**, 8,19-21, y nota a 23,50-56 (cf. pág. 351).

Reconocimiento de la reivindicación de Jesús por parte de sus seguidores 24,13-32

[13]Aquel mismo día, dos de los discípulos se dirigían a una aldea llamada Emaús, que dista de Jerusalén unos once kilómetros. [14]Iban hablando de todos estos sucesos. [15]Mientras hablaban y se hacían preguntas, Jesús en persona se acercó y se puso a caminar con ellos. [16]Pero sus ojos estaban ofuscados y no eran capaces de reconocerlo. [17]Él les dijo: «¿Qué conversación es la que lleváis por el camino?». Ellos se detuvieron entristecidos, [18]y uno de ellos, llamado Cleofás, le respondió: «¿Eres tú el único en Jerusalén que no sabe lo que ha pasado allí estos días?». [19]Él les preguntó: «¿Qué ha pasado?». Ellos contestaron: «Lo de Jesús el Nazareno, que fue un profeta poderoso en obras y palabras ante Dios y ante todo el pueblo. [20]¿No sabes que los jefes de los sacerdotes y nuestras autoridades lo entregaron para que lo condenaran a muerte, y lo crucificaron? [21]Nosotros esperábamos que él fuera el libertador de Israel. Y sin embargo, ya hace tres días que ocurrió esto. [22]Bien es verdad que algunas de nuestras mujeres nos han sobresaltado, porque fueron temprano al sepulcro [23]y no encontraron su cuerpo. Hablaban incluso de que se les habían aparecido unos ángeles que decían que está vivo. [24]Algunos de los nuestros fueron al sepulcro y lo hallaron todo como las mujeres decían, pero a él no lo vieron». [25]Entonces Jesús les dijo: ¡Qué torpes sois para comprender, y qué cerrados estáis para creer lo que dijeron los profetas! [26]¿No era preciso que el Mesías sufriera todo esto para entrar en su gloria?». [27]Y empezando por Moisés y siguiendo por todos los profetas, les explicó lo que decían de él las Escrituras.

[28]Al llegar a la aldea adonde iban, Jesús hizo ademán de seguir adelante. [29]Pero ellos le insistieron diciendo: «Quédate con nosotros, porque es tarde y está anocheciendo». Y entró para quedarse con ellos. [30]Cuando estaba sentado a la mesa con ellos, tomó pan, lo bendijo, lo partió y se lo dio. [31]Entonces se les abrieron los ojos y lo reconocieron, pero Jesús desapareció de su lado. [32]Y se dijeron uno a otro: «¿No ardía nuestro corazón mientras nos hablaba en el camino y nos explicaba las Escrituras?».

◆ *Notas:* Lucas 24,13-32

24,13-23 Esta aparición de Jesús a sus seguidores hace pública la reivindicación implicada en la resurrección. Este reconocimiento final del verdadero estatus de Jesús justifica todo lo que Lucas ha venido reconociendo en él a lo largo del evangelio. Ver notas a 24,1-11.

24,17-24 Esta conversación revela actitudes típicas de las expectativas de los campesinos. Las personas de esas sociedades abrigaban grandes esperanzas respecto a la aparición inminente de algo (aquí Jesús como Mesías con poder); pero, si tal circunstancia no llegara a ocurrir, lo aceptarían con un encogimiento de hombros y un típico «¡No importa!».

24,28-29 Las invitaciones imprevistas son un signo de hospitalidad común en la cultura mediterránea, pero el protocolo exige que tales invitaciones sean rechazadas pro forma y aceptadas sólo después de repetidas y sólidas insistencias.

24,30-32 A lo largo del evangelio de Lucas, como de hecho ocurre en la cultura mediterránea en general, la comensalidad es vista como la suprema demostración de solidaridad social. Comer juntos significaba que todos los participantes compartían un profundo vínculo. Aunque son obvias las tonalidades eucarísticas del relato, la comida como acontecimiento clave de interacción social sugiere que el Mesías resucitado es uno con sus seguidores. ⇨ **Comidas**, 14,7-14, y notas (cf. pág. 331).

Jesús reivindicado prepara a sus seguidores para la misión futura 24,33-53

³³En aquel mismo instante se pusieron en camino y regresaron a Jerusalén, donde encontraron reunidos a los once y a todos los demás, ³⁴que les dijeron: «Es verdad, el Señor ha resucitado y se ha aparecido a Simón». ³⁵Y ellos contaban lo que les había ocurrido cuando iban de camino y cómo lo habían reconocido al partir el pan.

³⁶Estaban hablando de ello, cuando el mismo Jesús se presentó en medio y les dijo: «La paz esté con vosotros». ³⁷Aterrados y llenos de miedo, creían ver un fantasma. ³⁸Pero él dijo: «¿De qué os asustáis? ¿Por qué surgen dudas en vuestro interior? ³⁹Ved mis manos y mis pies; soy yo en persona. Tocadme y convenceos de que un fantasma no tiene carne ni huesos, como veis que yo tengo». ⁴⁰Y dicho esto, les mostró las manos y los pies. ⁴¹Pero como aún se resistían a creer por la alegría y el asombro, les dijo: «¿Tenéis algo de comer?». ⁴²Ellos le dieron un trozo de pescado asado. ⁴³El lo tomó y lo comió delante de ellos.

⁴⁴Después les dijo: «Cuando aún estaba entre vosotros ya os dije que era necesario que se cumpliera todo lo escrito sobre mí en la ley de Moisés, en los profetas y en los salmos». ⁴⁵Entonces les abrió la inteligencia para que comprendieran las Escrituras, ⁴⁶y les dijo: «Estaba escrito que el Mesías tenía que morir y resucitar de entre los muertos al tercer día, ⁴⁷y que en su nombre se anunciará a todas las naciones, comenzando desde Jerusalén, la conversión y el perdón de los pecados. ⁴⁸Vosotros sois testigos de estas cosas. ⁴⁹Por mi parte, os voy a enviar el don prometido por mi Padre. Vosotros quedaos en la ciudad hasta que seáis revestidos de la fuerza que viene de lo alto.

⁵⁰Después los llevó fuera de la ciudad hasta un lugar cercano a Betania y, alzando las manos, los bendijo. ⁵¹Y, mientras los bendecía, se separó de ellos y fue llevado al cielo. ⁵²Ellos, después de postrarse ante él, se volvieron a Jerusalén rebosantes de alegría. ⁵³Y estaban continuamente en el templo bendiciendo a Dios.

◆ *Notas:* Lucas 24,33-53

24,46-49 Cuando Jesús abre las mentes de sus discípulos para que entendieran las Escrituras de Israel, aprenden que «en su [del Mesías] nombre se anunciará a todas las naciones, comenzando

desde Jerusalén, la conversión y el perdón de los pecados» (v. 47).
Este alejamiento del particularismo israelita y la apertura a un monoteísmo de rasgos universales ya había sido preparado anterior-
mente en el relato evangélico. Cuando discute con sus compatriotas de Nazaret, Jesús habla explícitamente de las figuras de Elías y
Eliseo, y de su servicio a las necesidades de los extranjeros, por orden de Dios (4,25-28). El libro de los Hechos dará ulteriores explicaciones de este proceso. ⇨ **Estructura social y monoteísmo**,
24,46-49 (cf. pág. 350).

ESCENARIOS
DE
LECTURA

Acusación de desvío

En el mundo mediterráneo era normal pensar en términos de estereotipos. Las personas no eran conocidas por su personalidad psicológica o su carácter único, sino por categorías sociales de tipo general, como lugar de origen, residencia, familia, género, edad, y rango de los otros grupos a los que pudieran pertenecer. La identidad individual coincidía siempre con la identidad estereotipada del grupo. Esto implicaba que la información social considerada de importancia estaba codificada en las etiquetas que a tales grupos se les había ido colocando. Así, los cretenses eran siempre «mentirosos, malas bestias, vientres perezosos» (Tito 1,12). Jesús era un desacreditado «galileo» (Mt 26,69; Mc 14,70; Jn 7,52; Lc 23,6); «Jesús de Nazaret» (Lc 24,19); «hijo de José» (Lc 4,22), lo mismo que Pedro (Mt 26,69; Lc 22,59). Había un Simón «cananeo» (Mt 10,4; Mc 3,18), distinto de Simón Pedro (Mt 4,18; Mc 3,16). Santiago era «hijo de Zebedeo» (Mt 4,21; 10,2; Mc 3,17; Lc 5,10), que le distingue de Santiago el hijo de Alfeo (Mt 10,3; Mc 3,18).

Por supuesto, los estereotipos podían ser positivos (títulos como «señor») o negativos (acusaciones como la de posesión diabólica). La caracterización negativa (lo que los antropólogos denominan «acusaciones de desvío»), si se hacía con ánimo de herir, podía socavar el lugar y el rol de una persona en la comunidad. En nuestra cultura, etiquetas como «extremista», «neura» o «gay» pueden dañar seriamente la carrera o el lugar de una persona en la sociedad. En el mundo mediterráneo del siglo I, etiquetas como «pecador», «impuro» o «estéril» podían ser igualmente algo devastador. Las acusaciones más serias eran las de brujería, es decir, contar con el poder de Belzebú, «príncipe de los demonios» (Mt 12,22-30). Tales etiquetas no sólo caracterizaban a alguien como desviado (normas o estados aceptados en otras sociedades), sino que, una vez adquiridas, era casi imposible deshacerse de ellas.

Repasemos los siguientes textos: Al rechazar la acusación de desvío, Jesús hace uso de las distintas opciones que tenía a su disposición:

	Mt 12,22-30	Mc 3,22-27	Lc 11,14-23
1.-rechaza la acusación: Jesús es el enemigo de Satán	vv. 25-26	vv. 23-25	vv. 17-18
2.-niega que haya hecho daño: un hombre ha sido liberado de los demonios, pues ve y habla (cura)	v. 22	v. 27	v. 14
3.-niega que haya habido una víctima: sólo Satán ha salido perjudicado	v. 29	v. 26	vv. 21-22
4.-apela a una autoridad superior: Jesús actua con el poder de Dios			
5.-condena a los condenadores: los adversarios de Jesús están de parte del mal	v. 30 ver también 12,38-45	v. 29	v. 23 ver también 11,26.29-32

De este modo, Jesús rechaza la etiqueta de desvío que están tratando de endosarle, y la multitud (o el lector del relato) debe juzgar si con esa etiqueta han querido caracterizarlo para siempre.

Etiquetas y contraetiquetas eran, pues, poderosas armas sociales. Las etiquetas positivas («piedra», Mt 16,18; Mc 3,16; «Cristo», Mt 16,16; Lc 9,20; «Mesías» Mc 8,29) podían aumentar el honor y el estatus si eran reconocidas por la comunidad. Si no lo eran, podían contribuir al deshonor (Mt 3,9; 7,21-27; Lc 3,8; 6,46). Las etiquetas negativas (es decir, acusaciones de desvío), que podían llegar a destruir una reputación de la noche a la mañana, eran típicas del conflicto social mediterráneo y aparecen con frecuencia en los evangelios («camada de víboras», «pecadores», «hipócritas», «generación perversa», «falsos profetas»). En Mt 12,22-30, Jesús y sus adversarios se cruzan acusaciones de posesión demoníaca en un juego de desafío-respuesta. Lo mismo acontece en Mc 3,22-27, Jesús y los escribas de Jerusalén. Y también en Lc 11,14-23. ⇨ **Desafío-Respuesta** (cf. pág. 338). Los adversarios de Jesús reconocen que expulsa demonios, pero le acusan de desvío y tratan de avergonzarlo en público para apartarlo de la comunidad. Si la etiqueta pretendía caracterizar definitivamente a Jesús, implicando que era un mentiroso disfrazado de buena persona, su credibilidad ante su audiencia podría haber quedado irreparablemente dañada. Jesús responde citando a los hijos de sus acusadores para confirmar la fuente divina de su poder, es decir, argumentando a su favor desde la comunidad misma. En Lc 11,27, una mujer al menos juzga que el intercambio de acusaciones redunda en favor de Jesús. En Marcos, Jesús trata de subrayar lo absurdo de la acusación y de ganarse las lealtades regionales de su auditorio. Al acusar a sus acusadores de «blasfemia contra el Espíritu Santo» (Mc 3,29), les estaba acusando de negar el poder de Dios presente en la actividad de Jesús.

Amor y odio

Las personas del Mediterráneo del siglo I estaban decididamente orientadas hacia el grupo. Sabían que una existencia humana con sentido exigía una dependencia total del grupo en el que uno estaba implicado. Se trataba sobre todo del grupo de parentesco, de la gente del pueblo o de los pueblos cercanos y/o de las facciones a las que uno se había unido. En diverso grado, estos grupos conferían a una persona un sentido de sí mismo, una autoconciencia que se apoyaba en los demás. Estos mediterráneos del siglo I necesitaban siempre de otros para saber quiénes eran y para que apoyasen o evitasen su modo de conducirse. En otras palabras, el grupo era una especie de conciencia exterior. ⇨ **Personalidad diádica** (cf. pág. 376).

Esta orientación grupal implicaba un modo de ser anti-introspectivo. Las personas se interesaban muy poco por las cuestiones psicológicas. Lo que nosotros llamaríamos estados psicológicos ellos lo atribuían a los espíritus, buenos o malos. De aquí se desprende que, en tales ordenamientos culturales, las palabras referidas a estados interiores connotaban siempre, al mismo tiempo, su correspondiente expresión exterior. Por ejemplo, la palabra «conocer» implicaba siempre determinada experiencia del objeto conocido. «Codiciar» implicaba siempre el intento de tomar lo que uno deseaba (de ahí que la palabra estaría mejor traducida por «robar»).

Hay dos palabras que, en nuestra sociedad, están casi siempre relacionadas con estados interiores de ánimo: «amor» y «odio». Para entender lo que querían decir en el Mediterráneo del siglo I, es necesario reconocer la orientación grupal de sus gentes. El término «amor», por ejemplo, estaría mejor traducido por «adhesión o apego al grupo, adhesión a una persona». Así, en Mt 6,24, la expresión «amar al amo» es parafraseada con «ser fiel». En la tradicional lectura israelita de Dt 6,5, repetida en Mc 12,30 y Lc 10,27, «amar a Dios» se puede parafrasear como «tener apego a, estar entregado a» Dios. Puede o puede no haber afecto, pero lo que implica el amor es el sentimiento interior de adhesión junto con la conducta exterior que lleva consigo dicha adhesión. Así, «amar a Dios con todo el corazón...» significa adhesión total a él con exclusión de otras divinidades; «amar al prójimo como a uno mismo» quiere decir estar vinculado a la gente del vecindario, a la gente de mi ámbito social, lo mismo que a la propia familia, algo muy normal en las sociedades mediterráneas orientadas hacia el grupo (hasta que empezaba a surgir entre las familias la enemistad). Ver Lv 19,18, donde «prójimo» es «hijos de tu propio pueblo».

En correspondencia, «odio» significaría «desadhesión, falta de apego, indiferencia». Una vez más, puede que existan o que no existan sentimientos de repulsa. El odio implica el sentimiento interior de no-adhesión junto con la conducta exterior que responde a la falta de adhesión a un grupo o a las personas que componen ese grupo. Por ejemplo, uno puede estar «negativamente predispuesto hacia» (Mt 6,24; algunas versiones traducen «despreciar»), «traicionarse mutuamente» (Mt 24,10) o «enfriarse en el amor», es decir, ser indiferente (Mt 24,12). Otro ejemplo, «ser odiado por mi causa» (cf. Lc 21,17) equivale a ser rehuido, evitado, rechazado. Como «odiar» es lo mismo que «desvincularse de un grupo», uno puede describir su alejamiento de la familia por razón de Jesús y el evangelio como «odiar» al padre, la madre, la esposa y los hijos (Lc 14,26) o amar al «padre o a la madre más que a mí» (Mt 10,37) o «dejar todo» (Mt 19,27; Mc 10,28), o más concretamente dejar la propia «casa» (Lc 18,28). En suma, la famosa tríada de Pablo en 1 Cor 13,13 (fe, esperanza, amor) debería traducirse: «lealtad personal, permanente confianza en otro, adhesión grupal»; y, por supuesto, el más grande de los tres elementos es la adhesión grupal.

Ayuno

Ayunar significa no comer y/o beber durante un determinado periodo de tiempo para comunicar (para decir) algo a otra persona. Del mismo modo que el silencio (el no uso del lenguaje) puede significar consentimiento o disgusto según el contexto social, también el ayuno (no ingestión de alimento) puede significar «ayúdame en mi aflicción».

El ayuno es un tipo de conducta ritualizada, altamente concentrada. Tiene lugar también en forma no ritualizada cuando las personas se ven afligidas por un mal arrollador. La respuesta normal a ese mal es el «duelo»: la imposibilidad de comer y beber, de preocuparse por la apariencia o por el vestido, etc. Por ejemplo, cuando muere un cónyuge, la pareja transmite el dolor a los demás con su incapacidad para comer (ayuno) y para dormir (vigilia), con su desinterés por el vestido (saco) o por la apariencia (cara sucia, cabello descuidado = cenizas en la cabeza). Los mendigos llevan una vida que manifiesta casi todas las dimensiones del duelo: descuidados, desarrapados, sin acceso al agua para lavarse, sin el alimento y la bebida suficientes. La respuesta social adecuada al ayuno y al duelo al que aquel responde es la asistencia de parte de las personas que ni ayunan ni necesitan ayunar.

En consecuencia, lo que hace uno al ayunar es humillarse con abatimiento ante los iguales o ante Dios (el término hebreo relativo a los rituales de ayuno es *taanit*, es decir, humillación). En una sociedad movida por el esquema honor-vergüenza, presentar externamente un porte de ayuno o de duelo significa que uno se siente verdaderamente afligido. La reacción normal entre iguales ante tal abatida auto-humillación es la asistencia a la persona que se ha humillado a sí mismo (y a su familia) públicamente.

El ayuno es, pues, una forma de auto-humillación que pretende llamar la atención de otras personas para que eventualmente ofrezcan su ayuda. Por ejemplo, era normal entre los israelitas la práctica del duelo ritualizado cuando ocurría algún desastre social, especialmente de carácter político (ver Is 58,3-6; Jr 14,12; Jl 1,14; también 1 Re 21,9.12; 2 Cro 20,3; Esd 8,21; Est 4,16). Tales ayunos eran una forma de comunicación con Dios. El razonamiento que acompaña a esta conducta es que, si un compañero es capaz de ofrecerme su asistencia cuando yo (y mi familia) me humillo, con cuánta más razón ofrecerá Dios la suya. Esa es la conducta que aconseja Pablo ante la decisión de los corintios de permitir a un hombre que se case con la mujer de su padre (1 Cor 5,1-3): «¿No deberíais más bien haber hecho duelo?».

Las bienaventuranzas en el evangelio de Mateo

El nombre «bienaventuranzas» proviene del sustantivo latino con el que empiezan: *beati* (griego *makarioi*), que significa «felices o bienaventurados». Tales declaraciones, que empiezan con «bienaventurados los...», expresan el reconocimiento de algún valor cultural por parte de quien las pronuncia; y ese valor puede descubrirse en alguna actitud, línea de conducta, posesión (hijos, árboles, tierras, etc.). En un ámbito dominado por el esquema honor-vergüenza (⇨ **Sociedades con base en el honor-vergüenza**; cf. pág. 404), la mejor traducción de «bienaventurados los...» quizás sería «Qué honorables los...», «Cuánto honor tienen...», etc. Lo contrario de las «bienaventuranzas» son los «ayes» o reproches de Mt 23,13-35; la fórmula «Ay de vosotros, escribas y fariseos hipócritas...» debería ser traducida por «Qué poca vergüenza tenéis...» o «Qué poco honor tenéis...».

Observemos también cómo se corresponden la serie de «reconocimientos de la dicha/honor» y la serie de «acusaciones/ayes de vergüenza»:

Atribuciones de honor (Mt 5,3-12)	*Acusaciones de vergüenza (Mt 23,13-31)*
Positivo	Negativo
Formulaciones en tercera persona	Formulaciones en segunda persona
Dirigidas a los discípulos	Dirigidas a los adversarios
Inician el ministerio público de Jesús	Cierran el ministerio público de Jesús
«suyo es el reino de los cielos» (vv. 3.10)	«vosotros cerráis a la gente la puerta del reino de los cielos» (v. 13)
«hambre y sed de justicia» (v. 6)	«por fuera parecéis justos» (v. 28)
«misericordiosos... misericordia» (v. 7)	«despreciais.... la misericordia» (v. 23)
«puros de corazón» (v. 8a)	impuros (v. 27)
«ver a Dios» (= peregrinación, v. 8b)	«por el trono de Dios» (v. 22)
«hijos de Dios» (v. 9)	hijo de la Gehenna (v. 15)
«del mismo modo persiguieron a los profetas» (v. 12)	«descendientes de quienes mataron a los profetas» (v. 31)

Cadenas de comentarios

Entre la gente iletrada (en las sociedades agrarias sólo sabían leer o escribir entre el 2 y el 4 por ciento), la comunicación es básicamente oral. Cuando entraba en juego la reputación (el estatus del honor), los comentarios de la gente informaban a la comunidad de los éxitos y las pérdidas de honor que iban teniendo lugar, y proporcionaban de ese modo una orientación para llevar a cabo la interacción social adecuada. Sus efectos podían ser positivos (confirmar el honor, extender la buena reputación, dar forma y guiar las relaciones públicas) o negativos (socavar a los demás), aunque por lo general tendía a conservar el *statu quo* poniendo de relieve las desviaciones de la norma. Funcionaba, pues, como un importante mecanismo de control social informal. Por ejemplo, cuando una persona reclamaba más honor del que le proporcionaba su nacimiento (una acción considerada como robo en una sociedad de bienes limitados, donde hacerse con algo significaba automáticamente que otra persona lo perdía), la cadena de comentarios podía desencadenar una reacción negativa que resituaba a dicha persona en el lugar social que ocupaba. Ésta es quizás la razón de que Marcos (1,45) diga que Jesús ya no podía entrar abiertamente en ninguna población. Como está en su propia región y su reputación va en aumento, es posible que hayan comenzado las reacciones negativas por parte de sus paisanos.

En la Antigüedad, los comentarios iban sobre todo asociados con las mujeres, cuyo rol consistía en supervisar la conducta social. Hacerlo bien era importante, pero los escritores antiguos condenaban con frecuencia a las mujeres, pues pensaban que la falta de control de la lengua provocaba malas disposiciones y discordias, trastornando así la estabilidad comunitaria. Como a los niños (tanto a los chicos como a las chicas) se les permitía andar por los lugares frecuentados por las mujeres y por otros sitios limitados a ciertos adultos, se convertían con frecuencia en la principal fuente de información de lo que se oía y se veía por la ciudad, y por tanto en un segmento esencial de la red de comentarios.

El campo

Marcos nos dice en 6,6 (ver texto siguiente, 6,7-13) que Jesús iba enseñando por las aldeas. Mateo y Lucas añaden el término «ciudades», probable indicio de que escribían para audiencias urbanas. Sin embargo, la orientación y terminología de Marcos sugieren una sede rural algo más parecida a la del propio Jesús.

Las fértiles tierras del área mediterránea permitían la aparición de sociedades basadas principalmente en la agricultura. El 90 por ciento de la población era rural y vivía en pueblos establecidos básicamente sobre el parentesco, aunque con pequeños grupos (artesanos locales e itinerantes, líderes religiosos) dedicados a cubrir con sus servicios las necesidades locales. El 10 por ciento de la población que vivía en las ciudades controlaban los asuntos políticos, culturales y religiosos de la comarca, y son principalmente sus informes (escritos) los que han llegado a nosotros.

El honor familiar y la autosuficiencia económica eran los valores centrales del campesinado. La perpetuación de la familia dependía de lo que pudiese producir en su heredad. El control de las tierras de los antepasados tenía una importancia primordial y determinaba el bienestar de todos los miembros de la familia extensa. En tiempo de Jesús, los campesinos habían perdido gran parte de sus tierras en favor de grandes terratenientes, a menudo ausentes, que les arrebataban el control de la tierra aprovechándose de transacciones económicas. Durante el siglo I, llegó a restringirse enormemente el margen productivo entre lo que la tierra proporcionaba y lo que los campesinos necesitaban para subsistir. El problema se vio agravado por años de sequía, por el doble impuesto para el Templo y por la administración romana (que a menudo se quedaba con el 50 por ciento de la producción), y sobre todo por las deudas. Aunque la ley israelita prohibía los intereses sobre los préstamos (Dt 23,19) y exigía la condonación de las deudas durante el año séptimo (Dt 15,1-3), siempre se encontraban medios de practicar la usura, y las deudas por contratos acababan casi siempre en la extinción del derecho a redimir una hipoteca.

A comienzos del siglo I, la tierra estaba bajo el control nominal de César Augusto, aunque en la práctica gran parte de ella era controlada por las élites locales. Los gentiles controlaban la tierra a lo largo de la costa mediterránea, así como en Samaría y Transjordania. Las áreas israelitas de Galilea y Judea estaban bajo el control de los Herodes. También los ancianos, los escribas y las familias de los grandes sacerdotes tenían enormes posesiones (1 Mac 14,6.10.17; Josefo, *Vida* 422; Loeb, 155; *Antigüedades* 20,205; Loeb, 111). Quedaba muy poca tierra bajo control de los poblados.

La pobreza crónica, políticamente inducida, de los campesinos, como resultado del exceso de impuestos y de la manipulación de las deudas, produjo un descontento que se deja traslucir frecuentemente en los evangelios. Los campesinos eran objeto de abusos, chantajes y sobretasas (Lc 3,13-14). La imposibilidad de cubrir una deuda podía terminar en la cárcel (Mt 5,25-26). El creciente resentimiento del campesinado se refleja en la parábola de los viñadores homicidas (Mc 12,1-12). Cuando finalmente estalló la revuelta contra los romanos en el 66 d.C., una de las primeras acciones de los rebeldes fue quemar los registros de deudas en Jerusalén.

Sorprende que, a excepción de Jerusalén, Jesús evitase las principales ciudades de la región, sobre todo las de la gentilidad. Como artesano rural de Nazaret (aldea de unos 150 habitantes), el mundo de Jesús era en gran medida el de las áreas rurales habitadas por campesinos analfabetos.

Cien denarios

En el siglo I, un denario equivalía más o menos al sueldo de un día. Para una familia con un número de miembros equivalente a cuatro adultos, dos denarios (ver Lc 10,30-35) suponían 3.000 calorías diarias durante cinco o siete días, o 1.800 durante nueve o doce. Con dos denarios, un itinerante pobre disponía de una ración de pan diaria durante veinticuatro días. Este cálculo se refiere sólo a la alimentación; no tiene en cuenta otras necesidades, como ropa, impuestos, deberes religiosos, etc.

Circuncisión

Aunque los orígenes de la circuncisión son oscuros, está claro que era una práctica ampliamente extendida por el Próximo Oriente antiguo. Según una ley más bien tardía del Antiguo Testamento, los niños varones debían ser circuncidados al octavo día de su nacimiento (Lv 12,3, que se basa en el relato de Gn 17,10-14). Sin embargo, en el primitivo periodo israelita, la circuncisión se practicaba en la pubertad (ver Gn 17,25) o en el momento del matrimonio, pues el término hebreo por suegro significa literalmente «el circuncidador». El significado de la práctica fue variando, pues dependía del contexto social. Por ejemplo, la circuncisión en la pubertad o el matrimonio apuntaba a la capacidad del varón de casarse, de funcionar como persona casada. Este significado «funcional» tiene un eco en la referencia analógica a los labios circuncisos (Éx 6,12.30) y en las palabras de los profetas sobre el corazón circuncidado, que posibilitaba funcionalmente la comprensión y la obediencia (Lv 26,41; Dt 10,16; 30,6; Jr 4,4; 9,26; respecto a los oídos, ver Hch 7,51; ⇨ **Las tres zonas de la personalidad**, cf. pág. 406).

Aunque puede haber cierto significado religioso en la práctica de la circuncisión infantil (signo de las relaciones de alianza, pero cf. Jr 9,25), en el evangelio de Lucas descubrimos algunas implicaciones sociales de tal práctica.

Apenas hay dudas de la antigua asociación de la circuncisión con la aceptación del niño por parte del padre. Esto puede explicar su uso en el momento del matrimonio y quizás también la especial insistencia en su práctica cuando existía el matrimonio exógamo (fuera de la familia paterna). Así, la unión de dos familias sin trato hasta entonces queda reconocida con la participación del suegro en la circuncisión. Por vía de contraste, hubo especial insistencia en la circuncisión tras el destierro de Babilonia, cuando el matrimonio exógamo era percibido como una amenaza para la comunidad. Al ser la circuncisión un distintivo tribal, ninguna mujer podía equivocarse con la persona con la que tenía relaciones sexuales.

La aceptación de un niño como suyo por parte del padre puede explicar también la asociación de la circuncisión con el acto de poner nombre al niño; ver Lc 1,59 y 2,21. Observemos cómo Zacarías debe confirmar públicamente el nombre del niño en el momento de la circuncisión. Más aún, la exigencia de que se realizase al octavo día (Lv 12,3) en lugar de posponerla a la pubertad según la antigua práctica, daba importancia a la necesidad de los padres israelitas de reconocer a un hijo como propio antes de que se conociera algo del carácter del niño. Finalmente, la participación de la comunidad en el rito era el reconocimiento público de que un padre asumía su responsabilidad como padre.

La ciudad preindustrial

Las ciudades de la Antigüedad eran sustancialmente distintas de sus modernas contrapartidas industriales. El noventa por ciento de la antigua población vivía en pueblos o aldeas, y estaba principalmente dedicada a la agricultura. A tenor de los modernos patrones, la población urbana era escasa. Más aún, estaba claramente dividida entre una minoría elitista y alfabetizada, que controlaba el templo y el palacio, y una mayoría sin estudios, que suministraba los bienes y servicios demandados por la élite. Como el único mercado real para casi todos los bienes y servicios era la élite de la ciudad, los trabajadores requeridos para suministrarlos eran pocos. La población sobrante era excluida de las ciudades siempre que era posible. A tenor de los patrones modernos, las ciudades preindustriales eran, pues, realmente pequeñas.

El palacio y el templo dominaban el centro de la ciudad preindustrial, y estaban defendidos frecuentemente con fortificaciones propias. En torno a ellos, en el centro, vivía la élite, que controlaba el culto, el sistema monetario, la escritura y los impuestos. Los límites extremos de la ciudad estaban ocupados por los más pobres, a menudo en sectores extramuros, donde vivían y trabajaban juntos grupos ocupacionales y étnicos. (Observemos que la configuración de una ciudad industrial es justo lo contrario: la gente más pobre vive en el centro, y los más ricos en los suburbios). Fuera de los muros de la ciudad vivían los mendigos, las prostitutas, las personas con ocupaciones indeseables, los comerciantes (a menudo ricos) y agricultores sin tierras, que solían acercarse a la ciudad en busca de oportunidades para trabajar durante una jornada. Solicitaban acceso a la ciudad durante el día, pero se les cerraban las puertas por la noche. Las puertas de la parte interior de los muros podían ser también cerradas por la noche para evitar que la gente no perteneciente a las élites ciudadanas pudiera tener acceso a sus áreas residenciales.

Desde el punto de vista social, la relación entre los diferentes grupos que vivían en las ciudades estaba reducida al mínimo. Especialmente difícil era la posición de quienes vivían inmediatamente fuera de los muros de la ciudad. Eran excluidos tanto de la élite como de la gente no elitista de la ciudad, e incluso de la protección de un poblado. En muchas ciudades se convirtieron en fuente de continuo reaprovisionamiento de la población artesana.

En Mc 1,33, «toda la gente de la ciudad», se llama a Cafarnaún ciudad (griego *polis*). Quizás Cafarnaún no era una entidad de esas características. Su nombre significa «pueblo de Nahún», y aunque resulta muy difícil aproximarse a las cifras de población, actualmente se estima que estaba habitada por unas 1.500 almas. Sin embargo, como muchas de las pequeñas poblaciones de entonces, pudo haber tenido la suficiente población como para permitir el dinamismo social propio de una ciudad (con una sinagoga haciendo las veces del templo y una interacción entre élites y no-élites que facilitara el necesario mantenimiento de una escala social).

Coaliciones/Facciones

Una *coalición* es un tipo de grupo no-permanente que se reúne con fines específicos durante un periodo de tiempo limitado. En términos socio-científicos, se trata de una red de relaciones fluida, no-permanente y multidimensional con fines limitados. En el mundo mediterráneo del siglo I, las coaliciones caracterizaban tanto a grupos elitistas (p.e. herodianos con romanos, herodianos con fariseos) como a no-elitistas. En contraste con las coaliciones, había «grupos corporativos», como partidos o categorías cerradas entre las élites. Los grupos corporativos se basaban en principios permanentes: p.e. nacimiento y matrimonio (el partido saduceo y su base sacerdotal); nacimiento y fidelidad política (herodianos); parentesco ficticio práctico basado en la entrega a una ideología común (el asociacionismo de pureza entre los fariseos, los miembros de la comunidad esenia de Qumrán). Los grupos corporativos eran más bien de carácter formal, socialmente obligados y con vínculos muy estrechos. Las coaliciones tenían carácter informal, electivo, con vínculos más bien flojos. La identificación con una coalición no anulaba la calidad de miembro o la entrega a grupos más fundamentales, como la familia. En cambio, formar parte de un grupo corporativo, como los del movimiento fariseo, implicaba también a la propia familia.

Una *facción* es un tipo de coalición formado en torno a un personaje central, que recluta seguidores y mantiene la lealtad del núcleo del grupo. Las facciones comparten los objetivos comunes de la persona que recluta la facción. La calidad de miembro se basa en una relación con ese personaje central. Esta relación desemboca en un grupo nuclear: el de las personas con relaciones distintas y más bien permanentes. Existen otros miembros periféricos, con vínculos más laxos y con relaciones indistintas, fluidas e incidentales con la facción. Los miembros periféricos condividen a veces su lealtad con otras facciones y sus líderes, y pueden por tanto amenazar la eficacia de una facción. La rivalidad con otros grupos es básica; de ahí que siempre esté presente la competencia hostil por el honor, la verdad (una justificación ideológica) y los recursos.

El reclutamiento del núcleo de discípulos, que empieza en Mt 4,18-22; Mc 1,16-20 y Lc 5,1-11 identifica claramente al movimiento de Jesús con una facción, quizás un vástago del movimiento de Juan el Bautista, hecho que puede explicar la rivalidad con grupos en torno a la persona del Bautista. Lucas trata de poner fin a esta rivalidad en Lc 3,15ss y también 5,33; 7,18ss; 9,7ss; 11,1; 16,16; 20,4ss. Mateo trata de suavizar esta rivalidad indicando que el mensaje de Jesús era idéntico al de Juan (3,2 y 4,17; ver también 9,14; 11,2-13; 14,1-2; 21,25). A diferencia de Mateo, Marcos presenta a Juan bautizando y predicando la reconciliación con Dios (Mc 1,4), mientras que Jesús proclama el inminente patronazgo de Dios para con todo Israel (Mc 1,14-15; 2,18; 6,30-31; 11,27-33). Gran parte de la descripción que hacen los tres evangelistas de Jesús como el digno hijo de Dios lleno de honor, y especialmente cuando hablan de su éxito en el juego desafío-respuesta, se puede entender como justificación del liderazgo de Jesús sobre la facción que ha reclutado. Observemos que fue el primer seguidor reclutado, Simón Pedro, quien demostró ser el impulsor moral al poner de relieve el lugar central del honor de Jesús (Mt 16,16; Mc 8,29).

Comidas

En la Antigüedad, las comidas eran lo que los antropólogos llaman «ceremonias». A diferencia de los «rituales», que confirman un cambio de estatus, las ceremonias son acontecimientos regulares, predecibles, en los que se reafirman o legitiman los roles o estatus dentro de una comunidad. En otras palabras, el microcosmos de la comida corre paralelo al macrocosmos de las relaciones sociales diarias. El evangelio de Mateo carece de las numerosas alusiones del evangelio de Lucas a la importancia de la conducta en las comidas.

Aunque las comidas podían excepcionalmente incluir a personas de distinto rango social, lo normal era que tal cosa sucediese sólo en circunstancias especiales (p.e. en algunos clubes romanos llamados *collegia*). Dado que una comida en común implicaba compartir una serie de ideas y valores, y también con frecuencia una misma posición social, (ver Lc 13,26) convenía preguntarse: ¿Quién come con quién? ¿Cómo está preparada la comida? ¿Dónde se sienta cada uno? ¿Qué utensilios se van a usar? ¿Qué comer? ¿Cuándo comer? ¿Dónde comer? ¿Cuál será la conversación apropiada? ¿Quién hace qué? ¿Cuándo comer determinado plato? Las respuestas a estas preguntas nos pueden dar una idea de las relaciones sociales en una comida.

Por las fuentes helenistas sabemos bastante de la importancia que tenían esos asuntos. También conocemos bien las normas alimentarias del Antiguo Testamento, así como las disposiciones sobre pureza ritual antes de comer. Por las noticias del periodo rabínico tardío sabemos que la gente creaba sociedades devocionales (*haburot*) que solían reunirse para comer y para hacer votos. Para evitar la impureza legal, no podían aceptar una invitación de gente corriente (el *'am ha-'aretz*, literalmente «gente del país», una referencia a los nativos de Palestina, los cananeos). Si invitaban a su casa a una persona de esa clase, pedían al invitado que se pusiera un vestido ritualmente puro que le proporcionaba el anfitrión (*m. Demai* 2,2-3).

De una manera parecida, las fuentes romanas describen banquetes en los que los invitados de diferente rango social se instalaban en comedores distintos; incluso se les servía alimentos y vino distintos según su rango social (Marcial, *Epigramas* 1,20; 3,60; Loeb, 43,201; Juvenal, *Sátiras* 5; Loeb, 69-83; Plinio, *Cartas* 2,6; Loeb, 109-113).Citamos a continuación el pasaje mencionado de Plinio el Joven. En él hace una crítica de las prácticas discriminatorias en las comidas:

> Sería una larga historia (y sin importancia) tener que relatar detalladamente por qué imprevisto (yo, que no soy muy aficionado a las relaciones sociales) me vi cenando con una persona que, según él, vive en un esplendor combinado con el ahorro; pero que, en mi opinión, vive de una manera sórdida, aunque derrochona. Para empezar, le pusieron delante unos platos elegantísimos (a él y a unos pocos del grupo); en cambio, los que fueron colocados delante de los demás eran baratos y de poca calidad. Había distribuido en pequeñas vasijas tres clases distintas de vino; pero no pienses que los invitados podían servirse de donde querían: al contrario, no podían elegir. Una vasija fue para él y para mí; otra para sus amigos de una escala inferior (seguramente sabes que mide a sus amigos por los grados de su calidad); y la tercera para sus libertos y los míos. Uno sentado a mi lado se dio cuenta de todo y me preguntó si yo estaba de acuerdo. «De ningún modo», le dije. «¿Y cuál es tu método en esas ocasiones?», me insistió. «Lo que hago yo», le respondí, «es ofrecer lo mismo a todo el grupo; pues, cuando hago una invitación, la hago para comer, no para dejar a la gente a medias. Cuando coloco a alguien a mi altura admitiéndolo a mi mesa, lo trato como a un igual en todos los detalles». «¿También a los libertos?», inquirió. «Incluso a ellos», le contesté; «porque en esas ocasiones no los considero libertos, sino compañeros». «Eso te saldrá muy caro», me dijo. Yo le aseguré que no. Y al preguntarme cómo era eso posible, le respondí: «Tienes que saber que mis libertos no beben el mismo vino que yo; soy yo quien bebe el mismo vino que ellos». (Plinio el Joven, *Cartas* 2,6; Loeb, 109-113).

En sus *Epigramas*, Marcial recuerda a un anfitrión que sólo comía cosas selectas mientras miraban sus invitados: «Dime, ¿qué tontería es ésta? Cuando todos tus invitados están mirando, sólo entonces, Ceciliano, devoras las setas. ¿Qué oración podía ser adecuada a tal vientre y garganta? ¡Que comas una seta como la que comió Claudio» (Marcial, *Epigramas* 1,20; Loeb, 43). (Claudio fue envenenado con una seta). Marcial habla asimismo de la comida servida como patronazgo imperial en lugar de dinero:

> Puesto que ya no se me invita a comer como si fuera un huésped alquilado, ¿por qué no se me sirve la misma comida que a ti? Tú comes ostras engordadas en el lago Lucrino, yo sorbo un mejillón a

través de un agujero en su concha; tú degustas setas, yo hongos de puerco; tú le entras al rodaballo, yo he de conformarme con rodaballo menor. Reluciente de grasa, una tórtola te nutre con su hermosa rabadilla; ante mí tengo una urraca que ha muerto en su jaula. ¿Por qué como sin ti, Póntico, cuando en realidad estoy comiendo contigo? La miseria ha pasado; aprovechémonos de ello; comamos la misma comida. *(Epigramas* 3,60; Loeb, 201).

Finalmente, Juvenal nos ofrece un agudo ensayo sobre el tema, titulado por el editor «Cómo entretener a los clientes» (Juvenal, *Sátiras* 5; Loeb, 69-83).

También el evangelio de Marcos contiene algunos detalles sobre la importancia del buen comportamiento en las comidas. Se nos dice si alguien se lava (Mc 7,2), quién come qué, cuándo y dónde (2,23-28), qué se hace o se deja de hacer en la mesa (14,3-9), con quién se come (2,15-17).

El Evangelio de Lucas está asimismo plagado de alusiones a la importancia de la conducta en las comidas. Así, se observa si alguien se lava (Lc 11,38), quién come qué, cuándo y dónde (6,4), qué se hace o deja de hacer en la mesa (7,38.40.44.49), quién es invitado (14, 12-14), dónde se sienta la gente (14,7-11), con quién se come (15,2) y en qué orden deben sentarse a la mesa las personas de acuerdo con su rango (17,7-8).

La relación exclusiva exigía una mesa exclusiva, mientras que la relación inclusiva requería una inclusiva. La afirmación de Mt 8,11-12 sobre la gente que vendrá de Oriente y de Occidente, del Norte y del Sur, para sentarse a la mesa en el reino, es una afirmación relativa al carácter inclusivo de las relaciones sociales cristianas, con el consiguiente bochorno de los «herederos del reino» que rechazan la invitación. La negativa de los primeros invitados al gran banquete (Mt 22,3) confirma asimismo el exclusivismo de la élite, mientras que la invitación a «todos los que encontréis» (Mt 22,9) es testigo de las prácticas inclusivas que tenían lugar en las comidas cristianas.

Demonios/Posesión demoníaca

Según la forma de pensar de la gente mediterránea del siglo I, la causalidad era sobre todo personal. Los cambios eran producidos por una persona, humana o no-humana. Esto era aplicable, no sólo en el ámbito de la sociedad, sino también en el de la naturaleza y el del cosmos. La responsabilidad de las cosas que escapaban al control humano, como el tiempo, terremotos, enfermedades y fertilidad, se atribuía a personas no-humanas, que operaban en una jerarquía social cósmica. Cada nivel de la jerarquía podía controlar a los seres de abajo:

1. «Nuestro» Dios, el Dios Altísimo
2. «Otros» dioses o hijos de Dios, o arcángeles
3. Personas no-humanas inferiores: ángeles, espíritus, demonios
4. Humanidad
5. Criaturas inferiores a la humanidad

Los demonios (griego) o espíritus impuros/inmundos (semítico) eran, pues, fuerzas personificadas que tenían el poder de controlar la conducta humana. Las acusaciones de posesión demoníaca se basaban en la creencia de que las fuerzas que escapaban al control humano eran las causantes de los efectos observados en el ámbito humano. Como el mal ataca al bien, la gente esperaba esos ataques. Una persona acusada de posesión demoníaca era una persona cuya conducta (síntoma externo) era desviada o que vivía inmersa en una matriz de relaciones sociales desviadas. Una situación o conducta desviada exigía una explicación, y podía ser atribuida a Dios (positiva) o al diablo (peligrosa). Tal atribución era algo que la comunidad estaba interesada en aclarar, pues así identificaba y expulsaba a las personas que representaban una amenaza. Las personas poseídas eran expulsadas de la comunidad. En consecuencia, liberar a una persona de demonios implicaba, no sólo exorcizar al demonio, sino también recuperar a dicha persona dándole un lugar en la comunidad (Lc 8,39).

En los evangelios sinópticos son frecuentes las acusaciones de que una persona tenía un espíritu inmundo o de que estaba poseída por el demonio. Así, en el sumario de Mt 4,24-25 se nos dice que había endemoniados entre los enfermos que llevaron a Jesús para que los curara. Poco después, en Mt 8,16, se nos informa de que llevaron a Jesús «muchos endemoniados» y de que «expulsó a los espíritus con su palabra». En Mt 8,29 los demonios exorcizados llaman a Jesús «Hijo de Dios» (ver también Mc 1,24 y Lc 4,34; Mc 3,11 y Lc 4,41). La razón de esto es que los demonios trataban de protegerse a sí mismos ante un ser superior usando mágicamente la verdadera identidad de ese ser (ver también Mc 5,6-7; Lc 8,28). En Mt 12,22 Jesús echa un demonio de un hombre ciego y mudo, que después es capaz de ver y hablar. En respuesta a esta acción, Jesús es acusado de arrojar demonios en virtud de Belzebú, príncipe de los demonios.

Así pues, esta fuerza negativa era llamada en Israel «espíritu inmundo»; «demonio» entre los griegos. Cuando Jesús manda a un espíritu inmundo que salga de un hombre poseído en territorio pagano (Mc 5,2ss), el hombre es llamado «endemoniado» (Mc 5,15-16). De manera parecida, Marcos dice que la hija de la sirofenicia estaba poseída por un «espíritu inmundo» (Mc 7,25), pero ella llama a este ser «el demonio», como hace Jesús imitándola (Mc 7,29-30). Cuando encarga una misión a los Doce, Jesús les da «autoridad sobre los espíritus inmundos» (Mc 6,7), la misma que tiene él (Mc 1,27). En Mc 9,25 Jesús expulsa un espíritu inmundo de un sordomudo, que recupera el oído y el habla. En el primer episodio de un día en la vida de Jesús que nos ofrece Mc 1,21-45, un espíritu inmundo confiesa que Jesús es «el Santo de Dios» (Mc 1,24; ver Lc 4,34). Marcos nos dice además que, siempre que los espíritus inmundos veían a Jesús, tiraban por tierra a las personas poseídas y gritaban «tú eres el Hijo de Dios» (Mc 3,11; ver Lc 4,41). La razón de esto estriba en que los demonios trataban de protegerse de un ser de posición más elevada usando mágicamente la verdadera identidad de ese ser (ver también Mc 5,6-7; Mt 8,29; Lc 8,28).

En Lc 4,33 se nos habla de un hombre poseído por el espíritu de un demonio inmundo, y poco después (Lc 4,41) nos dice el evangelista que salían demonios de muchos. En Lc 11,14 Jesús expulsa el demonio de un mudo. En respuesta a tal acción, el propio Jesús es acusado de expulsar demonios en nombre de Belzebú, príncipe de los demonios.

En la Antigüedad, todas las personas (Jesús, Pablo) que actuaban en contra de lo que se podía esperar de su estatus social heredado o de su rol caían bajo sospecha y debían ser evaluados. Las acusaciones de posesión demoníaca dirigidas contra Jesús (12,24) respondían al siguiente argumento: como no podía hacer lo que hacía por su propio poder, tenía que haber implicado un agente exterior. Podía ser Dios, como decía Jesús; pero sus adversarios pensaban que eran las fuerzas demoníacas. Observemos que, en el evangelio de Juan, aunque Jesús no arroja demonios de nadie, es acusado de posesión demoníaca una y otra vez (Jn 8,44-52).

Aunque ahora es normal llamar «exorcismo» a la expulsión de demonios, esa palabra no es utilizada en el Nuevo Testamento con relación a Jesús. El poder de Jesús sobre los demonios es esencialmente una función propia del lugar que ocupa en la jerarquía de poderes (y es usado como tal evidencia por los escritores evangélicos). Jesús es un agente de Dios, imbuido del espíritu santo/puro de Dios, que supera el poder del mal.

Desafío-Respuesta

Lo mismo que la preocupación por el dinero, el pago de recibos o la compra de algo que nos apetece es algo perpetuo y generalizado en la sociedad occidental actual, así ocurría en el mundo de los evangelios con la preocupación por el honor. ⇨ **Sociedades con base en el honor-vergüenza, 8,12.** En esta competición, el juego desafío-respuesta constituye un fenómeno central, algo que debe ser realizado en público. Está formado por un desafío (casi cualquier palabra, gesto o acción) que trata de socavar el honor de otra persona y una respuesta de igual calibre o que supera la apuesta (es decir, que se convierte a su vez en desafío). Tanto si son positivos (regalos, cumplidos) como negativos (insultos, amenazas), los desafíos deben ser respondidos si se quiere evitar una pérdida de prestigio.

En los evangelios sinópticos, Jesús pone de manifiesto una gran maestría para la respuesta y se revela, por tanto, como un profeta honorable y con autoridad. En 4,1-11 Mateo describe el desafío supremo al honor, viniendo como viene inmediatamente después del bautismo de Jesús de manos de Juan y de haber sido proclamado «hijo amado». Es precisamente esta adscripción el blanco del desafío del diablo: «Si eres Hijo de Dios...» (vv. 3.6). El rol del personaje llamado «diablo» (griego *diabolos*, hebreo *satan*) consiste en poner a prueba la lealtad a Dios; tal comprobación es denominada generalmente «tentación». ¿Será obediente Jesús a su misión? Está claro que sólo pueden ser tentados los que se espera que sean leales; los increyentes y quienes no viven en alianza con Dios caen sin más fuera del propósito de dicha prueba. No se espera en modo alguno que demuestren tal lealtad. Cualquier otra cosa que nos diga Mateo sobre Jesús en el resto de su evangelio depende de la superación de esta prueba por parte de Jesús, donde su honor queda patente.

En Lc 4,1-13 se describe el desafío supremo al honor, viniendo como viene inmediatamente después de la genealogía, donde se le adscribe a Jesús el máximo honor al ser llamado Hijo de Dios. Al igual que en Mateo, el desafío del diablo va dirigido precisamente contra esa adscripción: «*Si* eres Hijo de Dios...» (vv. 3.9). Todo lo que diga Lucas en el resto del evangelio depende de que Jesús supere la prueba.

Observemos que, en esta escena, tanto en Mateo como en Lucas, no es sólo Jesús quien es puesto a prueba. También el honor de Dios está en entredicho, pues fue Dios quien previamente había anunciado que Jesús era su «hijo» (Mt 3,17; Lc 3,22), es decir, alguien obediente a la voluntad de Dios. Y es precisamente con la palabra de Dios, utilizada en sus contestaciones, como Jesús supera el desafío del diablo.

Como se trata de una prueba de la lealtad de Dios, dicha prueba estaría en relación con valores centrales para tal lealtad. Y en realidad lo está, pues las tres tentaciones cubren las tres áreas mencionadas en la plegaria diaria israelita y en la profesión de fe llamada *Shema* (Dt 6,4): «Escucha, Israel: El Señor es nuestro Dios, el Señor es uno. Amarás al Señor tu Dios con todo tu corazón, con toda tu alma y con todas tus fuerzas». El área del corazón está en relación con el pensamiento (fundido con la emoción) que da forma a nuestra personalidad, a nuestro personal modo de ser. ⇨ **Las tres zonas de la personalidad,** cf. pág. 406. Como es normal en la Biblia, el «alma» se refiere a la vida, mientras que «fuerzas» alude al poder relacionado con el control de la gente y de los bienes. Recitar el *Shema* con apego y devoción a Dios (es decir, con «amor») era conocido como «llevar el yugo del reino de los cielos» (ver Mt 11,29-30).

En el evangelio de Marcos encontramos diversos escenarios de desafío y respuesta, primero en una serie inicial de cinco (2,1-12; 2,15-17; 2,18-22; 2,23-28; 3,1-6), posteriormente esparcidos por todo el evangelio (3,20-34; 7,1-8; 10,1-12; 11,27-33; 12,13-17; 12,18-27). Aunque Marcos no ofrece ninguna genealogía de Jesús ni una escena detallada de las tentaciones en el desierto donde es puesto en duda su linaje, afirma y define el honor de Jesús como Hijo de Dios, lo mismo que los demás evangelistas.

Deudas

Son principalmente dos las fuentes directas que nos hablan de las deudas en la Palestina del siglo I. Una es la descripción que ofrece Josefo de la quema de los archivos de deudas, llevada a cabo por los sediciosos al comienzo de la Guerra Judía (66-73 d.C.; ver *Guerra* 2,426-427; Loeb, 491). La otra es la disposición del sabio Hillel, que salía al paso del posible incumplimiento de la remisión de la deuda requerida en el año sabático advirtiendo a los propietarios no-israelitas de la duración del año sabático. Sin embargo, existe evidencia indirecta en una amplia variedad de fuentes, incluidos los papiros helenistas.

Eran diversas las razones por las que se endeudaban los campesinos. El incremento de la población afectaba a algunos: con más bocas que alimentar se reducía el sustento de un agricultor y casi obligaba a pedir préstamos en años de escasez. También influía un régimen de lluvias inapropiado. En el periodo de los orígenes cristianos tuvieron lugar dos importantes hambrunas: una, el año 25 a.C., durante el reinado de Herodes; la otra, el 46 d.C., bajo el emperador Claudio (ver Hch 11,28). Sin embargo, la razón principal de las deudas estribaba en las excesivas exigencias que gravitaban sobre los recursos agrícolas. Las demandas de diezmos, tasas, tributos y un sinfín de pagos hacían que los pequeños propietarios vivieran duramente presionados (hay pruebas que sugieren que, del total de la producción agrícola, se iba en tasas del 35 al 40 por ciento). Los agricultores que no podían devolver los préstamos de semillas o de capital acababan frecuentemente como aparceros arrendatarios en sus propias tierras.

Aunque en la Antigüedad existían mercados, y aunque la gente podía hacer compras con monedas (dinero) y cobrar el jornal en monedas (dinero), parece que no existía una economía de mercado en el sentido moderno del término. Actualmente, el «mercado» es una relación abstracta de intercambio basada sola y exclusivamente en el «mecanismo mercantil» de oferta y demanda, y expresada en precio. En el siglo I, eran las relaciones interpersonales, no un «mecanismo de mercado», lo que controlaba tales interacciones «económicas». Por ejemplo, un vendedor podía esperar vender sus productos a bajo precio a clientes habituales y a personas de estatus inferior, y a un precio más elevado a clientes puntuales y a personas de estatus superior. El precio dependía, pues, de si una persona de un estatus determinado podía sentir «vergüenza» al pagar lo exigido.

A lo largo del siglo I hubo al parecer un aumento gradual de las aparcerías pagadas con dinero en lugar de hacerlo con los propios productos del terreno arrendado. Parece que tal situación fue fomentada por la exigencia romana de pagar los tributos con dinero. El resultado fue una concentración de tierras en manos de grandes terratenientes, que ponían trabas a la recuperación de las tierras hipotecadas por préstamos de dinero. A finales del siglo I, el número de agricultores que se veían obligados a huir por no poder pagar sus deudas creció de tal modo que se necesitó de la intervención imperial para mantener a los aparceros en las tierras que habían quedado yermas (se llegó a tal situación porque, una vez endeudados, pocos agricultores podían evitarla sin la ayuda de un patrón solvente). ⇨ **El sistema de patronazgo en la Palestina romana,** cf. pág. 399.

Según la ley romana vigente en Palestina durante el siglo I, un tribunal podía garantizar a un acreedor dos posibilidades de recuperar un préstamo: (1) el deudor podía ser obligado a trabajar para el acreedor hasta que la deuda fuese saldada laboralmente, o (2) el deudor podía ser encarcelado. En este caso, se esperaba que los parientes pagasen por él un «rescate»: vendiendo las propiedades del deudor para pagar la deuda o pagando ellos mismos la fianza.

Dieta

La dieta de los mediterráneos del siglo I consistía en unas pocas materias primas básicas, a las que se podían añadir algunas otras cosas según existencias y precios. Por lo que respecta a la Palestina romana, sólo contamos con una lista de alimentos que no ofrece nada especial. Según un escrito del siglo III, típico del judaísmo formativo (*Ketubot* 5,8-9), un esposo debe proporcionar a una esposa separada pan, legumbres, aceite y fruta. Las cantidades especificadas presumen una aportación de unas 1.800 calorías diarias. (La Organización de las Naciones Unidas para la Agricultura y la Alimentación recomienda entre 1.540 y 1.980 como mínimo, algo más si el trabajo es pesado).

De los tres productos básicos (cereales, aceite y vino) el más importante con mucho eran los cereales y los alimentos fabricados con ellos. La palabra «pan» (hebreo *lehem*) significaba al mismo tiempo «pan» y «alimento». El pan constituía la mitad de la aportación calórica en la mayor parte de la antigua región mediterránea (como actualmente). El trigo era considerado superior a la cebada; de ahí que el pan de cebada (y de sorgo) fuese el alimento básico de los pobres y los esclavos. Se exigía que el marido que suministraba a una esposa separada pan de cebada le proporcionase el doble de ración de trigo.

Abundaban las verduras y las legumbres, pero eran consideradas de poca categoría. Un comentario rabínico tardío sobre la hospitalidad sugiere que un anfitrión, cuando tenga un invitado en casa durante varios días, le servirá al principio los mejores alimentos, pero que al final «le dará cada vez menos, hasta servirle verduras» (*Pesiqta de Rab Kahana* 31). Las más solicitadas eran las legumbres: lentejas, judías, guisantes y altramuces. Los nabos eran alimento de pobres, de donde el dicho: «Ay de la casa por la que el nabo pasa» (*Berakot* 44,2). Entre las verduras, la más popular era la col. El aceite (generalmente de oliva) y la fruta (principalmente higos secos) también tenían que formar parte de las provisiones que un hombre separado debía proporcionar a su esposa.

El vino suministraba una cuarta parte de la aportación calórica, especialmente entre los varones y las mujeres ricas. Incluso los esclavos recibían su ración diaria. Según algunos estudios, un hombre adulto de la antigua Roma consumiría un litro de vino diario.

La carne de vacuno y las aves de corral era un alimento muy apetecible, pero su precio no la ponía al alcance de la gente pobre. La mayor parte de la gente la consumía sólo en ocasiones festivas, si bien los sacerdotes del templo la consumían en exceso. Estos «gajes del oficio» eran considerados entre ellos la fuente de problemas intestinales. En la Antigüedad, la cría de ganado con el único propósito de suministrar carne era algo generalmente desconocido. Como comenta Jerónimo en referencia a la Palestina del siglo IV, matar un ternero para hacer filetes era considerado un crimen (*Contra Iovinianum* 2,7; *PL* 23:295). Por otra parte, el sacrificio de un ternero para ser servido en una celebración espontánea (como el padre de la parábola del hijo pródigo en Lc 15,27) subraya la extraordinaria y singular importancia del acontecimiento.

El pescado, que era muy apreciado, constituía el plato típico del shabbat. A pesar de lo mucho que costaba hacerse con él, incluso para los pobres, se vendía en abundancia sólo cerca de la costa mediterránea y a la orilla del mar de Galilea. La salazón era el medio más común de conservación (Taricheae, en la orilla occidental del mar de Galilea, significa en griego «lugar de salazón de pescado»).

Los productos lácteos se consumían generalmente en forma de queso y mantequilla, pues se conservaban muy bien y se digerían mejor que la leche fresca. También eran un alimento muy importante los huevos, especialmente los de gallina. La miel, principal fuente de azúcar (los higos satisfacían algunas necesidades), fue muy usada en el periodo romano. La sal era usada, no sólo para sazonar los alimentos, sino también para conservar y purificar la carne y el pescado; se podía adquirir fácilmente en el área del Mar Muerto. La pimienta, el jengibre y otras especias eran productos importados muy caros.

Diezmos

Las formas de diezmo denominadas por el rabinismo posterior «primer diezmo», «segundo diezmo» y «diezmo del pobre» ya existían en la Palestina del siglo I (ver *m. Ma'aserot; m. Ma'aser Sheni; m. Pe'ah*). En Israel, el diezmo implicaba apartar el 10 por

ciento de los alimentos producidos para socorrer a los israelitas que
carecían de tierras que les produjeran esos alimentos para su sustento. Los diezmos se basan en la economía redistributiva de la tradición: Lv 27,30-31; Nm 18,21-24; Dt 14,22-29; 26,12-14. Se trataba esencialmente de una actividad simbólica para que todo Israel
pudiese alimentarse de la «tierra santa», propiedad del Dios de Israel.

Los diezmos no constituían un sistema de pago que gravase las
buenas cosechas; la gente a quienes iban destinados los diezmos no
era elegida porque su cosecha hubiese sido inadecuada, sino por carecer de los medios necesarios para que la tierra de Dios les proporcionase alimentos. Entre las personas sin tierra estaban los sacerdotes y los levitas (fueran pudientes o no), por una parte, y los
israelitas pobres que habían perdido las tierras de sus antepasados,
por otra.

Durante un ciclo de siete años, el diezmo primero (entregado
anualmente salvo el año séptimo) estaba reservado eventualmente a
los sacerdotes, estuviesen necesitados o no, y podía ser recolectado
por ellos allí donde estuviesen. El segundo diezmo, presentado los
años primero, segundo, cuarto y quinto, quedaba en manos de sus
propietarios para que contribuyesen a los festejos comunes durante
la peregrinación a Jerusalén. Finalmente, el diezmo del pobre, recogido los años tercero y sexto, era para sustentar a la gente necesitada del país.

Aunque la norma general era que había que pagar el diezmo de
cualquier cosa sembrada por los hombres en la tierra de Israel y
usada como alimento, los observadores estrictos de la Ley, como
los fariseos del evangelio y sus predecesores, se planteaban otras
cuestiones. ¿Qué pasaba con las cosas usadas como alimento pero
no sembradas por los hombres? ¿Qué pasaba con las cosas usadas
como alimento pero cultivadas por no-israelitas? ¿Qué pasaba con
las cosas usadas como alimento de las que no se había pagado el
diezmo previamente?

Por supuesto, en las sociedades agrícolas preindustriales, la auténtica cuestión era: ¿por qué la gente necesitada de Israel (aparte
de levitas y sacerdotes) carece de tierras? Precisamente era la pérdida de las tierras lo que exigía el «diezmo del pobre». Los perversos
intérpretes de la Torá («hipócritas») de la época de Mateo evitaban
el problema de «la justicia, la misericordia y la fe». ⇨ **Ricos, pobres
y bienes limitados** (cf. pág. 393).

Divorcio

El divorcio era lo contrario del proceso matrimonial. Implicaba el proceso de desimplicación de la mujer del honor del varón, junto con una especie de redistribución y devolución del honor de las familias implicadas. El alcance de la implicación de la esposa en su esposo mediante el matrimonio, así como el alcance de la desimplicación causada por el divorcio, dependían del tipo de estrategias y de normas matrimoniales utilizadas.

Dos denarios

En el siglo I un denario equivalía al salario de una jornada laboral estándar. Dos denarios proporcionaban 3.000 calorías durante cinco o siete días, o 1.800 entre nueve o doce, para una familia con el equivalente de cuatro adultos. Dos denarios proporcionaban pan durante veinticuatro días a un viajero pobre. Este cálculo se refiere sólo al alimento; no tiene en cuenta otras necesidades, como ropa, impuestos, deberes religiosos, etc.

Doscientos denarios

El denario era la moneda estándar del Imperio Romano (mencionada también en Mc 14,5). En el siglo I, un denario equivalía a la paga de una jornada laboral (Mt 20,9.10.13). Dos denarios (ver Lc 10,30-35) proporcionarían 3.000 calorías durante un periodo de cinco a siete días o 1.800 durante nueve o doce días para una familia con un equivalente de cuatro miembros adultos. Dos denarios proporcionarían una ración diaria de pan durante veinticuatro días a un itinerante humilde. Este cálculo se refiere sólo a los alimentos; no tiene en cuenta otras necesidades, como ropa, impuestos, deberes religiosos, etc.

Sobre el valor de las monedas, por Mc 12,42 sabemos que:

2 *lepta*, la más diminuta moneda de cobre griega = 1 cuadrante, la más pequeña moneda de cobre romana.

En Mateo oímos hablar de:

cuadrantes (5,26); 64 cuadrantes = 1 denario
assarion (as; 10,29); 16 *assaria* = 1 denario
didracma (doble sextercio; 17,24); 1 didracma = medio siclo
estáter (17,27; 1 *estáter* = 2 didracmas = tetradracma [4 sextercios] = 1 siclo).

Economía familiar agrícola

Los agricultores autónomos, que poseían tierras y las cultivaban, tenían obligaciones económicas que limitaban drásticamente las pretensiones de ir más allá de un nivel de subsistencia. Las obligaciones de la familia eran al mismo tiempo internas y externas.

Obligaciones internas: (1) *Subsistencia.* Aunque puede variar de persona a persona, la gente que vive en las modernas ciudades industrales necesita aproximadamente 2.500 calorías diarias para cubrir las necesidades básicas. Las estimaciones sobre la Palestina romana ofrecen la cifra de entre 1.800 y 2.400 calorías por persona al día. La disponibilidad de calorías que proporcionaban los cereales y otros productos en una familia campesina de la Antigüedad dependería de la cantidad de bocas que había que alimentar. (2) *Semillas y piensos.* Las semillas para la siembra y el pienso para el ganado equivalían a una parte sustancial de la producción anual. En las sociedades agrícolas medievales de las que tenemos noticia, la simiente podía suponer la tercera parte de la producción de grano, y los piensos una cuarta parte adicional. (3) *Comercio.* Un caserío no podía producir todo lo necesario para la subsistencia. Había que reservar parte de la producción para adquirir equipos, utensilios o alimentos que la familia no producía.

Obligaciones externas: (1) *Deberes socio-religiosos.* La participación en bodas o en otras fiestas locales y las obligaciones cultuales o religiosas se llevaban otra parte de la producción anual. Esto podía variar sustancialmente de lugar a lugar y de año a año. (2) *Impuestos.* La mayor parte de las sociedades agrícolas han dedicado a impuestos entre el 10 y el 50 por ciento del producto anual. Estimaciones recientes relativas a la Palestina romana, que incluyen toda la variedad de impuestos civiles y religiosos, hablan del 35 al 40 por ciento.

Dada la dificultad de ofrecer cifras precisas para cada una de las distintas obligaciones, las conclusiones que podamos sacar sobre lo que restaba para la subsistencia familiar serán siempre aproximadas. Sin embargo, los intentos hechos recientemente por lo que respecta a la Palestina romana del siglo I, sugieren que las familias campesinas autónomas pudieron haber tenido a su disposición el 20 por ciento de la producción anual para cubrir las necesidades básicas. En el caso de arrendatarios, que tenían que pagar además la renta de la tierra, la cantidad sería mucho menor.

Edad

Lucas (3,23: Genealogía de Jesús) nos dice que Jesús tenía unos treinta años en el momento del bautismo y del comienzo de su ministerio público. Si esto es así, dada la esperanza de duración de vida en el mundo mediterráneo del siglo I, ya no era un hombre «joven». En las ciudades de la Antigüedad, casi la tercera parte de los niños que nacían vivos morían antes de los seis años. Hacia los quince años había muerto el 60 por ciento; el 75 por ciento a mitad de los veinte; y el 90 por ciento a mitad de los cuarenta. Quizás sólo el 3 por ciento alcanzaba los sesenta. Podemos entender así fácilmente la exaltación que hacían los antiguos de la juventud y la veneración hacia los ancianos (que en sociedades sin escritura eran la única reserva de la memoria y del conocimiento de la comunidad). Además, hemos de tener en cuenta que muchos que escuchaban a Jesús serían más jovenes que él, víctimas de la enfermedad y con una esperanza de vida de una década o menos. Si bien hay que afirmar que, con treinta años (Lc 3,23), Jesús ya no era un hombre joven.

Marcos (5,42: resurrección de la hija de Jairo) nos dice que la muchacha se levantó y se puso a andar «pues tenía doce años». Para poder imaginar el significado de la edad en el Mediterráneo del siglo I, hay que pensar que una persona de doce años estaba en la plenitud de la vida.

Enterrar un talento

A diferencia de otros Escenarios de la Lectura, éste no pretende tanto describir una escena cuanto presentar una versión alternativa de esta parábola. La razón es que la lectura que podía hacer la gente de élite coincide con la tendencia de la gente de Occidente a considerar la ganancia como algo legítimo y adecuado. A nosotros nos resulta difícil entender la lectura campesina de este texto. Por eso es interesante reconocer que pudo haber existido una versión de la parábola anterior a la forma que tiene en Mateo. De hecho, la tradición transmitida por Eusebio cuestiona completamente la lectura «financiera» de esta parábola.

Eusebio nos dice que en el *Evangelio de los Nazarenos* (no conservado) se podía encontrar otra versión de la parábola de los talentos. A diferencia de las versiones canónicas, ésta estaba claramente escrita desde el punto de vista campesino. La estructura que se puede deducir del comentario de Eusebio podría ser la siguiente:

Pero el evangelio (escrito) en caracteres hebreos, que ha llegado a nuestras manos, no lanza la amenaza contra el hombre que lo ha ocultado (el talento), sino contra quien ha vivido de manera disoluta...

Él (el dueño) tenía tres siervos:
A Uno que derrochó el dinero de su señor con prostitutas,
  B otro que multiplicó la ganancia,
    C y un tercero que ocultó el talento;
     y como resultado,
    C' uno fue aceptado (con alegría),
  B' otro recibió una reprimenda
A' y el tercero fue encarcelado.

Me pregunto si en Mateo las duras palabras contra el siervo que no hizo nada no irían dirigidas por epanalepsis al primero que había derrochado el dinero en fiestas con borrachos. (Eusebio, Theophania sobre Mt 25,14ss, citado en Hennecke-Schneemelcher-Wilson, *New Testament Apocrypha* 1,149).

Esponsales

Algunas Biblias ofrecen una traducción errónea al describir a María como «prometida» a José; sugerir que la antigua práctica de los «esponsales» se parece a nuestra noción de «compromiso» prematrimonial es un anacronismo cultural. En la Antigüedad, los matrimonios eran preparados por las familias extensas, no por los individuos, y eran arreglados por los padres; no se trataba de acuerdos entre un hombre y una mujer involucrados en una experiencia romántica. Los contratos matrimoniales requerían una complicada negociación que asegurase que se unían familias de igual estatus y que ninguna sacaría ventaja respecto a la otra. También hoy, en los poblados del Próximo Oriente, tales contratos son negociados por las madres de las dos familias implicadas y posteriormente ratificados por cada patriarca familiar.

El matrimonio era uno de los acontecimientos verdaderamente importantes en la vida familiar de la Antigüedad. En el mundo mediterráneo del siglo I e incluso antes, el matrimonio simbolizaba la fusión del honor de dos familias extensas y tenía a la vista amplios intereses políticos y/o económicos. Las cosas eran así incluso cuando un matrimonio podía verse confinado a los correligionarios por razones defensivas, como en el Yavismo israelita del siglo I.

Visto en su proceso, el matrimonio es la desimplicación de la futura esposa de su familia de origen y su implicación en el honor de su nuevo esposo. Empieza con un desafío ritual positivo (p.e. regalos y/o servicios al padre de ella), llevado a cabo por el padre del futuro novio al padre de la futura novia. Éste responde al desafío con el don de su hija. Si el padre no estuviera disponible, entonces tomaban parte en la transacción los miembros varones responsables de la familia, como hermanos mayores, tíos o el futuro novio.

Durante la fase inicial del proceso matrimonial, los futuros esposos eran separados: estaban prometidos, es decir, «santificados» (éste es el significado del término hebreo/arameo traducido por «separar»). Mientras las madres tienen gran libertad de acción en determinar las perspectivas y en pensar en el tipo de matrimonio, los varones responsables se dedican a redactar la parte final del contrato matrimonial, y al final el padre de la novia debe entregar su hija al novio. Éste la toma como esposa llevándola a su propia casa. La parábola de las diez doncellas de Mt 25,1-12 (ver notas en su lugar) describe precisamente a un novio de esas características volviendo a casa, obviamente con la novia (no mencionada en las traducciones, pero sí en algunos textos antiguos). Con el traslado ritual de la esposa a casa del esposo se completaba el proceso matrimonial. El resultado de tomar esposa era la implicación de ésta en el honor del marido. Ella, a su vez, simbolizaba la vergüenza de la nueva familia, es decir, su sensibilidad ante la opinión pública y su interés por la propia imagen.

En el arreglo de un matrimonio, la familia de la chica busca un chico que sea un buen proveedor, un padre cariñoso y un ciudadano respetado. A diferencia de nuestras prácticas en las sociedades occidentales, la muchacha mediterránea tradicional no percibía a su futuro esposo desde el punto de vista de la compañía o la comodidad. Todo esto lo proporcionaban los hermanos y otras mujeres. La vida en el mundo del Mediterráneo estaba de tal modo organizada que los hombres y las mujeres se movían en círculos separados, que podían tocarse pero nunca solaparse. También el matrimonio era sin más una fase de contacto entre círculos masculinos y femeninos, sin que pudiese esperarse una coincidencia o solapamiento reales. Como en todas las sociedades que valoran los lazos entre los derechos masculinos, en el mundo tradicional mediterráneo la recién casada no quedaba integrada en la familia del esposo, sino que permanecía durante gran parte de su vida en la periferia de dicha familia. Era como una «extranjera» en la casa, una especie de pariente desaparecido hace tiempo del que se desconocen sus cualidades.

El proceso matrimonial implicaba a todo el pueblo. La firma del contrato, estampada por el líder del pueblo (el *mukhtar* de las poblaciones tradicionales árabes), de la que era testigo toda la comunidad, sellaba el acuerdo y lo hacía vinculante. En esta situación, una pareja no podía todavía vivir junta, aunque se requería un divorcio formal para romper el compromiso ya hecho público. La relación sexual con una mujer prometida era considerada adúltera (Dt 22,23-24).

Sólo tras la celebración pública (la boda propiamente dicha) era entregada la novia a la familia del esposo. Dado que los matrimonios eran arreglos políticos, económicos, religiosos y de parentesco, con frecuencia eran preparados mucho antes de la edad para el matrimonio; en consecuencia, tal situación prematrimonial podía prolongarse durante mucho tiempo.

Parece que Pablo alude a estas etapas del proceso matrimonial en 1 Cor 7,29-31, aunque las menciona en un orden casi inverso:

> Los que tienen esposa, vivan como si no la tuvieran [= la pareja casada]; los que lloran, como si no llorasen [= la familia de la novia, que pierde a su hija/hermana]; los que se alegran, como si no se alegraran [= la familia del novio y su ganancia]; los que compran, como si no poseyeran [= la familia del novio, que debe pagar los gastos]; y los que tratan con el mundo, como si no trataran con él [= la familia de la novia, que, en los arreglos del compromiso, buscan alguna ventaja]

Esposa

En la Antigüedad, todas las personas (pero especialmente las mujeres) estaban social y psicológicamente subsumidas en la familia paterna. Todos los miembros contribuían al bienestar del conjunto. Un matrimonio desimplicaba en un alto grado a una mujer de su familia paterna y la implicaba o subsumía en la familia de su nuevo esposo. ⇨ **Esponsales**, 1,18. Los esponsales, sellados mediante contrato, daban comienzo al proceso matrimonial, que terminaba con la conducción de la prometida al hogar del esposo. Los matrimonios eran preparados por los padres, a quienes se debía obediencia y respeto religioso. Se concebía que Dios había tomado parte en la preparación, de igual modo que había tomado parte en el nacimiento («Por eso, lo que Dios ha unido...», Mt 19,6). Había que evitar la separación, tanto por razones sociales (como enfrentamientos entre familias) cuanto por razones religiosas (como el respeto a los padres).

Una esposa permanecía casi siempre en la periferia de la familia de su esposo. Todos los de la casa la tenían por una «extranjera», una forastera, aunque la situación cambiaba de algún modo cuando tenía un hijo. El nacimiento de un hijo le daba seguridad y le proporcionaba un estatus reconocido en la familia de su esposo. Más aún, un hijo se convertía de mayor en aliado de su madre y en defensor de sus intereses dentro de la familia; la defendería de su esposo (su propio padre) o incluso de su propia esposa (la nuera). En caso de conflicto familiar, las nueras llevaban las de perder. La relación más importante de la madre en el seno familiar era la mantenida con su hijo.

Las hijas eran bien recibidas, pero suponían una carga, pues podían mancillar el honor del padre. Dice Ben Sira:

> Una hija es para su padre causa secreta de insomnio, y la preocupación por ella le roba el sueño: de joven, por si no se casa; de casada, por si es aborrecida; de soltera, por si es mancillada o queda encinta en la casa paterna; de casada, por si es infiel; en la relación conyugal, por si es estéril. Vigila de cerca a una hija rebelde, no sea que te convierta en mofa de tus enemigos, en comidilla de la ciudad y en comentario de la gente, y te avergüence ante todos (Ecló 42,9-11).

Por otra parte, una mujer no era una extraña cuando se trataba de una hermana, especialmente en relación con sus hermanos. Hermano y hermana tenían la más intensa y emotiva relación existente entre sexos, sólo superada por la de madre e hijo; por eso, en esta especie de disposición cultural, era fácil que el hermano montase en cólera cuando un varón se acercaba sin permiso a su hermana. Si una hija tenía una conducta sexual errónea, el padre la hacía responsable de lo ocurrido, al tiempo que el hermano buscaba a la otra parte con ánimo de vengarse. Este último aspecto es ilustrado claramente por la Biblia en 2 Sam 13,1-29 (Tamar y su hermanastro) y se halla tras los acontecimientos de Gn 34,1-31 (Dina en Siquén). Observad que la relación esposo-esposa no sustituye la intensa relación entre hermano y hermana. Así, si el hermano residía cerca de su hermana y ésta y su esposo reñían y se separaban, la cosa no pasaría de acarrear ciertas inconveniencias y de producirle cierto pesar a ella y a sus hermanos y hermanas. Ellos eran su principal apoyo emocional incluso después de casada. En consecuencia, la estabilidad matrimonial sería más sólida cuando la esposa estaba claramente separada de su grupo de parentesco original y socialmente incorporada (mediante un hijo) al grupo de parentesco de su marido.

Existía otro factor que podía afectar a la posición de la esposa en la familia de su marido: la distancia social a la que se casaba. La recién casada no sería una extraña si se casaba con un primo hermano, una especie de hermano subrogado. Era el caso de mayor cercanía dentro del grupo de parentesco, dados los tabúes del siglo I relativos al incesto. Por otra parte, en ciertas ocasiones los varones se casaban con sobrinas, como indican las lamentaciones de Qumrán. Sin embargo, estas dos últimas categorías no eran prevalentes; lo normal era que las recién casadas fuesen extrañas en las casas de sus esposos.

Esterilidad

La posición de una mujer en la familia de su esposo nunca estaba segura hasta que tenía un hijo. Sólo entonces adquiría una relación de «sangre» que aseguraba su posición. Los relatos sobre mujeres estériles describen situaciones de profunda angustia (ver Gn 11,30; 25,21; 29,31; Jue 13,2; 1 Sm 1,2). El *Protoevangelio de Santiago* (finales del siglo II) ofrece un buen ejemplo de la amargura de una mujer estéril ante la burla de los paisanos. El relato comienza describiendo cómo a Joaquín, rico padre de María, se le prohíbe ser el primero en ofrecer sus dones en el templo por carecer de descendencia. Tras consultar las genealogías y descubrir que es el único sin hijos entre los justos, huye al desierto movido por el remordimiento; sólo volverá tras recibir un mensaje divino en el que se le comunica que su mujer concebirá. Por otra parte, Ana, madre de María, lamenta su situación: «mi viudedad, mi falta de hijos». Al ver un gorrión con su cría en el nido, suspira mirando al cielo y pronuncia una extensa lamentación que empieza así:

> ¡Ay de mí! ¿Quién me engendró? ¿Qué vientre me dio a luz?
> Pues he nacido como maldita ante todos ellos y ante los hijos de Israel.
> He sido censurada, se han burlado de mí y me han echado del templo del Señor.
> (3,1, tomado de Hennecke-Schneemelcher-Wilson, *New Testament Apocrypha* 1,375).

Ver también 1 Sm 1,5-6 sobre el trato a que podía verse sometida una mujer estéril.

Estructura social y monoteísmo

Para que penetre en una sociedad una perspectiva religiosa fundamental se requiere cierta estructura social que sirva de analogía a la perspectiva religiosa. Por ejemplo, tomemos una sociedad con la estructura social del «señorío» y el rol social de «señor». Un «señor» del Mediterráneo del siglo I es un varón con autoridad y control total sobre todas las personas, animales y objetos situados en su esfera de influencia (ver Mt 18,23-35; Lc 19,12-17 un rey desempeña ese rol). Llamar al Dios de Israel «Señor del cielo y de la tierra», como hace Jesús (Mt 11,25), y Lucas en los dos primeros capítulos, requiere la existencia y la experiencia del papel de «señor». Dada la realidad social etiquetada con esa palabra, «señor» puede servir ahora de analogía para hablar significativamente del Dios de Israel. De manera parecida, el término «gracia» tiene sentido en una sociedad caracterizada por «favores», como en cualquier estructura social de patronazgo y clientelismo.

En las Escrituras hebreas encontramos una imagen teológica de Dios enraizada en la estructura social de la monarquía israelita. Como se trata de una monarquía confinada a un determinado grupo étnico, la imagen de Dios se acerca más al henoteísmo que al monoteísmo. Henoteísmo significa fe en un dios, mientras que el monoteísmo se refiere a la fe en un dios único. El henoteísmo habla de lealtad a un dios entre un número determinado de dioses. Significa que cada grupo étnico o incluso cada subgrupo se mantiene fiel a su dios supremo, al tiempo que no niega la existencia de otros grupos con sus respectivos dioses. El rey de Israel era un rey entre otros muchos; de igual modo, el Dios de Israel es un Dios entre los dioses de las naciones. A su vez, la etiqueta «pueblo elegido» es una réplica de la concepción henoteísta de Dios: un Dios con preeminencia sobre otros dioses y un pueblo con preeminencia sobre otros pueblos. En este caso, el Dios de Israel es llamado YHWH o *Elohim* o *Adonai* (Señor) *YHWH/Elohim*. El mandamiento «No tendrás otros dioses ante mí» (Éx 20,3; Dt 5,7) insiste en la precedencia y preeminencia del Dios de Israel, no en su unicidad. De manera parecida, el credo de Israel subrayaba este henoteísmo en un mundo politeísta: «Escucha, Israel: el Señor *nuestro* Dios es un Señor; amarás al Señor tu Dios con todo tu corazón y con toda tu alma y con todas tus fuerzas» (Dt 6,4-5, traducción del autor; Mt 22,37). Por su parte, Pablo afirma: «Existen, en verdad, quienes reciben el nombre de dioses, tanto en el cielo como en la tierra -y ciertamente son muchos esos dioses y señores-; sin embargo, para nosotros no hay más que un Dios: el Padre de quien proceden todas las cosas y para quien nosotros existimos» (1 Cor 8,5-6).

Es probable que la primera estructura social que sirviese de analogía al Dios monoteísta fuese el imperio persa. De hecho, el modo en que el monoteísmo (como orientación religiosa práctica y como sistema filosófico abstracto) caló en la conciencia de algunos pueblos del Oriente Medio fue a través de una monarquía extendida por todo el mundo conocido. Parece que fue la monarquía persa la primera en desencadenar este impacto en el mundo antiguo. Lo mismo que Zoroastro, también los profetas de Israel fueron ayudados a descubrir la unicidad de Dios gracias a la experiencia persa. A pesar de la experiencia griega «católica» de Alejandro, la ulterior fragmentación de su imperio dejó una serie de monarquías «henoteístas» y facilitó la vuelta al henoteísmo.

A partir del periodo postexílico israelita, no hubo estructura social que sirviese de analogía al Dios monoteísta, hasta la llegada del imperio romano. Este imperio, por supuesto, sirvió de estructura social generalizada en todo el mundo mediterráneo. Se trata del imperio que con tanta claridad aparece en los relatos evangélicos. Como podemos ver en el edicto final de Mateo (28,16-20), el Dios que da a Jesús «autoridad plena sobre cielo y tierra» ya no es sin más YHWH-Dios de Israel, sino el Dios único de toda la humanidad. Los discípulos son enviados a «todos los pueblos», no al «pueblo elegido» (Lc 24,44-49).

De este modo, el profundo significado de la expansión de la fe en Jesús como Mesías de Dios en el siglo I está íntimamente relacionado con el monoteísmo. Con la difusión del cristianismo por el imperio romano, con la proclamación de Jesús (Cristo) como mediador único, Hijo único de Dios, y con la proclamación de un solo Dios en el ámbito imperial romano, empezó a desarrollarse la tradición cristiana monoteísta. Este monoteísmo fue quizás el modo radical en que la tradición cristiana se distinguió de la evolución propia del yavismo israelita, el henoteísmo tradicional que eventualmente tomó la forma del judaísmo (siglo IV d.C.).

Familia subrogada

La familia suministró al primitivo movimiento cristiano una de sus imágenes básicas para definir la identidad y cohesión sociales cristianas. En la Antigüedad, la familia extensa tenía mucha importancia. No sólo era la fuente del propio estatus comunitario, sino que funcionaba también como la principal red de relaciones económicas, religiosas, educativas y sociales. La pérdida de conexión familiar significaba la pérdida de esas redes vitales, así como la pérdida de conexión con el país. Pero una familia subrogada, lo que los antropólogos denominan grupo ficticio de parentesco, podía tener las mismas funciones que la familia de origen. La comunidad cristiana, que hace las veces de familia subrogada, es, tanto para Mateo, Marcos y Lucas, el lugar propio de la buena nueva. La familia subrogada trascendía de inmediato las categorías normales de nacimiento, estatus social, educación, riqueza y poder, aunque no descartaba fácilmente las categorías de género y raza. En el evangelio de Mateo los seguidores de Jesús son «hermanos», y la diferencia entre las casa de Israel y las naciones es debidamente resaltada. La familia subrogada se convierte en un lugar de refugio para quienes ya están desvinculados de sus familias de origen (p.e. hijos sin posibilidad de heredar que se trasladan a la ciudad). Para la gente con buenos contactos, especialmente entre la élite urbana, dejar a la familia de origen por la familia subrogada cristiana (como exige Jesús en Mateo 12,46-50) era una decisión que costaría muchísimo tomar (ver Mt 8,18-22; 10,34-36.37-39; 19,23-30). Significa romper los vínculos, no sólo con la familia, sino con la entera red social de la que uno podía formar parte.

Para los discípulos galileos que describe Marcos en 3,31-35, abandonar la propia familia de origen y optar por la familia cristiana subrogada (como exige Jesús) traía consigo una recompesna enorme: «en el tiempo presente cien veces más... y en el futuro la vida eterna» (Mc 10,30).

Lo mismo se puede decir en Lc 9,57-62; 12,51-53; 14,26; 18,28-30. Dejar la familia de origen era una decisión que costaría muchísimo tomar. Significaba romper irrevocablemente con los vínculos de los que dependía el estilo de vida elitista. ¡Y parece ser que Lucas se preocupa mucho por los problemas de tales personas!

Fariseos

Limosna, oración y ayuno constituían las preocupaciones simbólicas centrales del grupo al que Mateo llama fariseos. Este grupo es mencionado, bien con el partido sacerdotal, los saduceos (Mt 3,7; 16,1.6.11.12; 21,45; 27,62), bien con los expertos en la ley, los escribas (5,20; 12,38; 15,1; 23,2.13.15.23.25.27.29), o solos, pero siempre con una postura de crítica desafiante (9,11.34; 12,2.24;

15,12; 19,3; 22,15; 22,34.41). En el relato evangélico, los fariseos son los primeros en decidir quitar de en medio a Jesús (12,14).

Los «fariseos» aparecen así como la quintaesencia de los adversarios de Jesús en su tarea de revitalizar a Israel. Bien que el término se refiera a grupos contemporáneos de la comunidad de Mateo, bien a grupos realmente contemporáneos de Jesús, el hecho es que el principal interés del partido se centraba en la santificación del grupo o santidad del grupo de Israel. En términos sociológicos, esto se traducía en exclusivismo, en el mantenimiento de los límites intragrupales frente al extragrupo. ⇨ **Intragrupo y extragrupo** (cf. pág. 358). Este extragrupo estaba formado, tanto por los compatriotas israelitas no interesados en ese exclusivismo, como por otras personas. Las principales prácticas de este grupo iban orientadas a evitar la contaminación extragrupal. Tales prácticas no hacían sino ahondar en el exclusivismo. Desde el punto de vista teológico, las réplicas de ese exclusivismo eran la imagen de un Dios henoteísta, «el Señor nuestro Dios» (Dt 6,4), y la idea de «pueblo elegido».

En el relato de Mateo, Jesús no es menos exclusivista, si bien ha redefinido las fronteras. Jesús busca «las ovejas perdidas de la casa de Israel» (Mt 10,6), subrayando el arrepentimiento y el interés por los propios «hermanos», es decir, por «amar a los israelitas próximos como a uno mismo». Hablando de nuevo en términos sociológicos, nos hallamos ante un inclusivismo de todos los miembros de la casa de Israel, con el énfasis puesto en la adhesión grupal de quienes optan por obedecer a Dios en un Israel revitalizado, con lealtad y ayuda mutuas entre los miembros del grupo. Aquí el extragrupo está integrado por todos los no-israelitas. Desde el punto de vista teológico, tal perspectiva sigue estando enraizada en la imagen de un Dios henoteísta, «el Señor *nuestro* Dios» y un amplio y revitalizado «pueblo elegido».

Tras su resurrección, el propio Jesús nos informa de manera sorprendente, en un mandato final, que ser miembro del Israel revitalizado está ahora al alcance de «todas las naciones». Mateo no se molesta en explicar cómo y por qué ha tenido lugar eso (como hace Lucas en Hechos). Pero con tal mandato, los seguidores de Jesús se ven obligados a dar el paso que conduciría al verdadero monoteísmo. ⇨ **Estructura social y monoteísmo** (cf. pág. 350).

Fe

El sustantivo «fe» y sus formas verbales, «tener fe», «creer», etc., aparecen a lo largo de los evangelios de Mateo y de Marcos empezando por la referencia a los «de poca fe» en la parábola de las preocupaciones (Mt 6,30) y por la llamada inicial a «arrepentirse y creer en el Evangelio» (Mc 1,15). En nuestro sistema social, que controla nuestro uso del castellano, los términos fe o creencia significan asentimiento psicológico, cognitivo y afectivo a determinadas verdades. Damos nuestro asentimiento, bien porque las verdades tienen sentido en sí mismas (p.e. la mayoría de la gente cree que si A = C y B = C, por fuerza A = B), bien porque la persona que habla goza de la suficiente credibilidad (p.e. la mayoría de los universitarios creen al menos en el noventa y nueve por ciento de los experimentos mencionados por los autores de sus textos de física y química, pues en la universidad no hay tiempo para comprobar todos los experimentos). Esta dimensión de la fe, el asentimiento a algo o a algo que alguien dice, no es frecuente en el Nuevo Testamento, aunque la hallamos en Mt 9,28: «¿Creéis que puedo hacerlo?» o en Mt 24,23.26: «no lo creáis», y en Mc 13,21: «Si alguno os dice entonces: '¡Mira, aquí está el mesías! ¡Mira, está allí!', no lo creáis».

Sin embargo, con mucha mayor frecuencia en el Nuevo Testamento, las palabras «fe», «tener fe» y «creer» se refieren al «imán social» que une a las personas entre sí, es decir, a una conducta marcada por la lealtad, la entrega y la solidaridad, una conducta manifiestamente social y emocional. Como fundador de una facción, Jesús exige lealtad y entrega a él mismo y a su proyecto (Mt 18,6; ver Mt 27,42; Mc 9,42). ⇨ **Coaliciones/Facciones** (cf. pág. 329). Por regla general, sin embargo, esta lealtad va dirigida al Dios de Israel (ver también Mc 4,40; 5,34.36; 9,42; 10,52). Lo mismo vale para otro profeta y fundador de una facción, Juan el Bautista. Jesús esperaba que la gente le manifestase lealtad y entrega (Mt 21,32). Y esta lealtad siempre debe ir dirigida al Dios de Israel (Mt 6,30; 8,10.26; 9,22.29; 14,31; 15,28; 16,8; 23,23) y puede manifestarse igualmente en la solidaridad para con otras personas dispuestas a obedecer al Dios de Israel (Mt 9,2).

En Mt 21,21 muchas Biblias traducen: «tener fe y no dudar». Esta traducción responde a la primera categoría mencionada arriba: la del asentimiento de la mente. Pero éste no es el uso normal de los términos en Mateo. Estarían mejor traducidos: «sed leales (a Dios) y no dudéis (en vuestra fidelidad y lealtad)». De manera parecida, el significado obvio del siguiente versículo es: «Cualquier cosa que pidáis en la oración, lo recibiréis si permanecéis leales (a Dios)».

Lo mismo podemos decir de Mc 11,23, que algunas Biblias traducen: «si no dudas en tu corazón, sino que crees...», responde también a la primera categoría mencionada arriba: la del asentimiento de la mente. De nuevo hay que decir que ése no es el uso normal de los términos en Marcos. Estaría mejor traducirlos: «quien... no duda, sino que permanece leal (a Dios)...»

En suma, «fe» significa en primer lugar lealtad personal, entrega a otra persona, fidelidad y la solidaridad que se desprende de esa confianza. En segundo lugar, el término puede significar «crédito», en frases tales como «dar crédito», «encontrar a alguien fiable».

Genealogías

Los recientes estudios sobre genealogías indican que éstas pueden ofrecer una amplia gama de funciones sociales: preservar la homogeneidad o cohesión tribal, interrelacionar diversas tradiciones, dar por buenos los contratos matrimoniales entre familias extensas, mantener la identidad étnica y codificar la información social clave sobre una persona. Sobre todo, las genealogías determinaban las pretensiones relativas a un estatus social (honor) o a un cargo particular (sacerdote, rey) o a un rango cualquiera; proporcionaban, pues, el mapa necesario para una relación social adecuada. En la Biblia, por ejemplo, la mayor parte de las genealogías del Antiguo Testamento son escritos sacerdotales, provenientes del periodo que siguió al destierro de Babilonia. Durante este periodo, el interés por la exclusividad israelita hizo de la pureza étnica un asunto prioritario, y, en tal contexto, las genealogías fueron usadas para mantener las fronteras entre los grupos. En otras palabras, las genealogías son mapas sociales antes de transformarse en fuentes de información histórica sobre los propios antepasados. Por tanto, nuestro intento de entender la inclusión de la genealogía de Jesús en el evangelio de Mateo debería ser guiada más por su función social que por el interés por la información histórica.

Cuando existen propósitos de reconstrucción histórica, hay que tener en cuenta que, en las genealogías de las sociedades orales, sólo puede darse crédito a las tres últimas generaciones. Como ya han muerto todos los testigos de las anteriores, no hay modo de comprobar las pretensiones genealógicas. Junto con esta «ley» de las tres últimas, las genealogías de las sociedades orales usan con frecuencia en paralelo un trío original, sobre el que se apoya todo el edificio moral; contamos con el trío tradicional de la antigua tradición del Israel: Abrahán, Isaac y Jacob.

Todas las genealogías del Nuevo Testamento (de hecho, casi todas las conocidas pertenecen al periodo agrario del Próximo Oriente) son patrilineales. Como tales, constituyen un importante testimonio del estatus del varón en cuanto portador de los derechos en la comunidad. Dicen quién encaja socialmente con quién, definen la posición en la comunidad e incluso especifican quién puede ser elegido como pareja para un matrimonio. Las genealogías patrilineales transportaban, de este modo, una considerable carga social y resultaban importantísimas para las clases elitistas, que las usaban para documentar sus respectivos lugares en la comunidad.

La forma lucana de la genealogía de Jesús subraya la filiación. La forma mateana concede especial importancia a la paternidad. Los padres mediterráneos son potentes o impotentes como la semilla, al tiempo que las madres son fértiles o estériles como los campos. Sólo los padres generan descendientes. Toda la esencia de un niño o una niña recién nacidos se deriva por entero del padre; de ahí que sólo los padres puedan «engendrar» (Mt 1,1-16). La madre sólo sirve de agente nutriente pasivo, que concibe y tiene hijos (Mt 1,21; Lc 1,13.31); los hijos son engendrados de ellas (Mt 1,16) o en ellas (Mt 1,20), pero no por ellas. El padre ocupa el primer puesto en la familia y la representa en el exterior. Todo lo que se relaciona con la familia en el exterior es controlado por el padre y es masculino: herencia, tierras circundantes y relaciones jurídicas (es decir, relaciones por parte del padre), animales productivos y aperos, hijos adultos. Por la otra parte, todo lo que mantiene a la familia en el interior pertenece a la esfera de la madre y es generalmente femenino: cocina, relaciones no-jurídicas (es decir, relaciones por parte de la madre), hijas solteras, nueras que viven con ella, hijos que no son lo suficientemente mayores como para vivir con el padre, y animales caseros, como cabras lecheras y pollos. «Pues la providencia hizo más fuerte al hombre y más débil a la mujer... y mientras él trae alimentos de fuera, ella puede conservar lo que hay dentro» ([Pseudo-Aristóteles =] Teofrasto, *Oeconomica* 1344a 4; Loeb, 333).

Herencia

Aunque no están del todo claras las prácticas en cuestiones hereditarias, el pasaje que reproducimos a continuación, tomado de una fuente que refleja la costumbre israelita del siglo III, puede ilustrar la situación que subyace tras la parábola:

> Si alguien asigna por escrito sus propiedades a sus hijos, deberá escribir «a partir de hoy y hasta [mi] muerte»... Si alguien asigna

por escrito su hacienda a su hijo [para que sea suya] después de su muerte, el padre no podrá venderla, pues ha pasado a su hijo, y el hijo no puede venderla, pues está bajo control de su padre... El padre puede coger lo que quiera [de la producción] y dársela como alimento a quien le plazca, pero lo que no coja pertenece a sus herederos (*m. Baba Batra* 8,7).

El texto explica después que esto se refiere a una persona sana que desea disponer en vida del producto de sus tierras. Un comentario judío posterior (*b. Baba Metzia* 75b) explica que podía darse esta situación si un hombre deseaba proteger los derechos hereditarios de los hijos de un primer matrimonio; ver en Eclo 33,19-23 un punto de vista escéptico sobre la sabiduría de tal situación. Pero ningún texto conocido contempla la posibilidad de que un hijo pueda solicitar la herencia por propia iniciativa.

Tampoco existen precedentes del derecho a disponer libremente de la herencia en vida del padre. Como han observado algunos intérpretes, la parábola de Lc 15,11-32 implicaría que el hijo menor deseaba con su actitud que su padre estuviese muerto. Habría que tener en cuenta que el hijo mayor solía recibir dos tercios (Dt 21,17) de la herencia en vida del padre («Y el padre les repartió el patrimonio»). Sin embargo, como ponen de manifiesto las acciones que lleva a cabo después el padre en la parábola, éste sigue reteniendo el control del producto de la propiedad, como hemos podido ver en la cita del texto de la Misná.

Hijo de Dios

A lo largo de este evangelio descubrimos que la designación «Hijo de Dios» sirve de base al mensaje de Marcos de que la conducta de Jesús está autorizada por Dios. Aparte de su presencia aquí, al comienzo del evangelio, encontramos dicha designación en momentos clave del relato de Marcos, proclamada por seres invisibles que conocen el verdadero rol de Jesús: la voz divina durante el bautismo, dirigida al propio Jesús (1,11, «mi Hijo amado»), el reconocimiento de los espíritus inmundos tan eficazmente desafiados por Jesús (3,11, «Hijo de Dios»; 5,7, «Hijo del Dios Altísimo»; 1,24, «Santo de Dios») y el reconocimiento de Jesús por parte de Dios, dirigido al grupo de discípulos (9,7, «mi Hijo amado»). La designación se convierte finalmente en el cargo principal contra Jesús: ser el Mesías, «el Hijo del Bendito» (14,61).

Para determinar el significado de este título, es mejor empezar con una observación lingüística adecuada a las culturas semíticas de

entonces. Una fórmula como «hijo de X» significa «tener las cualidades de X». Así, «hijo de hombre» significaría tener cualidades de
hombre, es decir, humano. «Hijo del día» significa tener la cualidad
del día, es decir, estar pletórico de luz, ser moralmente justo. «Hijo
del cabello» significa peludo o canoso. En esta línea, «hijo de Dios»
significaría «tener la cualidad de Dios», es decir, ser divino o semejante a Dios. En un contexto monoteísta, es importante observar
que «hijo de X» difícilmente significaría «tener la esencia de X». En
otras palabras, las formas «hijo-de-X» son formas adjetivales, que
apuntan a una cualidad importante, extremadamente notable; ver la
nota a 3,17 sobre los «hijos del trueno».

La designación «Hijo de Dios» es también importante para legitimar el ministerio de Jesús. En las sociedades con base en el honor-vergüenza se daba siempre por supuesto que una persona ac-
tuaría de acuerdo con el grado de honor que se le reconocía públicamente. De las personas de buena cuna se esperaba que ejercieran
roles públicos de dirección, pues su estatus les legitimaba para actuar en ese sentido. De una persona humilde no se esperaban tales
roles, de lo contrario había que buscar alguna explicación. Se explicaba su «poder» recurriendo a algún evento llamativo o circunstancia extraordinaria en su vida; si no podía hallarse una explicación de
este tipo, entonces su poder era atribuido a las fuerzas del mal. Al
ser miembro de una familia de artesanos rurales, Jesús carecía de legitimidad como figura pública. Sin embargo, al ser Hijo de Dios, su
legitimidad resultaba incuestionable.

Intragrupo y extragrupo

Las referencias evangélicas a la información especial de que gozan los que siguen a Jesús, que no está a disposición de los de fuera
(Mc 4,11-12; Mt 13,11; Lc 8,10), o la insistencia de Jesús en que el
mundo está dividido en dos grupos, los que están con nosotros y
los que están contra nosotros (Lc 11, 23), apunta a una perspectiva
mediterránea fundamental. Una de las distinciones sociales básicas
y permanentes que hacían los mediterráneos del siglo I era la relativa al intragrupo y el extragrupo. El intragrupo de una persona estaba generalmente formado por la propia familia, la familia extensa y
los amigos. Los límites de un intragrupo eran fluidos; los intragrupos podían cambiar, y de hecho lo hacían, ampliándose unas veces
y contrayéndose otras. Las personas del mismo barrio urbano o del
mismo pueblo se considerarían entre sí como intragrupo cuando se
encontraban en un ambiente «extraño», aunque en el barrio o el

pueblo pudieran ser extragrupo entre sí. Respecto a Jesús, el que tuviese una casa en Cafarnaún indica dónde estaba constituida su red de relaciones intragrupales. Las primeras personas a las que llama para que formasen parte de su movimiento son de Cafarnaún, y el hecho de que respondan tan rápidamente sugiere que existía allí una red intragrupal (ver Mc 1,16-20 par.).

De los miembros del intragrupo se esperaba lealtad y disposición a la ayuda mutua (Lc 11,5-9). Debían manifestar la mayor consideración y cortesía; tal conducta raramente se hacía extensiva (si es que existía) a miembros de extragrupos. Sólo podían llegar a ser intragrupos los grupos cercanos en los que una persona podía expresar su interés por otros (Mt 5,43-48). Las personas que se relacionaban positivamente entre sí de manera intragrupal, aunque no fuesen parientes, se convertían en «prójimos». El término hace referencia a un rol social con derechos y obligaciones, que nace de la cercanía social y de la relación con otras personas, con las que se tiene trato habitual (idéntico pueblo, vecindario, partido o facción). Los prójimos de este tipo son una expansión del propio grupo de parentesco (ver Prov 3,29; 6,29; 11,9.12; 16,29; 25,9.17.28; 26,19; 27,10.14; 29,5). Desde cierto punto de vista, todos los miembros de la casa de Israel eran prójimos; de ahí que el mandato «ama a tu prójimo como a ti mismo» (Lv 19,18) señalase los límites de un amplio intragrupo, se cumpliese el mandato o no. Desde esta perspectiva, la parábola del Buen Samaritano (Lc 10,29-37) parece abordar la cuestión de quién pertenece a Israel.

Los límites del intragrupo eran movedizos. La división geográfica de la casa de Israel en el siglo I era Judea, Perea y Galilea. Lo que tenían en común todos los residentes leales al templo de Jerusalén era su «nacimiento» en el mismo pueblo, la casa de Israel. Pero este grupo pronto se dividió en tres intragrupos: judeos, pereos y galileos. Jesús no era judeo, sino galileo, lo mismo que sus discípulos. Fueron los judeos quienes condenaron a muerte a Jesús el galileo. Y todos estos grupos con base geográfica se subdividían en innumerables subgrupos, con distintas e inestables lealtades. Según el relato evangélico, Jesús se trasladó de la pequeña aldea de Nazaret al pueblo de Cafarnaún, mucho más grande (ver Mc 2,1, donde Jesús de Nazaret se encontraba en su propia casa).

Para los de fuera, todos estos intragrupos israelitas se fusionaban en uno, los judeos. De manera parecida, la casa de Israel podía considerar al resto del mundo como un gran extragrupo, «las (otras) naciones», en latín «los gentiles». Pablo se considera a sí mismo judeo, procedente de Tarso, con una vida conforme a las costumbres judeas, llamadas «judaísmo», y fiel al Dios de Israel en Jerusalén, en Judea. La mayoría de esos judeos nunca esperaban regresar a Judea. Permanecían en sus lugares de nacimiento bien como residentes extranjeros bien como ciudadanos. Sin embargo, seguían siendo clasificados en virtud de la localización geográfica de sus raíces étnicas originales. Existe una razón que explica todo esto: el principal modo de clasificar seres vivos, animales y humanos, en el Mediterráneo del siglo I era recurrir a los orígenes geográficos. Tener un origen geográfico parecido significaba albergar los mismos sentimientos intragrupales, aunque hiciese mucho tiempo que alguien se hubiese alejado del lugar de origen. Y este lugar de origen dotaba a los miembros del grupo de características particulares.

En los evangelios se describen claramente los límites faccionales de intragrupos y extragrupos: fariseos, herodianos, saduceos, discípulos de Juan, discípulos de Jesús. Cuando una persona le pedía un favor a otra, le estaba haciendo una invitación implícita a formar parte del intragrupo. Así, cuando Jesús forma su facción reclutando a los principales miembros con la invitación «Sígueme», éstos, al acceder, esperaban por supuesto algo a cambio (Mc 10,28-30; Mt 19,27-29).

Los miembros del intragrupo se hacían con toda libertad preguntas entre sí que podrían parecer demasiado personales a los europeos actuales. Estas preguntas reflejan el hecho de que las relaciones interpersonales, aunque fueran «casuales», tendían a debilitar mucho más las fronteras sociales y psicológicas en la Palestina del siglo I que en la experiencia europea actual.

En las relaciones con miembros de extragrupos, casi «nada marcha». El trato que dan los romanos a Jesús en el relato de la pasión confirma lo que queremos decir. A tenor de los modelos actuales occidentales, el trato de la gente mediterránea con personas extragrupales suele ser indiferente, incluso hostil. Los extranjeros nunca pueden ser miembros de un intragrupo. Si tomasen la iniciativa de moverse en dirección a unas relaciones «amistosas», sólo el ritual social de la hospitalidad (ser «recibidos») ofrecido por miembros del intragrupo podría transformarlos en «amigos» del grupo.

Debido a la cohesión intragrupal existente en la cultura, el mayor obstáculo con el que se encontraba una persona para unirse a una facción como el grupo de Jesús era la familia, el intragrupo básico. Además de aludir a los problemas con su propia familia (Mc 3), los sinópticos nos transmiten las palabras de Jesús sobre la familia como impedimento para ejercer su tarea (Mt 10,34-36; Lc 12,51-53).

Las reglas de pureza que separan lo de dentro de lo de fuera son réplicas de las reglas que distinguen a un intragrupo de un extragrupo; así se mantienen las barreras entre los grupos incluso antes de que sean conscientes de ello quienes observan las reglas de pureza (ver Mc 7 par.). ⇨ **Pureza/contaminación** (cf. pág. 383).

Ladrones/Bandidos sociales

Quienes llegan a arrestar a Jesús en Getsemaní son recibidos por él con el comentario: «Habéis salido... como si fuera un bandido». El término griego usado por Mateo, Marcos y Lucas es empleado continuamente por Josefo para describir el fenómeno de los bandidos sociales, que jugaron un papel clave en el ambiente caótico que preludió la gran revuelta del 66 d.C.

El bandidismo social es un fenómeno casi universal en las sociedades agrarias, en las que el campesinado y los trabajadores sin propiedades son explotados por una élite que absorbe la mayor parte de los excedentes de la producción. Las personas arrancadas de sus tierras por deudas, por el uso de la violencia o por el caos social desembocan en el bandidaje; las principales víctimas, por supuesto, son las élites. Estudios recientes indican que las leyendas populares de bandidos que roban a los ricos para ayudar a los pobres están basadas en la experiencia real. Más aún, tales bandidos cuentan generalmente con el apoyo del campesinado local, que con frecuencia arriesgan sus vidas por protegerlos. Desde el punto de vista histórico, este tipo de bandidaje crecía rápidamente cuando los campesinos pobres debían abandonar sus tierras por deudas, hambre, impuestos o crisis políticas o económicas.

Según Josefo, el bandidismo social nacido al amparo de tales condiciones de vida era muy frecuente en Palestina antes del reinado de Herodes el Grande y durante la primera parte del siglo I. Y desembocó naturalmente en la gran revuelta del 66 d.C. Cuenta Josefo que, en los días de Antípatro (padre de Herodes el Grande), un tal Ezequías, «bandido [idéntica palabra que en Mateo] que guiaba un nutrido grupo, ocupaba el distrito de la frontera de Siria» (*Guerra* 1,204; Loeb, 95). Después narra con detalle los enormes esfuerzos que tuvo que hacer Herodes para expulsar del territorio a dichos bandidos, que solían ocultarse en wadis inaccesibles y en cuevas de la zona montañosa: «Hacía descender (por los cantiles) a sus mejores hombres en cestos atados con cuerdas, hasta que alcanzaban las entradas de las grutas; después degollaban a los bandoleros y a sus familias, y arrojaban teas a quienes se resistían... Ninguno de ellos se rendía voluntariamente, y quienes eran sacados de allí por la fuerza preferían morir antes de caer cautivos» (*Guerra* 1,311; Loeb, 147).

Estos grupos de bandidos integraban la mayor parte de las fuerzas de choque en los estadios previos a la revuelta antirromana. Fueron ellos quienes se aliaron finalmente con otros grupos para formar el partido de los zelotas una vez que estalló la revuelta antirromana. Aunque sabemos poco de su actividad en tiempos de Jesús, sin duda existieron tales grupos, pues las condiciones que los originaban son las descritas en las historias que nos narran los evangelios sinópticos.

Sorprende, por otra parte, que el término griego usado por Josefo para caracterizar a tales bandidos (*lestai*) sea el que usa Jesús cuando vienen a arrestarlo con espadas y palos los jefes de los sacerdotes, los oficiales del templo y los ancianos (Mt 26,55; Mc 14,48; Lc 22,52). Más aún, el mismo término es usado por Mateo (27,38) y Marcos (15,27) para referirse a los dos hombres crucificados junto con Jesús. También habría que considerar probablemente bajo esa categoría a Barrabás, que en el evangelio de Juan (18,40) es descrito con ese término (*lestes*), y que según Lucas (23,19) había sido arrestado en relación con disturbios callejeros. En este punto, Lucas usa el término más genérico de «malhechores». Hay quien opina que el bandidaje social está implicado en el término usado por Lucas en 22,37 (literalmente «rebeldes»), que, aunque a veces es traducido por «transgresores», sería más apropiado traducir como «proscrito/forajido», lo cual sugiere que Jesús fue tenido por tal por sus acusadores. Finalmente, Barrabás, llamado «bandido» en el evangelio de Juan (18,40) y arrestado según Lucas en relación con disturbios callejeros, entraría también en esta categoría.

El libro de la génesis

Mateo empieza con las palabras «*Biblos geneseos Iesou Christou...*». El título es un juego de palabras un poco críptico que se presta a una variedad de posibles significados: «Libro de la genealogía de Jesús el Mesías», «Libro de (la) génesis de Jesús el Mesías» o «Libro del origen de Jesús el Mesías», etc. Estas palabras de apertura conectan con las últimas palabras de la obra: «hasta el fin del tiempo» (28,20), señalando así un principio y un fin. Más aún, el último pasaje del libro, una orden dada por Jesús resucitado (28,18-20) cierra el evangelio con el mismo tipo de pasaje con que se cierran las Sagradas Escrituras, el edicto de Ciro en 2 Cro 36,23. De este modo, el libro empieza con «el libro de la génesis» y termina con el «edicto» final de alguien dotado de poder por Dios, lo mismo que las Sagradas Escrituras de la época de Mateo. Más aún, al empezar con una genealogía y terminar con un «edicto», la obra de Mateo sigue asimismo el modelo del último libro de la Biblia hebrea: el libro de las Crónicas. Esta obra (llamada en hebreo «Libro de los días» = genealogía) empieza con una genealogía y termina con un edicto de alguien con poder sobre «todos los reinos de la tierra» (2 Cro 36,22-23; usado por Esdras 1,1-2), es decir, el Mesías de Dios, el rey Ciro (Is 45,1; ver Is 44,28).

Sea cual sea la alusión que tengamos en cuenta, parece que Mateo trata de ofrecer una nueva «escritura», que discurre directamente de «principio» a «fin». En el marco de este paréntesis, los cinco principales discursos de Jesús (todos terminan con el estribillo: «Cuando Jesús hubo acabado...», 7,28; 11,1; 13,53; 19,1; 26,1) deberían hacernos pensar que la nueva «escritura» es una nueva Torá de un nuevo profeta, el nuevo Moisés, Jesús, Hijo de David, Hijo de Abrahán.

Tales alusiones en clave eran muy valoradas en la cultura oral del mundo mediterráneo del siglo I.

Linaje y estereotipos

Las élites del mundo mediterráneo antiguo daban muestras de ser adeptos al raciocinio filosófico, como lectores de Platón, Aristóteles, Epicteto y otros filósofos conocidos. Además, cuando estos grandes de la Antigüedad hablaban de los asuntos humanos, lo hacían en términos de comunidad, auto-suficiencia y justicia (es decir, con la vista puesta en el conjunto de la sociedad). Su marco de referencia era siempre la comunidad o el individuo en comunidad. Al no concebir a las personas fuera de la comunidad, la psicología (tal como ahora la entendemos) escapaba a su preocupación e intereses.

Los filósofos y los antiguos mediterráneos eran por lo general anti-introspectivos. En lugar de juzgar a la gente individual y psicológicamente, las élites y no-élites de las sociedades del Mediterráneo utilizaban descripciones y explicaciones de carácter estereotipado. ⇨ **Personalidad diádica** (cf. pág. 376). Tales descripciones estereotipadas eran generalizaciones en las que habían de encajar los diferentes ejemplos de conducta humana. Por ejemplo, la genealogía de alguien se puede deducir de su conducta y carácter; y la conducta y el carácter ofrecen un sólido indicio de su genealogía. Esto significa que, aunque no se conocieran los detalles del trasfondo familiar de una gran persona, ese trasfondo podía ser fácilmente deducido en virtud de la grandeza de una persona.

De manera parecida, la posición social determina necesariamente las aptitudes de una persona o la carencia de ellas; de ahí que la aptitud o inaptitud sean una prueba clara de la posición social de alguien. Además, una persona que hace algo por toda la humanidad es de origen divino, y por tanto el origen divino implica beneficios para toda la humanidad. Los reyes llevan a cabo necesariamente valiosas acciones en provecho de muchos; en consecuencia, las acciones que benefician a muchos apuntan a un agente real. Desde la vertiente negativa, la magia es eficaz sólo entre ignorantes e inmorales, de ahí que pueda deducirse sin riesgo de equívocos que los ignorantes y los inmorales son adictos a la magia. Los expertos en magia son personas temibles y amenazantes; las personas temibles, amenazantes y sospechosas son casi con toda certeza expertos en artes mágicas. Las personas buenas y honestas se preocupan de la continuidad y de lo antiguo (respetan el pasado); de ahí que quienes defiendan una ruptura con el pasado, quienes invoquen la señal de algo nuevo, sean personas rebeldes, intrusas, desviadas.

En los relatos sinópticos, las personas son frecuentemente valoradas según dichos estereotipos. Es decir, los individuos son juzgados en virtud de los valores adscritos a las categorías a las que pertenecen. Descubrir que alguien es «de Nazaret», «de Jerusalén», «galileo», «pescador», «fariseo», «saduceo», etc., supone contar con la suficiente información para saber todo lo que es necesario saber de él. Según las pautas que actualmente manejamos, tales juicios estereotipados son considerados totalmente inadecuados. Sin embargo, teniendo en cuenta que la gente del Mediterráneo del siglo I no era proclive a la psicología o la introspección, los estereotipos constituían el principal modo de conocer a los demás y de relacionarse con ellos previniendo posibles riesgos.

Lugar de nacimiento/Pesebre

Las casas de los campesinos sólo tenían una estancia (cf. Mt 5,15, donde se nos dice que una sola lámpara era suficiente para iluminar a todos los que estaban en la casa), aunque a veces contaban con una habitación aneja para huéspedes. La familia ocupaba normalmente una parte de la habitación (con frecuencia elevada); los animales, la otra. En medio se colocaba un pesebre. Este sería el lugar normal para el nacimiento de los hijos de los campesinos.

Mundo privado/Mundo público

En las antiguas sociedades mediterráneas, los hombres y las mujeres estaban rigurosamente divididos por espacios, roles y expectativas. Sus mundos estaban más separados que cualquier cosa que conozcamos en nuestra sociedad moderna.

El mundo privado, la familia, era el ámbito de las mujeres. Se trataba de un área cerrada, señalada por fronteras inviolables, que exigía absoluta lealtad a todos sus miembros. La familia era una unidad social y económica, donde las mujeres se responsabilizaban de la crianza, el vestido, la distribución de alimentos y otras tareas necesarias para sacar adelante al grupo. Las mujeres tenían poco o ningún contacto con hombres fuera de su grupo de parentesco. Como el honor de la mujer dependía en primer lugar de su virginidad y en segundo lugar de la lealtad a su esposo, no se toleraba quiebra alguna en ambas virtudes familiares. Cualquier fallo acarrearía la vergüenza pública de todos los miembros de su grupo de parentesco, pero lo acusarían más los varones que representaban a la familia en público.

Una novia que no pudiese aducir la prueba de su virginidad la noche de bodas podía ser devuelta a su familia paterna. Una mujer también podía acarrear vergüenza a la familia por no tener un hijo. Una mujer no alcanzaba el estado adulto hasta que se casaba, y no quedaba incorporada a la familia de su esposo hasta que le daba un heredero. La castidad, el silencio (en el mundo público) y la obediencia eran las principales virtudes de una mujer honorable. Tales rasgos de carácter aseguraban que las mujeres no se convertirían en una amenaza para el honor familiar en el mundo público.

Las mujeres se apoyaban decididamente en la compañía de otras mujeres. Este mundo era exclusivo dominio femenino fuera de los confines de la familia, y constituía virtualmente una subcultura dentro del amplio marco social. En muchos casos, los lazos entre las mujeres de esta subcultura eran más estrechos que los que existían entre esposo y esposa, y las mujeres se esforzaban por mantener a los hombres alejados de este mundo, con tanto o mayor ahínco con el que los hombres se esforzaban por mantenerlas a ellas alejadas del mundo público masculino. Con frecuencia las mujeres cerraban filas frente a los hombres tratando de protegerse entre sí. Dependiendo de las distintas situaciones vitales, una mujer sólo veía a los varones de su familia durante las comidas y, en el caso de su esposo, sólo en la cama.

El mundo de las mujeres podía ser tan competitivo como el de los hombres, especialmente entre hermanas y primas solteras (u otras novias en potencia) a la vista de los solteros sin compromiso. Las nuevas relaciones entre las mujeres podían resultar amenazadoras para los lazos ya existentes entre ellas. Las cadenas de comentarios, a pesar de los ya conocidos estereotipos negativos, constituían el medio más importante de comunicación entre las mujeres. ⇨ **Cadenas de comentarios** (cf. pág. 324). Como muy pocas mujeres sabían leer y escribir, no ha llegado a nosotros una «literatura femenina». Si tomamos como analogía las actuales sociedades agrícolas, el lenguaje de las mujeres podía ser con frecuencia poético y abordar temas no permitidos en el mundo masculino. ⇨ **Poesía oral** (cf. pág. 379).

Contrariamente a lo que esta separación espacial pueda parecer a los lectores occidentales, las mujeres, especialmente como colectivo, pudieron tener una gran influencia en la vida pública. Los hombres estaban sometidos en gran medida a la autoridad materna durante toda la vida; cualquier hombre que desobedeciese a su madre, aunque fuese ya adulto, carecía de honor ante la opinión pública.

La relación entre la casa y el mundo público, el mundo masculino, corría a cargo de los varones adultos del grupo, especialmente del patriarca. Las mujeres honorables nunca se introducían en el ámbito público, al menos que fuesen viudas. A una viuda sin hijos se le permitía asumir roles masculinos orientados a la supervivencia de su familia, y esto podría explicar el hecho de que las viudas (especialmente después de la menopausia) fueran consideradas más masculinas que femeninas.

El mundo público, el de los hombres, era un ámbito en el que predominaba el modelo social de la competencia por el estatus. ⇨ **Sociedades con base en el honor-vergüenza** (cf. pág. 404); y **Desafío-Respuesta** (cf. pág. 336). La preparación para poder moverse con seguridad en este ámbito empezaba en la familia bajo la tutela de las mujeres, con las que los niños pasaban los siete u ocho primeros años de su vida. Después eran arrancados de este ámbito sin preparación previa y trasplantados al mundo exclusivamente masculino. La educación clásica ayudaba a preparar a los jóvenes de las clases acomodadas para competir socialmente en el mundo masculino, como era el caso de la tradición sapiencial en Egipto, Israel y otros países. Las principales virtudes cultivadas en este mundo masculino eran el autodominio, el valor, la elocuencia y la justicia.

Niños.

A pesar de las proyecciones etnocéntricas y anacrónicas de niños inocentes, confiados, imaginativos y encantadores jugando en las rodillas de un amable Jesús, lo cierto es que, en la Antigüedad, la niñez era una época de terror. Los niños eran los miembros de la sociedad más débiles y vulnerables. La mortalidad infantil alcanzaba a veces el treinta por ciento. Otro treinta por ciento moría en torno a los seis años; ciertamente un sesenta por ciento había desaparecido para los dieciséis años. ⇨ **Edad** (cf. pág. 344). Estudios actuales estiman que más del setenta por ciento perdía a uno o a los dos progenitores antes de llegar a la pubertad. No es de extrañar que en la Antigüedad se ensalzase la juventud y se venerase la vejez.

Los niños eran siempre los primeros en sufrir las consecuencias del hambre, la guerra y la enfermedad, y en algunas zonas o épocas pocos alcanzaban la edad adulta con ambos progenitores vivos. Los niños carecían prácticamente de estatus en la comunidad o la familia. Un menor de edad se equiparaba a un esclavo; sólo tras alcanzar la madurez podía una persona libre heredar bienes. El huérfano era el estereotipo del miembro de la sociedad más débil y vulnerable. El término niño/niños podía también usarse como insulto (ver Mt 11,16-17; Lc 7,32). La niñez era, por tanto, un tiempo de terror; por eso, llegar a la adultez era motivo sobrado de celebraciones (acompañadas de apropiados ritos de transición).

Esto no quiere decir que los niños no fuesen queridos o valorados. Además de asegurar la continuidad de la familia, podían proporcionar seguridad y protección a los padres en su vejez. El lugar de la esposa en la familia dependía de que tuviera hijos, especialmente varones. Por otra parte, los hijos, una vez crecidos, eran el más cercano apoyo emocional de una mujer (junto con sus hermanos en la familia paterna). ⇨ **Relatos de infancia en la Antigüedad** (cf. pág. 388).

Oración

La súplica es un acto simbólico de comunicación, socialmente significativo, dirigido a personas percibidas de algún modo como responsables del sostenimiento, conservación y control del orden de la existencia de quien reza. Se lleva a cabo con el propósito de obtener resultados de la interacción de la comunicación o en ella. De este modo, el objeto de la súplica es una persona con algún cargo. La actividad de la súplica es esencialmente comunicación, y su propósito es siempre la obtención de resultados. La súplica tiene siempre carácter social, es decir, está enraizada en las conductas de algún grupo cultural.

La súplica a Dios, la súplica religiosa, va dirigida a quien, en última instancia, está al cargo del orden total de la existencia. Las formas de oración dirigidas a Dios derivan analógicamente de las formas de súplica dirigidas a quienes controlan los distintos órdenes de la existencia en los que se encuentran situados los seres humanos (p.e. padres, gobernantes, superiores económicos de todo tipo). Del mismo modo que la gente habla a los demás previendo un efecto, también la gente ora teniendo a la vista la eficacia.

Como otros tipos de lenguaje, la súplica puede ser: (1) instrumental («Deseo...»): súplica para obtener bienes y servicios con el fin de satisfacer las necesidades materiales y sociales, individuales o comunitarias (súplicas de petición por uno mismo y/o por los demás); (2) reguladora («Haz como te digo»): oraciones para controlar la actividad de Dios, para decir a Dios que ponga en orden a personas y cosas en favor de quien suplica (otro tipo de petición, pero con la pretensión de que quien reza es superior a Dios); (3) interactiva («yo y tú»): oraciones para mantener lazos emotivos con Dios, para seguir unido a Dios, para continuar las relaciones interpersonales (oración de adoración, de simple presencia, de examinar ante Dios y con Dios cómo ha ido el día); (4) centrada en uno mismo («Aquí he venido; aquí estoy»): oraciones que ponen el yo (individual o social) ante Dios, que expresan el yo a Dios (oración de contrición, de humildad, de ostentación, de superioridad sobre los demás); (5) heurística («dime por qué»): oración que explora el mundo de Dios y las obras de Dios en nosotros, individualmente y/o en grupo (oración meditativa, percepciones del espíritu en la oración); (6) imaginativa («Simulemos; qué pasaría si»): oración para crear un ambiente particular con Dios (oración en lenguas, oraciones leídas o recitadas en lenguas desconocidas por la persona que las lee o las recita); (7) informativa («Tengo algo que decirte»): oraciones que comunican nueva información (oraciones de reconocimiento, de acción de gracias por los favores recibidos).

El «Padre nuestro» (Mt 6,9-13; Lc 11,2-4) parece ser más una lista de metas que deberían solicitar los discípulos de Jesús que una verdadera plegaria que haya que recitar. Pues de hecho, si se recita, se convierte en una súplica reguladora, que ordena a Dios cómo debería actuar. De ahí que todas las antiguas liturgias empiecen esta oración con una disculpa, pues los seres humanos no deberíamos hablar a Dios de ese modo; y no lo haríamos si no fuera porque Jesús lo dijo.

Padres

Culturas como la europea actual conciben la naturaleza humana como básicamente buena. En consecuencia, se espera que los hijos desarrollen conductas y actitudes positivas siempre y cuando se les eduque en un medio ambiente de amor y cooperación. Culturas como las de la antigua Palestina, que conciben la naturaleza humana como una mezcla de tendencias buenas y malas, esperan que sus hijos sean caprichosos y egoístas, a menos que sean severamente tratados en un medio ambiente autoritario y directivo. Los estilos en el ejercicio de la paternidad evolucionaron en consecuencia con tales ideas. Como dice Ben Sira en 30,1: «Quien ama a su hijo no le ahorra castigos, para poder alegrarse después».

El estilo mediterráneo en el ejercicio de la paternidad se basa directamente en el valor fundacional del honor-vergüenza. ⇨ **Sociedades con base en el honor-vergüenza** (cf. pág. 404). Los padres socializan a sus hijos para que sean absolutamente leales a su grupo de parentesco biológico, pues cada miembro de la familia comparte el honor de ésta y la conducta errónea de un miembro deshonra a todo el grupo. Las perspectivas en la vida de cada eslabón del grupo dependía de la solidaridad en la protección del honor familiar.

Las familias mediterráneas eran patriarcales. La autoridad del padre es la base de la disciplina familiar. La autoridad vincula a todos y cada uno: a un hombre con su esposa, a los padres con los hijos, al profesor con el alumno, al maestro con el discípulo, al ciudadano con el gobernante, a la humanidad con Dios. El honor de un padre dependía en gran medida de su capacidad de imponer la disciplina a cada miembro de la familia (ver Eclo 3,6-7; Prov 3,11-12; Heb 12,7-11; 1 Tim 3,4). La rígida práctica de enfajar a los niños (⇨ **Pañales**, 2,6-7) encarna estos valores y los impone directamente desde el principio. Una familia leal y obediente puede hacer frente a los intereses competidores de otras familias, y se puede contar con sus miembros para que conserven sin fallo el honor familiar.

La educación de las muchachas dependía por entero de las mujeres. Las chicas carecían casi por completo de infancia. Tan pronto como son capaces empezaban a ser instruidas en los roles y deberes domésticos. Sus tareas eran con frecuencia difíciles y requerían esfuerzo físico. Desde el principio se les enseñaba que el mundo público era un mundo de varones, del que estaban excluidas. Como los padres no tomaban parte en la educación de los hijos hasta llegada la pubertad (y entonces sólo en la de los varones), las relaciones entre padres e hijas eran frecuentemente distantes e incluso duras. La constante pesadilla de un padre era que una hija indisciplinada le avergonzara a él y a toda la familia. Se preocupaba por si no conseguía casarse, por si era violada, por si era infiel después de casada o se quedaba embarazada antes de casarse (ver Eclo 42,9-10).

Los muchachos, al menos hasta la pubertad, vivían también en el mundo de las mujeres. Frecuentemente eran más mimados y atendidos que las chicas. Eran criados a pecho el doble de tiempo que las chicas y adiestrados muy pronto en el modo en que las mujeres deben responder a sus exigencias. El vínculo emocional entre madres e hijos varones (y en un grado algo menor entre hermanos y hermanas) seguía siendo a lo largo de la vida el lazo más fuerte.

Sin embargo, a los siete u ocho años los muchachos eran lanzados con dureza y sin preparación al jerárquico y autoritario mundo de los hombres. Se les exigía que rechazasen cualquier rasgo de feminidad. Las actitudes machistas del valor y de la agresión sexual se convertían en la afirmación más clara de la suprema exigencia de masculinidad. Se esperaba que el castigo físico sirviese de ayuda en el proceso de enseñar a los muchachos a aguantar en silencio el dolor sin rechistar. Observemos esta característica en Jesús, cuando es juzgado ante Pilato (Mt 27,14; Mc 15,5; Lc 23,9).

Como el mundo de los varones era el mundo público, era normal que defendiesen su honor en este ámbito. Valores masculinos fundamentales eran la elocuencia, la sagacidad, la agresividad y el valor. El mundo privado, el de las mujeres, era el mundo de la familia. Sus principales valores eran la lealtad, la obediencia, el trabajo denodado y la sensibilidad ante el honor de la familia. Los padres socializaban a los hijos para que ocupasen el lugar que les correspondía en cada uno de esos mundos.

Pan

El pan hace referencia generalmente al pan de trigo, pues se pensaba que era superior al de cebada. El menor contenido en gluten de la cebada, su precio más reducido, su sabor y su más difícil digestión hacían de este cereal el alimento básico de los pobres en el periodo romano. Tanto el Antiguo Testamento (2 Re 7,1.16.18) como los autores de la Misná (*Ketubot* 5,8) dan por sentado que la flor de harina de trigo valía dos veces más que la cebada. Por otra parte, la cebada necesita menos agua que el trigo y es menos sensible a la salinidad del suelo; de ahí que se convirtiera en el principal cereal de las zonas áridas del mundo mediterráneo. El sorgo era menos común que el trigo o que la cebada, y era asimismo considerado un producto inferior.

Mientras que la mayoría de los campesinos comían pan «negro», los ricos podían hacerse con la flor de harina para fabricar pan «limpio» (*Makshirin* 2,8). Se molía por la noche, y se necesitaban tres horas de trabajo para proporcionar tres kilos (calculando que la ración diaria supondría medio kilo) a una familia de cinco o seis miembros. Tener un horno exterior propio, o no, dependía de la capacidad de hacerse con combustible. Las familias prósperas podían tener sus propios hornos exteriores. Pero las mujeres sencillas tenían que madrugar para llevar la masa a un horno comunal (sólo accesible a las mujeres) o, más raramente, al panadero del pueblo. En los pueblos grandes y en las ciudades, el pan se podía comprar; de ahí que quienes podían adquirirlo se ahorraban el difícil trabajo de la molienda diaria. Los autores de la Misná insinúan que moler y cocer el pan serían los primeros quehaceres domésticos de los que se desentendería una mujer que tuviera nuera (*Ketubot* 5,5).

Pañales

Dice Plinio hablando del tema:

> La idea de que los bebés sonríen pronto es una ficción poética; tal cosa tiene lugar como muy pronto a los cuarenta días. Tras su primera experiencia de la luz diurna, los niños se encuentran con todos sus miembros enfajados, una atadura más sólida que la de cualquier animal doméstico. Después de nacer, el niño yace entre lloros, con los pies y las manos atados. Como creatura destinada a gobernar a las demás, y por el único delito de haber nacido, el niño empieza su vida con un castigo. (*Historia Natural* 7,2-3; Loeb, 507-509, trad. Thomas Wiedemann).

La costumbre de enfajar a los niños ha sido ampliamente practicada en todo el mundo; todavía hoy se usa en pueblos de Siria, Palestina y Líbano. Se refiere a la práctica de envolver bien el tronco y los miembros del bebé con tiras de tela u otro material. En la obra citada arriba, Plinio habla de cuarenta días de enfajamiento; Platón, en las *Leyes* (Loeb 7), habla de dos años: «El niño, mientras es tierno, ha de ser moldeado como la cera, envuelto en fajas hasta que cumple los dos años».

El propósito de tal práctica se ha explicado de diferentes modos, aunque generalmente se cree que trataba de proporcionar seguridad y de preparar las condiciones para un cuerpo recto, fuerte y saludable. La costumbre de enfajar a los niños fue perdiendo adictos entre las clases altas de Europa occidental durante el siglo XVIII, tanto por razones sociales como científicas, pues llegó a concebirse como un freno antinatural de la libertad humana. No obstante ha seguido estando en uso durante el sigo XX en algunas zonas de la Europa oriental. En cierta literatura cristiana primitiva se habla de los poderes milagrosos de los pañales de Jesús para curar enfermedades.

Parábola del dinero escondido

Cuando los occidentales leemos esta parábola (Lc 19,11-27) sacamos la conclusión de que está narrada desde la perspectiva de la élite. Pensamos que la acumulación de riquezas no es algo impropio, y que los héroes de este relato son los dos siervos que colaboran en el plan del amo. El siervo que no procura ganancia al amo merece el calificativo de perezoso, «malo».

Sin embargo, en el mundo campesino de los «bienes limitados», querer tener siempre «más» era una acción moralmente mala. ⇨ **Ricos, pobres y bienes limitados** (cf. pág. 393). Como el pastel era «limitado» y ya había sido repartido, si una persona aumentaba su patrimonio significaba que los bienes de alguna otra habían disminuido. Por tanto, la gente honorable no trataba de aumentar su caudal; quienes actuaban de otro modo eran tenidos automáticamente por ladrones. Los campesinos sólo aspiraban a conservar con honor lo que tenían, sin pensar en incrementar su fortuna. En consecuencia, los campesinos que escucharon esta parábola pensarían que los dos siervos que trabajaron para incrementar la riqueza del amo eran simples ladrones, pues habían cooperado en los esquemas extorsionistas de aquél.

Desde un punto de vista campesino, enterrar el dinero del señor para asegurar que iba a seguir intacto era una acción honorable. De hecho, la ley rabínica establecía que, puesto que enterrar una prenda o depósito era la forma más segura de cuidar del dinero de alguien, en caso de pérdida no había que responsabilizar a quien lo había enterrado. Sin embargo, guardar un depósito de dinero en un pañuelo era más arriesgado, de ahí que el depositario incurriese en culpa en caso de extravío. El tercer siervo de nuestro relato escogió la forma más arriesgada, si bien logró mantener a salvo el dinero que se le había confiado.

En consecuencia, desde un punto de vista campesino, fue el tercer siervo quien actuó de manera honorable, sobre todo porque se negó a participar en el plan extorsionista de su señor. Más aún, la dura condena que tuvo que oír de labios del codicioso rey y la recompensa ofrecida a los siervos que habían cooperado es precisamente lo que los campesinos habían experimentado en la vida real. De los ricos sólo se podía esperar que actuasen así: preocupándose exclusivamente por lo suyo.

Como los oyentes de Jesús, después de escuchar lo que pasó en el encuentro de Jesús con Zaqueo, y tras quedarse sorprendidos por la conducta inhabitual de un rico, podían llegar ingenuamente a la conclusión de que el rico había experimentado un cambio de corazón y que el reino de Dios iba a manifestarse en breve (ver nota a 19,11), esta parábola (que ocupa el final de una larga sección en la que Lucas interpreta el discipulado como el estado en que se comparten las posesiones) quería poner de manifiesto que nada fundamental había cambiado y que todavía quedaba mucho camino por recorrer. En cuanto continúe el relato de Lucas, estallará un conflicto precisamente sobre estos problemas. De ahí que Lucas use este episodio para preparar a sus afanados lectores a las cosas que pronto acaecerán. Ver notas a Lc 19,35-40.41-44.

Eusebio nos informa de otra versión de la parábola del dinero escondido transmitida en el *Evangelio de los Nazarenos* (no conservado). A diferencia de las versiones canónicas, ésta estaba claramente escrita desde el punto de vista campesino. La estructura que puede deducirse del comentario de Eusebio podría ser la siguiente:

> Pero el evangelio (escrito) en caracteres hebreos, que ha llegado a nuestras manos, no lanza la amenaza contra el hombre que lo ha ocultado (el talento), sino contra quien ha vivido de manera disoluta...

Él (el dueño) tenía tres siervos:

A Uno que derrochó el dinero de su señor con prostitutas,
    B otro que multiplicó la ganancia,

C y un tercero que ocultó el talento;
y como resultado,
C' uno fue aceptado (con alegría),
B' otro recibió una reprimenda
A' y el tercero fue encarcelado.

Me pregunto si en Mateo las duras palabras contra el siervo que no hizo nada no irían dirigidas por epanalepsis al primero que había derrochado el dinero en fiestas con borrachos. (Eusebio, Theophania sobre Mt 25,14ss, citado en Hennecke-Schneemelcher-Wilson, *New Testament Apocrypha* 1:149).

Si hemos de hacer caso al comentario de Eusebio y a la simetría del relato, parece que el siervo disoluto fue encarcelado; el que multiplicó las ganancias recibió una reprimenda; y el siervo que guardó el dinero de su señor fue el único aceptado con alegría. Así exactamente habría entendido la historia un campesino. Puede, por tanto, que esta versión de la que nos habla Eusebio conserve la estructura original de la parábola.

Parentesco

Las normas de parentesco regulan las relaciones humanas en y entre los grupos familiares. En cada momento de la vida, desde el nacimiento a la muerte, estas normas determinan los roles desempeñados por las personas y el modo en que tratan entre sí. Más aún, el significado de padre, madre, esposo, esposa, hermano o hermana era muy distinto en las antiguas sociedades agrícolas de lo que es en el actual mundo industrial.

Observemos, por ejemplo, las listas de Lv 18,6-18 y 20,11-21. En tiempos del Nuevo Testamento, se habían convertido en listas de personas con las que no se podía contraer matrimonio. Incluían una variedad de parientes políticos con los que actualmente no está prohibido casarse (p.e., ver Mc 6,18). Más aún, para nosotros el matrimonio es generalmente neo-local (nueva residencia establecida por la pareja) y exógamo (fuera del grupo de parentesco). En la Antigüedad era patrilocal (la novia se trasladaba donde la familia del esposo) y endógamo (matrimonio tan cercano a la familia conyugal como lo permitiesen las leyes del incesto). El ideal era el matrimonio entre primos por parte de padre, y las genealogías siempre seguían la línea de descendencia paterna.

Como los matrimonios eran fundamentalmente la fusión de dos familias extensas, el honor de cada una de ellas jugaba un papel clave. Los contratos matrimoniales negociaban los puntos más de-

licados y trataban de asegurar una reciprocidad equilibrada. Para
evitar la pérdida de varones (también de mujeres siempre que fuese
posible) al quedar incorporados a otra familia, se usaban estrategias defensivas. Como la familia era la unidad de producción en la
Antigüedad (la unidad de consumo en nuestra sociedad), la pérdida de un miembro al casarse exigía una compensación en forma de
dote. La unidad más fuerte de lealtad era con mucho el grupo des-
cendiente de hermanos y hermanas; aquí radicaban también los
vínculos emotivos más fuertes, más incluso que entre esposo y esposa.

Desde los puntos de vista social y psicológico, todos los miembros de la familia estaban subsumidos en la unidad familiar. El individualismo moderno simplemente no existía. El rol público era desempeñado por los varones en beneficio de toda la unidad familiar,
al tiempo que las mujeres desempeñaban el privado o interno, que
con frecuencia incluía la responsabilidad sobre los recursos económicos familiares. Las mujeres no subsumidas en un hombre (viudas, divorciadas) carecían de honor, y con frecuencia eran vistas
por la sociedad más como varones que como mujeres. (Observemos la actitud hacia las viudas en 1 Tim 5,3-16).

Perdón de los pecados

En una sociedad movida por los resortes del honor-vergüenza,
el pecado supone una ruptura de las relaciones interpersonales. En
los evangelios, la analogía más próxima al perdón de los pecados es
el perdón de las deudas (Mt 6,12; ver Lc 11,4), una analogía fomentada por la generalizada experiencia de la vida agrícola. Las deudas
amenazaban las tierras, el sustento y la familia. Empobrecía a las
personas (⇨ **Ricos, pobres y bienes limitados**, cf. pág. 393), es decir, les impedía mantener su posición social. El perdón tendría en
consecuencia el carácter de restablecimiento, de una vuelta tanto a
la autosuficiencia económica como al lugar ocupado en la comunidad. Al no existir entonces el punto de vista introspectivo, orientado hacia la culpa, típico de las sociedades industrializadas, es improbable que el perdón pretendiese la sanación psicológica. En su
lugar, el perdón de Dios significaba quedar divinamente restaurado
en la propia posición y, por tanto, sentirse liberado del miedo a
perder el apoyo divino. El perdón otorgado por otras personas significaba quedar reintegrado en la comunidad. Dada la actitud anti-
introspectiva de la gente del Mediterráneo, la «conciencia» no era
tanto una voz interior que acusa cuanto algo exterior: sentirse cul-

pado por los amigos, los vecinos o las autoridades (Mc 3,2; Lc 6,6; Jn 5,45; 8,10; cf. 1 Cor 4,4; ⇨ **Amor y odio,** cf. pág. 321). Pensemos en el interés de Jesús por saber lo que la gente pensaba de él (Mt 16,13 y par.). Observemos una preocupación similar en Pablo por saber lo que la gente pensaba de él (1 Cor 4,4) y lo que los de fuera pensaban de los grupos cristianos. Una acusación tenía el poder de destruir; el perdón tenía el poder de restaurar.

Personalidad diádica

En la cultura occidental contemporánea consideramos que la estructura psicológica de un individuo constituye la clave para llegar a entender quién es o quién podría ser. Concebimos a un individuo como un ser bien delimitado y único, un universo emotivo y cognitivo más o menos integrado, un centro dinámico de conciencia y juicio situado frente a otros y en relación con ellos. Este tipo de individualismo ha sido muy raro en las culturas del mundo y está casi con toda seguridad ausente del Nuevo Testamento.

En el mundo mediterráneo de la Antigüedad no existía tal punto de vista individual sobre el individuo. Cada persona estaba implicada en otras, y su identidad sólo se podía explicar en relación con esos otros que integraban un grupo fundamental. Para la mayor parte de la gente se trataba de la familia, hecho que implicaba que los individuos no podían actuar o pensar de sí mismos como personas independientemente del grupo familiar. Un miembro de la familia era lo que eran el resto de los miembros, tanto psicológicamente como en otros aspectos. Los mediterráneos eran lo que los antropólogos denominan «diádicos»; es decir, gente orientada hacia los otros, que dependían de los demás para llegar a comprender quiénes eran. ⇨ **Amor y odio** (cf. pág. 321).

Podemos evaluar las siguientes listas comparativas entre personas individualistas, miembros de grupos poco sólidos, y personas diádicas, colectivistas, miembros de grupos cohesionados.

DIÁDICO	*INDIVIDUALISTA*
1. Mayor interés por el efecto de las propias decisiones sobre los demás (más allá de los amigos y de la familia nuclear).	1. Mayor interés por el efecto de las propias decisiones sobre la posición personal actual y sobre las oportunidades futuras.
2. Las personas están preparadas para compartir los recursos naturales con los miembros del grupo.	2. Se espera que quienes no forman parte de la familia nuclear se busquen sus propios recursos naturales.

3. Las personas están dispuestas a compartir recursos menos tangibles con los miembros del grupo, p.e. desarrollando alguna importante actividad en favor de la colectividad.

4. Las personas adoptan gustosamente las opiniones de los demás, especialmente de quienes gozan de alta estima en la comunidad.

5. Las personas se preocupan continuamente por el buen tono y por la pérdida de prestigio, pues todo repercute en el grupo y en la propia posición dentro del grupo.

6. Las personas creen, sienten y experimentan una interconexión con el conjunto del grupo, de modo que una conducta positiva o negativa redunda en provecho o perjuicio del grupo.

7. Las personas sienten que están íntimamente implicadas en la vida de los otros miembros del grupo, que contribuyen a la vida del resto del grupo.

8. En suma, quienes forman parte de un grupo cohesionado se «interesan» por todos los miembros del grupo. Existe un sentimiento de unidad con otra gente, una percepción de relaciones y vínculos complejos y una tendencia a pensar en los demás. La raíz de este interés está en la supervivencia del grupo.

3. Por regla general, se espera que una persona no comparta, ni quiera compartir con otros, recursos menos tangibles, incluso a veces con la familia nuclear (p.e. tiempo para ver un partido de fútbol un fin de semana).

4. Se espera que las personas se formen su propia opinión sobre una amplia gama temas, especialmente en política, religión y sexo. La opinión de los expertos se acepta sólo en temas legales y de salud, y sólo para uno mismo y para la familia nuclear.

5. A menos que otros se hallen implicados en los propios objetivos, hay poco interés por causar buena impresión a los demás. Las situaciones delicadas afectan al individuo (y a veces a la familia nuclear), pero no a un hipotético grupo en su conjunto.

6. Los individualistas actúan como si viviesen aislados de los demás; no se ve que lo que uno haga afecte a los demás, y que lo que otros hagan le afecte a uno.

7. La vida de la persona individualista está segmentada. Estas personas se sienten implicadas en la vida de muy poca gente, y cuando lo están, se trata siempre de una implicación muy específica (p.e. el maestro, el abogado, etc.).

8. En suma, quienes forman parte de un grupo débil se «interesan» en gran medida por ellos mismos (a veces por la familia nuclear). Viven aislados de otras personas, se sienten independiente y desconectados de los demás, y tienden a pensar sólo en ellos.

La orientación diádica y colectivista desemboca en la típica costumbre mediterránea de los estereotipos. ⇨ **Linaje y estereotipos** (cf. pág. 363). Así, «Los cretenses son siempre mentirosos, malas bestias, glotones y perezosos» (Tito 1,12); «Los judeos no tratan con samaritanos» (Jn 4,9, traducción del autor); «Ciertamente eres uno de ellos, pues eres galileo» (Mc 14,70); «¿De Nazaret puede salir algo bueno?» (Jn 1,46). Los adversarios de Jesús son conscientes de que saben todo lo que se puede saber de él identificándolo como «Jesús de Nazaret» e «hijo del carpintero» (Mt 13,55; Mc 6,3).

Por eso resultaba importante saber si alguien era «de Nazaret», «de Tarso» o de cualquier otro lugar. En esas etiquetas estaba codificada toda la información necesaria para situar a la persona en cuestión correctamente en la escala del honor (⇨ **Sociedades con base en el honor/vergüenza**, cf. pág. 404) y, por tanto, toda la información requerida para saber cómo relacionarse adecuadamente con él o ella.

De todo esto se desprende que aquella gente no se conocía muy bien entre sí, en lo que nosotros consideramos más importante: psicológica o emocionalmente. No conocían ni se preocupaban por conocer la evolución psicológica de la gente; no eran introspectivos. Nuestros comentarios sobre los sentimientos o los estados emocionales de los personajes de los relatos bíblicos son meras proyecciones anacrónicas de nuestra sensibilidad. Aquella gente se preocupaba por lo que pensaban de ellos los demás (honor), no por lo que ellos pensaban de sí mismos (culpa). La conciencia era la voz acusadora de los otros, no la voz interior de la culpa (observad los comentarios de Pablo en 1 Cor 4,1-4). La pregunta que se hacían no tiene nada que ver con la moderna «¿Quién soy yo?»; más bien se parecía a la que formula Jesús en este texto clásico: «¿Quién dice la gente que soy yo?» y «Según vosotros, ¿quién soy yo?». La información emanaba de otra gente importante, no de uno mismo.

Si leemos las preguntas que hace Jesús con mentalidad de occidentales, daremos por supuesto que Jesús sabe quién es y que está probando a sus discípulos para ver si ellos lo saben. Si leemos las preguntas como gente tradicional del Mediterráneo o del Próximo Oriente, hemos de dar por supuesto que Jesús no sabe quién es y que trata de que se lo digan otras personas significativas.

Pesca

La creciente demanda de pescado como artículo de lujo en el siglo I condujo a dos sistemas básicos de comercialización. En el primero, los pescadores respondían a peticiones de la casa real o de grandes terratenientes, que solicitaban mediante contrato que tal cantidad de pescado fuera entregada en un momento determinado. Se pagaba, bien en metálico, bien en especies (pescado procesado).

Las informaciones de algunos papiros indican que no eran infrecuentes las quejas por pago irregular o inadecuado. Tales informaciones indican también que el sistema era muy provechoso para la administración del estado o para las arcas reales. En realidad, los pescadores sacaban muy poco provecho.

El segundo sistema hacía que la pesca formase parte de la red de impuestos. Los pescadores daban en arriendo sus derechos de pesca a personas llamadas «recaudadores de impuestos (o de peaje)» en el Nuevo Testamento por un tanto por ciento de la captura. La evidencia indica que los derechos de tal arriendo podían alcanzar el 40 por ciento. El resto de la captura podía ser comercializada a través de intermediarios, que se llevaban la mayor parte de las ganancias y subían el precio del pescado en los mercados que servían a las élites. La legislación romana de principios del siglo II trató de evitar esta subida de los precios exigiendo que el pescado fuese vendido por los propios pescadores o por los primeros que les compraban las capturas. Los pescadores trabajaban a menudo con «socios», término usado en Lucas 5,7; de ahí que la captura realizada por Pedro, Andrés, Santiago y Juan pudo haber sido de este segundo tipo. Marcos, sin embargo, especifica que dejaron a su padre con los jornaleros (1,20). Esto no implica necesariamente que estas familias fueran más acomodadas que el resto.

Poesía oral

Las sociedades occidentales, habituadas a la literatura y a las obras impresas, están inexorablemente abocadas a la prosa. Ocasionalmente se ofrece a la gente poesía, pero no forma parte con regularidad del lenguaje diario. En las sociedades con tradición oral, en las que la inmensa mayoría no sabe leer o escribir, la versificación poética es la principal forma de conservar dicha tradición. Constituye al mismo tiempo un rasgo común del lenguaje diario, tanto entre los hombres como entre las mujeres.

La poesía de los hombres mediterráneos difiere de la de las mujeres. El ámbito público (ámbito masculino) es el mundo en el que se conserva y se transmite la Gran Tradición. ⇨ **Mundo privado/Mundo público** (cf. pág. 365). La poesía masculina, por tanto, adopta frecuentemente la forma de recitación de la tradición y, como fenómeno público, era usada con toda probabilidad en ceremonias. Ser capaz de citar la tradición de memoria, aplicarla de manera creativa o apropiada a situaciones de la vida diaria, no sólo confiere honor a quien habla, sino que también da autoridad a sus palabras.

La cita de Mt 13,14-15 es usada precisamente para legitimar la enseñanza de Jesús. En Mc 1,2-3 encontramos un ejemplo de lo dicho. Se trata de una fusión de Mal 3,1 e Is 40,3. Tal reconstrucción textual pone de manifiesto la capacidad de Marcos de citar la tradición y confiere autoridad a sus palabras.

Tenemos un ejemplo mucho más claro en el cántico de Zacarías, el llamado *Benedictus* (Lc 1,68-79). Está construido a partir de frases de los salmos 41, 111, 132, 105, 106, y de Miq 7. La capacidad de elaborar tal mosaico implicaba un amplio y detallado conocimiento de la tradición y proporcionaba gran honor a quien era capaz de idearlo. Con frecuencia, las frases tomadas de la tradición eran presentadas en fragmentos de carácter críptico, pero que no necesitaban ser completados, pues el auditorio sabía cómo acabar cada pieza citada. Aunque nos resulte desconcertante la presencia de esta poesía en los relatos evangélicos, las culturas mediterráneas no lo entendían así ni mucho menos.

El evangelio de Mateo es bien conocido por el uso que hace del Antiguo Testamento (p.e. 1,22-23; 2,6.18; 3,3; 4,15-16; 12,18-21; 13,14-15; 15,8-9; 21,5.16.42; 22,44), un uso que puede ser entendido de ese mismo modo. Podemos encontrar otros ejemplos en los cantos del evangelio de la infancia de Lucas.

El mundo privado, el de las mujeres, es testigo de un tipo distinto de poesía. Mientras que ésta se vale de la tradición para crear una obra como p.e. el cántico de María (el llamado *Magnificat*, Lc 1,47-55), en las actuales poblaciones del Próximo Oriente es más probable que las composiciones sean extemporáneas. También pudo ser éste el caso en los tiempos bíblicos, pero, dado que la poesía se transmitía entonces oralmente, es normal que no se haya conservado ningún ejemplo. Es probable que la poesía de las mujeres fuese más informal y espontánea que la poesía pública de los hombres.

Sin embargo, la versión escrita del cántico de María manifiesta una característica que aparentemente se ha conservado a través del tiempo. La poesía femenina versaba habitualmente sobre temas prohibidos, expresando por regla general sentimientos y preocupaciones de los que normalmente no se hablaba en público. La concepción, tema del cántico de María, constituye un asunto privado del que sólo se hablaba en el mundo de las mujeres. Los comentarios sobre él estaban estrictamente prohibidos en el discurso público. Sin embargo, en el evangelio de Lucas el cántico de María está abierto a la lectura pública. Si hubiese estado compuesto en prosa, habría sido considerado altamente ofensivo; al estar en poesía, no sólo es aceptable, sino honorable. Tales expresiones poéticas públicas de temas prohibidos evidenciaban la preocupación y la sensibilidad de las mujeres, y normalmente despertaban profundos sentimientos de simpatía entre quienes las oían.

Posada

El hecho de que José fuera a inscribirse a Belén puede implicar que tenía allí tierras (y por tanto familia), pues el censo tenía como finalidad establecer impuestos sobre propiedades rurales. En tal caso, se habría visto obligado a permanecer durante aquel tiempo con la familia, no en una posada. Como Belén era una pequeña población a sólo dos horas a pie de Jerusalén, carecería casi con toda seguridad de posadas. Si ya no existía la familia de José, la sola mención de su linaje habría sido suficiente para que la gente lo reconociera como del lugar y para que pronto hubiese tenido una casa a su disposición.

Aunque el término griego de 2,7 puede significar a veces «posada», normalmente se refiere a una sala amueblada adosada a una casa rural; de ahí que pueda ser traducido por «habitación de huéspedes». El término aparece sólo otra vez en el Nuevo Testamento, en el relato de la Última Cena (Mc 14,14; Lc 22,11), ocasión en la que se suele traducir por «sala superior». La palabra usada normalmente para «posada» aparece en Lc 10,34. El hecho de que no hubiese «sitio» para José y María en la habitación de invitados quiere decir que ya estaba ocupada por algunas personas de mayor rango social.

Preocupación por la salud

Los capítulos 8 y 9 de Mateo ofrecen una serie de diez curaciones. En nuestro mundo contemporáneo, concebimos la enfermedad como una disfunción del organismo que puede ser remediada (dando por supuesto que sean conocidos el diagnóstico y los medios) con un tratamiento biomédico adecuado. Nos interesa que la persona enferma pueda volver a funcionar, a actuar. Sin embargo, se pasa con frecuencia por alto que la salud y la enfermedad son siempre definidas culturalmente y que, en otras sociedades, el núcleo de la cuestión no radica en la capacidad de volver a funcionar bien. En la antigua cultura mediterránea, el estado del ser personal era más importante que la capacidad de actuar o funcionar. Los sanadores de aquel mundo se preocupaban más porque una persona recuperase el valor de su estado de ser que por su capacidad para actuar con normalidad.

En consecuencia, los antropólogos distinguen entre *enfermedad* (disfunción biomédica que afecta a un organismo) y *dolencia* (estado devaluado del propio ser, que afecta a una persona cuando el entramado social en el que se mueve se ha venido abajo o ha perdido significado). La dolencia no es tanto un asunto biomédico cuanto social. Se atribuye a causas sociales, no físicas. Como el pecado supone una brecha en las relaciones interpersonales, pecado y enfermedad suelen ir juntos. La dolencia no es tanto un asunto médico cuanto un desvío de las normas y los valores culturales.

La lepra nos proporciona un ejemplo. En nuestra sociedad, un leproso padece una enfermedad y puede que sea incapaz para desarrollar actividades. En la antigua Palestina, un leproso padecía una dolencia. Era impuro y, por tanto, quedaba excluido de la comunidad. Tampoco se permitía que tuvieran acceso al altar los ciegos, cojos y malformados, o las personas con sarna o tiña, con los testículos aplastados o con miembros dañados (Lev 21,16-24). Tal como están descritas en la Biblia no se trata tanto de enfermedades cuanto de dolencias: condiciones humanas socio-culturalmente anormales; algunas habrían tenido como base una causa física (ceguera), otras en cambio no (rechazo o incapacidad para ver o entender una enseñanza). Tales dolencias apartaban a la gente del grupo.

Como antiguamente la gente prestaba poca atención al carácter impersonal de las relaciones causa-efecto y, por tanto, a los aspectos biomédicos de una enfermedad, los sanadores se fijaban más en el ambiente social de las personas que en la disfunción orgánica en sentido biomédico. La gente se inquietaba más por los síntomas con raíces sociales que por las causas razonables e impersonales. Los sanadores profesionales, los médicos, preferían hablar de las dolencias antes que tratarlas. El fallo en el tratamiento podía suponer la muerte del médico. En el Nuevo Testamento se habla muy poco de este tipo de médicos (Mc 2,17 y par.; 5,26; Lc 4,23; 8,43; Col 4,14), y casi siempre en dichos proverbiales comunes en la literatura mediterránea contemporánea.

En contraste con los sanadores profesionales, los sanadores tradicionales, dispuestos a usar sus manos y a arriesgar un tratamiento erróneo, eran por lo general más accesibles a los campesinos. Jesús aparece en los evangelios como uno de ellos: es un profeta lleno de espíritu, que vence a los espíritus inmundos, cura diferentes dolencias y devuelve a la gente al lugar que ocupaban en la comunidad. Jesús se relaciona no tanto con enfermedades cuanto con dolencias. Aquellos sanadores daban importancia a todos los síntomas (ver Mt 8,28-34 respecto a dos endemoniados; Lc 8,26-33, que ofrece una descripción más detallada de los síntomas; y Lc 13,16 donde se percibe una relación directa entre síntomas y sistema de creecias). Se pensaba que el proceso de curación estaba directamente relacionado con la solidaridad hacia una persona y con la lealtad para con el sistema general de creencias típico de aquella cultura (Mt 13,58; Mc 6,5-6). (Observemos que esta perspectiva continúa implícita en nuestro moderno sistema de asistencia sanitaria).

Para curar una dolencia era necesaria la recuperación del significado de un individuo en la sociedad (*metanoia*). También era esencial la aceptación comunitaria de las acciones de un sanador (ver Mt 13,38; 16,14; Mc 6,5-6; 8,28; Lc 7,16;9,8.19; 14,19), que eran objeto de comentarios públicos (Mt 9,34; Mc 3,22). Ver también Mt 8,34; Mc 5,17; Lc 11,15 y Lc 8,37, donde la comunidad prefiere que el sanador profético se vaya a otra parte.

Pureza/Contaminación

Todas las sociedades humanas que perduran proporcionan a sus miembros el modo de dar sentido a su vida humana. Tal modo de dar sentido a la vida se centra en los sistemas de significado. Cuando algo se halla fuera de lugar según lo determinado por el sistema de significado en vigor, ese algo es considerado erróneo, desviado, carente de sentido. La suciedad está fuera de lugar. Cuando la gente limpia sus casas o sus coches, simplemente tratan de poner las cosas en orden, devolviéndolas a su lugar adecuado. Tanto la idea de suciedad como la conducta llamada limpieza presuponen la existencia de cierto sistema según el cual cada cosa tiene su lugar adecuado. Este sistema de lugares es indicio de la existencia de un sistema más amplio destinado a dar sentido a la vida humana.

Una forma tradicional de hablar de este sistema general de significado es el llamado sistema de pureza, el sistema de lo puro (en su lugar) y lo impuro (fuera de lugar) o sistema de lo limpio (en su lugar) y lo sucio (fuera de lugar). Los adjetivos puro e impuro, limpio y sucio pueden predicarse de personas, grupos, cosas, tiempos y lugares. Tales distinciones de pureza encarnan los valores centrales de una sociedad y proporcionan, por tanto, claridad de significado, orientación de la actividad y coherencia para una conducta social. Todo lo que encaja en estos valores y en su expresión estructural dentro de un sistema de pureza es considerado «puro»; lo que no quepa en él es percibido como «contaminado».

De ahí que la contaminación, lo mismo que la suciedad, se refiera a la cualidad inherente a algo o alguien que está fuera de lugar, que está mal situado. En consecuencia, los sistemas de pureza proporcionan «mapas» que ofrecen las definiciones sociales o las categorías delimitadas en las que algo o alguien encaja y es considerado puro, o no encaja y es tachado de impuro. Estos mapas, ideados por la sociedad, proporcionan las fronteras que delimitan a individuos, grupos, medio ambiente, tiempo y espacio. Toda persona inculturada en la sociedad conoce dichas fronteras, de tal modo que uno puede saber cuándo su conducta está «fuera de los límites». Los términos limpieza o purificación se refieren al proceso de devolver una cosa (o una persona) a su lugar apropiado.

Decir «contaminación» es un modo de hablar de algo a alguien que está fuera de lugar. Los sistemas de pureza proporcionan, pues, «mapas» que designan el espacio social y el tiempo donde todo y todos podemos encajar (y estar en consecuencia limpios) o estar de más (se nos considera sucios). El yavismo israelita del tiempo de Jesús tenía muchos mapas de este tipo. Había mapas (1) de *tiempo,* que especificaban las normas relativas al shabbat, cuándo había que recitar el *Shema* y cuándo debía practicarse la circuncisión; (2) de *lugares,* que concretaban qué se podía hacer en los distintos recintos del Templo o dónde había que dar suelta al chivo expiatorio el Día de la Expiación; (3) de *personas,* que decían con quién podía uno casarse, a quién podía tocar o con quién podía comer; quién podía divociarse; quién podía entrar en las distintas dependencias del Templo o en sus atrios; y quién podía ocupar ciertos cargos o ejecutar ciertas acciones; (4) de *cosas,* que explicaban lo que era considerado puro o impuro, qué podía ser ofrecido en sacrificio, o a qué se permitía entrar en contacto con el cuerpo; (5) de *alimentos,* que determinaban lo que podía comerse; cómo debía crecer, ser preparado o degollado; en qué vajillas había que servirlo; cuándo y dónde podía ser comido; y con quién había que compartirlo; y (6) de *«otros»,* es decir, quién o qué podía manchar por contacto. Consideremos los siguientes mapas, tomados de documentos de escribas israelitas del siglo III d.C. El primero es un mapa de tiempos o fiestas:

MAPA DE TIEMPOS
(*m Mo'ed passim*)

1. Shabbat y 'Erubim   (Shabbat)
2. Pesachim   (Fiesta de la Pascua)
3. Yoma   (Día de la Expiación)
4. Sukkot   (Fiesta de los Tabernáculos)
5. Yom Tov   (Días de fiesta)
6. Rosh ha-Shana   (Fiesta de Año Nuevo)
7. Taanit   (Días de Ayuno)
8. Megillah   (Fiesta de Purim)
9. Mo'ed Katan   (Días semifestivos)

Veamos ahora un mapa de impurezas:

MAPA DE IMPUREZAS
(*m Kelim 1,3*)

1. Hay cosas que contagian la impureza por contacto (p.e. un muerto, algo que repta, semen).
2. Las supera la carroña....
3. Las supera quien tiene contacto con una menstruante....
4. Las superan las emisiones de quien tiene un flujo, su saliva, su semen, su orina....
5. Las supera la impureza de la cabalgadura de quien tiene un flujo...
6. La impureza de la cabalgadura es superada por quien va encima....
7. La impureza de la cosa sobre la que alguien está echado es superada por la impureza de quien tiene un flujo....

A lo largo de los evangelios podemos observar la controversia entre Jesús y los fariseos (también los escribas de Jerusalén en Marcos) relativa a las normas de pureza, con la frecuente desatención por parte de Jesús de las fronteras establecidas por los fariseos. No observaba el mapa de los tiempos (Mt 12,9-14; Mc 3,1-6, respecto al shabbat y Lc 6,1-11) o el mapa de los lugares (Mt 21,12; Mc 11,15-16 y Lc 19,45-46). Otro tanto puede decirse del mapa de las personas: Jesús toca leprosos (Mt 8,3; Mc 1,41 y Lc 5,13), mujeres con menstruación (Mt 9,20-22; Mc 5,25-34 y Lc 8,43-48) y cadáveres (Mt 9,25; Mc 5,41 y Lc 8,54). El mapa de las cosas es desatendido cuando los discípulos de Jesús no tienen en cuenta las abluciones en Mt 15,2; en Mc 7,5 y en Lc 11,37-38 donde es el propio Jesús quien no las tiene en cuenta. Contrariamente al mapa de alimentos,

Jesús come con recaudadores de impuestos y con pecadores (Mt 9,11 y Mc 2,15). En Lc 10,7-8 Jesús aconseja contravenir las leyes alimenticias y come con recaudadores de impuestos y con pecadores (Lc 5,29-30), sin embargo Mt 10,1-16 no menciona ese dato. Al no hacer caso de tales mapas, el movimiento de Jesús manifiesta un claro rechazo del sistema de pureza del Templo.

Recaudadores de impuestos (de aduanas)

Uno de los aspectos mejor confirmados de la tradición de Jesús es su relación con recaudadores de impuestos (más correctamente «de aduanas») y con otros tipos socialmente indeseables. Sin embargo, para entender la posición de los recaudadores de impuestos en la Palestina del siglo I, se requiere un tratamiento del tema cuidadosamente matizado. Resulta importantísimo distinguir entre el «jefe» de recaudadores, como Zaqueo (mencionado en Lc 19,2), y sus empleados (a quienes se alude en Mt 5,46; 9,10; 10,3; Mc 2,15; Lc 3,12).

A diferencia de las poderosas y ricas asociaciones de recaudación de impuestos del periodo republicano (509-31 a.C.), durante la Roma imperial hubo empresarios nativos (a veces ciudades a través de sus líderes) que contrataban con la administración romana, a través de sus gobernantes locales, la recaudación de los impuestos locales. Estos individuos, a quienes se exigía que pagasen por adelantado la cuota de contratación, organizaban la recaudación en el distrito que habían contratado con la esperanza de sacar alguna ganancia. Hay pruebas de que tales aventuras eran arriesgadas y proclives a los abusos, y con frecuencia poco rentables. Es evidente que algunos se enriquecían (cf. Lc 19,2), pero otros muchos no. Los recaudadores de impuestos que conocemos por la tradición sinóptica eran por lo general empleados del jefe de recaudadores y con frecuencia gente desarraigada, incapaz de encontrar otro trabajo. La documentación del periodo imperial tardío sugiere que la extorsión iba probablemente menos dirigida al enriquecimiento personal que al del jefe para quien trabajaban.

Hemos de entender también el significado del término «impuesto». En el siglo I, los impuestos podían ser directos e indirectos. Los directos gravaban la tierra, la cosecha y las personas físicas. Los impuestos indirectos incluían portazgos, servicios y tasas de mercado de diverso tipo. Los recaudadores de impuestos, instalados en sus puestos de aduanas (Mt 9,9), recogían las exacciones sobre las mercancías que entraban, abandonaban o eran transportadas por el distrito, así como sobre las que cruzaban puentes, puertas de la ciudad, o llegaban a puerto. Mercaderes, artesanos e incluso prostitutas pagaban impuestos sobre cualquier bien o servicio contratado. Los conflictos eran especialmente graves entre los recaudadores de impuestos y los mercaderes con los que constantemente estaban en tratos. Plutarco cuenta: «estamos aburridos y disgustados con los recaudadores de impuestos, no cuando descubren los artículos que importamos abiertamente, sino cuando, al buscar mercancías ocultas, fisgonean en el equipaje y las propiedades de otras personas. Y, sin embargo, la ley les permite actuar de ese modo, y ellos saldrían perdiendo si no lo hicieran» (*De curiositate, Moralia* 518E; Loeb, 491). Las tasas aduaneras y otros impuestos indirectos no jugaron el mismo papel en la rebelión del 66 d.C. que el de los impuestos directos sobre tierras, cosechas y personas.

Las personas dedicadas a menesteres aduaneros eran tenidas en poca estima. Aunque a menudo formaban parte de los abusos propiciados por tal sistema, muy pocos recaudadores de impuestos se enriquecerían, y no hay duda de que muchos serían personas honestas. En consecuencia, a la hora de valorar la baja opinión moral que había sobre estos recaudadores en los textos antiguos, debemos preguntarnos con tacto de quién provienen esos juicios. Los estudios recientes sobre el tema sugieren que, mientras los moralistas rabínicos de finales del siglo II y los del siglo III atacaban a los recaudadores de impuestos sólo cuando eran deshonestos, los comerciantes lo hacían casi siempre. De igual modo, la gente rica y educada despreciaba por lo general a los recaudadores de impuestos. Como la gente realmente pobre, incluidos los trabajadores temporales, tenían poco o nada que pudiera verse sometido a impuestos, seguramente no estarían entre quienes despreciaban a los recaudadores.

También hemos de ser cautelosos al evaluar el aparente conflicto entre los fariseos y los recaudadores de impuestos en los evangelios de Mateo y de Marcos. La evidencia es menor de lo que se podría deducir. Los autores de las *Misná* afirman: «Si los recaudadores de impuestos entran en una casa, la casa queda impura» (*Toharot* 7,6). Pero la casa de la que se habla en Mt 9,9-13; Mc 2,13-17 y Lc 19,1-10 pertenece a un miembro del grupo dedicado a estudiar la pureza ritual de los comensales. Se trata, por tanto, de un caso especial. Hemos de presumir que, si un recaudador entraba en la casa, manosearía todo para evaluar la riqueza de sus propietarios. Pero no hay que pensar que el recaudador de impuestos era impuro per se; lo que ocurría era que alguien que manipulaba tantos y tan variados objetos, si entraba después en esa casa, dejaría impuro al grupo, pues es improbable que un recaudador de impuestos se atuviese a las normas de pureza ritual practicadas por los miembros de dicho grupo. Por eso, la actitud manifestada por el fariseo de Lc 18,9-14 puede que no refleje tanto la Palestina del tiempo de Jesús cuanto las actitudes de los cristianos ricos de la comunidad de Lucas, que usa estas historias para criticarlos.

Relaciones (intercambios) sociales

La interacción social en las sociedades agrarias ocupaba un espectro que iba desde la reciprocidad en un extremo hasta la redistribución en el otro.

Las relaciones *recíprocas,* típicas de grupos sociales reducidos (p.e. pueblos o barrios de las ciudades), implicaban intercambios que generalmente respondían a uno de estos tres modelos: (1) reciprocidad generalizada: abierta participación basada en la generosidad o la necesidad. La devolución era con frecuencia pospuesta u olvidada. Tal reciprocidad era característica de las relaciones familiares y de las relaciones con quienes se tenían aparentes contactos de parentesco, p.e. amigos, colegas de asociaciones. (2) Reciprocidad equilibrada: intercambio basado en la preocupación simétrica por los intereses de ambas partes. Lo normal era la devolución en igual medida. Tal reciprocidad era característica de las relaciones comerciales o de las entabladas con personas conocidas sin lazos de parentesco, real o aparente. (3) Reciprocidad negativa: basada en los intereses de una sola parte, que pretendía ganar todo lo posible sin pensar en una compensación de su parte. Caracterizaba las relaciones con extranjeros, enemigos o desconocidos.

Las relaciones *redistributivas* eran típicas de las antiguas sociedades agrarias de gran envergadura (Egipto, Palestina, Roma). Se mantenían en función de las reservas mancomunadas en un almacén central (generalmente a través de tasas y tributos), controladas por una élite jerárquica que podía redistribuirlas mediante mecanismos de parentesco político o elitista. Las relaciones redistributivas son siempre asimétricas y benefician generalmente a los que llevan su control. El sistema del Templo en la Judea del siglo I funcionaba como un sistema de relaciones redistributivas.

Relatos de infancia en la Antigüedad

En la Antigüedad, la descripción del nacimiento y la infancia de personajes notables se basaba siempre en los estatus y roles de adulto poseídos, por tales personas. Se creía que nunca cambiaba la personalidad y que un niño era algo así como un adulto en miniatura. Nunca se pensaba que existían etapas de desarrollo psicológico conforme se iba creciendo. Los antiguos pensadores dividían más bien las etapas de la vida humana en virtud de otras consideraciones. Por ejemplo, los filósofos que examinaban el significado profundo de los números, especialmente los de tradición pitagórica, veían en uno de los significados del número «cuatro», tal como se manifiesta en las estaciones del año, un modelo de las etapas vitales del hombre. Ptolomeo dice, por ejemplo:

> En todas las creaturas, la edad primera, lo mismo que la primavera, tiene un alto grado de humedad y es tierna y todavía delicada. La segunda edad, hasta la flor de la vida, tiene excesivo calor, como el verano; la tercera, una vez pasada la flor de la vida y cerca ya del declive, tiene exceso de sequedad, como el otoño; y la última, que se acerca a la disolución, tiene exceso de frío, como el invierno (Ptolomeo, *Tetrabiblos* 1,10,20; Loeb, 61).

El número «siete» proporcionó el modelo de las siete etapas de la edad del hombre, asignada cada una por Ptolomeo a uno de los planetas por razones tradicionales relacionadas con la confección de horóscopos (*Tetrabiblos* 4,10,204-206; Loeb, 441-447).

Sin embargo, parece que para la gente común la vida de una persona se podía dividir a lo sumo en infancia, adultez y ancianidad. La adultez empezaba cuando una persona entraba en el mundo de los adultos. Por ejemplo, cuando un muchacho tenía que formar parte del mundo de los hombres o cuando una muchacha tenía que casarse (tras la menstruación o poco antes). Pero el movimiento era social más que psicológico: para los muchachos, del mundo de las mujeres al de los hombres; para las chicas, de la casa paterna a la del esposo.

De ahí que los relatos de infancia se deducían con toda seguridad de la conducta adulta de la gente. Se pensaba que los grandes personajes poseían ciertas características desde el momento mismo del nacimiento, características que permanecían con ellos durante toda la vida. Los autores de Mateo y de Lucas, lo mismo que sus audiencias, creían que Jesús de Nazaret era el Mesías enviado por Dios con poder. Si Jesús de Nazaret es este Mesías futuro, resucitado de entre los muertos por el Dios de Israel, es obvio que su nacimiento e infancia tenían que haber sido tal como los sinópticos las describían, aunque los relatos de Mateo y de Lucas no tengan en realidad nada en común.

Todo lo que se dice de las personas que rodearon a Jesús en su nacimiento y durante su infancia, se dice fundamentalmente con intención de resaltar la cualidad de Jesús como persona significativa. Como tales, los relatos de la infancia son «preflexiones» de Jesús como Mesías resucitado. Por ejemplo, como la resurrección de Jesús anunciaba «los últimos días», se esperaba que «los jóvenes tuvieran visiones y... los viejos tuvieran sueños» (Hch 2,17). Fiel a este principio, según parece, el relato de Mateo describe a ancianos soñando al tiempo que reciben información de Dios (y viceversa: si tenían sueños provenientes de Dios, tenían que ser ancianos). Lucas nos dice que Zacarías era anciano; de otro modo, podríamos deducir que era joven, puesto que tuvo una visión. Y en línea con las expectativas culturales, si Dios se comunica en algún momento con mujeres, se debe exclusivamente a sus funciones reproductivas y a sus roles basados en el género, como en Lc 1,26-38. Sin embargo, en Mateo se observa estrictamente el protocolo, y es José, futuro esposo de María, quien recibe la información del nacimiento de Jesús (1,18-25).

Religión, economía y política

Aunque en nuestro mundo es normal pensar que la política, la economía y la religión son instituciones sociales distintas (y buscar argumentos para mantenerlas separadas), en la Antigüedad no existía tal modelo de pensamiento. En el mundo del Nuevo Testamento había sólo dos instituciones: el parentesco y la política. La religión y la economía no tenían existencia institucional aparte. Ninguna era concebida como un sistema en sí, con una teoría de la praxis especial y un modo distintivo de organización, al margen de las reglas del parentesco y de las normas políticas.

La economía hundía sus raíces en la familia, que en la Antigüedad era al mismo tiempo unidad de producción y unidad de consumo. Esta situación era totalmente distinta de la sociedad industrial moderna, en la que la familia por lo general es sólo unidad de consumo, no de producción. Junto con esta economía doméstica, existía también una economía política. Aquí, la entidad política controlaba el trasiego y distribución de ciertos bienes que entraban o salían de la ciudad, especialmente de los que entraban destinados a la simbología urbana del poder: palacio (y ejército), templo (y sacerdocio) y aristocracia. No existía un lenguaje que implicase los conceptos abstractos de mercado, sistema monetario o teoría fiscal. La economía era «dependiente», lo cual significa que sus objetivos, la producción, los roles, el empleo, la organización, los sistemas de distribución u otras realidades relacionadas con el ámbito económico dependían de consideraciones políticas y de parentesco, no «económicas».

En el mundo mediterráneo, tampoco la religión gozaba de una existencia institucional aparte, en el sentido moderno del término. Era más bien un sistema omnipresente de significado que unificaba el sistema político y el de parentesco (incluidos sus aspectos económicos) formando un todo ideológico. Servía para legitimar y articular (o deslegitimar y criticar) los modelos político y familiar. Su lenguaje derivaba tanto de las relaciones de parentesco (padre, hijo, hermano, hermana, virgen, niño, patrón, misericordia, honor, alabanza, perdón, gracia, rescate, redención, etc.) como de las políticas (rey, reino, príncipes de este mundo, poderes, alianza, salvación, ley, etc.), no de un ámbito discreto llamado religión. También la religión era «dependiente», en cuanto que sus objetivos, la conducta, los roles, el empleo, la organización, los sistemas de culto u otras realidades relacionadas con el ámbito religioso dependían de consideraciones políticas y de parentesco, no «religiosas». Podía existir una religión doméstica controlada por personal «familiar» y/o una religión política controlada por personal «político», pero no una religión en sentido abstracto y separado controlada por personal exclusivamente «religioso». En consecuencia, el Templo nunca fue una institución religiosa separada de algún modo de las instituciones políticas. Ni el culto estaba separado de lo que uno hacía en casa. La religión era el significado que se daba al modo de llevar a la práctica los dos sistemas fundamentales: la política y el parentesco.

Al tratar de entender el significado de lo que dice Jesús sobre dar al emperador y a Dios lo que pertenece a cada uno (Mc 12,13-17; Mt 22,15-22), sería anacrónico leer en esa afirmación la idea moderna de la separación de la Iglesia y el Estado o la noción de que la economía (incluido el sistema de impuestos) tenía de algún modo una existencia institucional aparte, en un ámbito propio. Por eso, confundimos antiguos modelos sociales con los nuestros cuando defendemos la idea bastante frecuente de que existían «dos reinos», uno político/económico y otro religioso, uno perteneciente al emperador y el otro a Dios, y que, según la respuesta de Jesús, a cada cual había que darle lo suyo.

Rey de los judeos

Esta expresión es traducida a menudo como «rey de los judíos». Pero se trata de una traducción desafortunada, pues los significados connotados en el término «judío» provienen generalmente del uso que se hizo de él en el cristianismo posterior y en nuestro siglo XX. En Mateo no hay nada de «judío»; en su obra no podemos encontrar el significado «judío». En el evangelio de Mateo, la palabra *Ioudaios* significa sin más «judeo», natural de Judea. Judea es simplemente un lugar con sus inmediaciones, su aire y su agua. «Judeo» designa, pues, a una persona perteneciente a ese segmento (*Ioudaia*) de un grupo étnico más amplio («Israel» en Mateo). Los correlativos de judeo en Mateo son galileo y pereo, que juntos forman Israel. Lo opuesto a Israel es no-Israel, las naciones distintas de Israel, o simplemente «las naciones». (Observemos que en Flavio Josefo [*Vida*] el término «Ioudaios» significa también «judeo», y se refiere a esa sección del país y/o la gente que vive en él).

Así pues, como Jesús nació en Belén de Judea (2,1.5), se le busca como rey de los judeos (2,2), título que en realidad ostentaba Herodes según el contexto de 2,1.3 (claramente en 2,22). También su hijo Arquelao reinó en Judea (2,22), pero no en Galilea, ni en Siria, ni entre los emigrantes judeos esparcidos por el Imperio Romano. Observemos que, a lo largo de su evangelio, Mateo contrapone Judea y Galilea (2,22). Juan apareció no en el desierto «judío», sino en el desierto judeo, localizado en Judea (3,1). Jerusalén y «toda Judea» (no todos los habitantes del «país de los judíos») acudían a Juan (3,5). Está claro que Jesús no era de Judea, sino de Galilea (3,13; 21,11), junto a cuyo mar (Mt 4,18; 15,29) tuvieron lugar importantes acontecimientos. De igual modo, acudió a Jesús una gran muchedumbre de Jerusalén y Judea (4,25), que debe ser distinguida de las muchedumbres de Galilea y la Decápolis. Más tarde se nos dice que Jesús se dirigió a la zona montañosa de Judea (no «país de los judíos»), a la otra orilla del Jordán. Advierte que los de Judea, presumiblemente judeos, deberán correr a las colinas (19,1). En el relato de la pasión, advertimos que personas no pertenecientes a las élites conocían a Jesús como «Jesús el galileo» (26,69), algo que desconocían los romanos, que le pusieron la etiqueta (a pesar de las protestas) de «rey de los judeos» (27,11.29.37). Se trata claramente de una designación incorrecta, incluso irónica. Al final las autoridades de Israel le llamaron en son de burla (aunque correctamente) «rey de Israel» (27,42), el grupo al que Jesús, tal como nos cuenta Mateo en 15,24, había sido enviado. Finalmente, la gente del lugar, los judeos, cuentan la historia de la tumba (28,15). Como contraste, cuando Jesús es ejecutado, se encontraban en Judea algunos que habían seguido a Jesús desde Galilea (27,55). Más aún, fue en Galilea (28,7.10.16; ver 26,32) donde tuvo lugar el encargo final.

Ricos, pobres y bienes limitados

El término griego traducido en Mateo por «pobres» debería ser entendido en términos concretos, aunque no exclusivamente económicos. Los «pobres» son personas incapaces de conservar en la sociedad su estatus de honor heredado, por la mala suerte o por la injusticia de los demás. Ser pobre significaba ser indefenso, carecer de recursos, estar en peligro de perder el estatus debido al nacimiento. En una sociedad en la que el poder proporcionaba riqueza, ser pobre significaba carecer de poder y ser vulnerable a cualquier pérdida. Significa estar a merced de los ricos depredadores. A causa de esto, son socialmente vulnerables (es decir, desde los puntos de vista religioso, económico, político y doméstico). Los mutilados, cojos, ciegos, etc. son «pobres», independientemente de la tierra que posean. De manera parecida, una viuda puede tener millones de denarios; si no tiene un hijo, siempre será «una pobre viuda». Lo que hace a una persona pobre es el infortunio social más que el económico. Incluso si una persona fuera económicamente pobre, como de hecho lo era la inmensa mayoría en la Antigüedad, la atención cultural se centraría más en el grado de honor que en los bienes. Ser pobre, pues, es una realidad social que, a su vez, puede tener tonalidades o consecuencias económicas, aunque estas últimas tienen sólo sentido cuando se trata de ricos.

La noción de «bienes limitados» es esencial para entender la pobreza. En las economías modernas, damos en principio por supuesto que el suministro de bienes es ilimitado. Si nos enfrentamos a un momento de escasez, podemos producir más. Si una persona se hace con más cantidad de algo, eso no significa automáticamente que otra se quede con menos; puede significar sin más que trabajó horas extraordinarias en la empresa y que puede disponer de más cantidad de lo que sea. Pero en la antigua Palestina, las cosas se veían desde el lado opuesto: todos los bienes eran finitos, limitados; ya habían sido distribuidos. Esto incluía no sólo bienes materiales, sino también honor, amistad, amor, poder, seguridad y estatus (literalmente todo en la vida). Como la tarta no podía ser más grande de lo que era, si alguien se hacía con un buen pedazo, eso significaba automáticamente que a otro le había tocado un pedazo pequeño.

Por tanto, una persona honorable se interesaría sólo por lo que era suyo en justicia, sin pretender conseguir algo más, es decir, tomar lo que pertenecía a otro. Por su propia naturaleza, la adquisición era entendida como robo. Según la mentalidad mediterránea antigua, toda persona rica o era injusta o era heredera de una persona injusta (Jerónimo, *In Hieremiam* 2,5,2; Corpus Christianorum Series Latina, LXXIV, 61). Se pensaba que las ganancias y la adquisición de riquezas eran automáticamente resultado de la extorsión o el fraude. La noción de rico honesto era un oxímoron en el siglo I.

La etiqueta de «rico» implicaba, por tanto, una afirmación social y moral, así como económica. Describe una condición social en relación con los otros vecinos: rica es la gente poderosa carente de vergüenza. Significaba disponer del poder o la capacidad de desposeer a alguien más débil de lo que en derecho le pertenecía. Rico era sinónimo de codicioso. Por la misma regla de tres, ser «pobre» significaba ser incapaz de defender lo que es de uno, descender del grado de estatus en que se había nacido: ser indefenso, sin recursos.

Observemos que, en el Nuevo Testamento, la pobreza va a menudo asociada a la condición de impotencia o mala fortuna. En Mt 5,3 los pobres «en espíritu» están relacionados con «los que lloran», es decir, con quienes protestan por la presencia del mal social (p.e. 1 Cor 5,1-2), con «los mansos», la gente que se ha visto desposeída de las tierras heredadas y se queja de ello (ver Sal 37). Mt 11,4-5 asocia a los pobres con los ciegos, los cojos, los leprosos, los sordos y los muertos. De manera parecida, Lc 14,13.21 alinea a los pobres con los lisiados, los cojos y los ciegos. Mc 12,42-43 habla de una viuda «pobre» (una mujer socialmente desvinculada de un hombre era a menudo definida como prototipo de víctima). En Lc 16,19-31 el rico es contrapuesto al pobre Lázaro, un mendigo lleno de úlceras. Ap 3,17 describe al pobre como miserable, lastimoso, ciego y desnudo. (Observemos que en la Antigüedad no había una clase media. Los intentos de trasplantar al Nuevo Testamento las experiencias modernas de las clases medias son sencillamente anacrónicas).

En una sociedad en la que el poder proporcionaba riqueza (en nuestra sociedad es lo contrario: la riqueza «compra» el poder), carecer de poder significaba ser vulnerable a la codicia que se cebaba en los débiles. Por tanto, sería mejor traducir los términos «rico» y «pobre» por «codicioso» y «socialmente desgraciado». Fundamentalmente, los términos describen una condición social relativa a quienes tenemos cerca. Pobres son quienes no pueden hacerse con una concesión de honor, débiles por tanto, mientras que ricos son los codiciosos, los fuertes que carecen de vergüenza. Del mismo contexto forman parte las bienaventuranzas dirigidas a los perseguidos injustamente («por razón de la justicia») y a los que son injuriados «en falso, por mi causa». Reciben la misma recompensa que los pobres. Acabar en la pobreza, ser desposeído de las propias tierras, carecer de alimentos, convertirse en el blanco de la persecución y el ultraje público: todo ello son experiencias humanas que padecen las personas por distintos motivos. Las razones aducidas aquí son el malvado codicioso (no una mala economía) y el vicioso (no personas con ingresos bajos). Las bienaventuranzas dirigidas a estas experiencias pretenden consolar, especialmente con la promesa de una recompensa presente por parte de Dios.

Por contraste, ser misericordioso, puro de corazón o agente de paz apunta a cualidades morales por cuya adquisición debe luchar una persona. Una vez más, se trata de cualidades típicas del Mediterráneo del siglo I. «Misericordia» es la obligación de restituir las deudas contraídas en la relación interpersonal; ser misericordioso implica estar predispuesto a pagar como se debe dichas deudas; tener misericordia es pagar las propias deudas de la obligación interpersonal. Tales deudas derivan generalmente de las alianzas normales y habituales, p.e. de padres e hijos, de patronos y clientes, de los esposos entre sí, de la persona salvada para con quien la salva, etc. A los misericordiosos se les promete el mismo trato de parte de Dios.

«Corazón» se refiere a la capacidad humana de pensar emocionalmente; ⇨ **Las tres zonas de la personalidad** (cf. pág. 406). «Pureza» está en relación con el sistema de significados socialmente compartido que capacita a una persona para captar cuándo algo o alguien está fuera del lugar que le corresponde (impureza y desvío). Ser puro de corazón es armonizar con la voluntad de Dios nuestras facultades de pensar y sentir, un concepto cercano al expresado por nuestro término «conciencia». La recompensa prometida a los puros de corazón consiste en «ver a Dios», expresión que se refiere a participar en una peregrinación. Todas las alegrías y experiencias relacionadas con la peregrinación a Jerusalén están ahora a disposición de quienes son «puros de corazón». Finalmente, «paz» se refiere a la presencia de todo lo necesario para una existencia humana con sentido; «agentes de paz» son quienes trabajan por conseguir ese fin. En recompensa, serán llamados «hijos de Dios» por Dios mismo, es decir, honrados con la inclusión en la «familia» de Dios.

En el relato de Lucas, la continua presencia de los pobres refleja probablemente la situación de un estadio de la tradición anterior al que vivió Lucas. Su conocimiento de la pobreza es de segunda mano (vía tradición), que él usa para criticar a los ricos de su propia comunidad, a la que escribe. El término «pobres» se debe entender en términos concretos, aunque no exclusivamente económicos; Lucas no espiritualiza la pobreza. Se trata de una realidad social y económica. Para poder entenderla, resulta esencial la noción de «bienes limitados», que más arriba hemos analizado.

Finalmente, hay que decir que en Israel la fuente clave de poder (y por tanto de riqueza) era el templo. Las familias sacerdotales encargadas de los servicios del templo eran ricas, término que, como ya hemos dicho más arriba, equivale a «codicioso» y «vicioso». Dado el punto de vista de la limitación de los bienes del mundo, si el personal del templo de Jerusalén y sus adláteres amasaban riquezas y las atesoraban en la «cueva de ladrones», el resto de la gente se iría simultáneamente empobreciendo, incapaces de mantener su honor como «hijos de Israel».

Rituales de degradación de estatus

En las sociedades mediterráneas del siglo I, el estatus de honor de un individuo determinaba, tanto su posición en la comunidad, como sus oportunidades en la vida. Aunque el honor dependía sobre todo del nacimiento (adscrito), podía también adquirirse mediante la prestación de servicios extraordinarios o afrontando con éxito los desafíos de la vida diaria. ⇨ **Sociedades con base en el honor/vergüenza** (cf. pág. 404) y **Desafío/Respuesta** (cf. pág. 336).

A lo largo de los tres evangelios se presenta a Jesús como una persona cuyas palabras y acciones resultan desproporcionadas para el estatus de honor de un artesano rural. Por eso, los relatos de Mateo, Marcos y Lucas muestran continuamente cómo Jesús es reconocido, lo mismo por amigos que por enemigos (de mala gana, indirectamente, irónicamente), como superior a lo que de él cabía esperar. En realidad es el honorable Hijo de Dios. ⇨ **Hijo de Dios** (cf. pág. 357).

En el evangelio de Mateo podemos ver que los adversarios de Jesús no podían hacer nada porque la muchedumbre estaba «admirada de su enseñanza» (Mt 22,33) o porque tenían «miedo de la gente, porque lo tenían por profeta» (Mt 21,46). Lo mismo acontece en Mc 11,18; 12,12, y Lc 20,19; 19,48. Todo ello es un indicio de que, ante la opinión pública, el estatus de honor de Jesús le hacía invulnerable. Por eso, para poder acabar con él, era necesario que los adversarios de Jesús atacaran en primer lugar la posición que ocupaba a los ojos de la gente. En todos los evangelios llevan a cabo este plan mediante lo que los antropólogos llaman «rituales de degradación de estatus». El ritual de degradación de estatus es un proceso público de reformulación, etiquetación y humillación que busca el modo de recategorizar a una persona como socialmente desviada. Tales rituales expresan la indignación moral de los denunciantes, y se burlan o desacreditan la identidad anterior de una persona con el ánimo de destruirla totalmente. Generalmente van acompañados de una actividad revisionista del pasado de dicha persona para hacer ver que siempre había vivido desviada. Existe una amplia gama de situaciones que constituyen la ocasión propicia para destruir en público la identidad y la credibilidad de una persona: juicios, vistas públicas, encuentros políticos, etc. ⇨ **Acusación de desvío** (cf. pág. 319).

Cuando Jesús es arrestado y abandonado por su grupo de íntimos (Mt 26,55-56; Mc 14,48-50), para ser llevado posteriormente a la casa del sumo sacerdote (Mt 26,57; Mc 14,53; Lc 22,54), tiene lugar el primero de los rituales de degradación de los que nos informan los tres evangelistas: le tapan los ojos, lo golpean por detrás y se burlan de él llamándolo «profeta». Usan también otros modos de injuriarle e insultarle. Al sufrir tal humillación en público (la acción tiene lugar al parecer en el patio donde están Pedro y los demás, pues Jesús puede volverse y ver a Pedro), humillación que se siente incapaz de evitar, el imponente estatus de Jesús empieza a resquebrajarse a los ojos de la gente.

Este proceso continúa ante el Consejo al día siguiente (Mt 27,1; Lc 22,66-71), para prolongarse posteriormente ante Pilato (Mt 27,2; Mc 15,1; Lc 23,1-7). Los cargos políticos (su pretensión de ser «rey de los judeos») no aparecen con tanta claridad en Mateo y Marcos como en Lc 22,2, pero las acusaciones lanzadas por la élite política de Judea implican una reformulación retrospectiva de la enseñanza de Jesús (Mt 20,12-13; Mc 15,3) «impidiendo pagar tributo al César» (cf. 20,19-26), y se repiten después diciendo que todo el territorio puede confirmar lo que ha sucedido. En el «juicio» ante Herodes del que nos habla Lucas, la humillación de Jesús es descrita breve pero gráficamente. Los soldados le atavían de forma vistosa y se burlan de él en respuesta a las acusaciones de los jefes de los escribas y de los maestros de la ley.

La reformulación final de la identidad de Jesús tiene lugar ante Pilato, cuando los jefes de los sacerdotes y los dirigentes persuaden al pueblo de que «liberen a Barrabás y maten a Jesús» (cf. Mt 27,20; Mc 15,11). Pilato trata de liberar a Jesús tres veces, pero la muchedumbre insiste. Gritan pidiendo que se libere a Barrabás, insurrecto y asesino, cuyo nombre en arameo (*Bar-'Abba'*) significa «hijo del padre». Como ironía suprema de todo el ritual de degradación, Jesús, el verdadero Hijo del Padre, y Barrabás, el bandolero, intercambian los roles. Conforme la muchedumbre y los dirigentes van cosechando su victoria, Jesús se va sumiendo en el más absoluto de los desprecios: es despojado de su ropa y coronado de espinas, con un cetro de caña en su mano derecha. Después de burlan de él llamándolo «rey de los judeos», una degradación completa de Jesús y un insulto público a la muchedumbre y a sus dirigentes (Mt 27,28-30; Mc 15,17-20). La humillación última, colgado desnudo de una cruz, da ocasión a la burla pública final (Mc 15,29-32). El estatus de degradación se ha completado.

A pesar de los intentos de muchos de calificar tal juicio de «legal» (citando con frecuencia las prescripciones de la Misná relativas a la instrucción de casos criminales, aunque aquí no se perciben intentos de «demostrar» criminalidad), los tres evangelistas, especialmente Mateo, describen todos estos acontecimientos como un ritual público de humillación tendente a destruir el estatus que hasta entonces había proporcionado credibilidad a Jesús a los ojos de la gente. Al final, el éxito del ritual de degradación hace que la «sentencia» de Pilato sea un mero reconocimiento de lo que parecía obvio.

Secretos

En el mundo mediterráneo, donde prevalecía el esquema honor-vergüenza, la reputación familiar lo era todo. Debía ser preservada a toda costa; los miembros de la familia tenían que estar vigilados (ver Mc 3,20-21) para asegurar que nada fracasase. El escándalo o la sospecha podía poner en peligro la posición de la familia en la comunidad, la posibilidad de casarse de los hijos y las hijas, o incluso el futuro económico de todo un grupo familiar.

Como el honor estaba determinado en gran parte por la opinión pública, era importantísimo que la gente no se enterase de nada que pudiese dañar la reputación familiar. Los secretos se convertían en una necesidad interna de la familia, aunque al mismo tiempo eran socialmente inaceptables. Los campesinos abrían todas las mañanas las puertas de sus casas y sus patios para asegurar a la vecindad que no había nada oculto, que nada se había planeado que pudiese constituir una amenaza. Las puertas cerradas levantaban sospechas inmediatamente. Pero al mismo tiempo se traza una clara línea de separación entre los de dentro (miembros de la familia en los que se puede confiar) y los de fuera. Muchas cosas que se comentan libremente en familia nunca pueden ser contadas a los de fuera. Cualquiera que lo hiciera sería considerado desleal al nivel humano más elemental. De ahí que los secretos que puedan dañar la reputación deban ser silenciados recurriendo a la mentira, el engaño o cualquier otra estrategia necesaria para protegerse.

Era especialmente importante ocultar cualquier cosa que sucediese en la familia y que pudiese ser interpretada por los de fuera como una amenaza. En un mundo de bienes limitados, donde *se pensaba que cualquier clase* de ganancia (incremento de la riqueza, la posición, el honor, etc.) se conseguía a expensas de otros, nunca se podían hacer alardes de avaricia o de grandeza en público sin levantar inmediatamente sospechas. A la luz de esto habrá que interpretar el tan discutido «secreto mesiánico», que aparece con tanta frecuencia en Marcos (1,25.34.44; 3,12; 5,43; 7,24.36; 8,30; 9,9.30). Jesús pertenecía por su nacimiento a un estatus social bajo, el de un artesano rural; de ahí que su pretensión de ser «Hijo de Dios» podía resultar codiciosa en extremo. Marcos permite que sus lectores sepan que tal pretensión está confirmada ya desde el principio (ver nota a 1,1). Pero Jesús se muestra como una persona honorable al tratar de ocultar al público tal idea. (Observemos especialmente cómo silencia a los demonios, que, dada su alta posición en la jerarquía cósmica, son capaces de identificar de inmediato el inesperado estatus de Jesús; ver 1,25.34; 3,12).

A la luz de esto deberíamos juzgar también la diferencia de lenguaje para los de dentro y los de fuera. ⇨ **Intragrupo y extragrupo** (cf. pág. 358). La interpretación de la parábola de Mc 4,10-20 que Jesús brinda a sus seguidores es un ejemplo de lo que venimos diciendo. Marcos permite que el lector conozca las dos versiones del relato, para los de fuera y para los de dentro, aunque el público que escucha a Jesús ha de conformarse con la primera versión. Es una clara señal de que Marcos considera al lector «uno de dentro», un miembro de la familia. Observemos también la reacción de los discípulos tras la escena de la transfiguración en el capítulo 9. Jesús pide silencio y los discípulos responden con lealtad (9,9-10) discutiendo el asunto entre ellos, es decir, en familia.

El sistema de patronazgo en la Palestina romana

Los sistemas patrón-cliente constituyen relaciones socialmente determinadas de reciprocidad generalizada entre gente de distinto nivel social: una persona de clase baja que está en apuros (llamada «cliente») hace frente a sus necesidades recurriendo a los favores de una persona de estatus superior, bien situada (llamada «patrón»). Al recibir el favor, el cliente promete implícitamente devolvérselo al patrón cuando y como éste lo determine. Al conceder un favor, el patrón promete a su vez implícitamente estar abierto a ulteriores peticiones, en momentos no especificados. Tales relaciones abiertas de reciprocidad generalizada son típicas de la relación del cabeza de familia y de quienes dependen de él: esposa, hijos, esclavos. Cuando se llega a un arreglo patrón-cliente, éste se relaciona con el patrón como con un pariente superior y más poderoso, al tiempo que el patrón ve a sus clientes como subordinados.

Las relaciones patrón-cliente existieron en toda la cuenca mediterránea; podemos describir la versión romana de este sistema del siguiente modo. Desde los primeros años de la República romana, la gente establecida en las colinas que bordean el Tíber tenían como criados a personas libres llamados «clientes», que vivían como miembros de la familia. Estos clientes se preocupaban de los rebaños, producían diversos bienes de primera necesidad y ayudaban en las granjas y en la agricultura. En pago recibían la protección y generosidad de sus patronos patricios. Tales clientes carecían de derechos políticos y eran considerados inferiores a los ciudadanos, aunque participaban del incremento de la producción pecuaria o de los bienes que ayudaban a producir. Las obligaciones mutuas entre patrón y cliente eran consideradas sagradas y, a menudo, se hacían hereditarias. Virgilio nos habla de los castigos especiales que padecían los patronos en el infierno por haber defraudado a sus clientes (*Eneida* 6,609; Loeb, 549). Las grandes casas se vanagloriaban del número de sus clientes y trataban de incrementarlo de generación en generación.

Durante los últimos años de la República, la afluencia de gente proveniente de los pueblos conquistados había trastornado la institución formal del patronazgo entre los romanos. Un gran número de personas, que había sido arrancada de sus previas relaciones de patronazgo, trataba de buscar ahora vínculos similares con las grandes familias patricias de Roma. En consecuencia, el patronazgo se extendió rápidamente por los bordes del imperio romano, si bien en una forma mucho menos estructurada. Sabemos que en los primeros años del Imperio, especialmente en las provincias, existían nuevos ricos que competían por el estatus de honor en virtud de su larga experiencia en el trato con clientes. Éstos eran en su mayoría gente pobre de la ciudad o campesinos rurales que buscaban los favores de quienes controlaban los recursos económicos y políticos de la sociedad.

Marcial, en sus *Epigramas*, nos ofrece numerosos detalles de la vida de un cliente romano. En la institución más formalizada de la propia Roma, el primer deber de un cliente era la *salutatio* (la llamada a la casa del patrón de madrugada). Era importante vestir una ropa adecuada. En este encuentro matutino podía ser invitado a atender las necesidades del patrón, que le podían llevar la mayor parte del día. De los clientes se esperaban deberes serviles, pero sobre todo se consideraba fundamental la alabanza pública del patrón. En recompensa, los clientes tenían derecho a una comida diaria y podían recibir otros pequeños favores. Era frecuente la humillación de los clientes, que apenas tenían posibilidad de recurrir a nadie en su defensa. Los patronos que daban más de lo normal eran considerados generosos.

Conforme el estilo de patronazgo romano se fue extendiendo a provincias tales como Siria (Palestina), cambió su carácter formal y hereditario. Los nuevos ricos, tratando de mejorar la posición familiar en una comunidad, competían en el número de clientes. Las obligaciones mutuas formales degeneraron en la búsqueda de pequeños favores y en la manipulación. Los clientes competían en busca de patronos del mismo modo que éstos lo hacían en busca de clientes, luchando desesperadamente por conseguir una posición ventajosa económica o política.

Una segunda institución, que servía de complemento al sistema de patronazgo, era el *hospitium*, la relación de anfitrión y huésped. Tales alianzas tenían lugar sólo entre iguales, y con frecuencia se formalizaban mediante acuerdos contractuales de ayuda y protección mutuas de carácter hereditario. Mientras una de las partes permanecía en la ciudad del anfitrión, tenía asegurados la protección, la asistencia legal, el alojamiento, los servicios médicos e incluso unos funerales honorables. Solían intercambiarse prendas en señal de amistad y obligación, que sellaban los acuerdos contractuales y podían servir para identificar a las partes de tales alianzas que no se habían visto con anterioridad (p.e. descendientes). Tales acuerdos eran considerados sagrados en sumo grado.

En la Palestina romana existieron tanto el patronazgo como los acuerdos contractuales. Ambos aparecen en el relato del centurión de Lc 7,1-10. Lo explicaremos mejor haciendo una clasificación de los participantes en el juego.

Los *patronos* eran individuos poderosos que controlaban los recursos; de ellos se podía esperar que usasen su posición para conceder favores a inferiores en virtud de la «amistad», conocimiento personal y favoritismo. Se esperaba también que los patronos benefactores ayudasen con generosidad a la ciudad, el pueblo o el cliente. El emperador romano se relacionaba de este modo con los principales administradores públicos, quienes, a su vez, trataban de manera análoga a sus inferiores. Idéntico modo de relación existía entre las ciudades y los pueblos, y entre éstos y las aldeas. Fue surgiendo así una red social generalizada de relaciones patrón-cliente, en las que los contactos eran lo más importante. Tener pocos contactos era vergonzoso. En los evangelios, Dios es el patrón supremo y definitivo.

Los *intermediarios* («brokers») se situaban entre los patronos y los clientes. Los recursos de primer orden (tierra, tareas, bienes, fondos, poder) eran controlados por los patronos. Los recursos de segundo orden (contactos estratégicos o acceso a los patronos) eran propios de los intermediarios, que se responsabilizaban de los bienes y servicios que un patrono podía ofrecer. Los administradores urbanos servían de intermediarios de los recursos imperiales. También los hombres santos y los profetas podían actuar ocasionalmente de intermediarios. En Mt 8,13 Jesús actúa como tal para otorgar al siervo del centurión los beneficios del patrón (Dios). En los evangelios, Jesús actúa como intermediario de Dios, pues a través de él tienen acceso los clientes al favor de Dios.

Los *clientes* dependían de la longanimidad de los patronos o de los intermediarios para poder sobrevivir en su sociedad. A su vez, debían lealtad y reconocimiento público de honor. El patronazgo era voluntario, pero se hacía lo posible por convertirlo en vitalicio. El modelo cultivado en Roma desde tiempo inmemorial consistía en tener un solo patrón a quien se debía total lealtad. Sin embargo, en las provincias limítrofes, dada la caótica competencia por clientes/patronos, se convirtió en práctica común contraponer a los patronos entre sí. Observemos cómo, según Mateo y Lucas, no se puede ser cliente a la vez de Dios y del sistema de riqueza/avaricia (Mt 6,24; Lc 16,13).

Aunque los clientes se enorgullecían de ser «amigos» de sus patronos (p.e. Pilato era «amigo del César», Jn 19,12), la amistad se cultivaba normalmente entre iguales; y tener pocos amigos era asimismo vergonzoso. Unidos por relaciones recíprocas, los amigos se sentían obligados a ayudarse mutuamente sobre una base permanente. No así los patronos (o intermediarios), cuyo trato tenía que ser cultivado permanentemente. Los enemigos de Jesús le llaman «amigo» de recaudadores de impuestos y de pecadores (Mt 11,19 Lc 7,34; 15,1-2).

Toda esta galería de actores creo que debería ser «frecuente» en los evangelios. Por lo que respecta al evangelio de Marcos, ver notas a 1,40-45; 2,5; 2,10; 3,13-19; 5,6-7; 5,18-20; 5,24b-34; 6,10-13; 7,24-30; 10,13-16; 10,26-30; 10,35-45; 10,47; 11,9-10.

En el Nuevo Testamento, el lenguaje de la gracia es el lenguaje del patronazgo. Dios es el patrón de última instancia, cuyos recursos son concedidos con generosidad y mediados frecuentemente por Jesús (ver el frecuente comentario de que Jesús hablaba con la autoridad de su patrón, Mt 7,29; 9,8; Mc 1,22; Lc 4,32.36). Mateo y Lucas esperan que los patronos ricos de su comunidad sean generosos, y se muestran extremadamente críticos cuando no lo son (Mt 5,42; 10,8; Lc 12,13-21). Al proclamar que el reino de Dios está cerca (Mc 1,15), Jesús anuncia de hecho la pronta presencia del patronazgo divino en un Israel restaurado. Jesús se sitúa así como intermediario del patronazgo de Dios y se dispone a mediar el favor de Dios curando y expulsando espíritus inmundos (esencialmente en Israel; ver Mc 7,27, donde los «perrillos» gentiles ocupan el segundo lugar). Envía, a su vez, un grupo de su facción, los Doce, para que actúen de intermediarios de la gracia divina (Mc 6,7.12-13). Cuando fracasan, la gente recurre directamente a Jesús (Mc 9,17-18).

En el relato de la curación del criado del centurión (Mt 8,5-13 y Lc 7,1-10), aparece un oficial de alto rango que representaba a Roma; el centurión de esta historia habría actuado con frecuencia como intermediario de los recursos imperiales en favor de la población local. En Lc 7,5 (secuencia I) se nos dice que había actuado así, motivo por el que los ancianos le reconocen como patrón generoso. El centurión envía estos ancianos a Jesús, dando por supuesto que podrán hacer de intermediarios de lo que Jesús puede ofrecer (secuencia 2). Aunque está acostumbrado a dar órdenes a los clientes, hace ver que no pretende hacer de Jesús uno de ellos («No soy digno de que vengas bajo mi techo»), pues lo considera un superior. Sorprendido, Jesús reconoce que el centurión ha depositado su fe en él como intermediario de los recursos de Dios; y por eso cura al siervo.

Todos estos participantes en el juego aparecen en Lc 7,1-10. El diagrama de abajo nos ayudará a clasificar las jerarquías de patronazgo presupuestas en el relato:

JERARQUÍA DE PATRONAZGO

	General		Lucas 7,1-10	
	Roma	Lucas	Secuencia 1	Secuencia 2
Patrón	César	Dios	César	Dios
Intermediario	Élites	Jesús	Centurión	Jesús
Cliente	Ciudadanos	Suplicantes	Ancianos de Israel	Centurión
Beneficio	Bienes	Bienes	Sinagoga	Curación

Sociedades con base en el honor-vergüenza

La frase «ser echados fuera a las tinieblas, donde llorarán y les rechinarán los dientes» (Mt 8,12; 13,42.50; 22,13; 24,51; 25,30; ver Lc 13,28; Hch 7,54) describe una reacción de las personas que han sido públicamente avergonzadas o privadas de su honor. A diferencia de la sociedad occidental, orientada hacia la culpa, el valor central de la sociedad mediterránea del siglo I era el binomio honor-vergüenza. Como ocurre actualmente en las sociedades tradicionales de esa región, también en los tiempos bíblicos el honor lo era todo, incluida la supervivencia. En sus *Cuestiones Romanas* (13,267A; Loeb, *Moralia* 4,25), Plutarco nos dice que la palabra latina «honor» es «gloria» o «respeto/honor» en griego. Son éstos los términos usados en la traducción griega pre-cristiana de la Biblia para traducir la palabra hebrea que significa «gloria». Las versiones castellanas de la Biblia traducen con frecuencia estas palabras por «gloria». La cuestión es que «honor» y «gloria» se refieren a la misma realidad, es decir, al reconocimiento público de la propia dignidad o valor social. Observemos Rom 12,10, donde Pablo aconseja a los cristianos que compitan entre ellos demostrando su honor. El honor constituye un valor nuclear de las sociedades mediterráneas.

Podemos definir con más precisión el honor como el estatus que alguien reclama en la comunidad, junto con el necesario reconocimiento de tal pretensión por parte de los demás. El honor sirve así de indicador de la posición social, que capacita a las personas para tener tratos con sus superiores, iguales o inferiores en los correctos términos definidos por la sociedad.

El honor puede ser *adscrito* o *adquirido*. El honor adscrito deriva del nacimiento: haber nacido en una familia honorable hace a uno honorable a los ojos de toda la comunidad. El honor adquirido, en cambio, es el resultado de la habilidad que uno tenga en el interminable juego de desafío-respuesta. No sólo hay que luchar por conseguirlo; debe hacerse en público, pues toda la comunidad tiene que ser testigo de su adquisición. Reclamar un honor no reconocido por la comunidad es actuar como un loco. Como el honor es un bien limitado, si alguien lo consigue es porque otro lo ha perdido. La envidia queda así institucionalizada, y expone a comentarios hostiles y a una constante presión a quien trata de sobrepujar a sus vecinos.

Los desafíos al propio honor pueden ser positivos o negativos. Hacer un regalo es un desafío positivo, y exige amabilidad como actitud recíproca. Un insulto es un desafío negativo que tampoco puede ser ignorado. El juego desafío-respuesta (⇨ **Desafío-Respuesta**) es algo muy serio, y puede constituir asunto de vida o muerte. Debe ser puesto en práctica en todas las áreas de la vida, y toda la gente del pueblo observa el modo en que cada familia defiende y mantiene su posición.

El honor de la propia familia debe ser defendido a toda costa, pues de él dependen cuestiones básicas: modelos de posibles matrimonios, con quiénes se pueden hacer negocios, a qué funciones puede uno aspirar, dónde puede vivir e incluso qué rol religioso puede desempeñar. Hay que vengar el menor desaire o perjuicio, de lo contrario el honor se pierde definitivamente. Más aún, como la unidad básica de las sociedades tradicionales es más la familia que el individuo, tener una «cara ensombrecida» (*wajh* en árabe, con el significado de «cara sonrojada por haber sido avergonzado»), como dice la gente de los pueblos de Oriente Medio, puede destruir el bienestar de todo un grupo de parentesco.

Es también importante no entender mal la noción de «vergüenza». Uno puede «ser avergonzado», expresión referida al estado, públicamente reconocido, de pérdida del honor. Se trata de una vergüenza negativa. Pero «tener vergüenza» significa preocuparse por el propio honor. Se trata de una vergüenza positiva. Puede ser entendida como la sensibilidad hacia la propia reputación (honor) o hacia la reputación de la propia familia. Se trata de sensibilidad ante las opiniones de otros, por tanto de una cualidad positiva. Carecer de esta vergüenza positiva es ser un «sin-vergüenza» (cf. el término hebreo moderno *chutzpah*, valor clave y virtud nacional de Israel; el término es traducido con frecuencia por «arrogancia», pero significa «sin-vergüenza», es decir, sin vergüenza positiva o interés por el honor). En las sociedades agrarias eran las mujeres quienes desempeñaban el rol de esta vergüenza positiva; de ellas se esperaba que fueran especialmente sensibles a ella y que se la inculcasen a sus hijos. La gente carente de vergüenza, sin la necesaria sensibilidad ante lo que acontece, se convierten públicamente en necios. Observemos la queja de Job 14,21, de que en una familia «los hijos alcanzan honores y no se enteran; caen en desgracia y pasa inadvertido».

El modo en que otros perciben nuestro estatus es tan importante como poseerlo. En la Antigüedad se pensaba que ciertas personas, como prostitutas, mesoneros y actores entre otros, carecían de vergüenza, pues sus ocupaciones proclamaban su falta de sensibilidad hacia el propio honor. No respetaban los límites o normas del sistema del honor y fomentaban, en consecuencia, el caos social.

Especialmente importante es el honor sexual de una mujer. Mientras que el honor masculino es flexible y a veces puede ser recuperado, el honor femenino es absoluto; una vez perdido, desaparece para siempre. Es la contrapartida emocional-conceptual de la virginidad. Cualquier ofensa sexual por parte de una mujer, por mínima que sea, no sólo destruiría su honor, sino también el de todos los varones de su grupo paterno de parentesco. Es interesante observar el orden de las personas de quienes se podía esperar que defendiesen (a muerte) el honor de mujeres jóvenes, incluso de las casadas: hermano(s), esposo, padre. Por lo que respecta a mujeres casadas mayores, los principales defensores de su honor eran los hijos.

Para ilustrar adicionalmente los problemas del honor en Marcos, ver el tema de los puestos de honor en 10,35-45 y el relato del rechazo de Jesús en Nazaret en 6,1-6.

Las tres zonas de la personalidad

Mientras algunas personas con formación filosófica en el mundo greco-romano concebían el ser humano en términos de cuerpo y alma, la gente mediterránea pensaba tradicionalmente en términos de lo que los antropólogos han denominado «zonas de interacción» con el mundo circundante. Estas tres zonas, que constituyen la persona humana, aparecen continuamente en los evangelios: (1) la zona del pensamiento emotivo incluye en un todo voluntad, intelecto, juicio, personalidad y sentimiento. Es la actividad propia de los ojos y el corazón (vista, perspicacia, comprensión, elección, amor, pensamiento, valoración, etc.). (2) La zona del discurso autoexpresivo incluye la comunicación, especialmente la que es autoreveladora: escuchar y responder. Se trata de la actividad de la boca, oídos, lengua, labios, garganta y dientes (hablar, oír, cantar, jurar, maldecir, escuchar; elocuencia, silencio, grito, etc.). (3) La zona de la acción premeditada es la zona de la conducta exterior o interacción con el medio ambiente. Se trata de la actividad de manos, pies, dedos y piernas (caminar, sentarse, estar de pie, tocar, llevar a cabo, etc.).

La actividad humana puede ser descrita a partir de cualquiera de las tres zonas. En Mt 5,27-32, entran en juego dos zonas. Tanto el adulterio como el uso de la «mano derecha» hacen referencia a la zona de la acción premeditada, a la actividad. Mirar, por supuesto, es una función del «ojo», mientras que el aspecto «lascivo» proviene del corazón. Se trata de metáforas independientes (o concebidas en conjunto) relativas a la zona del pensamiento emotivo.

En Mc 8,17-19, entran en juego las tres zonas (en 9,43-47, por ejemplo, están implicadas dos). En v. 17, Jesús usa su corazón para entender y la boca para hablar. «Corazón endurecido» quiere decir incapacidad para pensar, percibir y valorar justamente. Corazones endurecidos son corazones que no funcionan bien, en gran parte debido a la mala voluntad. En v. 18 Jesús menciona los ojos, que proporcionan información al corazón; capaz de recordar. El v. 19 habla de partir el pan, zona de acción de manos-pies.

En Lc 11,33-36, entra en juego una sola zona. El «ojo» es una metáfora de la zona del pensamiento emotivo.

Cuando un escritor habla de las tres zonas, podemos dar por supuesto que su comentario alude a la experiencia humana completa. Juan escribe: «lo que era desde el principio, lo que hemos oído, lo que hemos visto con nuestros ojos, lo que hemos contemplado y tocado con nuestras manos, referente a la palabra de vida...» (1 Jn 1,1). Se trata de una formulación semita que implica totalidad, «cuerpo y alma», como diríamos nosotros. En la segunda parte del Sermón del Monte se presta asimismo especial atención a las tres zonas: ojos-corazón (Mt 6,19-7,6), boca-oídos (7,7-11) y manos-pies (7,13-27). Lo mismo ocurre con la parábola del sembrador en Lc 8,11-15. Otros ejemplos adicionales en Éx 21,24; 2 Re 4,34; Prov 6,16-19; Dn 10,6.

Viuda

El término hebreo traducido por «viuda» tiene el matiz de silencio, de alguien que no puede hablar. En una sociedad en que los varones desempeñaban el rol público y donde las mujeres no podían hablar por sí mismas, la posición de una viuda (especialmente

si le quedaba algún hijo mayor sin casarse) era de extrema vulnerabilidad. Si no tenía hijos, podía volver a la familia paterna (Lv
22,13; Rut 1,8) siempre y cuando gozara de esa posibilidad. Las
viudas jóvenes eran consideradas un peligro potencial para la comunidad y se les apremiaba a casarse (cf. 1 Tim 5,3-15).

Excluidas por la ley israelita de la perspectiva de la herencia, las
viudas se convirtieron en estereotipo de los explotados y oprimidos. En el Antiguo Testamento es persistente la crítica del duro trato padecido por estas mujeres (Dt 22,22-23; Job 22,9; 24,3; 31,16;
Sal 94,6; Is 1,23; 10,2; Mal 3,5). Existen también textos en los que se
las considera bajo la especial protección de Dios (Dt 10,18; Sal 68,5;
Jr 49,11; ver también Dt 14,29; 24,17.19-21; 26,12; Lc 20,47; Sant
1,27).

Apéndice: La tradición judía y la tradición cristiana

Se dice con frecuencia que Mateo es el más «judío» de todos los
evangelios. Muchos pretenden ver en el evangelio de Mateo el punto de partida de la tradición «judeo-cristiana». Aprovechando este
apéndice, nos gustaría hacer ver que tal designación es falsa sin
más. En el mundo mediterráneo del siglo I no había nada «judío», y
probablemente nada que pudiésemos llamar «tradición judeo-cristiana». Hacemos estas precisiones no por retorcidos, sino por precisión histórica, teniendo en cuenta sobre todo la naturaleza propa-
gandística que la etiqueta «judeo-cristiano» se ve obligada a llevar
en los Estados Unidos.

Tampoco el monoteísmo europeo que surgió con el primitivo
Cristianismo y que fue luego articulado en el Medioevo puede ser
considerado parte de la tradición judeo-cristiana, aunque sólo sea
porque el «judaísmo normativo» (es decir, la tradición distintiva-
mente «judía») no surge al menos hasta el siglo IV d.C. (Jacob
Neusner). El judaísmo se origina al mismo tiempo que las élites
cristianas discutían sobre la relación de Jesús con Dios, las llamadas
controversias cristológicas. Por supuesto, ambas tradiciones hun-
den sus raíces en el mundo israelita postexílico de la Palestina del
siglo I.

Como las palabras, lo mismo que el lenguaje, extraen sus significados de los sistemas sociales, los traductores e intérpretes de la
Biblia son esencialmente anacrónicos cuando aseguran que la palabra griega neotestamentaria *Ioudaios* significa «judío» y que *Ioudaismos* significa «judaísmo» en el sentido de condición judía. En

realidad, *Ioudaios* significa «de, o perteneciente a, Judea»; *Ioudaismos* hace referencia a la conducta típica y particular de la gente de Judea. La «judaidad» y quienes la representan, los «judíos», constituyen un fenómeno posterior al siglo IV, relacionado con la tradición judía del Talmud y de la estructura rabínica.

Además, para que se ponga en marcha una tradición judeo-cristiana es necesaria una interacción entre la tradición cristiana y los judíos, y viceversa. Pero tal tipo de interacción en un sentido positivo y constructivo, que pudiera haber formado una tradición judeo-cristiana,, no tuvo lugar hasta después de la Ilustración europea del siglo XVIII. Finalmente, la referencia real a una tradición común judeo-cristiana surge sólo en el norte de Europa durante el siglo XIX.

El hecho es que, para bien o para mal, la tradición religiosa en vigor en los Estados Unidos es la euro-cristiana. En sus raíces nos encontramos con el monoteísmo proporcionado por la monarquía imperial romana, la estructura social que sirvió de analogía a esta perspectiva religiosa cristiana fundamental. Así, el Dios revelado con la llegada de Jesús de Nazaret, un galileo de la casa de Israel, es el Dios de toda la humanidad, que en la tradición israelita fue percibido recurriendo a la analogía con un dios étnico, YHWH.

Bibliografía

Barraclough, Geoffrey, *Main Trends in History,* Nueva York: Holmes & Meier 1978.

Boissevain, Jeremy, *Friends of Friends: Networks, Manipulators and Coalitions,* Nueva York: St. Martin's Press 1974.

Burke, Peter, *Sociología e historia,* Alianza, Madrid 1987.

Carney, Thomas F., *The Shape of the Past: Models and Antiquity,* Lawrence, Kans.: Coronado Press 1975.

De Langhe, R., «Judaïsme ou hellénisme en rapport avec le Nouveau Testament», en *L' Attente du Messie,* Lovaina: Desclée de Brouwer 1953, pp. 154-183.

Elliott, John, «Social Scientific Criticism of the New Testament: More on Methods and Models», *Semeia* 35 (1986) 1-33.

— «Patronage and Clientism in Early Christian Society: A Short Reading Guide», *Forum* 3/1 (1987) 39-48.

— «The Fear of the Leer: The Evil Eye From the Bible to Li'l Abner», *Forum* 4/4 (1988) 42-71.

— *Un hogar para los que no tienen patria ni hogar. Estudio crítico social de la Carta Primera de Pedro y su situación y estrategia,* Estella. Verbo Divino 1995.

— «Household and Meals vs. Temple Purity: Replication Patterns in Luke-Acts», *Biblical Theology Bulletin* 21 (1991) 102-108.

— «Temple Versus Household in Luke-Acts: A Contrast in Social Institutions», en Jerome H. Neyrey (ed.), *The Social World of Luke-Acts: Models for Interpretation,* Peabody, Mass.: Hendrickson 1991, pp. 211-240.

— «The Evil Eye in the First Testament: The Ecology and Culture of a Pervasive Belief», en David Jobling et al. (eds.), *The Bible and the*

Politics os Exegesis: Essays in Honor of Norman K. Gottwald on His Sixty- Fifth Birthday, Cleveland: Pilgrim Press 1991, pp. 147-159.

Eisenstadt, Sh. - Louis Roniger, *Patrons, Clients, and Friends: Interpersonal Relations and the Structure of Trust in Society,* Cambridge: University Press 1984.

Gilmore, David D. (ed.), *Honor and Shame and the Unity of the Mediterranean,* Washington, D.C.: American Anthropological Association 1987.

Halliday, Michael A.K., *Language as Social Semiotic: The Social Interpretation of Language and Meaning,* Baltimore: University Park Press 1978.

Hanson, K.C., «The Herodians and Mediterranean Kinship: Part I: Genealogy and Descent», *Biblical Theology Bulletin* 19 (1989) 75-84.

— «The Herodians and Mediterranean Kinship: Part II: Marriage and Divorce», *Biblical Theology Bulletin* 19 (1989) 142-151.

— «The Herodians and Mediterranean Kinship: Part III: Economics», *Biblical Theology Bulletin* 20 (1990) 10-21.

Hollenbach, Paul W., «Jesus, Demoniacs, and Public Authorities: A Socio-Historical Study», *Journal of the American Academy of Religion* 49 (1981) 567-588.

McMullen, R., *Roman Social Relations 50 B.C. to A.D.,* New Haven: Yale University Press 1974.

McVann, Mark, «Rituals of Status Transformation in Luke- Acts: The Case of Jesus the Prophet», en Jerome H. Neyrey (ed.), *The Social World of Luke-Acts: Models for Interpretation,* Peabody, Mass.: Hendrickson 1991, pp. 333-360.

Malina, Bruce J., «What is Prayer?», *The Bible Today* 18 (1980) 214-220.

— «The Apostle Paul and Law: Prolegomena for an Hermeneutic», *Creighton Law Review* 14 (1981) 1305-1339.

— *El mundo del Nuevo Testamento. Perspectivas desde la antropología cultural,* Estella: Verbo Divino 1995.

— «The Social Sciences and Biblical Interpretation», *Interpretation* 37 (1982) 229-242. Reim. en Norman K. Gottwald (ed.), *The Bible and Liberation,* Maryknoll, N.Y.: Orbis 1993, pp. 11-25.

— «Why Interpret the Bible with the Social Sciences», *American Baptist Quarterly* 2 (1983) 119-133.

— «Jesus as Charismatic Leader?», *Biblical Theology Bulletin* 14 (1984) 55-62.

— *Christian Origins and Cultural Anthropology: Practical Models for Biblical Interpretation,* Atlanta: John Knox 1986.

— «Normative Dissonance and Christian Origins», en John H. Elliott (ed.), *Social-scientific Criticism of the New Testament and Its Social World, Semeia* 35 (1986) 35-59.

— «The Received View and What It Cannot Do: III John and Hospitality», en John H. Elliott (ed.), *Social- scientific Criticism of the New Testament and Its Social World, Semeia* 35 (1986) 171-194.

— «Religion in the World of Paul: A Preliminary Sketch», *Biblical Theology Bulletin* 16 (1986) 92-101.

— «Wealth and Poverty in the New Testament and Its World», *Interpretation* 41 (1987) 354-367.

— «Patron and Client: The Analogy Behind Synoptic Theology», *Forum* 4/1 (1988) 1-32.

— «Mark 7: A Conflict Approach», *Forum* 4/3 (1988) 3- 30.

— «Christ and Time: Swiss or Mediterranean», *Catholic Biblical Quarterly* 51 (1989) 1-31.

— «Dealing with Biblical (Mediterranean) Characters: A Guide for U.S. Consumers», *Biblical Theology Bulletin* 19 (1989) 127-141.

— «Mother and Son», *Biblical Theology Bulletin* 20 (1990) 54-64.

— «Reading Theory Perspective: Reading Luke-Acts», en Jerome H. Neyrey (ed.), *The Social World of Luke-Acts: Models for Interpretation*, Peabody, Mass.: Hendrickson 1991, pp. 3-23.

— «Interpretation: Reading, Abduction, Metaphor», en David Jobling et al. (eds.), *The Bible and the Politics of Exegesis: Essays in Honor of Norman K. Gottwald on His Sixty-Fifth Birthday*, Cleveland: Pilgrim Press 1991, pp. 253-266.

Malina, Bruce J. - Jerome H. Neyrey, *Calling Jesus Names: The Social Value of Labels in Matthew*, Sonoma, Calif.: Polebridge Press 1988.

— «Honor and Shame in Luke-Acts: Pivotal Values of the Mediterranean World», en Jerome H. Neyrey (ed.), *The Social World of Luke-Acts: Models for Interpretation*, Peabody, Mass.: Hendrickson 1991, pp. 25-65.

— «First-Century Personality: Dyadic, Not Individual», en Jerome H. Neyrey (ed.), *The Social World of Luke- Acts: Models for Interpretation*, Peabody, Mass.: Hendrickson 1991, pp. 67-96.

— «Conflict in Luke-Acts: A Labeling-Deviance Model», en Jerome H. Neyrey (ed.), *The Social World of Luke- Acts: Models for Interpretation*, Peabody, Mass.: Hendrickson 1991, pp. 97-122.

Moreland, Richard L. - John M. Levine, «Group Dynamics Over Time: Development and Socialization in Small Groups», en Joseph E. McGrath (ed.), *The Social Psychology of Time: New Perspectives*, Newbury Park: Sage Publications 1988, pp. 151-181.

Moxnes, Halvor, *The Economy of the Kingdom: Social Conflict and Economic Relations in Luke's Gospel*, Filadelfia: Fortress Press 1988.

— «Patron-Client Relations and the New Community in Luke-Acts», en Jerome H. Neyrey (ed.), *The Social World of Luke-Acts: Models for Interpretation*, Peabody, Mass.: Hendrickson 1991, pp. 241-268.

Neyrey, Jerome H., «Body Language in I Corinthians: The Use of Anthropological Models for Understanding Paul and His Opponents», *Semeia* 35 (1986) 129-170.

— «The Idea of Purity in Mark's Gospel», *Semeia* 35 (1986) 81-128.

— «A Symbolic Approach to Mark 7», *Forum* 4/3 (1988) 63-92.

— «Unclean, Common, Polluted, and Taboo: A Short Reading Guide», *Forum* 4/4 (1988) 72-78.

— «Bewitched in Galatia: Paul and Cultural Anthropology», *Catholic Biblical Quarterly* 50 (1988) 72-100.

— *An Ideology of Revolt: John's Christology in Social Science Perspective*, Filadelfia: Fortress Press 1988.

— «The Symbolic Universe of Luke-Acts: 'They Turn the World Upside Down'», en Jerome H. Neyrey (ed.), *The Social World of Luke-Acts: Models for Interpretation*, Peabody, Mass.: Hendrickson 1991, pp. 271-304.

— «Ceremonies in Luke-Acts: The Case of Meals and Table-Fellowship», en Jerome H. Neyrey (ed.), *The Social World of Luke-Acts: Models for Interpretation*, Peabody, Mass.: Hendrickson 1991, pp. 361-387.

Oakman, Douglas, *Jesus and the Economic Questions of His Day*, Queenston, Ont.: Edwin Mellen Press 1986.

— «The Ancient Economy in the Bible: BTB Readers Guide», *Biblical Theolgy Bulletin* 21 (1991) 34-39.

— «The Countryside in Luke-Acts», en Jerome H. Neyrey (ed.), *The Social World of Luke-Acts: Models for Interpretation*, Peabody, Mass.: Hendrickson 1991, pp. 151-180.

Osiek, Carolyn, «The New Handmaid: The Bible and the Social Sciences», *Theological Studies* 50 (1989) 260-278.

Pilch, John J., *Galatians and Romans*, Collegeville, Minn.: Liturgical Press 1983.

— «Healing in Mark: A Social Science Analysis», *Biblical Theology Bulletin* 15 (1985) 142-150.

— «The Health Care System in Matthew: A Social Science Analysis», *Biblical Theology Bulletin* 16 (1986) 102-106.

— «A Structural Functional Analysis of Mark 7», *Forum* 4/3 (1988) 31-62.

— «Sickness and Healing in Luke-Acts», en Jerome H. Neyrey (ed.), *The Social World of Luke-Acts: Models for Interpretation*, Peabody, Mass.: Hendrickson 1991, pp. 181-210.

— *Hear the Word!* 2 vols., Nueva York/Mahwah: Paulist Press 1992.

Prochaska, James, *Systems of Psychotherapy: A Transtheoretical Analysis*, Homewood, Ill.: Dorsey Press 1979.

Robbins, Vernon, «The Social Location of the Implied Author of Luke-Acts», en Jerome H. Neyrey (ed.), *The Social World of Luke-Acts: Models for Interpretation*, Peabody, Mass.: Hendrickson 1991, pp. 305-332.

Rohrbaugh, Richard, *The Biblical Interpreter: An Agrarian Bible in an Industrial Age*, Filadelfia: Fortress Press 1978.

— «Methodological Considerations in the Debate Over the Social Class of Early Christians», *Journal of the American Academy of Religion* 52 (1984) 519-546.

— «Models and Muddles: Discussions of the Social Facets Seminar», *Forum* 3/2 (1987) 23-33.

— «'Social Location of Thought' as a Heuristic Construct in New Testament Study», *Journal for the Study of the New Testament* 30 (1987) 103-119.

— «The City in the Second Testament: BTB Readers Guide», *Biblical Theology Bulletin* 21 (1991) 67-75.

— «The Pre-Industrial City in Luke-Acts: Urban Social Relations», en Jerome H. Neyrey (ed.), *The Social World of Luke-Acts: Models for Interpretation*, Peabody, Mass.: Hendrickson 1991, pp. 121-151.

Sanford, A.J. - S.C. Garrod, *Understanding Written Language: Explorations of Comprehension Beyond the Sentence*, Nueva York: John Wiley & Sons 1981.

Schmidts, Steffen W. et al. (eds.), *Friends, Followers and Factions: A Reader in Political Clientelism*, Berkeley: University of California Press 1977.

Stegemann, Wolfgang - Luise Schottroff, *Jesus and the Hope of the Poor*, Maryknoll, N.Y.: Orbis Books 1986.

Turner, Jonathan H., *The Structure of Sociological Theory*, ed. rev. Homewood, Ill.: Dorsey Press 1978.

Índice

Índice